운동선수를 위한 인문학

이철원 지음

이 저서는 2017년 정부(교육부)의 재원으로 한국연구재단의
지원을 받아 수행된 연구임(NRF-2017S1A6A4A01019769)

운동선수를 위한

인문학

이철원 지음

연세대학교 출판문화원

일러두기

1 책 제목은 《 》로, 시, 음악명 그리고 영화명은 〈 〉로 표시했습니다.
2 각 하위 장에서 설명하는 책의 경우, 간접 인용은 페이지 표시를 하지 않고, 직접 인용의 경우에만 페이지를 미주에 소개했습니다.
3 특정 책의 직접 인용은 " "로 표시했으며, 미주 부분에 정확한 페이지를 기재했습니다.

“삶은 고통이라는 실로 짠 피륙 같은 것이다”

위 글은 윌리엄 블레이크의 시어입니다. 이 시 구절은 제가 살아가면서 항상 마음에 두고 음미하는 글입니다. 우리의 삶은 항상 행복할 수 없습니다. 살아간다는 것은 고통의 두 줄인, 역경이라는 ‘날줄’과 인내라는 ‘씨줄’이 서로 엮이는 과정이니까요. 그래서 저는 삶이란, 희로애락(喜怒愛樂)이 반복되는 변주곡이라고 생각합니다. 살다보면 즐거울 때도 있고, 슬플 때도 있고, 화가 날 때도 있고, 그리고 힘들 때도 있습니다. 철이 없던 시절에는 인생살이가 만만해 보였지만, 나이가 들면서 멋지게 사는 일이 쉽지 않다는 생각을 자주 합니다. 요즘처럼 디지털 문화가 확산되고, 인공 지능이 우리 삶 깊숙이 들어오는 때에는 잠시 한 눈 팔면 칠흑과 같은 어둠 속에 서 있게 되더군요. 저는 이 어둠 속에서 방황하면서 삶의 의미에 대하여 사유해보게 됩니다. 그래서 “나는 힘들고, 어렵고, 고통으로 점철된 이 삶 속에서 어떻게 살아야 할까?” 라는 질문이 툭하고 등장하기도 합니다. 저는 이 질문에 대한 해답을 ‘공부’에서 찾고자 합니다. 특히, 인문학 공부야 말로 어둠 속에서 길을 찾아 헤매지 않게 하는 묘약입니다.

인문학은 “사람이 그리는 무늬”입니다. 사람이 살아가는 데 필요한 가치, 덕목, 태도, 판단, 공부, 배려, 희망, 선택, 추구, 선과 악, 희로애락, 운명 등을 다루는 터전이 인문학입니다. 인문학의 범위는 아주 방대합니다. 고전 철학, 문학, 예술에서부터 현대 철학이나 비평에 이르기 까지 인간사가 만들어 온 사람의 '흔적'을 다룹니다. 누군가는 5G 시대에 그렇게 고리타분한 책을 읽고 사유할 필요가 있느냐고 말합니다. 저는 5G 시대가 되었기에 저의 '중심'을 잡기 위해 인문학이 필요하다고 여깁니다. 지금이 아니라 향후 100년 후에도 "인간은 어떻게 살아야 하는지?"에 대한 질문은 우리 삶에서 우선시 되어야 하는 화두(話頭)라 생각합니다. 이 책은 제가 주로 만나고, 이야기하고, 가르치는 운동선수들의 성숙된 삶을 위해 인문학을 이야기하고자 했습니다. 저는 운동선수의 풍요로운 삶을 위해서 인문학 공부를 해야 한다고 믿는 사람입니다.

이 책은 제목 그대로 '운동선수를 위한 인문학'에 대한 이야기를 하고자 합니다. 집필하게 된 동기는 2016년부터 사회적으로 담론화 되기 시작한 공부하는 운동선수들에 대한 시대적 요구와 관련이 있습니다. 한국 사회의 중등학교나 대학의 운동선수들은 '학생선수'라는 모호한 이름으로 명명되며, 사회의 승리 지상주의 문화 속에서 학습권을 상실한 채에 운동에만 전념할 수밖에 없습니다. 한국 사회는 LPGA 메이저 골프대회에서 우승한 선수에게 최고의 찬사를 보내지만, 반대로 대학에 소속된 그녀의 학업에 대해서는 의혹의 눈초리를 보냅니다. 이러한 '이중 잣대' 스포츠 문화 속에서 운동선수들을 공부하기도, 또한 운동하기도 쉽지 않습니다. 기성세대는 학업과 운동을 병행할 수 있는 문화를 만들어야 합니다. 이제는 운동선수에 대한 패러다임이 바뀌어야 할 때입니다. 성과주의, 실적주의, 민족주의와 같은 스포츠를 둘러싼 외적 가치보다 더 중요한 것은 운동을 하고 있는 우리 아이들의 평생의 삶 아닐까요?

이 책에서는 인문학의 수많은 주제 중에서 '공부'와 '행복'이라는 주제를 다루고자 했습니다. 초등학교 때부터 야구를 시작한 학생선수가 프로 1군에 들어갈 확률은 4% 정도입니다. 축구에서는 그보다 낮은 3% 정도이지요. 이 정도의 확률이라면 초등학교 때부터 대학까지 계속 운동을 한 96%의 학생 선수들은 무엇을 해야 하나요? 그들에게 필요한 것은 운동과 더불어 공부에 대한 의식 고취라고 생각합니다. "공부가 무엇인지?", "왜 공부해야 하는가?", "어떻게 책을 읽어야 하는 지?", "책을 통해 어떤 변화가 일어나지?"와 같은 질문은 그들에게는 낯선 물음입니다. 공부를 안 한다고 해도 모두가 불행한 것은 아닙니다. 그러나 공부가 행복할 가능성을 높여주는 것은 틀림없습니다. 시험을 위한 공부, 취업을 위한 공부, 자격증을 위한 공부가 아닌, 인간의 삶의 깊이와 내공을 파악할 수 있는 공부는 사람의 인생을 달라지게 합니다. 이러한 맥락 하에서, 저는 운동선수들이 알아야 하는 공부는 무엇이고, 어떻게 해야 하고, 이를 통해 "어떻게 행복한 삶을 살아갈 수 있지?"라고 계속 질문을 하고 글을 써내려갔습니다. 이 책에서는 백 편 가까운 인문학 책들을 소개하고 있습니다. 저는 그 책들을 요약하거나, 정리하지는 않았습니다. 그 책들을 읽고, 정리하고, 다시 읽고, 밑줄 친 부분을 읽고, 필사하고, 정리하고, 다시 읽고, 쓰고, 고쳐 쓰는 시간을 거치면서 스포츠학자의 '사유'를 녹여내보고자 하였습니다. 그러면서 유념한 것은 청년들, 스포츠를 공부하는 학도들, 운동선수들이 읽었으면 하는 인문학 텍스트의 보고(寶庫)들을 발취하고, 발견하여 서로 공유하고자 했습니다. 여기서 소개하는 책들의 단 몇 권이라도 독자들이 관심을 갖고 다시 읽을 수 있다면 제 집필은 성공이라고 생각합니다.

이 책이 운동선수들의 삶의 전환을 위한 변혁의 기회가 되었으면 합니다. 이 책을 읽은 그 선수, 그 지도자, 그 선생님 한 사람으로부터 시작된 작은 변화가 우리 스포츠 문화 전체를 향한 '울림'이 되기를 기대해 봅니다. 니체는 모든 출판사에서 거절을 당해《차라투스트라는 이렇게 말했다》의 최종부인 제4부를 자비로 40권의 책을 찍었으며, 지인들에게 단지 7권만 책을 보냈습니다. 위대한 저작물이 이 세상에 단 7권만이 존재하는 거지요. 니체는 지병으로 대학 교수를 그만두고, 바그너의 지인들에게 중상모략을 당해서 정신적으로 힘들어 했으며, 결국에는 정신병원에서 쓸쓸한 죽음을 맞았습니다. 그 단 7권의 책은 현대 철학사를 바꾸었습니다. 그 책에서의 '초인'이라든지, '거리의 파토스'와 같은 개념은 현대 사상의 지평을 넓혔습니다. 세상에서 빛도 보지 못할 뻔한 책이 현대 사상의 흐름을 바꾸었습니다. 니체가 있었기에 들뢰즈, 가타리, 푸코, 라캉, 바디우와 같은 위대한 사상가들이 탄생할 수 있었죠. 저는 지금은 작아 보이는 책 한 권이 후일 누군가의 삶에서 보석으로 자리 잡을 수 있다고 믿습니다. 일본 철학자 사사키 아타루는 이렇게 말합니다.[1]

"언제가 이 세계에 변혁을 초래할 인간이 찾아올 것이다. 그 인간에게도 방황하는 밤이 있을 것이다. 그 밤에 문득 펼쳐본 책 한 줄의 미미한 도움으로 변혁이 가능해질지도 모른다. 그 하룻밤, 그 책 한 권, 그 한 줄로 혁명이 가능해질지도 모른다. 그렇다면 우리가 하는 일은 무의미하지 않다. 결코 무의미하지 않다. 그 극소의, 그러나 절대 제로가 되지 않는 가능성에 계속 거는 것."

책 한 권, 한 단락, 아니 한 줄이 한 사람을 바뀌게 하고, 역사를 바꿀 수 있습니다. 제가 주장하는 운동선수들에게 공부를 권하고, 행복한 삶을 영위하게 인도하자는 명제는 결코 '무의미'한 일이 아닙니다. 저의 소망은 졸저인 이 책의 한 부분이 단 한 사람이라도 좋으니 누군가의 삶을 강하게 두드렸으면 합니다. 카프카의 말을 다시 한 번 음미해봅니다.

"책은 우리 안에 있는 꽁꽁 얼어버린 바다를 깰 수 있는 도끼가 되어야 한다."

이 책이 우리 안에 얼어버려 미동(微動)조차 하지 않는 그 편견과 오만을 깰 수 있는 도끼가 되기를 소망합니다. 운동선수의 삶에 던지는 이 메시지가 지금은 미약하더라도 나중에는 그들 삶을 바꾸고, 낡아버린 관점을 바꾸고, 나아가 사회 변혁의 신호탄이 되기를 또한 기대합니다.

지금도 그 어디선가 구슬땀을 흘리며 운동에 매진하고 있는 대한민국의 모든 운동선수들에게 이 졸저를 바칩니다.

신촌 연구실에서

이철원

차례

| 제2부 | 행복

제1부

공부

제 1 장

공부란 무엇인가?

01
공부는 나를 성장시킨다

《공부는 망치다》, 유영만, 나무생각, 2016.

인간은 무엇으로 성장하는가? 우리는 학습을 통해 '문화'를 만들고, 다듬고, 깨치고, 그리고 성숙시킨다. 여기서 말하는 문화는 우리 삶의 양식을 말한다. 로저 카이와는 인간을 '호모 루덴스'라고 지칭하였다. 우리는 놀이를 통하여 문화를 창조하는 개체라는 뜻이다. 인간에게 공부는 "삶과 일이 옳음을 중심으로 일체가 되어 가는 과정"[2]이다. 우리에게 공부가 필요한 이유는 '인간답게' 살기 위함이다. 살면서 옳음과 그름에 대한 판단기준이 없다면 인간답게 살 수가 없다. "어떻게 살아야 하는가?"에 대한 근원적인 질문을 던지고 해답을 찾기 위해서 공부라는 과정을 거쳐야 한다.

공부가 무엇인지를 알기 위해서는 이를 왜 해야 하는지에 대해 살펴봐야 한다. 공부의 목적은 생각 전환이다. 우리는 생각을 그냥 바꾸는 것이 아니라, 획기적으로 바꾸기 위하여 공부를 해야 한다. 유영만의 말대로, 공부는 "생각의 고치 안에 안주하고 있는 생각을 망치로 깨부수는 고통스러운 과정이다"[3] 고정된 생각은 위험하다. 하나의 관점으로만 세상을 보는 것 보다 위험한 일은 없다. 그래서 가장 위험한 사람은 한 가지 생각만이 옳다고 우기는 사람이다. 생각을 망치로 깨기 위해서는 용기가 필요하다. 인간은 관성(慣性)의 동물이다. 근본적으로 현실에 안주하고자 하는 욕구가 인간의 기본 욕망이라는 것이다. 변화를 두려워하는 마음에서 벗어나 자리를 박차고 일어날 수 있는 힘은 공부로의 의지에서 나온다. 공부를 통하여 고정된 생각을 바꾸면 '자기다움'이 무엇인지를 알 수 있다.

철학자 롤랑 바르트는 사유는 지식의 축적이나 확인이 아니라고 하였다. 그에게 사유(思惟)는 "자기 자신에서 철저하게 분리"되는 과정이다. 그는 콜레주 드 프랑스의 교수 취임 연설에서 니체의 말을 빌려, "망각에 자신을 맡기려 한다. '탐구'란 배운 것을 잊어버리는 것, 망각이 우리에게 스며들어 있는 지식, 문화, 신념의 침전물에 선사하는 예측 불가능한 변화에 굴복하는 것"이라고 했다[4]. 진정한 탐구라는 것은 기존에 내가 가진 것을 다 버리고 새로운 것을 받아들여 녹여버리는 일이다. 공부는 아는 것들을 나열하는 것이 아니라, 버릴 것은 버리고 "예측 불가능한 변화"에 그냥 승복하는 것이다. 우리가 내가 가진 편견, 신념을 타파할 때부터 공부가 시작된다.

공부를 위해서는 '배움'에 익숙해져야 한다. 운동선수들은 '훈련'에는 익숙해 있다. 그들은 운동에서의 기술 훈련과 다르게 앉아서 해야 하는 지적 사유에는 등한시하고 있다. 공부의 힘은 엉덩이에서 나온다는 말이 있다. 공부를 위해서는 우선 책상에 앉아서 나와 개념 사이의 투쟁을 벌여야 한다. 프랑스 철학자 들뢰즈는 '배움'에 대하여 어떠한 기호들이 마주치는 공간을 만들어가는 것으로 정의하고 있다. 유영만은 '기호'란, 배움의 과정 중에서 특정 사물이 학습자에게 보내는 신호라고 하였다. 나무에 대하여 배우는 사람에게 기호는 나무가 말하는 내면 이야기이다. 기호를 인식하고 이해하는 과정은 공부의 중요 과정이라 할 수 있다.

공부를 잘하기 위해서는 의지가 필요하다. 장권수씨는 고등학교를 졸업 하기전 까지 야구 선수였다. 초등학교 3학년 때부터 야구를 해왔던 그는 LG트윈스의 선수가 되는 것이 지상 최대의 목표였다. 고3 때에 타율은 2할대에 머물고 176cm의 체격조건이 프로야구 구단과 계약하기에 제약이었다. 야구글러브를 접고 그해 가을 대학 입시를 치른 그는 수능 400점 만점에서 70점을 받아 대학 진학을 포기해야만 했다. 고교 졸업 때 전교 꼴찌였던 그는 1년 동안 대입 준비를 하여 가톨릭대학 언어문화학부에 입학했다. 중간에 전공을 법학으로 바꿔 사법시험에 도전한 그는 9년 만에 사시에 합격한다. 처음 대입 시험에 도전할 때에는 중학교 수학 문제집부터 풀기 시작했다 한다. 대입 시험을 위해 매일 새벽 서울 대림동 집을 나가 밤 10시에 학원 문이 닫을 때까지 공부에 매진했다고 한다. 군대 전역 후에는 법대 수업을 듣기 시작한 그는 2008년부터 본격적으로 고시 공부를 시작했다. 한 과목에 20 - 30만원하는 고시 학원 수업을 들을 형편이 안 되어 독학으로 2년간 사시 공부를 했다. 야구를 하면서 몸에 익힌 규칙적 생활 습관과 집중력으로 2015년 사시 1차를, 2016년에 사시 2차를 합격하게 된다. 그것도 109명의 합격자 중에서 18등의 기적을 이루었다[5]. 장권수씨의 성공은 바로 공부에 대한 의지에서 나왔다고 본다. 나는 학생 선수들 모두 공부에 대한 생각, 또는 패러다임을 바꾼다면 장권수씨와 같은 성공을 거둘 수 있다고 생각한다. 운동선수 출신이 이와 같은 성공을 이루기 위해서는 "공부가 무엇인지?", "공부를 왜 하는지?", "공부의 즐거움이 무엇인지?", "공부를 통해 나의 삶이 어떻게 바뀌는지?" 와 같은 질문에 대한 답을 주어야 한다.

공부에 대한 필요성은 생의 '불예측성'에서 나오는 것이 아닐까? 수필가 전혜린은 운명의 비예측성에 대하여 이렇게 말한다. "운명은 아무도 예측할 수 없는 곳으로 우리를 데리고 간다. 우리의 의식은 우리가 생각하는 것처럼 자유롭지 않다. 우리가 생을 형성하는 것이 아니라 생이 우리를 형성하는 경우가 대부분이다. 예기치 않았던, 때로는 소망치 않는 방향과 형식 속에 생이 형성해 놓는다."[6] 우리 앞의 펼쳐진 생이 존재의 갈 길을 형성하는 가운데 우리가 할 수 있는 일은 무엇인가? 그 답을 공부에서 찾아야 한다고 본다. 존 러스킨은 인생의 의미에 대하여"인생은 흘러가는 것이 아니고 채워지는 것이다. 우리는 그냥 하루하루를 소일하는 것이 아니라, 내가 가진 그 무엇들로 채워나가는 것이다"라고 했다. 내가 가진 그 '무엇'을 위해 나는 공부를 해야 한다. 내가 가진 밑천이 부족하면 내 삶의 그림을 다양하게 그릴 수 없기 때문이다.

공부는 어떻게 해야 하는가? 진정한 공부는 머리로만 하는 것은 아니다. 진정한 공부는 "체험적 지혜"가 녹아내려야 한다. 체험은 책상에서 글만 읽어서 되는 것이 아니라, 현실 속에서 얻어지는 의미를 담아야 하는 경험이다. 유영만은 스시 장인 안효주를 체험적 깨달음을 실천한 사람으로 평가한다. 안효주 장인은 초밥을 만들 때에 어김없이 밥알 350개를 쥔다. 이는 안효주 장인이 무수한 연습을 통하여 감각을 익혔기에 가능한 것이다. 공부는 이와 같이 체화된 무엇인가를 일상에서 발현(發現)되게 한다.

신영복의 저서 《처음처럼》에는 영화 〈죽은 시인의 사회〉의 마지막 장면을 잘 설명하고 있다. 결국 학교를 떠나게 된 존 키팅 선생님을 배웅하기 위해서 학생들은 선생님에 대한 감사의 표시로 모두가 책상에 올라간다. 학생들의 이런 모습에 대하여 신영복은 "책상 위에 올라서서 더 멀리, 더 넓게 생각하는 것이 진정한 공부"[7]라 하였다. 신영복에 의하면, 책상은 사회의 지배이데올로기를 주입하는 거대한 정치적 수단을 상징하고, 이 책상 위에 과감하게 올라서는 것은 "독립"이다. 진정한 공부는 고착된 관념에 대하여, 편견에 대하여, 잘못된 체계에 대한 '저항'이다. 그 저항이 세상을 바꾼다.

세상을 객관적으로 보는 법은 어렵다. 우리가 어떤 판단을 내릴 때에 객관적으로 봐야 현상에 대한 올바른 판단을 내릴 수 있다. 철학자 안광복은 객관적으로 현상을 보기 위해서 세 가지를 제시 한다[8]. 첫째, 사실 자체를 온전하게 파악해야 한다. 감정과 평가가 담긴 말을 제거하고 현실에 직시해야 한다. 예를 들어, "아무리 힘들어도 150년을 이어온 우리 회사를 살려야 합니다"라는 말이 있다. 여기서 중요한 점은 회사를 살리자가 아니다. 중요한 점은 현재 왜 어려운가?, 이를 극복할 방도는 있는지?, 현재 상황에서 원인과 결과는 무엇인지? 를 냉철하게 파악하는 일이다. 둘째, 내가 바라는 것이 무엇인지가 명료하게 해야 한다. 우리는 99%가 의심이 가더라도 간절한 1% 때문에 판단이 흐려진다. 자기 욕심을 걷어내고 냉철하게 바라볼 때에 현상을 객관적으로 볼 수 있다. 셋째, 발생 가능한 최악의 결과를 확인해야 한다. 최악의 결과를 미리 예측 할 때에 그에 따른 다양한 선택이 가능하다. 지금 양자택일의 길에 있다면, 어느 것을 선택하여 결과의 기회비용이나 만족도가 예측 가능할 때에는 별로 두렵지 않다. 공부는 우리가 객관적인 관점을 취하도록 도움을 준다. 고전 텍스트에는 내가 살아보지 못한 삶을 살다간 다양한 인물들의 선택이 나온다. 이들의 기로에 선 선택들은 내 일상에서의 선택에 많은 도움을 준다.

유영만은 올바른 공부를 위하여 책 읽는 방법에 대하여 여러 가지 각도로 설명한다. 그에 따르면, 책을 읽는 방법은 두 가지이다. 첫 번째는 책의 내용을 있는 그대로 이해하는 것이다. 두 번째는 저자의 메시지에 대하여 나의 기존 지식으로 해석해내고, 지식의 지평을 넓히고자 한다. 여성학자 정희진에 따르면, 책은 두 가지 형태로 의미 인식이 가능하다고 한다. "하나는 습득이고, 하나는 지도그리기(mapping)이다. 전자는 말 그대로 책의 내용을 익히고 내용을 이해해서 취하는 것이다. 별로 효율적이지 않다. 반면 후자는 책 내용을 익히는 데 초점이 있기보다는 읽고 있는 내용을 기존의 자기 지식에 배치하는 것이다."[9] 책을 통한 머릿속의 효율적 "지도그리기"는 지식을 객체가 아닌, 주체적으로 인식하게 한다.

진정한 공부를 위해서는 책을 다양하게 읽는 것에서 비롯된다. "전공 책이나 일과 직접 관련되는 책만 읽을 것이 아니라 관계없다고 생각되는 전혀 다른 분야의 책, 경계를 넘나드는 독서가 경지에 이를 수 있는 새로운 지적 자극을 준다"[10]고 유영만은 이야기한다. "경계를 넘나드는 독서"는 한 영역에 고정되지 않는 책 읽기이다. 운동선수라면 운동 기술에 대한 책과 더불어 심리학에 대한 책을 읽어 운동 현장에 대한 폭 넓은 이해와 적용을 해야 한다.

진정으로 행복한 사람은 "쉬지 않고 공부하는 사람"이라는 저자의 말대로, 공부하는 진짜 이유는 행복하기 위해서이다. 공부를 통해서 행복을 발견하는 자는 힘듦 가운데서 복을 얻는 자이다. 운동선수가 공부하는 이유는 크게 두 가지이다. 첫째, 세상일에 대하여 판단하는 능력을 키우기 위함이다. 이 공부는 단순 암기하는 식의 지식 습득이 아니라, 지식을 안으로 체화하는 것이다. 우리가 부딪치는 수 많은 사건과 사고 속에서 올바른 판단을 내리기 위해서는 판단의 기준을 잘 설정해야 한다. 그를 위해 공부가 필요하다. 우리는 과거 유명한 운동선수들이 은퇴 후에 음주사건, 도박, 사기, 사기, 배임, 강도, 횡령 등으로 나락으로 추락하는 일들을 자주 목격했다. 이러한 일들이 일어나는 결정적 배경은 나에게 닥친 상황에 대한 판단 부족, 또는 판단 착오 때문이다. 둘째, '나답게' 살기 위해서 공부가 필요하다. 세상의 온갖 유혹이 와도 흔들리지 않는 중심은 '나 다움'에서 나온다. 나의 정체성을 찾기 위해서 공부가 필요하다. 공부는 책상에 앉아 엉덩이에 굳은 살이 박힐 때까지 해야 한다. 그럴 때에 야구선수 출신으로 사법시험 합격의 영예를 안은 장권수씨와 같이 목적을 이룰 수 있다. 운동선수의 이상적인 그림은 운동과 공부의 적절한 균형이 삶 속에 녹아있을 때이다.

이 책은 공부의 정체성, 공부의 목적, 공부하는 방법과 공부의 방향성에 대하여 잘 다루고 있다. 공부가 무엇인지와 어떻게 공부를 해야 할 지에 대하여 잘 소개하고 있다.

함께 읽으면 도움이 되는 책

- 정민, 《오직 독서뿐》, 김영사, 2013.
- 정여울, 《공부할 권리》, 민음사, 2016.

02
창조성 배양은 인문학적 성찰에서 가능하다

《인문학으로 창조하라》, 김상근 외, 멘토프레스, 2013.

지금의 사회적 화두는 '창의력'이다. 그래서인지 몰라도 애플, 구글, 사스(미국의 통계회사)와 같은 창의적 성과를 내고 있는 회사에 대한 소개와 벤치마킹이 하루가 멀다 하고 신문 기사로 등장한다. 사실 한국 사회는 창의력과는 거리가 멀었다. 내가 살아온 궤적에서도 획일적 문화에 노출되고 틀에 박혀 살기를 강요받았을 뿐, 새로운 시도 혹은 변혁적 삶에 대한 권유를 받은 적이 없었다. 청소년 시기에는 과도한 입시 경쟁체제에서 오직 암기만이 암흑과 같은 경쟁 터널을 빠져나올 수 있었던 방도였다. 잠시 입었던 학교 교복이나 짧은 두발은 획일화의 상징이었으리라. 그 시대를 살아온 나에게 창의력이란 단어는 낯선 용어로 다가온다.

김상근 교수는 지금 청년들은 아주 똑똑한데 '창조성'이 부족하다고 말한다. 그가 만난 많은 청년들은 "창의성이 부족한 나머지 이를 실수할까봐 새로운 생각과 시도를 하지도 못한 채 두려워하는 모습"[11]을 보이는 존재들이었다고 한다. 저자는 창의성이 부족한 원인은 기성세대가 학생들을 잘못 가르쳤다는 데에서 찾는다. 획일적 조직 문화, 길들이기, 통제 사회, 단일 정답을 강조하는 사회에서 창의적인 인재가 배출되기는 불가능하다. "창의성 부재의 사회"에서 저자는 창의성을 찾는 길로 인문학과 르네상스 시대를 제안한다. 르네상스 시대란, 대략 14세기 말부터 시작되어 중세 1천년의 문화적 암흑시대를 종식시킨 문화 혁명기이다. 이 때 부터 그리스와 로마 시대의 인문학적 정신은 중요해졌다. 르네상스 시기는 인문학 중흥의 시기로 창조성의 불길이 활활 타오르던 때였다. 저자는 그 때를 살펴봄으로써 창의성 배양을 위한 답을 찾고자 하였다.

인문학의 존재 목적은 인간이 '탁월함'을 추구하기 위해서이다. 로마의 사상가인 키케로는 인문학의 목적에 대하여 이렇게 규정지었다. "인문학은 젊은 사람들의 마음을 바르게 지켜주고 나이든 사람들의 마음을 행복으로 안내합니다. 또한 풍요로운 삶을 가져다줄 뿐 아니라 우리가 역경에 처해있을 때, 마음의 안식과 평화를 줍니다."[12] 키케로의 말을 살펴보면, 인문학은 마음을 조절하기 위한 목적이 있다. 고대로 인간이 안정적인, 그리고 행복한 마음을 갖기 위해서는 많은 훈련이 필요했다. 많은 종교지도자들은 불안한 인간의 마음을 안식의 길로 들어가기 위하여 훈련을 강조한다. 기도가 되었건, 명상이 되었건, 혹은 창조자에 대한 맹목적적인 신뢰가 되었건 간에 종교적 훈련의 기저는 불안한 마음과 불만족한 현실 세계에서의 탈피이다.

르네상스시기에 인문학을 부활시킨 장본인은 14세기의 이탈리아 문학가인 페르라르카(1304 - 1374)와 《데카메론》의 저자인 보카치오(1313-1375)이다. 페르라르카와 보차치오는 함께 인문학 운동을 펼치면서 그리스 출신의 인문학자인 레온티우스 필라투스를 피렌체로 초청하여 그를 1360년에 그리스어 교수로 임명한다. 이후 필라투스는 호메로스의 《일리아스》와 《오디세이아》를 라틴어로 번역하여 고대 그리스 정신을 이탈리아에 소개하였다. 페르라르카는 중세시대를 암흑시대로 규정하고, 이 시기를 현명하게 탈출하는 방안으로 키케로 인문학에 대한 사유를 언급하였다. 그는 중세를 휩쓸던 신의 학문 영역인, 스콜라 철학과 대별되는 '인간학문'인 인문학을 강조하여 인간 중심의 사회 건설을 꿈꾸었다.

르네상스 시대부터 강조된 인문학의 기본 정신은 무엇일까? 저자는 그 기본 정신에 대하여 "탁월함의 추구를 통해 진선미의 삶을 사는 것!"[13]이라고 말한다. 그리스 시대의 현자들이 갈망했던 진리의 세계, 키케로 등의 로마 시대 철학자들이 추구한 선한 인생, 그리스와 로마 시대의 심미적 아름다움에 대한 추구가 바로 진선미적 삶을 사는 것이다. 이러한 논리로 본다면, 인문학에 대한 추구는 '문사철(文史哲)' 학자들만이 연구 학문 영역이 아닌, 일반인들의 탁월한 삶을 추구해 나가는 매개체이다. 인문학적 성찰은 힘없고, 가진 것 없고, 사회 변두리에 존재하고, 나약한 이들에게 삶을 멋있게 살아갈 사유의 장을 제공한다.

르네상스를 대표하는 예술가인 미켈란젤로는 조각, 회화와 건축에서 탁월함을 선보인 천재였다. 또 다른 천재들인 레오나르도 다빈치, 티치아노, 라파엘로 등이 위대한 예술적 성과를 낼 수 있었던 것은 미켈란젤로와의 경쟁을 통해서 였다. 르네상스 시대는 선의의 경쟁이 펼쳐질 수 있는 시간적 터전이었다. 천재 미켈란젤로는 궁극적인 아름다움인, '아레테(arete)' 를 추구하였다. 그러면서 그가 깨달은 것은 '인간의 한계'였다. 우리가 직면한 최고의 한계는 죽음이다. 〈최후의 심판〉에는 미켈란젤로의 자화상이 들어가 있는데, 이는 인간 숙명에 대한 암시이다. "인간은 모두 죽는다"라는 명제에 대하여 사유할 수 있는 시간을 주기 위해서 미켈란젤로는 노력했다. 죽음이 있기에 인간은 현재 삶의 의미에 대하여 반성적 사고(反省的 思考)가 가능하다. 이 위대한 예술가는 그 부분을 놓치지 않았다. 아니, 자기의 예술작품을 통하여 후대에게 인간과 죽음에 대하여 성찰할 여백을 남겨 놓았다.

르네상스가 많은 유럽 도시 중에서 14세기에 피렌체에서 탄생한 이유는 무엇일까? 조르조 바사리(1511-1574)는 피렌체에서 르네상스가 꽃피운 이유는 전적으로 '하느님의 뜻'이라고 하였다. 그의 저서 《예술가 열전》에는 피렌체에 살면 누구나 예술가가 될 수밖에 없다고 피렌체를 자랑한다. 피렌체는 '꽃의 도시'라는 뜻을 가진 지역으로, 이탈리아 중부의 아르노강

중류에 위치하며 전 유럽의 금융업과 직물업의 중심지가 된 부유한 도시였다. 15세기에는 메디치 가문이 지배하고, 이 가문이 예술가를 융숭하게 대접해주자 이곳에 천재 예술가들이 집결하게 되었다. 여기에 모인 예술가들은 인문학적 정신을 고양할 만한 작품을 만들고, 나아가 서로 선의의 경쟁을 벌였다. 경쟁은 예술에 대한 기준을 높이는 역할을 했고, 르네상스를 꽃피우는 결정력이 되었다. 당시 최고의 라이벌은 미켈란젤로와 레오나르도 다빈치 였다. 피렌체의 우피치 미술관 1층에는 미켈란젤로와 레오나르도 다빈치가 서로 얼굴을 외면하는 상이 있다. 그 다음으로 치열한 경쟁은 피렌체의 두오모(Duomo) 돔을 짓기 위한 브루넬레스키와 아르놀로디 캄비오의 경쟁이었다.

르네상스 시대의 화가 중 카라바조(1571-1610)는 이탈리아의 바로크 화풍을 개척한 화가이다. 루브르박물관에 있는 〈성모 마리아의 영면〉은 시신으로 누워있는 성모 마리아 곁에 사람들이 슬퍼하고 있다. 이 성모 마리아의 모델은 당시 로마 테베레 강에서 투신한 매춘부였다고 한다. 그가 르네상스를 마감한 천재화가로 평가받는 데에는 인간의 실제 모습을 구현한 극사실주의를 추구했기 때문이다. 그가 매춘부의 얼굴을 그리고 파격적으로 보인 이유는 천재적 영감을 상상 속에서, 혹은 관념에서 찾기 보다는 이를 로마의 저작거리에서 찾기 때문이었다.[14] 1592년 로마에서 힘들게 거리에서 그림을 팔면서 생계를 이어간 카라바조의 걸작 중 하나는 〈병든 바쿠스〉이다. 몸이 아파 행려병자 병원에 입원했던 그는 치료비가 없어 대신 그림을 그려주었는데, 그 작품이 바로 〈병든 바쿠스〉이다. 그는 힘든 삶 속에서도 역경을 시련으로 여기지 않고 잘 버티었다. 힘든 시간을 견디고 나서 창조성이 가득한 대작들을 쏟아 내었다. 저자는 창조성이란, 그냥 얻어지는 산물이 아니라 인내와 고통을 참아내는 과정을 통하여 얻어진다고 말한다.

도나텔로는 15세기를 대표하는 창조적 조각가이다. 그는 창조를 위해 기존 믿음을 붕괴하고 새로운 것을 만들고자 하였다. 그는 브루넬레스키와 기베르티를 사사(師事)했다. 그의 작품 〈선지자 하박국〉, 〈성 세례요한〉, 〈막달라 마리아〉는 얼굴을 기이하게 표현했다. 기존 시선과 다른 이질적 면을 제시하여 새로운 시각을 제시했다. 기존 것을 답습(踏襲)하는 것은 모방에 그치게 된다. 창조는 틀을 깨는 것에서 시작된다. 그 틀을 깨기 위하여 도나텔로는 색다른 시도를 했다.

르네상스로부터 배울 점은 '아레테'의 추구이다. 우리가 인문학을 공부하는 이유는 '탁월함'을 추구하기 위함이다. 예술적 탁월함, 재능의 탁월함과 인격의 탁월함을 추구하기 위해서 우리 삶에서 인문학이 필요하다. 현재 우리 청년들이 겪고 있는 여러 어려움을 돌파하기 위해서 필요한 무엇일까? 그것은 바로 '인문학적 성찰'이다. '나는 나약한 존재이다'라는 사고에서 출발해서 지금의 내가 아레테를 추구하기 위해서 무엇을 해야 하는지에 대한 반성은 자연스럽게 인문학을 수용으로 이어진다. 지금 힘들고 어려운 삶을 산다면 인문학을 접하자. 내 안의 나태와 무기력에서 부터의 탈출은 인문학을 통한 아레테 추구와 성취를 통해 가능하다.

함께 읽으면 도움이 되는 책

- 김상근, 《사람의 마음을 얻는법》, 21세기북스, 2011.
- 시오노 나나미, 《르네상스를 만든 사람들》, 김석희 옮김, 2001.

03
흔들리지 않고 살기

《내가 논어에서 얻은 것》, 사이토 다카시, 박성민 옮김, 시공사, 2016.

동양 사상사에서 공자만큼 큰 영향을 미친 사람은 없다. 약 2,500여 년 전에 살았던 공자는 《논어》라는 책을 통해 이상적 인간의 삶을 이야기했다. 이 책은 공자가 독백 식으로 저술한 것이 아닌, 제자들에게 질문을 던지고 답을 나누는 식으로 편집되었다. 이 책은 힘들고 팍팍한 현대의 삶에서 어떻게 흔들리지 않고 사람답게 살 수 있는 지에 대한 혜안(慧眼)을 갖게 한다.

공자는 제자들에게 "이런 사람이 되라"는 식으로 말한다. 평범한 사람이라도 열심히 노력하면 성인(聖人)이 될 수 있다는 것이 공자의 주장이다. 공자가 말하고자 하는 핵심은 '지금 보다 더 나은 삶을 사는 것'이다.

저자는 현대인들이 《논어》를 통해서 배울 수 있는 중요 점은 개인과 사회의 적절한 관계 구축이라고 한다.[15] 개인이 좋은 사회를 만들기 위해서 노력해야 한다. 공자는 여러 곳을 다니면서 군주들의 정치를 질책했다. 그래서 결국은 떠돌이 신세가 될 수밖에 없었다. 공자는 개인이 살아갈 장소가 '사회'이며, 인간의 '자기실현'은 사회에서 이루어진다고 하였다. 공자는 개인과 타자간의 관계에서 합리적 관계를 이야기했다. 〈제9편 자한〉에는 자공이 공자에게 관직에 나가서 일할 의사가 있는지를 질문했다. 자공은 "여기에 아름다운 보석이 있는데, 상자에 넣어두고 보관할까요? 아니면 후한 값을 쳐주는 사람에게 팔까요?"라고 질문을 했다. 이에 공자는

"팔아야 한다. 나는 제 값을 쳐줄 사람에게 팔 것이다"라고 했다. 아무리 아름다운 보석이라도 집에 놓아두면 그 자체가 아무 의미를 갖지 못한다. 공자는 개인은 자아실현이 가능하고, 사회는 이를 수용할 수 있는 적절한 관계가 이루어지기를 강조했다.

공자는 "중용의 덕은 최상이다"(제6편 옹야)라고 하였다. 부족함이나, 지나침이 없는 그 상태가 중용이다. 사이토 다카시는 이 중용에 대하여 골프 퍼팅의 예를 들어 설명한다. 골프의 'never up, never in'이라는 말은 퍼팅에서 공이 컵을 지나치지 못하면 들어갈 수 없다는 것을 말한다. 부족하지 않고, 넘치지도 않는 적절한 힘이 작용된 자연스러운 퍼팅 상태가 중용이다. 공자는 〈제7편 술이〉에서 "사치를 부리면 거만해지고 아껴 살면 품위가 사라진다. 양쪽 모두 중용을 얻지는 못할 테지만, 거만하여 '예'를 무시하는 것보다 품위 없는 것이 낫다"고 했다. 거만하거나, 품위가 사라질 때는 중용의 상태가 아니다. 겸손하고 품위를 지키는 자세가 공자가 말하는 중용의 덕을 가진 태도이다.

공자는 당시의 텍스트인 《시경》을 공부하는 방법에 대하여 자주 언급하였다. 시는 인간의 내면을 갈고 닦을 수 있게 하는 은유의 도가니이다. 시를 읽고 내면화 하면 이를 통해 현실에서 닥친 문제를 슬기롭게 해결할 수 있다. 그런데 공자는 단순히 시를 암송하는 것은 반대하였다. 이에 공자는"시 삼백편을 암송했다고 해도 나라의 내정을 맡아 일을 제대로 못한다면, 또 외교를 맡아도 상대방과 논쟁을 벌일 수 없다면 아무리 시를 많이 외운들 그것은 죽은 지식이며 보잘 것 없다"(제13편 자로)고 했다.[16] 우리가 하는 공부가 관념에만 묶여 있으면 이는 죽은 공부이다. 진정한 공부는 배운 것을 내 안에서 새롭게 해석하고, 이를 일상에서 실천하고 적용하는 것이다.

공자는 배움이 우리를 유연한 사람으로 만들어 준다고 하였다. 공자가 "배우면 완고함이 없어진다"(제1편 학이)고 주장하듯이, 배움은 자기 집착과 편협함에서 벗어나게 해준다. 유연한 사고를 하는 자는 이것저것에 대한 시각을 가진 자이다. 하나만 고집하는 이는 다양한 사고를 갖지 못한다. 《논어》에 나오는 요임금, 순임금과 주공(周公)은 모두 유연한 사람들이다.

공자의 어록 중 유명한 말은 〈제2편 위정〉에 나온다. 바로 열다섯에 학문에 뜻을 세우고, 서른 살에 홀로 서고, 마흔 살에 유혹에 흔들리지 않고, 쉰 살에 천명을 알고, 그리고 예순이 되니 남의 말을 순순히 알아듣게 되었다는 공자의 가르침이다. 공자가 학문에 뜻을 두고 평생을 추구해온 가치는 남이 하는 말을 곡해하지 않고 듣는 일이었다. 공부는 자신의 아집에서 벗어나, 타인의 목소리에 진정으로 귀 기울이는 힘을 기르는 일이다. 공자는 끊임없이 공부할 것을 강조한다. 그럴 때 예순을 넘어 일흔에 이르러, "내 마음이 시키는 대로 해도 도에 어긋나지 않는 경지"에 도달하게 된다. 공자가 말하는 공부 과정은 학창시절에 국한되는 것이 아닌, 평생 학습이자 도의 경지에 도달하는 전 과정이다.

공자는 〈제4편 이인〉에서 "아침에 바르게 사는 도(道)를 들으면 그날 밤에 죽어도 좋다"고 하였다. 공자는 인간이 도를 갈구하고 이를 실천하는 삶을 추구했다. 아침에 '도를 듣는다는 것'의 무엇을 의미하나? 이는 현대 관점에서는 올바른 공부를 말한다. 《논어》에서 강조하는 '배움'은 '기(技)'의 습득이다.[17] 기를 습득하기 위해서 이를 철저하게 몸에 익혀야한다. 공자의 이 가르침이 운동선수에게 시사 하는 바가 크다. 운동선수가 기를 올바로 익히기 위해서는 철저히 훈련을 해야 하고, 몸에서 자연스럽게 기가 나오도록 수련해야 한다. 날마다 '배움'을 통해 기를 습득하고, 이 기를 체득해서 자연스럽게 발현되는 경지를 공자는 '도'라 했다.

공자가 강조하는 '마음'은 반성해야 하는 대상이다. 이는 선천적으로 얻어지는 것이 아니라, 만들어야 하는 대상이다. 배움을 통해서 마음을 꾸준히 만들어 나갈 때에 이상적인 마음이 만들어진다. '지','인','용'이라는 덕목 역시 의도적으로 만들어 나가야 하는 중요 덕목이라고 공자는 강조하였다.

《논어》의 핵심 키워드 두 가지는 '예'와 '인'이다. '예'는 형식과 내용 모두를 잘 지키는 것을 말한다. '인'은 "사람을 사랑하는 것"(제12편 안연)을 말한다. '예'와 '인'은 인간이 꾸준하게 갈고 닦아야 하는 품성이다. 단시간이 아닌, 장기간 동안 수련을 해야 특정 단계에 도달할 수 있다.

공자 철학은 혼미한 지금의 세상을 비추는 한 줄기 불빛이다. 세상은 2천 5백 년 전이나 지금이나 동일한 문제를 고민한다. "어떻게 살아야 하는가"와 "어떻게 하면 지금 보다 올바로 살 수 있을까?"는 과거나 지금이나 인간사의 중요 화두이다. 공자는 인간의 품성은 저절로 만들어 지는 것이 아니라, 끊임없이 연마해야 한다고 주장한다. 그 연마의 다른 이름이 공부이다. 공자 식으로 말하자면, 공부란 '인', '지', '용', '예'의 굵은 기둥을 마음에 심는 것이고, 이러한 주춧돌을 바탕으로 '도'의 길로 나가는 숭고한 과정이다.

함께 읽으면 도움이 되는 책

- 김학주, 《논어》, 서울대학교출판문화원, 2017.
- 공자, 《논어》, 김형찬 옮김, 홍익출판사, 2016.
- 조광수, 《나는 이제 지천명이다》, 호밀밭, 2015.

04
니체의 참 자아를 만나는 법

《니체는 나체다》, 유영만, 생각속의 집, 2012.

니체 철학의 핵심어는 '초인(Übermensch, overman)'이다. 자신을 속박하는 "수동적인 상태에서 벗어나 진정으로 자유를 회복하고, 자신의 의지대로 살아가는 인간을 니체는 위버멘쉬(Übermensch) "[18]라 불렀다. 여기서 말하는 초인은 슈퍼맨을 지칭하지 않는다. 니체의 초인은 현재의 자신을 뛰어넘어 더 높은 곳으로 나아가는 사람이다. 니체는 인간을 세 종류로 나누었다. 무거운 짊을 실고 터벅터벅 걸어가는 낙타, 어느 명령에도 예속되지 않고 자유롭게 자신의 욕망에 충실하게 사는 사자, 그리고 사자처럼 으르렁 거리지 않고 유유자적 하게 세상을 즐기는 어린아이가 니체가 말한 인간의 세 가지 유형이다. 니체가 제시한 사자와 어린아이의 차이는 '자연스러움'에 있다. 어린아이는 천진난만 하고, 놀이를 즐기고, 무엇보다 웃을 줄을 안다. 그래서 삶은 사자에게는 투쟁이고, 힘든 싸움이지만, 어린아이에게 인생 자체가 놀이터이다. 니체에 의하면, 어린이처럼 변신하기 위해서는 나에 대한 절대적 사랑이 필요하다고 한다. 자신을 존중할 수 있는 사람, 나를 지극하게 사랑할 수 있는 사람만이 어린아이의 길에 들어설 수 있다는 것이다.

니체의 삶은 순탄하지 않았다. 그는 독일 본대학에서 신학과 고전 문학을 전공하고 약관 25세의 나이로 1869년에 스위스 바젤대학교의 고전문헌학 교수가 되었다. 그는 학창 시절에 라틴어와 고대 그리스 철학을 열심히 공부했다. 그래서 그는 "내가 쓴 책이라도 당대 최고인 것은 부정 할 수 없다"[19]라는 자신 넘치는 말을 했다. 니체는 어려서 부터 천재 소리를 듣고 20대에 대학 교수가 되었지만, 그 이후로 많은 좌절을 경험한다. 1827년 바그너에게 헌정한 《비극의 탄생》이 학계에서 호평을 받지 못하자 스스로 고립의 길을 걷게 된다. 이 후 바그너와 절연하고, 루 살로메와의 사랑 실패, 가족과의 불화 등을 겪으며, 몸과 정신이 피폐해지기 시작하였다. 《차라투라스는 이렇게 말했다》는 이러한 어려움 속에서 집필되었다. 1883년에서부터 3년간 저술한 이 저서의 마지막 권은 단 40권이 자비로 출판되었다. 난해하다는 평가로 인해서 철저하게 대중으로부터 외면당했기 때문이다.

니체는 스스로가 형편없다는 생각에서 벗어나야 한다고 하였다. "지금은 스스로의 생각에 자신이 보잘 것 없는 존재로 느껴진다 해도 쓸데없는 곳에 신경 쓰며 맹목적으로 돌진하지 말고, 부질없는 분노나 질투에 휘둘리지도 말고, 있는 그 자리에서 더 나은 나를 만들기 위해 노력하는 것이 산골짜기를 헤매는 맹수가 되지 않는 길임을 잊지 말라"[20]고 니체는 강조한다. 만약 지금 보잘 것 없는 존재로 느껴진다면 이를 타파할 방법으로는 공부 외에는 없다. 자신이 부족하다고 느끼는 생각을 없애버리는 방법으로 공부 이상은 없다.

인간은 이성 중심의 아폴론적 인간상과 창조적인 충동과 직관을 중시하는 디오니소스적 인간상으로 나뉜다. 니체는 디오니소스적 인간을 강조하였다. 이 인간상은 인생에서 직관을 중시 여긴다. 니체는 삶의 역동성이 무엇인지를 간파한 철학자였다. 그래서 우리 삶은 논리적으로 맞아 떨어지기보다는 직관과 우연으로 이어진 끈과 같은 과정이라 했다. 우리는 살아가는 가운데 고통을 자주 경험하고 이를 극복하는 가운데에서 희열을 느낀다. “삶은 고통과 희열의 변주곡”[21]이라고 할 수 있다. 고통을 극복하는 가운데서 커다란 희열을 느낄 수 있다. 운동선수는 대부분의 시간을 훈련과 시합으로 보낸다. 열심히 훈련을 했지만 시합에서 석패를 하기도 하고 좌절감을 맛보기도 한다. 그러나 이때에 좌절하고 일어서지 못하면 잊혀지는 선수가 된다. 역경 속에서 나를 되돌아보고, 이번 패배에서 무엇인가를 배우는 자만이 위대한 선수의 길을 걷게 된다.

사이토 다카시는 니체가 가장 싫어했던 것은 “흐지부지하게 살아가는 인생”이라 한다. 이에 반해 최고의 삶이란, 자기 인생에 대하여 목적을 가지고 최선을 다해서 살아가는 인생이다. 공부란 자기 삶의 목적을 찾기 위한 과정이다. 공부를 하면서 내가 무엇이 부족한지를 알 수 있기 때문이다. 공부는 새로운 것을 배움의 과정이기도 하지만, 한편으로 내가 부족한 것에 대한 경종(警鐘)이기도 하다.

니체는 《차라투라스는 이렇게 말했다》에서는 산에서 수행한 차라투라스가 득도(得道)하여 얻은 깨달음인 “신은 죽었다”라는 명제를 이야기한다. 니체는 신은 인간이 만들어낸 허구적 존재라고 여겼다. 신의 죽음은 인간의 무지몽매한 믿음과 허구적 우상과의 결별을 의미하는 것이다. 니체는 우상을 없애고 스스로가 강한 ‘나’로 태어날 것을 주문한다. 니체는 신에 의지하지 않는 초인의 삶을 강조하면서 초인이 되기 위해 필요한 덕목으로는 열정, 자유로운 영혼과 뜨거운 심장의 소유를 거론하였다. 나는 니체가 말한 초인의 모습을 《그리스인 조르바》에서 발견하였다.[22]

“나는 벌떡 일어나는 조르바를 보았다. 그는 옷을 벗어 자갈밭에다 던지고는 바다 속으로 뛰어들었다. 희미한 달빛으로 나는 한동안 그를 바라보았다. 나타났다 사라지곤 하는 그의 커다란 머리를 볼 수 있었다. 이따금 그는 소리를 지르다 개처럼 짖다 말처럼 힝힝거리다 수탉처럼 꺼이꺼이 울었다. 이 텅 빈 밤에 그의 영혼은 동물과 친화한 것이었다."

소설속의 조르바는 니체가 말한 뜨거운 심장과 열정을 지닌 자이다. 그는 인생을 유유하게 노니는 멋을 아는 자이다. 생에 펼쳐진 방해물에 대하여 유유자적하게 대할 수 있는 자가 니체가 말한 초인이리라.

유영만은 니체를 '유목적 사상가(nomad thinker)'라고 말한다. 유목은 정주하지 않고 여기 저리를 떠돌아다니는 것이다. 니체는 한 곳에 마무는 것, 또는 안주하는 것을 싫어하며 낯선 곳으로의 떠남을 두려워하지 않았다. 니체가 강조한 낯선 곳으로 떠나는 것을 두려워하지 말라는 명제는 운동선수들에게도 많은 가르침을 준다. 위대한 운동선수가 되기 위해서는 '시도'를 두려워해서는 안 된다. 운동선수는 익숙한 훈련에서에서부터 탈피하고, 새로운 기술 연마를 위해서 매진해야 한다. 그것이 바로 대철학자가 운동선수들에게 암시하는 초인의 과정이다.

니체는 "너는 하루하루 네 자신과 전투를 벌여야 한다"[23]고 역설하였다. 니체는 매일 새롭게 태어나는 것을 강조하면서 나태하고 패배주의에 빠진 낡은 삶에서 철저히 벗어나라고 했다. "매일 전쟁터의 전사의 삶을 살아라!" 이것이 니체가 강조한 진정한 자유인의, 그리고 초인의 삶이다. 이렇듯 전사로 살아가는 것은 자기 극복을 통해 가능하다. 남들을 따라 살아가는 삶이 아니라 나의 정체성을 찾아 떠나야 한다. 유영만은 우리가 낡은 체제와 익숙한 터를 떠났을 때에 적잖이 당황하지만 거기에서 많은 것을 깨닫는다며 이렇게 말한다. "자기 극복이란 결국 일체의 껍데기를 벗어던지고 진정한 나의 모습, 즉 나의 나체(裸體)를 만나는 일이다. 이는 곧 나의 정체성을 찾는 과정이다"[24] "어떻게 하면 최고의 운동선수가 될 수 있나?"라는 질문에 대하여 니체는 원하는 '본질'을 알고, 노력이라는 '행동'을 부단히 할 것을 요구한다. 최상의 운동선수가 지닌 '자질'을 알아야 하고, 기술, 전략, 삶, 태도, 운동 철학, 연습량, 기술 습득 정도, 인생철학 등을 인지해야 최고에 다다를 수 있다. 학생 선수의 삶에서 공부가 필요한 이유를 니체 식으로 이야기 하면, "진정한 나의 모습"이 무엇인지를 알기 위해서 공부를 해야 한다. 이를 통해 나의 정체성을 찾으면 노력이 가능해지고, 니체가 강조한 초인 혹은 '어린아이'적 삶을 즐기는 자로 변신이 가능하다.

니체의 저서 《즐거운 지식》에서 독창적인 사람은 남과 차별되는 가치를 가진 이라고 했다. 자신만의 '가치'를 가질 수 있을 때에 비로소 떳떳하게 살아갈 수 있다. "나의 가치관을 따르는 삶의 역사. 그것이 바로 내 삶의 역사(my history)를 창조하는 길이다"[25]고 유영만은 말한다.

니체는 부분보다는 전체(全體)를 강조한 철학자이다. 부분이 아닌 전체인 이유는 그가 던진 질문은 삶의 부분이 아닌 근원 혹은 전체와 연관이 되기 때문이다. 니체가 가르쳐주는 이상적 인간상은 기존 것을 부정하고, 고통을 이겨내어 앞으로 나아가는 사람이다. "대담한 발상, 정열적인 삶, 통찰력으로 번뜩이는 나포리즘, 급소를 찌르는 촌철살인, 그리고 무엇보다 니체는 삶의 철학을 일심동체로 생각"[26]한 위대한 철학자이다.

이 책은 운동선수들에게 니체 철학을 소개하는 좋은 가이드 역할을 한다. 교육학자가 깨달은 니체 철학의 정수를 쉽게 소개하고 있다. 또한 저자는 니체 철학의 본질을 "나력(裸力, naked strength)"에서 찾았다. 니체는 초인이 되기 위해서 끊임없는 변신이 필요하다고 했기 때문이다. 유영만은 나력의 힘에 대하여 다음과 같이 말하였다.

"인간의 본질 역시 나력에서 비롯된다. 나는 나(裸)일 때 참모습이 드러난다. 나의 본질은 나의 나체(裸體), 즉 일말의 포장과 허식도 모두 걷어내고 마지막 남은 알몸에서 존재의 본질과 정체(正體)가 적나라하게 드러나기 때문이다"[27]

나의 본질과 마주볼 때에 변신이 가능하다. 학생선수가 성공하기 위해서는 현실을 직시해야 한다. 선수로서의 '나'에 대하여 적나라하게 바라볼 때에 나아갈 방향이 정해진다.

니체가 강조한 '아모르 파티(amor fati)'는 운명을 사랑하라는 것과 운명을 긍정은 하되 적극적으로 도전해야 한다는 의미를 담고 있다. 운동선수가 높은 가치를 위해 뛰기 위해서는 도전, 시도, 연습, 파나는 노력, 환골탈태, 파괴, 초월은 필연적 사항이다. 오늘날 니체는 운동선수가 초인으로 변신하기 위하여 심(心)과 신(身)의 균형적인 '공부'의 필요성을 역설하고 있다.

함께 읽으면 도움이 되는 책

- 니체, 《생각의 망치》, 강윤철 옮김, 스타북스, 2015.
- 사이토 다카시, 《곁에 두고 읽는 니체》, 홍익출판사, 2015.

"어떻게 하면 최고의 운동선수가 될 수 있나?"라는 질문에 대하여 니체는 원하는'본질'을 알고, 노력이라는 '행동'을 부단히 할 것을 요구한다. 최상의 운동선수가 지닌 '자질'을 알아야 하고, 기술, 전략, 삶, 태도, 운동 철학, 연습량, 기술 습득 정도, 인생철학 등을 인지해야 최고에 다다를 수 있다.

05
고전으로부터 삶을 배운다

《고전혁명》, 이지성, 황광우, 생각정원, 2012.

많은 사람들이 '고전'이라고 하면 진부한 느낌을 갖는다. 고전은 말 그대로 오래된 책이다. 텍스트가 몇 백 년 동안 생명력을 갖기 위한 전제 조건은 무엇일까? 수십 년이 아니라 수백 년 동안 인간에게 교훈을 주는 텍스트가 되기 위해서는 그럴만한 충분한 가치가 있어야 한다. 그 가치는 '은연중'에 "우리에게 어떻게 살아야 하는가?", "나는 누구인가?"에 대한 답을 제시한다. 유시민은 "나는 누구인가?"에 대한 질문은 바로 철학적 자아의 특징이 무엇인지에 대한 자문이라고 말한다. 그는 이 질문의 핵심에 대해 이렇게 말했다. "인간 일반의 본성 위에 그 어떤 '자기만의 것'을 세웠는지 말하라는 것이죠. 질문은 간단한데 대답하기 어렵습니다. 내가 누구인지 말하려면 무엇보다도 자기 자신을 객관적으로 인지해야 해요"[28] 자신을 객관적으로 바라보기 위해서는 비교 대상을 치열하게 관찰해야 한다. 나는 이렇듯 비교 대상을 보고, 읽고, 듣고, 이해하는 과정이 고전 읽기라고 생각한다. 고전을 읽고 실천하는 일은 내가 누구인지를 알 수 있게 해주는 길이다.

고전을 읽고 실천하는 삶은 "자신보다 약한 위치에 있는 사람을 섬기는 삶"[29]이다. 고전을 읽고 내 삶에서 적용하는 일은 나보다는 타자(他者)에 도움이 되는 숭고한 의미가 있다. 인간은 사회적인 동물이다. 나만을 아는 삶이 아니라 타인을 배려하는 자세에서 인간의 터전은 숭고하게 빛이 나는 것이다. 《맹자》의 '유자입정(孺子入井)'이야기는 어린아이가 우물에 빠졌을 때 아무 생각 없이 달려가 빠진 아이를 구하는 것이다. 긴급한 순간에 내 안일을 생각하기보다는 어려운 사람을 먼저 돕는 것이 측은지심(惻隱之心)이다[30]. 이러한 인간에 대한 기본적 배려가 인간사를 아름답게 한다. 인간이 만든 문화에는 보편적 가치가 들어있다. 이 가치는 역사를 통하여 인간이 환경에 적응해 온 지혜를 담고 있다.

고전을 실천하는 일은 일상에서 '혁명'을 수행하는 일이다. 혁명은 저 멀리에 있는 개념이 아니다. "우리가 좋은 아이디어를 떠올렸을 때, 끙끙 앓으며 고민하던 문제의 해결책을 찾았을 때, 그때 우리는 혁명을 하고 있었던 것이다."[31] 그렇다. 혁명은 우리 곁에 가까이에 있다. 우리가 생각의 틀을 혁신적으로 바꿀 때에 이루어진다. 현재의 고민 상황을 해결하는 데에 있어서 오랫동안 축적된 지혜, 혜안, 가치, 사상을 적용하는 힘은 고전을 읽고 체득화하는 데에서 나온다. 들뢰즈(Deleuze)는 우연한 사건, 그 사건으로의 접속, 사건에 대한 해석하는 과정 속에서 새로운 지식이 만들어진다고 하였다. 고전과의 우연한 만남은 새로운 지식 창출의 기회가 된다. 그리고 현재의 내 삶을 바꾸게 한다. 시카고 대학은 설립 초창기에는 두각을 나타내지 못했던 학교였다. 그런데 1929년 30세의 허친스(Robert Huchins)가 제5대 총장으로 부임하자마자 명문으로 부상하기 시작하였다. 그 이유는 무엇이었을까? 허친스 총장은 소위 '시카고 플랜'이라고 불리우는 '그레이트북 프로그램(The great book program)'을 도입해서 모든 학생이 졸업 때 까지 의무적으로 백 권의 고전을 읽도록 했다. 읽으면서 세 가지 사항에 유념하라고 학교 측은 강조했다. 첫째는 고전에서 자신의 롤 모델을 발견할 것, 둘째는 자신만의 인생 가치를 찾을 것, 셋째는 자신이 발견한 가치에 대하여 꿈을 가져야 한다는 것이다. 이 프로그램은 놀라운 결과를 낳았다. 시카고 대학이 85명의 노벨상 수상자 배출 기록과 함께 미국 유수 대학에 교수들을 배출한 대학이 되었다. 특히 리드, 뉴, 말보로와 세인트존스 대학에서는 하버드와 스탠퍼드대학교 보다 더 많은 시카고 대학교 졸업생이 교수로 재직하게 되었다. 인문고전 힘은 이렇게 한 대학을 넘어 사회와 국가를 변화하게 한다.[32]

이지성과 황광우는 '고전 혁명'을 완수하기 위해서 두 가지를 강조하였다. 첫째, 목도하는 일이다. '목도'라는 것은 세상이 어떻게 돌아가는 살피는 일이다. 한국 사회는 일제 강령기에 일제에 의해서 고전 공부가 금지되었다. 이후 미군정기에 미국식 공립학교 교육을 도입하며 고전 공부와 담을 쌓았다. 미국의 사립학교에서는 고전 읽기가 중요한 커리큘럼이나, 공립학교에서는 시민이 살아가는 기본 지식만 학습시킨다. 근대 이후 한국의 고전 공부 단절기는 독재 시기였다. 독재정권은 국민들이 똑똑해지는 것을 원하지 않기에 중앙집권의 효율성을 강조하고, 편협한 역사의식을 강조했다. 목도라는 것은 현상에 보이는 것만이 아니라, 현상 뒤에 존재하는 보이지 않는 것을 해석하는 것을 말한다. 그러기 위해서는 현상을 심도있게 읽는 힘이 필요하다. 이 힘은 당연히 고전에 대한 이해와 실천에서 나온다. 둘째, 해석해야 한다. 기득권이 만들어 놓은 잘못된 제도와 장치를 어떻게 이해해야 하는가? 기존 틀에 대한 비판적 해석만이 현재의 문제를 풀 수 있다. 사회를 잘 보는 눈을 갖기 위해서 고전이 필요하고, 이를 실천하는 이는 날마다 혁명을 수행한다.

고전 탐독은 우리에게 "실패를 딛고 일어나는 법을 배우도록 한다.[33]"

우리 사회는 성공한 일과 성공한 사람에만 관심을 갖는다. 그래서 자연스럽게 성공 신화에 대하여서만 강조한다. 그러나 주위를 보라. 성공한 사람이 많은지, 혹은 실패한 사람이 많은지를. 내 주위에는 실패한 사람들이 더 많다. 문제는 지금 어렵고 힘들더라도 이 난국을 어떻게 헤쳐 나가는지이다. 오직 성공 패러다임에만 함몰된 사회 분위기에서 실패를 이야기하는 것 자체가 두렵다. 일상에서 실패는 자연스러운 일이다. 요지는 사업 실패, 낙방, 재수, 삼수, 취업 실패, 다이어트 실패 등에서 어떻게 견디는지에 있다. 실패를 통해서 성공의 가능성을 발견하는 자는 지혜로운 자이다. 역사서를 보면 현재의 실패를 견디고, 후일 성공을 도모하는 사례들이 많이 나온다. 고전을 통해서 실패를 극복한 사례를 통해 현재 나를 깨우치는 일이 고전 혁명의 기본이다.

고전을 통한 혁명은 나로 시작하여 사회를 바꾸는 일로 귀결된다. 그러기 위해서 이지성과 황광우는 고전을 대하는 태도로 세 가지를 강조한다(읽기-나누기-함께하기). 고전을 읽는다는 것은 눈을 통해 읽지만, 가슴과 머리에서 울림을 느껴야 한다. 고전 텍스트 저자의 관점을 이해하고, 본인의 머리로 생각해 보는 것이 능동적 읽기의 방식이다. 고전을 읽고 실천한다는 것은 남과 나눈다는 것을 말한다. 나보다 부족한 삶에 대하여 나의 것을 덜어줄 수 있는 그 마음은 고전 읽기의 삶으로 전이의 방식이다. 공생(共生)은 사회 발전의 근본이다. 사회를 변화하기 위해서는 가진 자, 있는 자, 권력자, 누리는 자가 낮은 곳으로 파고 들어가야 한다. 노자는 상선약수(上善若水)을 이야기하며, 자연에서 가장 높은 가치를 지니 것으로 '물'을 꼽았다. 그 이유는 물은 낮은 곳을 지향하고, 고요함을 따라 가는 속성이 있기 때문이다. 물의 덕(德)처럼 낮은 곳에서 자연스럽게 어울려 하나 됨이 공생이다.

고전은 시간여행이 가능하게 하는 "타임머신"[34]이다. 수백 아니, 수천 년의 과거로 이동하기 위해서는 고전이라는 이동 수단에 의식을 실어야 한다. 마르크스가 소포클레스의 비극을 즐겨 읽은 이유는 과거를 통하여 현재 상황의 해답을 찾기 위함이었다. 운동선수의 삶은 훈련과 시합이 일상화된 생활의 연속이다. 훈련의 목적은 떳떳한 승리를 위함이다. 떳떳한 승리는 무엇인가? 고전에는 과거의 많은 인간의 투쟁들이 나온다. 전쟁터에서, 싸움터에서, 일상에서, 중국의 조정에서, 로마의 공화정 회당에서, 클레오파트라의 궁터에서, 마라톤 평야에서, 우리는 다양한 인간 군상들과 만난다. 그 환경과 순간에 현자(賢者)들은 어떠한 결정을 했는지? 그리고 어떻게 해서 정정한 승부를 겨루었는지? 에 대한 답을 찾을 수 있다.

함께 읽으면 도움이 되는 책

- 강신장, 《고전 결박을 풀다》, 모네상스, 2017.
- 박연, 《인문학으로 콩을 갈다》, 북하우스, 2010.
- 유시민, 《표현의 기술》, 생각의 길, 2016

06
공부의 달인은 어떻게 될 수 있나?

《공부의 달인, 호모 쿵푸스》, 고미숙, 그린비, 2007.

세상에는 많은 오해가 있다. 공부에 대해서도 우리는 많은 오해를 갖고 있다. 우리가 갖고 있는 공부에 대한 편견이나 선입견은 한국 사회의 입시

지향적 분위기에서 근거한다. 학창시절에 공부의 목적은 오직 대학교에 합격하기 위해서였다. 나의 고등학교 시절 귀가 따갑도록 들을 이야기는 "사당오락(四當五落)"이었다. 네 시간 자면 대학교에 합격하고, 다섯 시간 이상 자면 불합격한다는 말이다. 공부의 진정한 목적도 모른 채 암기만 주구장창하다 보니 나에게 대학 생활은 공부로 부터의 해방을 의미하는 것이었다. 중년의 삶을 살다보니 그런 해방은 큰 오해였음을 깨달았다. 진정한 공부는 사회생활을 하면서 부터이기 때문이다. 그래서 고미숙은 공부란, "세상을 향해 이런 질문의 그물망을 던지는 것이다. '크게 의심하는 바가 없으면, 큰 깨달음이 없다' 고로, 질문의 크기가 내 삶의 크기를 결정한다!"[35]고 규정한다. 공부는 세상에 대하여 크게 항변(抗辯)하는 일이다. 나를 둘러싼 현상에 대해, 주위의 나에 대한 오해에 대해, 시기하는 세력에 대해, 나의 행복을 싫어하는 이들에 대해, 나의 길을 걷는 데에 방해하는 자들에 대해 내 목소리를 갖는 것이 공부이다. 그래서 공부는 주체적으로 삶을 살아가게 한다.

고미숙은 우리 사회에서 공부의 목적이 혼용되어 사용된다고 비판한다. 공부의 실용적인 면만이 강조되다 보니 대학에서도 '공부'와 '실리'가 혼연일체 되어 있다. 공부는 인간의 삶이 지향해야 하는 것, 인간이 만들어 놓은 지적 체계에 대한 도전하고 이에 대하여 답을 만들어 가는 과정, 삶과 우주가 품은 신비에 대하여 의문을 가져보는 것, 암기보다는 깨달음이라는 묵직한 지혜의 망치로 한 대 맞는 청천벽력과 같은 변화 등이 포함되어야 한다. 그런데 지금 우리 사회에서 공부는 '실리'라는 열매를 거둘 수 있을 때에만 필요한 것으로 인식된다. 고미숙은 영어 공부야 말로 공부를 통한 실리 추구의 대표적이라 한다. 지금 영어 공부를 순전한 내적 즐거움을 위해 하는 사람이 몇 명이나 있을까? 영어 공부가 돈과 경쟁 수단이 되었기에 많은 젊은이들이 몰입한다. 만약 일본어가 영어 보다 취업의 중요 수단이 된다면 지금처럼 토익 열풍이 불까? "돈이 깊이 개입하는 순간, 어떤 활동이든 졸지에 타율성이 지배하게 되는 것이다"[36] 진정한 공부는 실용적 차원 보다는 이질적 앎의 즐거움이 내재적 과정에 포함되어야 한다.

공부와 놀이는 서로 공존할 수 있을까? 공부와 놀이가 될 수는 있지만, 이는 공부 내공이 어느 정도 쌓인 사람들에게나 가능한 이야기이다. 특히 10대에게 공부는 체계화된 훈련이 없으면 성과를 달성하기 불가능하다. 올바로 공부하는 사람은 의심이 있어야 하고, 의심을 통해 분석하고자 하는 방향이 정해지고, 이를 통해 의심을 해소하는 깨달음의 과정을 견지해 나가야 한다.[37]

조선 후기에는 배움에 목말라하는 사람들의 자발적인 모임이 있었다. 근대 이전에 배울 수 있는 공간은 '코뮌'이다. 이는 "기성의 권력과 습속으로 부터 벗어나 새로운 삶을 구성하고자 하는 이들의 자유롭고 창발적인 집합체 혹은 네트워크"[38]이다. 조선 후기가 아니라 현재에도 앎의 즐거움을 학생들에게 전달하기 위해서 창의적이고 자발적 조직체가 필요하다고 고미숙은 주장한다. 대학에서 부터가 아니라 초등학교 때부터 공부 동아리를 만들어 고전을 읽고, 암송하고, 토론할 수 있는 네트워크가 필요하다는 것이다. 작은 모임에서 시작해서 공부의 지평선을 넓히고, 다른 지적 공동체와의 유기적인 협력을 통해 학문적 열매를 수확하는 과정이 진정한 앎의 확장 단계이다.

암송과 구술은 과거에 중요시하던 공부 방식이다. 근대 이전의 교육 방식을 살펴보자. 우리 선비들은 오전 시간에 사서삼경을 크게 소리 높여 읽는 것으로 하루 일과를 시작하였다. 무조건 읽고 암송한 후에 그 다음에 뜻을 마음에 새겼다. 암송을 규칙적으로 하면 신장의 기운이 좋아지고, 소리를 내기 위한 턱관절의 움직임은 뇌를 자극하고, 기억력은 향상된다. 구술은 특정 맥락에 대하여 말로 표현하는 능력이다. 어떤 정보에 대하여 "서사적 육체"[39]를 입힐 수 있는 능력이 있을 때에 진정으로 지식을 갖춘 것이다. 암송을 통하여 텍스트를 몸과 마음으로 인지하고, 이를 말로 표현할 수 있는 능력은 리더의 필요조건이다.

공부의 과정으로 가장 중요한 일은 '독서'이다. 독서가 중요하다고 해서 아무 책이나 읽어서는 지적 능력이 배양되지 않는다. 공부를 위해서 가장 좋은 책은 '고전'이다. 고미숙은 고전의 필요성에 대하여 이렇게 강조하고 있다.

"왜 고전을 읽어야 하는가? 고전은 그 자체로 하나의 우주이자 매트릭스이기 때문이다. 《주역》처럼 실제로 우주의 비의가 담겨 있는 것도 있고, '불경'이나 《성경》처럼 인간의 존재론적 물음을 탐구하는 것도 있고, 《돈키호테》나 《열하일기》처럼 삶의 지혜가 파노라마처럼 펼쳐지는 것도 있다. 한 인간이 평생 경험할 수 있는 시공간은 얼마 되지 않는다. 하지만, 고전이 있기에 그 협소한 시공간을 넘어 아득한 역사의 궤적을 조망할 수도 있고, 아직 오지 않은 미래의 비전을 탐구할 수도 있다. 전혀 낯설고 이질적인 삶을 체험할 수도 있고, 생명과 존재의 심연을 항해할 수도 있다."[40]

나 또한 고전의 필요성을 내 삶의 한계에서 찾는다. 내가 갈 수 있는 공간은 한정되어 있고, 쓸 수 있는 시간 또한 유한하다. 만나는 삶도 마찬가지이다. 나 보다 이전에 살았던 현자(賢者)들의 삶에 가보고, 그 곳에서 느끼고, 탐구하고, 맛볼 수 있는 방법은 고전 밖에 없다. 고전은 오래된 책만이 아닌, 삶의 지혜의 보고이다. 고전을 탐닉하고 수백 년 동안 인간이 살아온 삶의 궤적을 순환적으로 음미하는 일은 인간 생활의 지복(至福)이 아닌가 싶다.

공부는 삶을 바꾸는 실천이다. 인간은 어지간해서 바뀌지 않는다. 오직 내면에서 일어나는 변혁의 소용돌이에 대한 갈구에서만 바뀐다. 그래서 공부는 중요하다. 고미숙이 말한 것처럼, “공부란 특정한 시공간에 고착되지 않고 끊임없이 다른 존재로 변이되는 것을 의미한다. 존재의 변이를 통해 세상의 질서와 배치를 바꾸는 것, 거기가 바로 공부가 혁명과 조우하는 지점이다[41]” 나는 단언한다. 공부만이 존재의 변이를 가능하게 한다고. 내가 바뀐다는 것은 세상을 보는 ‘눈’의 변화를 말한다. 세상에 대한 시각을 바꾸고, 여기에 존재하는 부조리와 편견에 맞서 싸울 용기는 공부를 통해 얻는 결과물이다.

그렇기에 공부는 위대하다.

함께 읽으면 도움이 되는 책

- 유필화, 《승자의 공부》, 흐름출판, 2017.
- 이지성, 《생각하는 인문학》, 차이, 2015.

07
지적 생활이란?

《지적 생활의 발견》, 와타나베 쇼이치, 김욱 옮김, 위즈덤하우스, 2011.

내가 꿈꾸는 삶은 단순하게 행복을 추구하는 생활이다. 현대인의 삶에서 단순함을 추구한다는 것이 얼마나 어려운가? 도심 속에서 생활을 영위하는 사람들은 지나친 '관계'로 인하여 삶의 영역이 작아진다. 내가 원하는 것을 하기 힘든 도심 속에서 나를 지키기 위한 한 방도는 '지적 생활'을 추구하는 것이다. 여기서 말하는 '지적 생활'이라는 용어는 일본의 평론가인 와타나베 쇼이치가 주장한 말로, 특정 계급의 지식추구를 위한 노동이 아닌, 일반인들의 지적 욕구를 충족하는 생활 방식을 말한다. 도시에 사는 이들은 노동의 강제성 위에서 주어진 잉여 시간과 공간의 제약으로 인하여 공부하는 삶을 추구하고 살기 어렵다.

지적 생활을 추구하기 위한 근본 자세는 독서에 있다고 와타나베 쇼이치는 주장한다. 그는 반복하여 읽기를 강조한다. 그는 "책을 반복해서 읽을 때 인간의 뇌세포가 미묘하게 변화하기 때문이다. 책을 여러 번 읽으면서 진정한 재미를 느낄 때에 독서는 비로소 진정한 취미가 될 수 있다[42]"고 말한다. 책을 읽으면서 재미를 느끼기 위해서는 우선 재미있는 책을 골라야 하고, 그 다음에는 반복해서 읽으며, 여러 가지 각도로 생각을 해야 한다. 와타나베 쇼이치는 지금 누군가가 어떤 책을 반복해서 읽는지를 보면 그 사람이 "어떤 사람인지 알 수 있다"고 단언한다. 무슨 책을 읽고 있는지는 사람의 내면을 알 수 있게 한다. 학생들은 마음껏 책을 살 만큼의 금전적 여유가 없다. 이들은 도서관에서 양서를 골라 반복해서 읽으면 된다. 쇼이치는 양서의 기준이 모호할 때에는 고전(古典)을 고르라고 한다. 저자는 혹시 금전적인 여유가 있으면 책은 사는 것이 좋다고 한다. 그 이유는 예전에 읽었던 책의 한 구절이 문득 생각이 나서 다시 펼쳐 들어야 할 때 금세 찾기 위해서이다. 책을 소장해서 반복해서 읽고, 예전에 읽었던 책을 다시 찾아가는 과정은 지식의 지평이 넓어지는 숭고한 행위이다.

책을 읽는 방식은 사람마다 다양하다. 읽는 사람의 경험에 따라 읽는 방식도 달라지게 된다. 쇼이치는 흥미가 있는 부분에 대하여 빨간색으로 '동그라미'를 치거나 중요한 부분은 접어둔다 하였다. 책 표지 뒤에는 필요한 부분에 대하여 쪽수, 내용과 인물명을 적어둔다고 한다. 이런 표기는 후일에 책을 읽을 때에도 중요한 부분을 인지할 수 있고, 책 내용을 전체적은 파악하는 데 도움을 준다.

지적 생활을 현실에서 실천하기 위해서 필요한 일은 '서재' 공간을 확보하는 것이다. 쇼이치는 아이들의 공부방 보다 선행할 일은 부모의 서재를 만드는 것이라고 하였다. '나만의 도서관'을 갖는 일은 지적 생활을 지속 가능하게 하는 원동력이 된다. 자신만의 서재에는 관심 있는 영역의 책을 모을 수 있다. 다윈은 시골에 살면서 서재에서 글을 썼다. 인류의 진화 이론을 바꾼 《종의 기원》은 시골에서의 저술 활동을 통하여 세상에 빛을 보게 되었다. 다윈이 이렇듯 뛰어난 저작물을 세상에 낼 수 있었던 것은 필요한 저서들이 모아 "누적 효과"가 나타났기 때문이라고 쇼이치는 말한다. 저자는 서재에 필요한 장치로 에어컨과 난방 시설을 든다. 책 읽기 최적의 환경이 조성될 때에 지속적인 독서 생활이 가능하기 때문이다.

지적 생활은 독서 외에도 글쓰기가 중요하다. 본인이 읽었던 책이나 관심 있는 분야에 대하여 글을 쓰는 것이 지적 생산 활동이다. 저자는 글쓰기를 두려워 하지 말고 무조건 쓰라고 한다. 그는 "기계적인 글쓰기"를 강조하여 훌륭한 작가는 어김없이 다작을 했다고 주장하였다. 글을 쓰기 위해서 기록을 효율적으로 정리해야 한다. 쇼이치는 본인이 박사학위 논문을 쓸 때에 '기록 카드 작성법'을 통하여 논문을 무사히 마쳤다고 한다. 그의 지도교수와 저녁 식사 중에 지도교수로부터 이런 말을 들었다.

"기록카드를 만들어 비교하다 보면 아무리 위대한 학자의 저서일지라도 논지의 오류가 있는 부분을 발견하게 될 걸세. 그것을 논문의 출발점으로 삼으면 된다네."[43]

그는 이후 기록 카드 박스를 이용하여 논문의 핵심 주제를 잡고 좋은 논문을 쓸 수 있었다. 지금도 이 기록 박스를 보관하고 있다는 저자는 이를 통하여 지적 활동의 창출이 가능하고 하였다. 논문이나 보고서 작성을 할 때에도 텍스트에 나온 요지, 논지, 논리의 문제 등을 잘 정리하면 이를 통해 여러 학자들 사이의 관점의 차이와 오류를 발견할 수 있다. 이러한 차이를 발견하고 논리를 정해나가는 과정이 논문 작성의 출발점이다.

'지적 생활'은 학자의 전유물이 아니다. 이는 사회 구성원 모두의 자기를 지켜나갈 수 있는 삶의 방식이다. 내 정신을 지속적으로 갈고 닦을 수 있는 방법은 지적 생활의 추구에 있다. 지금처럼 인터넷을 통하여 '얕은 지식'을 손쉽게 얻을 수 있는 세상에서 본인의 삶을 한 단계 승화하는 길은 지적 생활의 지속화에 있다.

함께 읽으면 도움이 되는 책

- 도야마 시게히코, 《지적생활 습관》, 한빛비즈, 2017.
- 해머튼, 《지적 생활의 즐거움》, 김욱 옮김, 2015.

08
공부 방법에도 왕도가 있다

《운명을 바꾸는 공병호의 공부법》, 공병호, 21세기북스, 2012.

공병호는 우리 시대 뛰어난 자기경영전문가 중 한 명이다. 그는 주장하는 자기경영의 핵심은 꾸준한 공부에 있다. 미래가 답답하다면 안개 속과 같은 미래를 해쳐 나가는 방식에 대해 공병호는 공부하기를 강조한다.

“공부를 한다는 것은 한치 앞을 내다보기 어려울 정도로 안개가 가득 찬 밤길을 한 걸음 한걸음 나아가는 것에 비유할 수 있다. 무엇을 공부해야 할 것인지를 알 수 없을 뿐만 아니라 공부를 한다고 해서 내가 올바른 길을 선택했는지 확신할 수 없다. 그런 불확실성을 뚫고 수확할 때까지 계속해서 밀어붙이는 일은 만만치 않다.”[44]

하루가 달리 디지털 기기들이 변화하는 가운데에서 우리는 한치 앞의 미래를 분석하기 어렵다. 보이지 않는 가까운 미래를 진단하기에 공부보다 위력적인 것은 아무것도 없다. 공부를 잘 이해하기 위해서 공병호는 공부의 입력 시스템에 대하여 이야기한다. 그에 따르면, 공부는 ‘입력 프로세스 → 생산 프로세스 → 산출 프로세스'에 따라서 그 효율성이 달라진다고 한다. 공장에서 물건을 만드는 일이나 인간이 가치를 산출하는 일은 유사하다. 입력 프로세스는 인간의 두뇌에 여러 가지 정보를 투입하는 활동이다. 생산 프로세스는 투입되어진 정보를 처리해 나가는 생산과정을 의미한다. 산출 프로세스는 생산 프로세스를 거쳐 만들어진 지식을 머리에서 꺼내 원하는 결과를 만들어내는 활동이다. 유형의 상품을 만들어내는 곳이 생산 공장이라면, 지식을 만들어내는 곳은 지식공장이다.

입력 프로세스의 대표적 예가 독서이다. 독서는 두뇌에 정보가 투입되는 과정이고 이를 통해서 지식이 만들어지는 과정이기도 하다. 공병호는 독서가 입력프로세스와 생산 프로세스가 동시에 일어나는 활동이라고 하였다.[45] 저자는 생산프로세스를 2단계로 제시하였다. 지식 공장의 뼈대가 되는 플랫폼과 이를 기반으로 하는 제1지식공장, 제2지식공장 등이 구성된다. 지속적으로 공부를 하게 되면 어느 순간부터 플랫폼과 지식공장 형성이 동시에 가능하다. 지식 공장들은 외국어 구사, 문제해결 능력, 상황대처, 대인 관계 등과 관련된다. 이처럼 다양한 공장을 가동할 수 있다는 것은 무엇을 의미하나? 이는 어느 능력과 관련된 "두뇌의 신경망이 정교하게 변화"[46]하는 것을 말한다. 출력 프로세스는 가치를 창출해 나가는 단계를 말한다. 가치는 특정 직종에서의 창의적 아이디어를 포함한다. 창의적 인간이 필요한 시대에 지속적으로 가치를 창출해 내지 못한다면 사회에서 도태할 수밖에 없다.

공부를 잘 하는 방법으로 저자는 열린 시스템으로의 공부 인식, 가치관, 주인의식, 열의, 계획, 습관, 컨디션, 규칙성을 이야기한다. 공부를 잘하기 위해서는 공부하는 방법을 정확하게 인식해야 한다. 공부는 내용도 중요하지만 접근하는 방법에 따라 효율성에 차이가 난다. 목표를 가지고 움직이는 것과 방향 없이 무조건 나가는 것 사이에는 많은 차이가 존재한다.

공부를 어렵게 생각할 필요가 없다. 저자는 우선적으로 '가벼운 글쓰기'를 해보라 권유한다. 가벼운 글쓰기란, 작은 주제에 대하여 누군가와 대화 나누듯이 쓰는 글을 말한다. 가벼운 글쓰기에서는 읽기와 쓰기를 동시에 하는 것이다. 책을 읽고 책에 대한 글을 쓰는 것이 좋다.

저자는 책 읽는 방법으로 수직독서와 수평독서를 이야기한다. 수직독서는 한 가지 주제에 대하여 깊게 파악해 나가는 것이다. 수평독서는 여러 가지 주제에 넘나들면서 책을 읽는 것이다. 공병호가 말하는 재미있는 독서법 중 하나는 '건달독서'이다. 이는 중요한 내용만을 발췌하여 읽어나가는 책 읽는 방식이다. 독서에 80대 20의 원칙이 적용되어 중요한 20프로의 내용만을 읽어도 책의 전체 내용을 이해할 수 있다. 수직 또는 수평 독서이건 간에, 책을 읽는 순서는 서문과 맺음말과 차례를 먼저 읽고 다음에 내용으로 들어가는 것이 좋다.

공병호가 책을 읽는 방식으로 추천하는 것은 중요한 정보를 만나면 포스트잇으로 붙여놓으라는 것과 책의 앞부분에 인덱스를 만들라는 것이다. 포스트잇으로 중요한 부분을 체크하면 언제든지 중요한 부분을 찾을 수 있다. 그리고 앞부분에 키워드를 적고, 이 키워드나 핵심어구가 있는 페이지를 적어놓으면 나중에 앞부분만 살펴보아도 책의 전체적인 그림을 그릴 수 있다.

저자가 강조하는 대표적인 공부법은 '책쓰기'이다. 공병호는 "내가 내놓을 수 있는 업의 본질은 콘텐츠를 창조하는 일이다. 그렇다면 나 자신의 업무 기량을 계속해서 향상시키는 방법들이 필요하다"고 하였다. 콘텐츠를 창조하는 대표적 방식이 책을 펴내는 일이다. 저자는 책 쓰기가 공부법으로 치환되는 과정을 세 단계로 말한다. 첫째는 '주제'를 선정하는 것이다. 본인이 알고 싶은 주제를 명료화 한다. 이 후 화가가 데생하듯이 4-5가지의 대주제하에서 소주제들을 구성해 나간다. 책의 목차를 구성하는 일이 책 쓰기의 기본이 된다. 이러한 작업을 공병호는 설계도 도면 작성이라 하며, 여기에서는 책의 가제목, 구성도, 마감 일자, 작업 시간 등을 기록한다. 시간을 정확하게 구분 짓는 일은 책 작업에서중요한 과정이다. 둘째는 200자 원고지 1,200장 내외로 책을 만드는데, 각 장별로 200장, 300장과 같은 분량을 배치하는 것이다. 셋째로 책을 60 - 70개의 작은 프로젝트의 합으로 접근한다. 원고지 1,200매를 60개의 작은 프로젝트로 나누고 1개의 프로젝트에는 원고지 20페이지 분량 정도 기술한다. 신문 칼럼이 원고지 10매 정도이기에 원고지 20매는 칼럼 분량의 약 2배이다. 시간이 날때마다 원고지 20매를 채워 나간다는 생각으로 책 쓰기에 도전하면 중단없이 작업을 수행할 수 있다.

저자는 공부의 의미에 대하여 다양한 체험을 강조한다. 그는 자기관찰, 개선과 혁신에 대한 의지를 가지고 직접 현장에 뛰어들 것을 강조한다. 저자는 "무엇이든 큰 위험이 따르지 않는다면 일단 저질러보라"고 충고한다.[47] 여행, 타인 벤치마킹, 영상물 감상, 중요한 내용은 카메라로 찍어두기, 대화나누기, 트위터 활용 등의 다양한 공부가 사람을 성장시킨다. 남과 차별적인 삶을 살기 위하여 우리는 필사적으로 노력해야 한다. 타자와의 차별성은 하루아침에 만들어지지 않는다. 매일, 매일 노력해 나가면서 '차이'를 만들어 낼 수 있다. 그 노력의 중요한 행위가 공부이다. 공병호는 이 책을 통하여 배움의 중요성을 이렇게 말하고 있다.

"내가 이 책에서 말하고 싶은 것은 상황이 자신을 어려운 지경에 내몰지 않도록 젊은 나이부터 장기적인 시각을 가지라는 것이다. 그리고 어떤 가치를 갖는 인재로 자신을 만들어야 할지에 대해 목표를 세우고 그 목표가 가능하도록 배움을 게을리 하지 말아야 한다는 점을 강조하고 싶다."[48]

자신이 이 사회 속에서 어떤 위치에 존재해야 하는지에 대한 철학적 고민을 해야 하며, 그러한 성찰 위에서 만들어진 목표를 향해 공부를 지속적으로 해나가야 타인과 차별적인 삶을 영위할 수 있다.

함께 읽으면 도움이 되는 책

- 르네 퀘리도, 《발도르프 공부법 강의》, 김훈태 옮김, 2017.
- 조승연, 《그물망 공부법》, 21세기북스, 2012.

09
나를 아는 힘

《나는 누구인가》, 강신주 외, 21세기북스, 2014.

인간 삶에서 중요하면서도 어려운 물음은 '내가 누구인가?'에 대한 탐구이다. 그래서 고대로 부터 많은 현자들은 내가 누구인지를 찾기 위해서 여러 가지 철학적인 질문을 하고, 그 해답을 찾기 위해서 공부를 했다. 공부의 궁극적 목표는 내가 누구인지에 대하여 알고, 이를 바탕으로 "어떻게 살아야 하는지?"에 대한 깨달음을 갖는 일이다. "어떻게 살아야 할지?"에 대한 답을 구하는 과정을 통하여 인간을 한 단계 더 성숙시킨다.

이 책은 강신주를 비롯한 우리 시대 내로라고 하는 인문학 강사들이 모여 "나는 누구인가?"라는 물음과 답을 제시한다. 들뢰즈에 의하면, 나의 정체성은 타자에 의하여 규정된다. 타자는 "내가 지각하는 각 사물과 사유하는 각 관념의 중위에서 배경을 조직"[49]하도록 도와준다. 철학자 서동욱은 대상의 어떤 부분은 아무리 보려고 해도 보이지 않지만 타자에게는 보일 수 있다 하였다. 내가 도달하기 힘든 부분을 도달하고자 할 때에 만일 타자와 결합한다면 전체를 파악할 수 있다. 들뢰즈의 타자 이론에 근거하면 내 정체성의 보이지 않는 부분은 타자, 혹은 다른 영역과 결합하면 볼 수 있다. 그 다른 세계를 이 책의 저자들은 '예술'이라고, 혹은 '인문학'이라고 부른다. 강신주는 예술의 필요성에 대하여 일상과 정반대의 길을 가기 위해서라 한다. 일상의 쳇바퀴에 함몰되어 있는 사람은 "내가 누구인지?"에 대하여 관심을 가질 여유가 없다. 그들에게 예술은 필요 없는 존재인가? 아니다. 예술은 인간이 보지 못하는 곳을 바라보게 하는 타자의 영역이다. 강신주의 말대로, 예술은 "진정한 삶을 복원하는 시도이고,"[50] 안전에서 위험한 곳으로 끌고 가는 마법의 경험을 제공해준다.

인문학 공부는 문학, 철학과 역사 공부를 통하여 인간에게 올바로 살 수 있는 방향을 제시해준다. 첨예화된 자본주의 영향아래 삶에서 내 중심을 잡고 살기가 쉽지 않다. 자본주의가 무서운 이유는 이 사회 속에서 중심을 잡기 어렵게 하고, "획일화된 노예"[51]로 전락시키기 때문이다. 대량생산과 소비재에 대한 끊임없는 갈구를 양산시키는 자본주의 체제 안에서 개인의 의미를 찾기는 불가능하다. 광속으로 지나쳐 가는 과학 기술의 발전과 무가치해져 가는 삶의 의미 속에서 나의 정체성을 파악하기 위해서는 일상과는 반대의 길을 가야 한다. 그래서 강신주는 이성복 시인의 입을 빌려 "입으로 먹고 항문으로 배설하는 것은 생리이며 결코 인간적이라 할 수 없다. 그에 반해 사랑은 항문으로 먹고 입으로 배설하는 방식에 숙달되는 것이다"고 하였다. 예술은 잘못 들어선 길에서 탈출하는 방법을 가르쳐 주는 신의 선물이다. 예술을 통하여 거꾸로 보기와 사유하기는 우리의 삶의 가치를 높여준다.

다시 언급하지만 인문학의 기초 질문은 "나는 누구인가?"이다. 참 자아가 무엇이고, 이를 성취하기 위해서 어떻게 살아야 하는 지에 대한 성찰이 인문학의 기본이다. 인문학의 다음 질문은 이웃과 더불어 살아야 하는 일상에서의 어떻게 '도덕적'으로 사는 가 이다. 인문학의 마지막 질문은 의미가 있는 죽음은 무엇인가 이다. 김상근 교수는 이렇듯 나에 대한 앎, 더불어 살기와 의미가 있는 마감에 대한 깊은 통찰력은 인문학적 지식 수양에서 나온다고 하였다. 그에 따르면, 인문학은 '후마니타스(Humanitas)'라는 개념을 만든 키케로에서 시작되었으며, 이는 원래 '탁월함'을 습득하기 위한 목적을 지녔다고 한다. 인문학이 본격적으로 거론되기 시작한 것은 14세기부터 이탈리아의 피렌체에서 부를 축척한 상공인 계급의 사회적 부상과 관련이 있다. 이들은 '르네상스'시기를 열었으며 세계를 발전시켰다. 이들은 중세의 종교 중심의 세계관을 타파하고 나아갈 수 있는 그 추동력(推動力)을 인문학을 통하여 찾고자 하였다. 많은 예술가들을 지원하여 르네상스 시기를 여는데 혁혁한 공을 세운 메디치가문의 코시모 데 메디치는 '플라톤아카데미'를 세우고, 이를 통해 새로운 공부의 길을 제시하였다. 르네상스 시기의 인문학은 코시모 데 메디치의 인문학에 대한 사랑,

새 시대에 대한 갈망, 예술을 통한 인간 삶의 정도를 찾고자 하는 열정, 중세의 암흑에서 인간다움이라는 한 줄기 빛을 발견하고자 하는 갈구에서부터 비롯되었다.

"나는 누구인가?"라는 화두는 오직 인간만이 할 수 있는 최상의 질문이다. 인간 존재에 대하여 의문을 품음으로써 반성적 사유가 가능하다. 그 사유를 통하여 인간은 거듭난다. 내가 누구인지를 알면 특정 기준을 만들 수 있는 사람이 된다. 최진석 교수는 '인간-기준 생산자'는 주체적인 삶을 살수 있다고 하였다. 나의 정체성을 인지할 수 있는 공부는 수동적 세계 안에서 존재하는 것이 아닌, 능동적 창조자로 거듭나게 한다.

내가 누구이고, 인생에서 가야할 길을 알게 되면 이 세상에 두려운 것이 없다. 자신이 성찰하고, 경험한 것이 잘 축적되어야만 자신의 세계를 구축할 수 있다. 내가 성찰하고 경험하기 위한 중요 타자의 영역에 예술, 인문학, 문화가 존재한다. 이 영역들은 나의 관점을 바꾸고 세상에 대한 색다른 이야기를 전해준다. 익숙한 것에서 낯설음을 느끼는 '부자데'를 경험하기 위해서는 익숙한 것에 대하여 자주 물음을 던져야 한다. 지금 바로 일상에 대한 반론을 제기하고, 변화를 모색하는 '공부'를 할 때에 우리는 지금 보다 한 발짝 더 나아가게 된다.

함께 읽으면 도움이 되는 책

- 리베카 솔닛, 《걷기의 인문학》, 김정아 옮김, 반비, 2017.
- 스콧 하틀리, 《인문학 이펙트》, 이지연 옮김, 마일스톤, 2017.
- 주현성, 《지금 시작하는 인문학》, 더좋은 책, 2014.

10
통찰력을 통하여 세상 보기

《통찰력을 길러주는 인문학 공부법》, 안상현, 북포스, 2012.

인간의 정신적 성장은 내면을 돌아보면서 부터 이루어진다. 나에 대한 질문들, "나는 어떻게 살고 있는가?", "가치 있는 삶이란 무엇인가?", "어떻게 살아야 행복한가?" 등에 대한 질문을 던지고, 그 해답을 얻는 과정에서 사람은 한 단계 도약한다. 그러한 상승은 현재의 '나'가 아닌, 초인(超人)으로 거듭나게 한다. 사이토 다카시는 저서《곁에 두고 읽는 니체》에서 니체가 말한 초인을 "현재의 자신을 뛰어넘겠다는 결의로 미래를 향해 계속 뛰어오르려는 사람"[52]이라 규정했다. 초인은 현실에 안주하지 않고 "화살"처럼 솟구쳐 오르는 자이다. 현재의 자신을 뛰어넘으려는 의지에 충만한 자만이 세상을 바꾼다. 니체가 주창한 초인은 미래 지향적인 사람이다. 니체가 가장 싫어하는 사람은 현실에 그냥 만족하는 사람이고, 가장 좋아하는 이는 최선을 다해 지금을 바꾸려고 전력 질주하는 자이다.

저자가 말하는 인문학 공부의 목적은 "새로운 삶을 위한 문장을 얻는 것"[53]이다. 인문학은 어떠한 자세로 인생을 살아가야 하는 지를 이야기한다. 방향이 있는 삶과 그렇지 못한 삶 사이에는 많은 차이가 있다. 내가 어디로 나가야 하는 지에 대한 목표를 갖고 살아가는 사람은 환난과 시련이 닥쳐도 이겨낼 수 있다. 저자의 말대로, 인문학이 자신에게 필요한 "문장을 찾아내는 힘"이라면 당연히 자율적 공부가 필요하다. 나에게 필요한 문장이 무엇인지를 알아야 그를 찾아 헤맬 수 있다. 남이 그냥 준 것이 아니라, 내가 스스로 찾아낸 문장은 피가 되고 살이 된다. 인생은 즐거움만 넘쳐나지 않는다. 대부분의 생은 윌리엄 브레이크의 시구처럼, "고통의 실로 짠 피륙과 같은 것"이다. 현재 나의 고생이 주는 고통과 시련에서 한 단계 도약하기 위해서 인문학 공부는 필요하다.

저자가 말하는 인문학 공부의 첫걸음은 독서이다. 그는 자신감을 갖고 인문학적 질문을 던져야 공부가 된다고 말한다. 책을 읽을 때에 그냥 읽기보다는 종이에 적으면서 읽어야 집중력 있는 독서가 가능하다. 독서를 하다가 난해한 문장을 만나면 그 문장의 해석을 위해 다른 책이나 자료를 검색하여 이해를 추구해야 한다. 인문학적 지식 축적은 집을 쌓는 것과 유사하다. 언젠가 전주의 한옥 고옥(古屋)을 구경한 적이 있다. 그 때 그 고옥은 오랜 시간 동안 비바람, 천둥, 번개, 태풍을 잘도 이겨낸 자태를 자랑하고 있었다. 그 집은 주춧돌부터 대들보, 서까래, 추녀에 이르기 까지 멋지게 구성되어 있었다. 특히 목조 건물의 기둥을 받치는 주춧돌이 아주 충실해 보였다. 인문학적 지식도 빛을 발하기 위해서는 먼저 기초 공사를 충실하게 해야 한다. 자크 라깡은 "모든 욕망은 타자(他者)의 욕망이다"라고 했다. 이 라깡의 욕망에 대한 기본 관념을 이해하지 못하면 라깡 철학에 다가가기가 불가능하다. 인간은 불완전한 존재로 태어나서 부모의 사랑으로 양육된다. 어린아이는 부모가 좋아하는 일이 무엇인지를 알려고 하고, 이를 위해서 부모의 욕망에 만족하게끔 살아간다. 커서도 마찬가지이다. 자신의 욕망보다는 주변 사람들의 욕망에 근거해 삶을 영위한다. 사회생활에서 주체가 되었을 때에 비로소 자신의 욕망이 무엇인지를 알 수 있다. 이러한 욕망의 특성을 말하고자 라깡은 타자의 욕망을 꺼냈다. 이런 기본 개념에 대한 이해가 선행되어야 다음 개념으로 진도가 나간다.

그럼 언제 공부를 해야 하나? 인문학을 공부하는 데에 자투리 시간을 이용하는 것이 좋다. 사회생활을 하다 보면 따로 공부할 시간을 내기 어렵다. 학교나 직장으로 이동하는 중간 이동 시간 동안의 독서는 좋은 공부 태도이다. 철학서적 같은 경우에 처음부터 철학자의 저서를 읽기보다는 '살림출판사'에서 간행되고 있는 지식 총서를 접하는 것도 좋다. 지하철로 이동하는 동안 지식 총서를 접하고, 철학자가 주창하는 기본 개념을 정립하고, 이 후 철학자의 번역 저서를 접하면 기본 개념 확보에 도움을 받을 수 있다.

저자는 인문학 공부를 위해서는 철학, 문학과 역사를 탐구하라고 한다. 서양 철학의 근본 질문은 "인간은 무엇인가?"이다. 많은 철학자들이 이 질문에 대한 답을 구하고자 애를 썼다. 각기 다른 철학자의 관념들을 이해하기 위해서는 먼저 '개념'을 정리해야 한다. 각 철학자가 말하는 기본 개념을 정리하고, 실제 어떻게 쓰이는 지를 정리해야 한다. 그 다음으로는 각 개념들이 어떻게 연결되는지에 대하여 신경을 써본다. 가급적이면 그림으로 그려놓고 이해하면 좋다. 니체의 저작물 같은 경우에는 문장 하나하나에서 사람의 마음을 움직이게 한다. 이러한 측면에서, 안상현은 "인문학이란 세상이 던져주는 답이 아닌 자기만의 답을 고민하도록 자신을 흔들어 놓는 것, 그렇게 자신과 세상을 들여다보게 하는 것, 그리하여 자신과 세상을 깨고 또 깨어가는 것"[54]이라 말한다. 특히 철학은 나만의 답을 구하고자 노력하는 학문이다. 내 머리에 강한 충격을 줄 수 있는 질문을 던지는 학문이 철학이다. 그렇기에 인간이 무엇인가?, 어떻게 살아야 하는가?, 인간사의 참된 선(善)이란 무엇인가?, 윤리적인 삶이라 무엇인가?, 개인의 이익과 공익 주에서 무엇이 우선이 되나? 등에 대한 질문을 던지고, 그 해답을 구해나가는 사유의 과정이 포함한다.

문학 공부의 기본은 소설책 읽기이다. 저자는 처음 책을 읽을 때에는 스토리 중심으로 읽고, 그 다음에는 주인공의 '변화 과정'에 주목하면서 읽으라고 한다. 문학책을 읽을 때에 강약 조절을 하면서 읽는 것이다. 다음 이야기가 궁금해서 빨리 읽어야 하는 부분이 있는가 하면, 주인공 사이에 갈등 상황이 어떻게 만들어지고 그것이 어떻게 해결되는지에 대해 음미해야 하는 부분도 있다. 저자는 소설책을 읽을 때에도 형광펜으로 밑줄을 긋거나 줄을 그으라고 한다. 그 이유는 등장인물 사이의 '관계도'를 그려내기 위함이다.

문학 작품을 읽는 이유는 다양한 인물을 만나기 위해, 역경을 이겨내고 용기를 얻기 위해, 스토리의 재미를 위해, 그리고 카타르시스를 경험하기 위해서이다.[55] 문학작품처럼 간접체험이 가능한 매체는 없다. 소설 속의 등장인물이 현 상황에서 어떻게 사건을 경험하고, 이겨나가는 지에 대해서 이해하게 된다. 소설 이외에 시(詩)는 세상을 역설적으로 보게 한다. 사물과 현상에서 존재하는 의미를 파악하게 하는 데에 시를 음미하는 것 보다 좋은 교육은 없다. 시인의 역설, 은유, 상상력, 통찰력을 이해하는 일은 우리 삶의 지평(地平)을 넓혀준다. 장석주는 시인의 물음에 이렇게 찬사를 보낸다. "시인의 상상력은 그 세계와 부딪칠 때 동심원을 그리며 펼쳐진다. 그런 까닭에 좋은 시를 읽는 것은 세계의 확장이자 의미 영역의 확장이다. 시인들은 끊임없이 묻는다. 그들은 우리를 대신하여 장미가 무엇이고, 먼지가 무엇이고, 비가 무엇이고, 애탄 근심이 무엇이고, 시간이 무엇인가를 묻는다."[56]

인문학 공부의 마지막은 역사 공부이다. 역사공부를 하는 이유는 역사적인 사건 사이의 '인과 관계'를 밝혀내기 위함이다. "역사 공부의 목적은 역사의 바닥에 흐르는 인과관계를 파악하고 현재를 살아가는 감을 잡는 것이다."[57] 역사는 반복된다. 그 반복되는 원칙을 발견해서 내 삶 속에 적용해 보는 것이 진정한 역사공부의 목적이 된다. 역사공부를 지루하지 않게 하기 위해서는 좋아하는 인물을 선정하고, 그 인물과 관련된 역사책을 찾아서 공부한다. 인물의 출생에서 부터 연대별 주요 사건을 정리하여 사건들의 의미를 이해한다. 사건의 흐름에서 서로 연결된 다른 인물들에 대해서 공부를 확대하면 올바른 역사공부가 된다.

저자가 말하는 인문학 공부의 핵심은 공부가 일상에서 이루어진다는 것이다. 한번 하고 마는 공부가 아닌, 평생을 지속적으로 하는 공부가 진정한 공부라는 말이다. 내 인생에서 공부한 것을 실천하는 삶이야말로 진정한 인문학 공부 자세이다. 인문학 공부의 목적은 인간에 대한 이해에 있다. 인간이 자신의 살아갈 이유와 목표를 부여하기 위해서는 삶에 대한 반성과 통찰이 필요하다. 그런데 그러한 심오한 사유에는 반드시 교육과 훈련이 필요하다. 인문학으로의 몰입은 한 개인의 삶을 바꾸고 사회를 변혁하게 하고, 그리고 국가의 지배적 문화 흐름을 바꾼다.

함께 읽으면 도움이 되는 책

- 윤소정, 《인문학습관》, 다산초당, 2015.
- 김헌, 《인문학의 뿌리를 읽다》, 이와우, 2016.

11
글쓰기만큼 좋은 공부는 없다

《유시민의 글쓰기 특강》, 유시민, 생각의 길, 2015.

글은 개인사고(思考)의 거울이라 할 수 있다. 언어를 통하여 생각이 정립되고 이 정리된 생각은 다시 글로 세상에 나올 수 있다. 개인의 내면 안에서만 존재하던 생각은 글이라는 이름으로 사람들과 만날 수 있다. 그렇기에 장석주는 글쓰기를 "경험의 재해석, 미지와의 조우, 창조의 지평선을 찾는 대모험이다"[58]라고 말한다.

동서고금으로 글을 잘 쓰는 문장가들은 대접을 받았다. 글을 잘 쓰는 사람들의 특징은 주제를 명확하게 제시한다는데 있다. 유시민은 글을 쓸 때에는 반드시 주제에 집중하라고 한다. 다른 길로 흐르지 말고 특정 주제에 집중해서 서술해야 한다는 것이다.

"무엇보다 주관적인 감정에 휘둘리지 않아야 한다. 감정을 느끼지 말라는 게 아니다. 감정을 느끼는 것이야 인간의 본성인데 어찌하겠는가. 그러나 자기의 감정에 대해 일정한 거리를 유지하면서 제어하고 관리할 수는 있다. 글을 쓸 때 감정에 빠지면 길을 잃기 쉽다. 주제를 벗어나 글이 엉뚱한 곳으로 흐르게 되고 주제와 상관없는 것들을 들여와 글을 망치게 된다."[59]

글쓰기에는 논리 글쓰기와 문학 글쓰기가 있는데, 논리 글쓰기는 후천적인 노력에 의해서 능력이 배양 가능하다. 후천적인 노력으로 저자는 '텍스트 발췌 요약'을 먼저 시작하라 한다. 요약은 텍스트를 읽고 핵심을 뽑아내는 일이다. 이렇듯 요약을 하다보면 텍스트를 이해하고 문장을 기술하는 능력이 향상된다.

좋은 글은 네 가지를 신경 써야 한다. 첫째, 무슨 이야기를 하는지에 대한 주제가 명확해야 한다. 둘째, 주제를 다루는 사실과 정보가 있어야 한다. 셋째, 사실과 제공한 정보 사이에는 어떤 관계가 형성되었는지를 밝혀야 한다. 넷째, 주제, 정보와 논리 사이가 적절한 문장으로 제시되어야 한다. 이와 같이 논리적 흐름에 맞는 글을 쓰기 위해서는 텍스트 독해, 텍스트 요약과 사유와 토론이 이루어져야 한다. 글을 잘 쓴다는 것은 기존 텍스트를 해석하는 능력이 있어야 하고, 타자의 글을 내가 스스로 이해하고 비평한다는 것이다. 좋은 글인지 아닌지를 판단하는 데에는 첫 문장만 읽어보면 알 수 있다. 첫 문장에는 저자가 독자들에게 던지는 전체적 메시지가 들어있기 때문이다. 그렇기에 유시민은 “첫 문장을 자신 있게 쓰려면 먼저 글 전체를 대략이라도 구상해야 한다. 그런 구상 없이 첫 문장을 쓰려면 설계도와 조감도 없이 무작정 집짓기 공사를 시작하는 것처럼 막막할 수 밖에 없다”[60]고 말한다.

글을 잘 쓰기 위해서는 텍스트의 독해 능력이 높아야 한다. 텍스트 내의 오류를 발견하고, 이를 정정할 수 있는 능력을 갖추어야 한다. 유시민은 어휘력을 늘릴 수 있는 방안으로 《토지》, 《자유론》, 《코스모스》 같은 책들을 추천했다. 이와 같은 양서(良書)들은 읽는 것으로만 끝나서는 안 된다. 책안에 있는 주옥같은 문장들을 읽고, 밑줄을 긋고, 그리고 필사(筆寫)를 해야 한다. 장석주는 필사의 힘에 대하여 이렇게 강조한다.

“좋은 텍스트를 옮겨 쓰다보면 문장을 이루는 개별 요소들과 테크닉이 더 자세하게 보인다. 많은 작가들이 습작 시절에 그런 방법으로 훈련을 해왔다. 오래 훈련해서 이치에 들어맞는 문장을 능숙하게 쓸 수 있게 될 때 비로소 힘찬 문장, 날렵한 문장, 우아한 문장, 장중한 문장, 감미로운 문장, 세련된 문장들 까지 구사할 수 있다."[61]

필사를 통해 위대한 작가의 좋은 작품을 내 것으로 승화시킬 수 있다. 눈으로 읽을 때와 글을 몸으로 밀고 나갈 때에 글을 인지하는 능력에는 차이가 있다. 온 몸으로 밀고 나가 나의 것으로 만든 문장은 다시 내 안에서 나만의 스타일로 굳는다. 좋은 글을 쓰려거든 이렇듯 명문을 아로 되새기는 체험이 있어야 한다.

저자는 글쓰기가 현악기와 닮았다 한다. "바이올린 같은 현악기는 연주자가 줄을 손가락으로 눌러 음높이를 조절한다. 그렇게 하려면 음감(音感)이 있어야 한다.[62]" 악기 연주의 음감처럼, 글쓰기에서는 글감이 필요하다. 글감은 좋지 않은 글을 선별해내는 감각을 말한다. 글감을 갖기 위해서는 글을 많이 읽고, 또한 많이 써야 한다. 글쓰기 근육은 몸의 근육처럼 많이 단련할수록 커진다.

좋은 글은 짧게 쓰고 군더더기가 없어야 한다. 좋은 글을 쓰기 위해서는 단문으로 쓰는 것이 좋다. 복문은 주제가 분산된다. 군더더기란, 접속사, 관형사와 부사로 이루어진 부분이다. 일반적으로는 굳이 없어도 되는 접속사인, 그러나, 그래서, 그러므로 와 같은 접속사는 삭제하는 것이 좋다. 조용헌은 좋은 글을 쓰기 위한 자신만의 전략을 이렇게 소개한다.

"나는 글을 쓸 때 마다 염두에 두는 규칙이 있다. '하나의 생각은 하나의 문장에 집어넣는다 one idea one sentence'는 원칙이다. 개인적으로 짧은 문장을 선호하는 편이다. 짧아야 쉽게 읽힌다. 관계대명사가 많이 들어가는 문장은 복잡해서 좋아하지 않는다. 타고난 체질에 불이 많아서 서론을 길게 이야기하는 사람을 만나면 중간에 말을 자르는 습관이 있다"[63]

좋은 글을 쓰기 위해서는 부단한 노력이 필요하다. 기본적으로 책을 많이 읽어야 하고, 현상에 대하여 심도 있는 관찰이 필요하고, 그리고 글을 많이 써서 글쓰기 근육을 키워야 한다. 나는 글쓰기야 말로 우리가 하는 공부의 '정점(頂點)'이라 생각한다. 텍스트로 부터 전해진 지식이 '내면'으로 들어와 나의 경험과 만나 새로운 사유가 시작된다. 그 사유가 밖으로 나가면서 글이라는 '외면'으로 존재하게 된다. 말이 일시적 존재라면, 글은 영속적 존재이다. 글은 활자로 남아 나에게 혹은 타자에게 가서 다른 해석을 가능하게 한다. 좋은 글은 나를 떠나 타자의 삶도 변화시킨다. 공부가 나에서 끝나는 자기 수양의 도구만이 아니라, 사회 변혁의 단초가 되기 위해서는 가슴을 떨리게 하는 많은 글이 나와야 한다.

함께 읽으면 도움이 되는 책

- 스티븐 킹, 《유혹하는 글쓰기》, 김영사, 207.
- 은유, 《글쓰기의 최전선》, 메멘토, 205.
- 이오덕, 《이오덕의 글쓰기》, 양철북, 2017.
- 프리츠 게징, 《마음을 흔드는 글쓰기》, 이미옥 옮김, 흐름출판, 2016.

제 2 장

왜 공부해야 하나?

01

노자, 생각하는 힘을 말하다

《생각하는 힘 노자인문학》, 최진석, 위즈덤하우스, 2015.

노자의 도(道) 사상은 "철학적 사유가 빚어낸 관념의 정화(精華)"[64]이다. 노자의 도덕경은 역사를 초월한 지혜를 담고 있기는 하나, 사유의 흔적이지 종교 경전과 같은 초월적 가치를 지니고 있지 않다. 노자가 말한 도는 인간이 추구해야 하는 바른 길을 말한다. 그 길을 가기 위해서 신(神)에게 의지해서가 아니라, 인간 스스로의 반성과 사유를 통해야 한다는 것이 노자의 가르침이다. 그런 측면에서, 노자 철학은 인간 중심의 생각하는 힘에 대한 가르침이라 할 수 있다.

도의 출현 이전에는 중국에서 세계를 해석하는 두 개의 축은 바로 '천'과 '덕'이었다. 인간의 살아갈 길을 하늘에 물었던 시대에서 인간 스스로가 옳은 길을 가야하는 시대에서는 '도'와 '덕'이 사회적으로 중요하게 부상하게 되었다. 인간 중심의 철학 시대를 열은 철학자는 노자와 공자이다. 먼저 공자는 "인간이 인간인 이유는 인간 자신에게 있다!"[65]라는 인간 중심의 삶의 중요성을 역설하였다. 공자에게 '인간다움'이란 인(仁)과 예(禮)라는 보편적 본질을 삶 속에서 실천하는 일이다. 인과 예에 맞춰 살다보면 인간은 선(善)에 도달을 수 있다는 것이 공자의 가르침이다. 공자는 보편적 기준을 설정하고 이를 일반인이 따라가는 것이 천명(天命)을 극복한 인간이 추구해야 하는 길이라고 했다. 이에 반해 노자는 보편적 이념이나 가치가 강요하고 인간의 자유 의지를 꺾는다면 이는 폭력의 다른 모습이 된다 하였다. 인간의 길을 이야기 하는데 공자는 인간의 내면에 대하여, 노자는 자연의 존재 양태를 사유의 원천으로 간주하였다[66].

공자가 인간의 내면의 변화를 강조했다면, 노자는 인간 밖에서 진리를 구하는 것에 역점 두었다. 우리 인간사에는 기본적으로 '주관성'이 개입될 수밖에 없다. 노자는 자연에서는 주관이나 가치중립적 상태가 되기에 이곳에는 인간이 배울 수 있는 도가 존재한다고 보았다. 이러한 관점에 대하여 노자는 천도무친(天道無親)이라 말한다. 이 뜻은 자연에서는 더 친하거나, 덜 친한 그러한 경계가 없다는 것이다. 노자가 추구한 도의 경지는 인간의 주관성에서 벗어나 객관적 가치를 추구하면서 살자는 것이다. 최진석은 "공자는 인간의 길을 건설함에 있어서 인간의 내면적 본성을 근거로 삼았고, 노자는 자연의 운행 원칙을 근거로 했을 뿐"[67]이라고 말한다.

노자사상을 대표하는 것이 《도덕경》 제1장이다. 그 첫 구절이 '도가도비상도 명가명비상명(道可道非常道, 名可名非常名)' 이다. 이는"도라고 말해지면 진정한 도가 아니고, 이름이 개념으로 불리면 이는 진정한 이름이 아니다"란 뜻이다. 어떤 대상이 명칭으로 불리게 되면 특정한 의미에 갇혀서 더 이상 진정한 이름값을 할 수 없다. 이는 도에도 그대로 적용이 되어 도라는 것도 명명화 되면, 그것은 가도(假道)가 된다는 것을 의미한다.

노자 철학에서 무(無)는 중요한 개념이다. 노자의 '무'는 없음이 아니라, '비어있음'을 말한다. 비어있어서 자신의 모습이 드러난다. 컵은 안이 텅 비어 있기에 컵이 기능하고, 의자는 공간이 있기에 제 기능을 하게 된다. 달리기 시합에서 심판은 "출발" 신호로 달리기 시작을 알린다. 이 때 선수는 준비 자세를 취하게 된다. 선수가 다리를 살짝 떼는 상태는 출발인지,

혹은 달리기 인지 경계가 없다. 출발은 따로 존재하기 보다는 경계 지점에 존재한다. 이렇듯 존재감은 없으면서 존재해야 하는 상태에 대해 노자는 '무'라 부른다. 《도덕경》 제2장은 '유'와 '무'의 상생 관계에 대하여 강조한다. 유와 무는 분리된 것이 아니라, 서로 도움을 주고 존재한다. "유가 유인 이유는 유 자체에 있는 어떤 특정한 성질 때문이 아니라 무와의 관계 속에서 비로소 유가되고, 마찬가지로 무도 무 자체에 있는 어떤 특정한 성질 때문에 무가 되는 것이 아니라 유와의 관계 속에서 비로소 무가 된다."[68]

노자에게 이 세계의 운행 원칙은 상호 대립이 아니라 상호의존적이다. 노자는 '유무상생'의 관계로 구성된 것을 '도'라고 했다. 그래서 노자철학의 득도(得道)는 유무상생의 존재 원칙을 이해하는 일이다. "도를 개념화 할 수 없는" 이유는 '도'를 고정하고 제한할 수 있는 언어로만으로는 이를 담을 수 없기 때문이다. 도는 유아독존으로 존재하는 것이기 보다는, "새끼줄처럼" 꼬여 있는 상태이다. 새끼줄처럼 꼬여있으면 어느 한쪽으로만 의미를 제한 할 수 없다는 것을 의미한다.

노자에게 동(同), 현(玄), 혼(混), 일(一), 도(道)는 유사한 개념이다. 이와 같은 서로 다른 듯 유사한 개념들은 '도'를 설명하는데 도움을 준다. 《도덕경》 제25장에 나오는"독립불개"(獨立不改)는 홀로서 있을 때에는 변화가 없다는 것을 말한다. 유와 무가 하나로 엮기고 공존하는 형식으로 존재하는데 관계, 뒤섞임, "단절된 경계의 무화(無化)"[69]로 도는 이루어진다.

'무위(無爲)'는 노자 철학의 중심 테마이다. 《도덕경》 제48장에는 "도를 행한다 함은 매일 덜어내는 것"이라고 한다. 가치론적 판단을 없애고 세계를 있는 그대로 보는 것을 무위라고 한다. 세계의 본질은 가치론이 사라질 때 비로소 드러난다.

유무상생을 몸으로 실천하는 일이 무위이다. 《도덕경》 제15장은 "옛날에 도를 잘 실천하는 자는 미묘하고 현통하며 그 깊이를 알 수 없다"고 한다. 미묘하고 현통한 이유는 유는 무를 통해서 유의 존재가치가 드러나고, 무는 유를 통해 무의 역할이 나타나기 때문이다. 도를 추구한다는 것은 날마다 더하는 것이 아닌 빼내는 일이다. 나에게서 군더더기를 빼내는 일이 주체적으로 사는 길이다. 최진석은 이러한 노자의 '덜어냄'에 대하여 이렇게 말한다.

"노자의 손(損)은 더하기 빼기의 문제가 아니예요. 나에게 이미 있는 지식, 이념, 신념을 약화시키고 또 약화시키면 그것들이 지배력을 상실하게 되겠지요. 그러면 이제 자기에게만 있는 자기 본래의 자발적인 내면이 드러나게 됩니다. 자기 자신이 지식이나 이념 혹은 신념의 지배를 받지 않고, 자기 스스로의 동력으로 세계와 직접 마주하는 것이죠."[70]

나를 지배하는 신념이나 이념을 버리고 객관적으로 세계를 바라보는 것이 무위의 길이다. 그렇다고 해서 무위는 아무것도 안하는 것이 아니다. 이는 세계와 만날 때 기존 가치나 이념에서 벗어나 '자신'이 세계를 인식하는 중심에 서있는 것이다. 이러한 논리가 '조직'으로 확장되면 조직 내의 자발성이 중요해진다. 노자는 "톱다운(top-down)이 아니라 바텀업(bottom-up)" 방식이 조직을 강하게 만든다 한다. 노자는 "소국과민(小國寡民)"을 주장하여 나라를 작은 단위로 나누어 통치하는 것이 효과적으로 백성을 위하는 일이라고 하였다.

노자 철학에서 일관되게 주장하는 바는 "자신에게 집중하라"와 "자신에게 돌아가라"이다. 노자는 자기 스스로 생각하고 행위에 책임지는 것을 강조했다. 자신만의 "고유명사"[71]로 살아야 현명하게 사는 것이다. 노자가 강조한 나만의 고유명사로 사회에서 우뚝 서기 위해서는 내 스스로 생각하는 힘을 길러야 한다. 그 생각의 힘은 어디에서 나오는 것일까? 이는 '공부'를 통해서 가능해진다. 공부는 나의 힘을 기르는 일이다. 공부를 통한 자기 주체성이 확립되지 않으면 나에게 집중하기는 불가능하다. 남에게 휘둘리지 않는 중립적 가치를 가지기 위해서는 나만의 생각하는 힘이 필요하다. 공부는 자기의 생각을 길러주고 나에게 집중이 가능하게 해주는 수련 과정이 된다.

함께 읽으면 도움이 되는 책

- 강신주, 《강신주의 노자 혹은 장자》, 오월의 봄, 2014.
- 신정근, 《노자의 인생 강의》, 휴머니스트, 2017.
- 정세근, 《노자도덕경》, 문예출판사, 2017.

02
청년 세대에 필요한 노자의 위로

《아들아, 서른에는 노자를 만나라》, 장석주, 예담, 2013.

노자 철학은 지혜로운 삶에 대한 정수(精髓)이다. 나는 몇 해 전에 미국에 일 년 동안 체류할 기회가 있었다. 그 때 나에게 앞으로 지향해야 하는 삶의 전경(全景)을 보여준 책이 노자의 《도덕경》이었다. 우연히 오강남 선생님이 풀이한 그 책을 비행기에서 부터 읽기 시작했는데 이 책은 나의 미국 체류 동안 절친한 벗이 되었다. 아니, 그 이후에도 살아가는 나침판 역할을 하고 있다. 노자는 이천 여 년 전에 주국의 초나라 고현에서 살았던 현자(賢者)이고, 그가 쓴 대표적 책이 《도덕경》이다. 약 오천자정도 되는 이 책은 주나라가 몰락하고, 시대가 어수선한 시대에 도(道)와 덕(德)을 통하여 천하에 가르침을 주고자 하였다. 노자가 말하는 도란, 텅 빈 상태 또는 무위(無爲)를 말한다. 노자의 도를 구성하는 근본 이치는 무위이고 세상으로 부터 한 발짝 물러나 있음을 말한다. 그래서 멈추고, 비우고 그리고 뒤에 있는 자세가 도를 실천하는 태도이다. 그래서 노자는 "남을 살필 줄 아는 자는 슬기롭고 자신을 살필 줄 아는 자는 현명하다"[72]라고 도의 실천 방법을 역설하였다.

저자 장석주는 왜 아들에게 노자의 가르침을 강조하고 있을까? 그는 노자의 《도덕경》이 필요한 이유에 대하여 "누구나 실수와 시행착오를 줄이고 '대방무우(大方無隅)'같이 모서리 없이 원만한 인격에 이르기 위해, 충만한 힘과 지혜를 얻을 수 있는 삶의 지도가 필요"[73]하기 때문이라 하였다. 우리 삶은 마라톤이다. 삶은 단거리로 승부 나는 것이 아니라, 온갖 우여곡절을 헤쳐 나가야만 종점에 도달할 수 있는 장거리 경주이다. 그 장거리 시합에는 삶의 이정표가 필요하다. 잘못된 길로 들어서면 종점에 도달할 수 없다. 혹은 길을 돌아가야 하고, 가다가 주저앉게 되고, 다시 일어나서 뛰어야 한다.

이 책은 서른 개의 《도덕경》에 나오는 주제에 대해 풀이하고 있다. 그

중에서 운동선수에게 줄 수 있는 몇 가지 주제에 대하여 소개하고자 한다. 첫째, 노자는 도의 모습을 적절하게 실천한 삶으로 '물 흐르듯 살라(上善若水)'고 하였다. 노자가 물의 덕을 강조한 이유는 물은 무위(無爲)에 처할 줄 알기 때문이다. 물은 모든 생명을 위하여 도움을 주지만, 정작 자신은 자신을 드러내지 않는 겸양체(謙讓體)이다. 장석주는 "물은 부드럽고 약하지만 단단하고 강한 것을 제압한다. 물의 약함이 강한 것을 누르고 물의 부드러움이 단단한 것을 이긴다"[74]고 했다. 일반적으로는 강한 것이 약한 것을 누르지만, 동양의 현자들은 약하고 부드러운 것은 생명의 약동으로, 강하고 단단한 것은 쇠퇴해가는 조짐으로 보았다. 도는 없고, 비워있고, 부드럽고, 그리고 적막함 한 가운데에 위치해있다. 이에 가장 맞는 것은 '물'이다. 뛰어난 운동선수는 비울 줄 아는 자이다. 쓸데없이 힘이 많이 들어가지 않고 부드럽게 경기에 임한다. 잭 니콜라우스나 타이거 우즈의 전성기 때 스윙을 보면 부드럽고 약해 보인다. 스윙을 물 흐르듯 순조롭게 막힘이 없이 한다. 물은 우리에게 낮은 곳에 위치하고, 다투지 않으면서 생존하는 방식을 가르쳐준다. 물처럼 높은 곳에서 낮은 곳으로 흐르고, 자연스럽게 진행하고 스스로가 자족하는 태도로 살면 우리 삶은 충만함으로 빛나게 된다.

둘째, 노자는 "도란 스스로 그러함을 따른다(자연도법, 道法自然)"고 하였다. 주위에 보면 지금 처지를 벗어나고자 조급해하는 사람들이 많다. 만물의 이치는 생성, 육성, 변화, 쇠퇴, 몰락, 재생 등으로 이어진다. 자연 속에서는 생로병사는 일시적인 이치가 아니라, 영원의 법칙으로 운행된다. 지금 삶이 힘들어도 자연스럽게 이 과정이 지나가고 좋은 날이 오게 된다. 자연은 원(圓)의 형태로 변화를 진행해서 생성과 쇠퇴가 반복된다. '무법 자연'이란 억지로 하는 것이 아니라 자연에 순응하는 것을 말한다. 운동선수가 갑자기 기량 상승을 꿈꾸는 일은 불가능하다. 내 기량은 하루하루가 모여 축적되어 만들어지는 것이다. 처음 골프에 입문한 사람이 드라이버로 공을 250미터 날리는 것은 거의 불가능하다. 그(그녀)는 올바른 드라이버 스윙을 위하여 계속 연습을 해야 한다. 내 스윙이 정상 궤도에 오를 때까지 몸의 무리한 힘이 들어가지 않을 때 까지 연습을 해야 멋진 스윙이 가능해진다. 묵묵히 연습하고 하루하루 최선을 다하는 과정은 궁극의 목적에 도달하게 한다. 편법을 동원한다고 해서 목적에 도달되지 않는다. "자연은 하지 않음으로 함을 일삼는데, 사람은 굳이 억지로 하지 않아도 좋은 일을 꾸미고 도모"[75]하기에 문제가 발생하는 것이다.

셋째, 노자는 "스스로 만족하면 욕됨이 없다(지족불욕, 知足不辱)"는 것을 강조하였다. 현대인은 욕심으로 인하여 곤욕을 치룬다. 적당히 갖는 다는 것은 어려운 일이다. 장자는 일찍이 마음이 가난하다는 뜻의 '심재(心齋)'를 이야기 했다. 장자는 사물을 이해하는 법으로 "마음을 하나로 모은 뒤에 귀로 듣지 말고 마음으로 들으며, 마음으로 듣지 말고 기로 들어라"[76]고 했다. 기(氣)로 듣기 위해서는 마음을 가난하게 해야 한다. 마음속에 온갖 탐심과 사욕이 가득할 때에는 현상을 제대로 '수용'할 수 없다. 장자나 노자는 바로 이런 점을 경계했다. 노자에게 스스로 만족하는 일이 '비움'의 첫 번째 길이다. 우리 생활에서 많은 문제는 돈에 대한 탐욕에서부터 비롯된다. 과거 유명 운동선수나 감독들이 돈 때문에 부정한 사건과 사고에 연류 되었다. 왜 그들은 돈으로부터 자유롭지 못했을까? 노자 식으로 이야기 하자면, 스스로 만족하지 못해서였다. 현재 자리를 스스로 만족하고, 돈의 집착으로 부터 자유롭게 살아야 현명한 운동선수가 될 수 있다.

넷째, 노자는 "뿌리는 박되 튼튼하게 해야 한다"고 했다(심근고저, 深根固柢). 우리는 피상적으로 나무의 줄기, 잎, 꽃과 가지를 보지만 나무의 가장 중요한 곳은 보이지 않는 뿌리이다. 충실한 뿌리가 없다면 그 나무는 이미 생명을 잃은 것이나 다름없다. 튼튼한 뿌리는 나무가 비, 눈, 강풍, 뜨거운 열기 등을 견디게 한다. 노자는 바로 이점을 강조하고 있다. 보이는 것 보다 보이지 않는 중심을 갖는 것이 현자가 지녀야할 덕목이다. 사람은 뿌리가 단단해야 기상이 있고 기품이 넘쳐 보인다. 사람이 뿌리를 단단하게 하기 위해서는 자신에 대한 강한 믿음과 무한한 사랑을 느껴야한다[77]. 좋은 운동선수란 기초가 단단한 선수이다. 운동선수에게 뿌리란, 운동 기능의 기초 '능력'과 운동 '철학'을 말한다. 편법이나 요령이 아닌, 기초 능력이 뛰어난 선수는 언젠가 빛을 발한다. 지금 슬럼프나 위기를 맞고 있더라도 훗날 실력을 빛을 발하는 순간이 도래한다. 운동선수에게 뿌리는 기초 능력 외에 운동 철학을 포함한다. "나의 삶에서 운동을 하는 목적은?", "운동을 통하여 나는 어떻게 성장하는가?", "운동선수로서의 나의 지향점은?"과 같은 질문을 던지는 선수는 평범한 선수가 아닌 위대한 선수가 된다. 이와 같은 운동 철학을 갖기 위해서는 '운동-뿌리'에 대한 자신만의 가치관이 형성되어야 한다. 노자의 튼튼한 뿌리를 박아야 한다는 이야기는 우리 운동선수들이 어떻게 운동을 해야 하는지에 대한 가르침을 전해준다.

다섯째, 노자는 "큰 그릇은 늦게 이룬다(대기만성, 大器晩成)"고 했다. 큰 것은 늦어 보이고 작은 것은 빨라 보인다. 중국의 만리장성을 생각해 보라. 이 위대한 성은 하루아침에 만들어진 것이 아니다. 오랜 시간 동안에 많은 인부들이 벽돌 하나하나를 쌓는 가운데 만들어진 것이다. '대기만성'

의 핵심은 기다림이다. 꽃을 피우기 위해서는 그 시간을 기다려야 한다. 기다림의 시간은 인내가 필요하다. 기다림은 내가 잊어버린 무엇인가를 찾아내는 숭고한 과정이기도 하다. 과거 우승 경험을 몇 번 갖고 있던 뛰어난 어떤 골프 선수는 '드라이버 입스(driver yips)'로 오랫동안 고생하였다. 티 박스에만 서면 드라이버가 OB날 것 같다, 다른 사람들의 시선을 못 견디겠다, 다리가 떨려서 서 있기 힘들다 등의 심리적인 어려움을 호소하곤 했다. 실제 이러한 마인드 문제로 한동안 전혀 시합을 뛰지 못했다. 이 후 오랜 시간 동안 심리적 문제를 극복하고 투어에 복귀할 수 있었다. 그래서인지 프랑스 사상가 모리스 블랑쇼는 "기다림은 망각을 견뎌내는 움직임"[78]이라 했다. 기다려야만 최고와 조우(遭遇)할 수 있다. 힘들고 어려울 때 일수록 조바심을 버리고 기다려야 한다. 노자는 우리에게 기다려야만 최고의 작품, 큰 그릇이 만들어진다는 것을 가르쳐준다.

여섯째, 노자는 "큰 덕의 모습은 도를 따른다(공덕지용, 孔德之容)"고 했다. 노자에 따르면, 도를 따라서 살아가는 것이 잘 사는 법이라고 한다. 공덕(孔德)은 큰 덕을 말하는 것으로 이 형상은 도와 같다. 노자에게 '도'와 '덕'은 하나이다. 현대인들이 불안해하는 이유는 끊임없이 욕심을 추구하는 데에 있다. 노자는 하지 않는 것이 '함'의 이치이고, 비우는 일이 채우는 것이라 하였다. 운동선수가 큰 덕을 쌓기 위해서는 무리하게 승리를 추구해서는 안 된다. 무심하게 하루하루 꾸준히 연습하고 운동하는 가운데에 이루어지는 산물이 승리이다. 노자 식으로 승리는 꾸준히 하루하루 자신의 본연의 자리에서 최선을 다하는 가운데에서 달성된다. 도를 따르는 자는 승부보다는 경기 자체를 즐긴다.

장석주의 《아들아, 서른에는 노자를 만나라》는 노자의 깨달음을 아들에게 전수해주는 보석 같은 책이다. 운동선수에게 이 책이 의미가 있는 이유는 "운동을 어떻게 해야 하는지?"와 "나는 어떻게 살아야 하는지?"에 대한 혜안을 제시해주기 때문이다. 이 책은 운동선수들에게 비움이 필요하고, 무위를 추구하고, 그리고 질박하게 살라고 당부한다. 운동선수가 운동하는 이유를 바로 세우고 그 뜻에 따라 하루하루 충실하게 살아간다면 그(그녀)는 성공한 선수가 될 것이다.

진정한 스포츠 정신과 삶의 의미가 희미해진 시대에 노자의 《도덕경》은 우리에게 살아갈 방향을 제시한다. 우리가 헤매고 있는 길에서 노자의 가르침은 대방무우(大方無隅) 처럼 원만하게 살아가는 길을 열어줄 것이다.

함께 읽으면 도움이 되는 책

- 노자, 《도덕경》, 오강남 풀이, 현암사, 1999.
- 박영규, 《도덕경을 읽는 즐거움》, 이가서, 2005.
- 최진석, 《노자의 목소리로 듣는 도덕경》, 소나무, 2001.

03 삶을 예술로 만드는 법

《삶은 언제 예술이 되는가》, 김형수, 아시아, 2014.

반복되는 일상은 권태를 양산한다. 그 반복성에 지친 사람들은 자기 안의 에너지를 주체하지 못하고 절망하고 우울해한다. 늘상 보던 것을 익숙하지 않게 만드는 사람은 진정한 예술가이다. 일상을 낯선 것으로 만들어 항상 새롭게 만들 수 있는 자는 시간의 지배자이기도 하다. 그래서 조지 버나드쇼는 "삶은 자신을 발견하는 과정이 아니라, 자신을 창조하는 과정이다"라 했다. 나를 창조하기 위해서는 순간순간에 의미를 갖는 자세가 필요하다.

저자는 문학은 인간이 할 수 있는 일 중에서 어려운 영역이라고 한다. 오직 문자만이 세상을 변화시키기 때문이다. 김형수는 문학은 스스로가 지금 자리에서 자기 역할을 하면서 발현(發顯)된다고 한다. 한적한 시골길을 비추는 가로등이 있다. 이 가로등은 사람이 별로 안 다니는, 존재 자체가 미약한 자리에 서있다. 이 가로등이 존재하기에 비록 몇 명 안 다니더라도 그 길모퉁이에서 아무도 사고를 당하지 않고 무사히 귀가할 수 있다. 김형수는 이렇게 문학의 존재성에 대하여 언급한다.

"한적한 시골길에 혼자 켜있는 고독한 가로등처럼 존재하는 것, 이렇게 존재 하는 자가 어법이 서툴거나 표현이 약하거나 인기가 없다고 해서 이 자의 입을 통해 명명되는 어둠 속의 것들의 가치가 작아질까요? 사실은 이것들이 인간의 세상을 만들어 갑니다. 이것이 세상이 필요로 하는 문학입니다.[79]"

저자는 세계는 인간의 '체험' 속에서 신성하게 존재한다고 말한다. 개별적인 존재는 모두가 다른 가치 기준을 가지고 세상을 살아간다. 폴 발레리의 "인간 각자는 만물의 척도이다"라는 말처럼, 우리 모두는 자신이 보고 듣고 만지고 생각하고 경험한 그것들을 가지고 세상을 이해하고자 한다. 인간의 개별성은 보편성을 추월한다. 그 누구도 획일화 될 수 없고, 보편성을 추구하는 순간 인간의 길은 꽃 길이 아닌, 공장 컨테이너에서 도는 물건이 되어버린다.

문학을 공부해야 하는 이유는 감정의 '촉수'를 갖고 살기 위해서이다. 이 촉수가 무딘 사람은 사는 재미가 없다. 가을에 단풍으로 오색찬란한 설악산을 바라보고 아무런 감탄사가 나오지 않는 사람의 삶은 불쌍하다. 땅위에 뒹굴고 있는 색 바랜 노란색의 낙엽을 바라보고 세월의 흐름에 대하여 감정의 변화를 느끼지 않는 삶 또한 황량하다. 문학을 접한다는 것은 살아있는 것들과의 '의인화'된 만남을 제공한다. 하늘을 보고, 땅을 보고, 바다를 만지고, 코스모스를 바라보고, 뭉게구름을 바라보고, 남산의 단풍을 보고, 해가 진 뒤의 빛인 석훈(夕曛)의 아름다움을 보고 아무런 감동이 없다면 무미건조한 삶이다.

김형수는 논문과 문학작품의 사이에는 엄연한 차이가 존재한다고 말한다. 예를 들어, '빈집'에 대하여 무엇이 생각나는지 보자. 논문은 보편타당한 것들을 정리하고 객관적인 지식을 전달해준다. 반면에 문학작품은 그와 같은 객관 세계에 "살아있는 인간의 형상을 담아 우리로 하여금 그 형상을 동정하거나 미워하게 만드는"[80] 역할을 한다. 과학과 예술 영역을 공부할 때에도 그 차이를 알아야 한다. 과학의 언어는 해석을 위해서 사용하고, 예술의 언어는 창조를 위해서 쓰여 진다. 인간의 감정을 정화하고 거르는 작업은 예술을 통하여 이루어진다.

시는 감각의 바다이다. 이 시를 음미하는 자는 일상이 알차게 바뀐다. 매일 매일의 변화에 대하여 관찰할 때에 시가 만들어진다. 시는 감성을 풍부하게 만들어주는 인간의 내면의 목소리이다. 김형수는 시를 종소리에 비유한다. 먼 곳에 잇더라도 에밀레 종소리를 들으면 그냥 슬퍼진다. 이 종소리는 듣는 이에게 슬퍼하라고 울리는 것이 아니다.

"울려오는 소리가 듣는 이의 마음과 마찰이 되면서 어떤 느낌을 안겨다 줍니다. 듣는 이는 이렇게 반응해요. 누가 치는 종소리이기에 저렇게 남의 애를 끓이나. 시는 언어를 마치 피아노의 건반을 다루듯이 다룹니다.[81]"

밀란 쿤데라가 지적하듯이, "인간은 사춘기가 무엇인지 모르고 사춘기를 맞고 어른이 무엇인지 모르고 어른이 되는" 존재이다. 우리 삶이 어떻게 돌아갈지 전혀 모르는 상황에서 삶에서 예술에 대한 시각을 넓혀놓으면 그 삶은 풍요로워진다. 이즈음에서 부자에 대한 진짜 정의를 해보자. 진짜 부자는 돈이 100억을 가진 자가 아니라, 지금 내 삶에 대하여 감동하고 사는 자이다. 그렇듯 감동을 하고 살기 위해서는 삶 속에 예술과 문학을 공부해야 한다. 김형수는 좋은 문학 공부란, 문학 이론의 대가가 되고자 하기 보다는 글을 쓰면서 "세계관의 한계 창작조건과 한계 창작방법의 한계를 끝없이 극복해나가는 것"[82]이라고 규정한다. 나는 이 말에 완전히 공감한다. 내가 가진 세계를 보는 시각의 한정성을 이해하고, 창작 능력의 한계를 인식하여 거기에서 벗어나고자 몸부림 칠 때에 비로소 내 삶으로 문학이 들어온다. 그리고 진정한 예술 공부가 시작되는 것이다.

"왜 공부하는가?"의 이유는 문학과 예술이 삶 속에서 유영(遊泳)하게 하기 위해서이다. 삶에 문학과 예술이 노니면 생이 풍성해진다. 간접 체험을 통해 여러 인간 군상의 삶을 엿보고, 고전 속에 드러난 희로애락을 지금과 비교해보고, 미술 작품을 통하여 심장이 멈춘 듯 한 감동을 맛볼 수 있게 된다. 진짜 공부는 바로 이런 나에게 '울림'을 주는 것이다.

함께 읽으면 도움이 되는 책

- 김나희, 《예술이라는 은하에서》, 아시아, 2014.
- 세르주 블로크, 《낙서가 예술이 되는 50가지 상상》, 문학동네, 2017.
- 오종우, 《예술 수업, 어크로스》, 2015.

04
완벽한 공부란?

《완벽한 공부법》, 고영성, 신영준, 로크미디어, 2017.

한국 사회는 공부에 대한 오해가 있다. 공부가 진학과 입사에 한정된다는 것이다. 사람의 인생살이에서 공부는 지나치는 것이 아니라, 항시 함께 하는 것이다. 오직 대학 진학과 대기업 입사만이 공부의 목적이라면 우리가 진짜로 배워야 하는 것을 못 배울 수 있다. 진학과 입사에 효율적이지 못한 고전을 읽는 것은 시간 낭비가 된다. 그러나 고전은 인간의 본질을 깨닫게 준다. 고전은 인간사의 풍화를 이겨낸 스토리텔링의 '보고(寶庫)'이다. 그렇기에 광고인 박웅현은 "고전은 시간과 싸워서 이겨낸"[83] 산물이라고 말한다. 공부는 고전처럼 당장에 실효성이 없어 보이지만, 인생이라는 장거리 레이스를 가는 데에는 필요한 지양분이다. 이러한 자양분을 섭취해 나가는 과정이 진정한 공부이다.

이 책은 총 14개의 하위 주제를 다룬다. 믿음, 메타인지, 기억, 목표, 동기, 노력, 감정, 사회성, 몸, 환경, 창의성, 독서, 영어, 일에 대한 공부에서 다룰 영역을 제시한다.

공부를 이야기하기 위해서 첫 번째 주제로 '믿음'을 이야기 하는 이유는 공부는 자기효능감 정도에 따라서 성과가 달라지기 때문이다. 자신의 잠재력을 높여줄 수 있는 주변의 적극적 지원이 한 사람의 잠재력을 높여주고, 이는 자기효능감 증가로 이어진다. '메타인지'는 자신이 인지과정에 대한 인지능력 정도를 말한다. 공부를 잘하는 사람은 자신이 아는 것과 모르는 것에 대한 '경계'를 명확하게 파악한다. 메타인지를 높이는 방법은 학습 전략을 우선적으로 바꾸어야 한다. 공부 방향 없이 무조건 외우거나, 대충 읽어서는 진정한 공부가 이루어 지지 않는다. 또한 자신의 실력을 정확하게 알고 객관적 피드백을 받아야 한다. 그리고 인간은 완전히 이해할 때에 메타 인지력이 향상된다. '기억'은 공부를 잘 하기 위한 필수적인 전제이다. 저자들은 기억을 향상하기 위해서는 시험을 자주 보아야 하고, 기억한 것을 자주 표현하고, 시간적 간격을 두고 암기하고, 여러 가지 과제를 교차로 암기를 하는 것을 소개한다. 효과적인 기억을 위해서는 '몰입'이 반드시 필요하다. 저자들은 기억 향상을 위해 몰입 상태가 필요하다고 말한다.

"몰입은 고도의 '주의 집중' 상태다... 당연히 당신이 몰입하게 된다면 당신의 기억 효율은 배가 될 것이다. 또한 우리는 기억을 쉽게 하면 쉽게 잃어버리지만, 기억을 어렵게 하면 잊기 어렵다는 사실을 배웠다. 몰입은 주의 집중 상태임과 동시에 매우 도전적인 과제를 수행하는 상태다."[84]

'목표'는 왜 중요한가? 첫째, 목표는 현재 우리가 무엇을 해야 하는 지를 가르쳐준다. 둘째, 목표는 강력한 동기 부여의 효과가 있다. 셋째, 목표는 현재 상태를 구체적으로 알 수 있게 한다. 목표에 달성하기 위해서는 '시간관리'가 필수적이다. 시간 관리를 잘하기 위해서는 기본적으로 과제의 '우선순위'를 분류해야 한다. 스티븐 코비는 우선순위를 정할 때에 '긴급성'과 '중요성'을 강조한다. 공부에서도 목표가 명확해야 공부를 즐겁게 할 수 있다. '동기'는 특정 행동에 있어서 행동을 활성화하고, 방향을 제시하고, 그리고 행동을 지속적으로 하게 한다. 공부를 하는 데에 선택권이 나에게 있고, 스스로가 상황을 통제할 수 있고, 그리고 자율감을 많이 느낄수록 자연스럽게 동기는 활성화된다. '노력'은 성공의 어머니 이다. 노력은 재능보다도 공부를 통한 목표에 수월하게 도달하게 한다. 플로리다주립대 에릭슨교수는 "지금까지 다양한 분야에서 진행된 여러 연구 결과를 보면, 엄청난 시간을 투자하지 않고 비범한 능력을 개발한 사람은 없다고 결론을 내려도 무방하다. 진지한 과학자치고 이런 결론에 의문을 제기하는 사람은 내가 아는 한 없다"[85]고 노력의 가치에 대하여 단언한다. 노력은 믿음, 목표, 동기 부여를 통하여 정도와 강도가 결정이 된다.

'감정'은 학습에 많은 영향을 미친다. 긍정적인 감정은 문제 해결 능력에서 좋은 효과를 보인다. 인간은 함께 할 때에 능률이 좋다. 이에 '사회성'은 학습의 성과에 긍정적인 영향을 미친다. 공감능력이 좋다는 것은 타인에 대한 이해를 잘한다는 것이다. 공부를 잘 하기 위해서는 최적 상태의 '몸'이 필요하다. 특히 몸이 피곤하거나 피로가 누적되어 있으면 학습 효과는 저하된다. 저자들은 "책상에만 앉아 꼼짝 않고 책만 보는 것은 공부하수가 하는 일이다. 때로는 움직이고 운동하고 여유로운 시간을 확보하며 낮잠도 적절히 활용하게 된다면 당신의 공부 효율성은 한 단계 아니 몇 단계 업그레이드될 것"[86]이라고 말한다.

공부의 '환경'은 집중과 관련된다. 고영성은 본인이 책을 쓸 때에는 참고할 책을 주변에 모두 펼쳐 놓는다고 한다. 대략 150권 에서 200권정도 되는 책들을 책상 주변이나 바닥에 있는 것은 본인에게 자기 암시적 효과를 준다고 한다. 환경에 대한 언급에서 저자들은 스마트폰의 폐허를 언급한다. 스마트폰은 공부하는 데에 있어서 시간을 잡아먹는다. '창의성'은 기존에 있는 것들을 새롭게 연결하려는 시도에서 비롯된다. 자신의 전문분야와 전혀 다른 취미를 갖고, 해외여행을 가고, 다양한 분야의 사람을 만나고, 그리고 다양한 책을 읽어야 창의성이 배양된다. 창의적이기 위해서는 우선 시도를 많이 해야 한다. 시도를 하면서 실패를 두렵지 않게 생각해야 창의적이 된다. 피카소는 드로잉 1만 2천개, 도자기 2천 8백 개, 유화 1천 8백 개, 조각 1천 2백 개를 남겼다. 에디슨은 1,098개의 특허를 받았지만 탁월하다고 평가받는 발명품은 얼마 되지 않는다. 이들의 특징은 끊임없는 시도를 한다는 점이다. '독서'의 백미(白眉)는 다양한 생각들이 서로 충돌해서 비판적인 사고력을 갖게 된다는 것이다. 느리게 읽는 만독(慢讀), 하나의 관점을 갖고 읽는 관독(觀讀), 다시 읽는 재독(再讀), 소리 내어 읽는 낭독(朗讀)과 같은 독서법들이 있다. 어떻게 읽던지 간에 책과 친해지고 꾸준히 읽는 것이 좋은 독서 방법이다.

세계화 시대에 '영어' 공부를 꾸준히 하는 자세는 필요하다. 이 책의 마지막 주제는 '일'이다. 올바른 공부의 결말은 내가 배운 지식을 원하는 일의 현장에서 적절히 발휘할 때이다. 저자들은 "공부가 답이다. 회사 생활을 시작해도 꾸준히 능동적으로 공부할 마음만 있다면 생각보다 직장 생활은 힘들지 않다. 또 학창 시절에 공부를 제대로 못 한 것을 두려워하거나 후회할 필요가 없다"[87]고 말한다.

이 책은 공부에 대한 다양한 스펙트럼을 제시하고 있다. 공부를 잘 하기 위해서 기본적으로 인지해야 하는 열네 가지의 주제들을 설명하고 있다. 공부에는 왕도(王道)가 있다. 목표 없이, 방향성 없이하는 것 보다는 공부에 대한 의도적인 관심을 갖고 접근해야 한다.

함께 읽으면 도움이 되는 책

- 이케다 요시히로, 《뇌에 맡기는 공부법》, 윤경희 옮김, 샘앤파커스, 2018.
- 이노마타 다케노리, 《하버드 최강공부법》, 조소영 옮김, 2016.

05 공부의 열락세계

《공부의 즐거움》, 김열규 외, 위즈덤하우스, 2006.

세 사람만 모이면 그 중에서 '선생'이 있다는 말이 있다. 주변에 보면 공부를 즐겨하는 이들이 있다. 그들의 공통점은 공부가 앎을 탐구하는 세계와 나의 지식의 지평을 넓히는 일이라 여기는 특징이 있다. 공부의 달인들은 무엇보다 공부하는 것을 좋아하는 자들이다.

이 책은 우리시대의 공부 달인이라고 불릴만한 30인의 공부하는 '즐거움'에 대하여 다루고 있다. 이들에게 공부는 친구요, 세상을 열어가는 수단이요, 행복한 삶을 위한 조건이다. 부경생 교수는 "공부란 끝이 없다. 때로는 많은 노력과 시간을 들여도 아무런 결과를 얻지 못할 수 있다. '왜 공부를 하느냐'라는 물음에 명확한 답을 갖고 시작한 공부라도, 그에 부응하는 결과를 얻을 수 없는 경우가 허다하다"[88]고 했다. 공부는 수단이 되는 것이 아닌, 그 자체적으로 목적을 갖고 있는 경험이다. 비록 원하는 성과를 얻지 못했더라도 그 과정에서 진정한 희열이 묻어날 때에 공부의 가치는 빛을 발한다.

고미숙은 "공부는 일상과 분리되지 않는다. 공부가 일상이고 일상이 곧 공부다. 바로 그 때문에 일상은 곧바로 혁명이 된다"[89]고 하였다. 공부를 통해서 일상은 '변혁'을 이룬다. 낡은 것에서 새것으로, 구태의연한 사고에서 유연한 사고로, 닫힌 의사결정에서 열린 의사결정으로, 묵인에서 투쟁으로의 놀라운 변화는 공부를 통해서 이루어진다. 이와 같은 획기적인 변화는 한 사람의 삶에서 혁명을 일으킨 사건으로 자리 잡게 한다. 고미숙은 한 단계 더 나아가 공부하는 과정에서 '좋은 스승'을 만날 수 있었다고 토로한다. 그녀에게 좋은 스승을 만난다는 것은 '인생 역전'을 의미하는 것이었다.

임영인 신부는 노숙자들에게 인문학을 가르치고 있다. 그는 노숙자들의 삶에서 필요한 것은 행복한 삶을 성찰할 수 있는 마음의 준비라고 한다. 이에 사제로 틈틈이 읽어온 책들을 노숙자들에게 가르치고, 이들에게 인문학적인 지식을 배양하도록 하였다. 공부라는 것은 내 삶에 대한 문제를 제기하고, 지금의 자리에서 박차고 일어나게 하는 실천적인 것이다.

이슬람 전문가 이희수교수는 터키로 유학 가서 한국 유학생 최초로 이슬람박사학위를 받는다. 그는 지도교수였던 마호메트 사라이 박사가 한국으로 떠날 때에 이런 말을 했다고 한다. "교수는 항상 레몬 같아야 한다.

레몬의 존재가치는 맛이나 빛깔, 향기에 있는 것이 아니고 그가 품고 있는 액에 있으며, 그 액은 스스로 짤 수 없고 남들에게 얼마나 철저히 짜여 지느냐에 달려있다."[90] 이희수 교수는 이후 강의 시간에 학생들에게 철저하게 짜여 질 수 있는 학자가 되기 위해서 노력했다 한다. 공부라는 것은 나에 대한 만족도 있지만, 나를 통해서 타자가 변화되도록 유도할 때에 빛을 발한다.

조동일 교수는 "왜 공부하는가?"라는 질문에 대하여 "즐겁기 때문"이라고 간단히 답한다. 공부의 달인들은 공부를 하는 이유가 즐거움의 추구와 관련이 있다. 자료를 모으고 논증을 하고 집필을 마치고 출판을 하는 과정이 지루하더라도 책이 출간되고 나서의 기쁨은 그 어디에도 비교할 수 없다. 공부의 즐거움은 다른 여가 활동에서 얻는 즐거움에 비할 바가 아니다. 약간의 고통이 수반되는 기쁨의 과정이다. 새로운 것을 깨닫게 되는 과정은 낡은 것을 허물게 한다.

한문학자 임영택 교수는 공부와 놀이가 분리되지 않는다고 한다. 공부하는 것이 노는 것이고, 노는 것이 공부가 될 때에 공부를 재미있게 할 수 있다. 호메로스의 《일리아스》를 번역한 천병희 교수가 정년 퇴직 후에도 하루 6시간씩 번역에 정진하는 이유는 공부와 놀이가 분리되지 않기 때문이다. 그는 "어떤 여행도 독서를 통한 지적 탐험만큼 즐겁지 않다. 아무리 맛있는 음식과 아름다운 경치라도 책 속의 깊은 사상과 멋있는 표현을 곱씹어보는 것만큼 감미롭지 않기 때문이다."[91]고 한다. 공부를 통해서 알아가는 과정은 감미롭다. 사상가의 주장으로 들어가고, 고전에서 발견한 표현을 생각하는 시간은 다른 여가 활동이 줄 수 없는 열락의 세계를 맛보게 한다. 공부를 하는 이유는 바로 이러한 열락 안으로의 인위적인 체험을 위해서이다.

이제는 공부에 대한 패러다임이 바뀌어야 한다. 암기 교육 중심의 환경 속에서 무조건 외워야 하는 공부는 버려야 한다. 진짜 공부는 내가 알고 싶어 하는 것을 알고자 하는 욕구와 그 욕구를 충족하는 공부이다. 이러한 측면에서, 박홍규 교수는 이렇게 "왜 공부해야 하는가?"에 대한 해답을 내놓는다.

"나는 왜 공부하는 가. 우리는 왜 공부하는가. 우리는 절망한 시대와 사회를 변혁하고, 자유로운 '자기'의 존재가치를 알기 위해서, 그리고 이제는 절망한 공부 자체를 극복하기 위해서 참된 공부를 찾아 스스로 공부해야 하는 것이 아닐까.[92]"

우리 의식에 주입된 잘못된 공부 관념을 바꾸기 위해서 올바른 공부 의식을 가져야 한다. 공부는 이 "절망한 시대"를 변혁하기 위한 절묘한 수단이다. "스스로 공부할 수 있는 힘은 어디서 생기는 것일까?" 그것은 바로 자각(自覺)에서 비롯된다. 스스로 깨닫지 않으면 스스로 공부할 욕구가 생기지 않는다. 공부의 달인들은 공부가 좋아지기 전에 이러한 혼자 공부에 몰입하는 이유를 깨달았고, 공부의 즐거움을 통한 안위(安慰)를 체험한 자이다.

함께 읽으면 도움이 되는 책

- 이상국, 《옛 공부의 즐거움》, 웅진지식하우스, 2005.
- 장회익, 《공부의 즐거움》, 생각의 나무, 2011.

06
인생에서 공부가 필요한 이유

《왜 공부하는가》, 김진애, 다산북스, 2013.

누구나 성공적인 인생을 살고 싶어 한다. 성공은 말로 해서 되는 것이 아닌, 공부라는 실천이 수반되어야 한다. 그 실천의 길이 힘들더라도 꾸준하게 나아갈 때에 공부를 통해 인생에서 성공할 수 있다.

김진애 박사는 20대에 서울공대 800명 동기생 중 유일한 여학생이고, 30대에 MIT 건축학 석사와 도시계획 박사를 받은 재원이다. 그녀는 40대에 미 시사주간지 〈타임〉지가 선정한 '21세기 리더 100인' 중 유일한 한국인에 들어간 사회적 리더 이기도 하다. 그녀는 매년 1권씩 책을 쓰면서 평생 공부를 실천하고 있다.

저자는 공부하는 이유에 대하여 '호기심'이 가장 중요한 동기라 한다. 저자에게는 공부하는 이유는 "야무진 꿈"을 실천하기 위해서라 한다. 야무진 꿈이란, "살아가는 동기가 될 수도 있고, 일하게 만드는 소명이 될 수도 있고, 우리를 앞으로 나아가게 하는 동력이 될 수도 있고, 뜻있게 사는 보람이 될 수도 있다. 무엇보다도 공부를 하게 만드는 꿈이자 궁리를 하게 만드는 꿈"[93]라고 한다. 공부는 본인이 갖고 있는 야무진 꿈을 실천하게 그리고 다가가게 한다. 공부의 길이 힘들더라도 참을 수 있는 이유는 바로 이 꿈에 도달하기 위한 욕망의 강도 때문이다.

김진애는 사회적으로 효율적으로 공부할 수 있는 '공부생태계'를 위해 몇 가지를 제안하고 있다. 첫째, 여러 분야의 사람들이 함께 공부하는 터전이 필요하다. 이공계, 인문계와 예술계가 나뉘는 것이 아니라, 하나의 주제에 대하여 '통섭'적으로 접근하는 일이 필요하다. 하나의 주제에 대하여 다양한 시각으로 접근하는 일은 학문적 편견을 없애준다. 특히 지금과 같은 '4차 산업'의 산업 환경 내에서는 인공 지능이나 사물인터넷이 이공적인 지식만으로 완성되는 것이 아니라, 그러한 기술을 사용한 사람간의 마음에 흡족하기 위한 기술이 필요하다. 이공계, 인문계와 예체능계가 함께 하나의 현상을 공부할 생태계가 구축되어야 폭넓은 공부가 가능하다.

둘째, 여러 세대가 함께 공부할 수 있는 환경이 필요하다. 호기심이 있는 사람, 현실 가운데 경험이 풍부한 사람, 성공과 실패를 해 본 사람들이 어울린 그러한 환경에서는 다양한 공부가 가능하다. 젊은 사람에서 부터 연륜이 있는 사람들이 함께 공부하고 토론할 수 있는 곳에서 시대를 관통(貫通)하는 아이디어가 나온다. 운동선수 출신과 일반인들이 함께 머리를 맞댈 때에 생각, 경험과 기술이 만나는 멋진 '스포츠 웨어러블 기기'가 탄생할 수 있다.

셋째, '워크숍'이나 '스튜디오'처럼 창조적인 작업을 하는 공부의 시공간이 필요하다. 사회 문제, 정책 제안, 문제를 해결하는 작업은 공부하는 모임을 통해서 창조적인 아이디어를 낼 수 있다.

넷째, 공부에서는 '토론'으로 이어지는 시간이 꼭 필요하다. 일방적으로 강의하는 공부는 창의성 배양을 저해한다. 토론은 "내공이 고스란히 드러내는 과정이기 때문에 중요한 훈련 방식"[94]이다.

다섯째, 중간 과정에 반드시 현장을 가볼 수 있어야 한다. 사건의 현장, 작업의 현장, 논쟁의 현장에 가면 이론과 다른 것을 발견할 수 있다. 스포츠 현장도 마찬가지이다. 스포츠는 이론만으로 공부할 수 없다. 현장에 가서 그 이론이 어떻게 용해되는지에 대하여 이해해야 한다.

여섯째, 학생들 스스로가 자신의 공부 단계를 모니터할 수 있어야 한다. 학생이 자신의 능력을 평가할 수 있는 시간을 가져야 공부 능률이 오른다. '지금 어느 지점에 있는지?'를 파악할 수 없으면 무엇을 공부해야 하는지를 놓치기 쉽다.

일곱째, 공부하기와 가르치기를 바꿔보아야 한다. 학생이 선생과 역할을 바꾸면 공부하는 태도가 달라진다. 남을 가르치는 입장이 되면 공부에 대한 관점이 달라진다.

이와 같은 공부생태계의 구축은 공부를 통한 개인의 발전과 나아가 사회적인 변화를 수행하게 한다. 저자는 "한 사람이 바꿀 수 있는 것이 얼마 되지 않은 것처럼 보이지만, 한 사람을 변화시키면 그 과정에서 여러 사람들에게 영향을 미치게 되고, 그 사람들 하나하나가 또 새로운 변화의 메신저가 되고, 새로운 에너지를 갖춘 액터가 되는 것이다"[95]고 하였다. '새로운 액터'들이 되도록 도와주는 과정을 위해 공부생태계를 구축은 필요하다.

김진애가 말하는 공부하는 목적은 "사람과 통하기 위해서"이다. 공부를 하면 사람들과 공유하는 길과 폭은 넓어지고, 대화 주제가 풍성해지고, 사람들 사이의 통할 수 있는 기회가 많아진다. 진학, 취업, 출세를 위한 공부는 목적이 달성되는 순간에 끝이 난다. 지적 호기심을 전해주는 공부는 오래 간다. 공부하는 주제를 스스로 택하게 하고 공부의 폭을 넓게 한다. 또한 공부는 '체험'을 깊게 하는 데 도움을 준다. 체험이 풍성해지면 서로 간의 소통이 가능하게 된다. 저자는 진정한 공부와 소통의 관계성에 대하여 이렇게 말한다.

"우리 사회가 소통을 그렇게 강조하면서도 소통을 잘 하지도 않고 또 잘 안 되는 이유가 무엇일까? 말문이 열리지 않고 대화가 막히고 화제가 달리는 이유가 무엇일까? 서로 의견이 다른 사람들이라 해서 왜 동문서답만 주고받는 걸까? 엔간한 위치에 있는 사회 인간들은 왜 동어반복만 하는 걸까? 이 모든 문제가 공부로 귀결된다."[96]

공부는 우리 사회 구성원들의 진정한 소통을 위해 필요하다. 동종 분야만이 아니라, 이종 분야에 있는 사람들이 사회 문제에 대하여 허심탄회하게 소통하려면 공부가 필요하다. 소수만이 공부하는 것이 아니라, 사회 구성원 모두가 함께 읽고, 토론하고, 담론하고, 소통하고, 고민하고, 행동하는 공부를 통하여 사회는 바뀐다. 개인의 변화와 사회의 발전을 위해 진정한 공부는 시작되어야 한다.

함께 읽으면 도움이 되는 책

- 강성태, 《미쳐야 공부다》, 다산에듀, 2015.
- 사이토 다카시, 《내가 공부하는 이유》, 오근영 옮김, 걷는나무, 2014.
- 홍세화, 천정환, 《홍세화의 공부》, 알마, 2017.

07
황제가 전해 주는 인생 매뉴얼

《명상록을 읽는 시간》, 유인창, 바다출판사, 2016.

살다보면 막막할 때가 있다. 사용하던 음향기기가 고장 난다면 매뉴얼을 보고 다시 세팅하거나 수리를 맡기면 잘 사용할 수 있다. 우리의 삶도 힘들고 지칠 때 그 해법을 위해 볼 수 있는 '사용설명서'가 있으면 얼마나 좋을까?

아우렐리우스는 '철인(哲人)'황제라는 별칭을 얻은 로마의 오현제(五賢帝) 중 한명이다. 그는 철학자를 꿈꾸었던 황제였다. 그는 몸이 병약했지만 평생 전쟁터를 누비고 다녔다. 죽음도 전쟁터에서 맞이한 황제였다. 그가 시간이 날 때 마다 쓴 《명상록》은 우리가 삶을 살아가는데 필요한 기술을 성찰한 책이다.

이 책은 아우렐리우스가 강조한 이야기와 스토아 철학에 대하여 다룬다. 아우렐리우스는 "그대가 갖지 못한 것을 동경하지 말라"고 말한다. 지금 내가 없는 것을 무한적으로 동경하는 것은 부질없는 일이다. 현재의 삶을 만족하고 살아야 한다. 스토아 철학자인 에픽테토스는 기원후 55년경에 노예의 자식으로 태어났다. 또한 그는 다리가 불편한 절름발이였다. 노예이고 장애를 가졌지만 그는 자신의 좋지 않은 환경을 성찰하여 철학자로 성장할 수 있었다. 그는 "질병은 육체에 방해가 되지만 인간의 선택의지에는 방해가 되지 않는다"[97]고 하였다. 그는 다리에 장애가 있으면서도 자신의 지금 상황을 지혜롭게 받아들이는 것이 현명한 일이라고 강변한다. 스토아 철학에 따르면, 지금 힘든 상황에서 받아들이기 힘든 것은 '자신의 생각'이다. 쾌락과 고통을 모두 나의 것으로 받아들이는 것이 중요하다.

《로마 제국 쇠망사》를 저술한 역사가 에드워드 기번(Edward Gibbon)은 로마 오현제 시대(네르바, 트라야누스, 하드리아누스, 안토니누스 피우스, 마르쿠스 아우렐리우스 황제가 다스렸던 시대)가 인류 역사에서 가장 행복했던 시대라고 하였다. 이와 같은 평화로운 시대에서 아우렐리우스 황제는 전쟁터에서 죽었다. 시대가 평화롭다고 개인이 결코 평화롭지 않다. 어느 시대를 살던지 간에 개인은 자신만의 삶을 개척해서 살아야 한다. 역사의 보편성(普遍性)은 개별성(個別性)에 선행되지 않는다. 아무리 시대가 평온했다고 해도 그 속에서 노예로, 장애인, 하층 계층 등으로 살아가는 사람은 존재한다. 아우렐리우스는 "그대가 손이나 발에 느끼는 통증이, 손이 손의 기능을 다하고 발이 발의 기능이 다하는 과정에서 얻어진 것이라면 당연한 것이다. 마찬가지로 인간의 고통이 인간이 마땅히 해야 하는 일과 관련된 노력에 의한 것이라면 당연한 것이다"[98]고 했다. 아우렐리우스는 살아서 숨을 쉬고 있다면 고통이 있는 것은 당연하다고 한다.

스토아 철학자 세네카는 인생의 '길이'를 다시 정의한다. 그가 강조하는 인생의 '길이'는 살아있는 기간의 총합이 아닌, '유용하게 사용한 시간'이다. 지금 해야 하는 일을 미루면 인생은 짧아진다. 현재 내가 해야 하는 일을 하고, 가지고 있는 것을 파악해야 한다. 당장 눈앞에 있는 것에 대한 가치를 재인식해야 한다. 특히 공부를 미루면 안 된다. 지금 해야 하는 공부는 바로 지금 해야 한다.

아우렐리우스가 강조한 철학의 목적은 현실에서의 적용 가능성이었다. 그는 관념으로 존재하는 이상((理想)으로의 철학이 아닌, 현재 삶에 적용 가능한 사유와 실천 철학을 중시했다. 스토아 철학 기초를 다진 클레안테스는 권투선수였다고 한다. 그는 철학을 공부하고자 아테네에 무일푼으로 와 정원 일을 하고, 식당에서 일을 하면서 학비와 생활비를 벌어서 철학자가 되었다. 에픽테토스도 노예의 일을 하는 동안에도 철학을 손에서 놓지 않았다. 그래서 아우렐리우스는 철학은 삶의 수단이 되어야 한다고 주장한다.

아우렐리우스는 바라기만 하고 실천하지 않는 것을 경계했다. 우리가 바라는 모든 것에 대하여 '기도'만 한다면 이루어질까? 기도만으로는 이루어질 수 없다. 헛된 것을 바라는 부질없는 생각은 버리고 몸으로 노력을 해야 한다. 얻고자 하는 일에 대하여 노력이 없이는 결코 얻을 수 없다. '불편함'속으로 들어가야 성취감을 얻을 수 있다. 스티브 잡스는 스탠퍼드 대학교 졸업식에서 "계속 배고파라. 미련함을 유지해라"고 했다. 현실에 만족하지 말고 미련하게 나아가는 자가 되라는 것이다. 그냥 바라지 말고, "땀을 흘려라"라는 메시지가 황제가 우리에게 전해주는 교훈이다. 공부의 길도 마찬가지이다. 공부에는 첩경(捷徑)이 없다. 앎에 대한 호기심을 계속 유지하고, 우직하게 지혜를 찾아 나서야 한다. 꾸준하게 공부를 해 가는 과정 속에서 원하는 지식을 얻을 수 있다.

삶이 수월해지기 위해서《명상록》에서는 '불평'하지 말라고 한다. 아우렐리우스는 자연과 조화를 이루고 받아들일 것을 받아들여야 한다고 강조한다. 여기서의 자연은 "자연스러운 삶의 흐름"[99]을 말한다. 사는 것이 자기 마음처럼 안 된다고 불평과 불만으로 가득 찬 사람은 진짜 사는 것이 힘들다. 현실에서 부딪치는 온갖 난관에 대하여 최선을 다해서 해결하려는 자세가 필요하다. 문제가 안 풀린다고 해서 마음속에 고통을 안고 살지 말라고 아우렐리우스는 말한다. 운동선수의 삶도 힘듦과 고통의 연속이다. 경기를 앞두고 엄청난 훈련을 하고, 체중을 감량하고, 승리에 대한 스트레스로 힘들다. 또한 주변의 기대에 대한 심리적 좌절을 경험하기도 한다. 이들이 현재 상황이 힘들어서 불평만 한다고 해서 그 현실에서 벗어날 수 없다. 운동선수는 오히려 지금 이 순간을 즐겨야 한다. 힘든 여건을 즐기고 나를 평온하게 만들 때 훈련의 효과가 좋다.

《명상록》에 나오는 사람들 사이의 '관계'에 대한 핵심은 '애정'을 갖고 대하라는 것이다. 황제인 아우렐리우스는 로마의 최고 권력자임에도 어느 누구도 하대(下待)를 하지 않았다. 상대방의 우위에 서지 않고 상대방을 존중하는 일은 관계를 좋게 한다. 잘되는 운동 팀은 코치나 감독이 운동부원들을 하대하지 않는다. 지도자가 강한 애정을 가지고 운동부원을 자식처럼 대접한다. 서로 애정이 넘치는 관계 속에서 좋은 성적이 난다.

아우렐리우스가 보는 삶은 '레슬링'이다. 레슬링에서는 공격과 방어는 촌각을 다투고 이루어진다. 이에 누구든지 발을 땅에 꽉 붙이고 준비를 해야 한다. 황제는 우리에게 외과 의사가 수술 장비를 항시 가지고 다니듯 그러한 준비하는 마음으로 살라고 하였다. 저자 유인창은 세상에 응대하는 방법으로 '철학'을 학습해야 한다고 하였다.

"세상살이에서 벌어지는 싸움에 사용되는 칼은 철학이어야 한다. 철학이 나의 칼이 되어야 한다. 언제 어떤 일이 닥쳐와도 자신의 철학이 있으면 싸움이 한결 쉽다. 그 철학은 순간순간 대응하는 원칙과도 같은 의미다. 철학이라는 칼을 지니고 있으면 싸움의 방법이 나오고 자신만의 방식으로 싸울 수 있다."[100]

철학은 세상에 응대하는 방식을 가르쳐준다. 삶은 순간순간 선택의 연속이다. 이 선택의 시간에 기준을 어디에 둘 것인가? 올바른 선택을 하기 위해서 우리는 철학을 공부해야한다. 운동선수의 삶도 마찬가지이다. "나는 왜 운동을 하는가?", "나의 운동은 내 삶을 어떻게 변화시키는가?", "이 운동의 목적은 나를 위해서인가?", "나에게 승리가 의미하는 것은 무엇인가?", "떳떳하게 승리하는 것이 옳은가? 아니면, 부정하게라도 이겨야 하는가?", "승리가 없어도 최선을 다한다는 것은 무엇을 의미하는가?" 등에 대한 사유가 운동선수들의 삶에서 필요하다.

로마 황제이면서 모든 것을 거의 다 가졌던 아우렐리우스가 산다는 것은 쉬운 일이 아니라고 고백한다. 그는 금은보화보다도 자신을 위한 '명상'을 더 필요로 했다. 황제는 더 나은 삶을 위해 철학을 공부했다. 그가 공부하고 사유한 철학은 삶이라는 전쟁터를 슬기롭게 이겨낼 수 있는 수단이었다. 그는 세상의 온갖 재물과 막강한 권력보다 삶을 성찰할 수 있는 사유의 틀을 더 좋아했다. 이러한 사실은 2천 년 가까이 흐른 지금에도 우리에게 많은 메시지를 전해주고 있다.

함께 읽으면 도움이 되는 책

- 마르쿠스 아우렐리우스, 《명화로 읽는 명상록》, 박준희 편, 아이넷북스, 2017.
- 루키우스 안나이우스 세네카, 《명상록, 행복론》, 범우사, 1994.

올바른 선택을 하기 위해서 우리는 철학을 공부해야한다. 운동선수의 삶도 마찬가지이다. "나는 왜 운동을 하는가?", "나의 운동은 내 삶을 어떻게 변화시키는가?", "이 운동의 목적은 나를 위해서인가?", "나에게 승리가 의미하는 것은 무엇인가?", "떳떳하게 승리하는 것이 옳은가? 아니면, 부정하게라도 이겨야 하는 가?", "승리가 없어도 최선을 다한다는 것은 무엇을 의미하는가?" 등에 대한 사유가 운동선수들의 삶에서 필요하다.

08
미래는 공부하기에 따라 달라진다

《공부하는 독종이 살아남는다》, 이시형, 중앙북스, 2009.

세상의 변화 속도가 빠르다. 디지털 시대에 온갖 기기들은 사람들의 생각의 속도를 추월하고 있다. 지금의 자리에서 우리는 선택해야 한다. 변화냐?, 혹은 도태냐? 누구나 사회 속에서 뒤쳐져서 살고 싶지 않다. 뒤처지지 않기 위해서해야할 일이 바로 '공부'이다. 중등학교 때의 공부가 입시 지향적이었다면, 대학 생활 이후의 삶에서 공부는 평생의 지식을 쌓아가기 위한 창고가 된다.

저자는 공부하는 가장 중요한 이유로 '창조적인 생활'을 위해서라고 하였다. 창조적인 생활은 한마디로 '목표지향적인 생활'을 말한다. 입시공부, 승진시험 공부, 예술가의 공연 분비와 같은 활동은 목표를 위해서이기에 창조적이다. 정신과 의사인 저자는 인간은 목표가 정해지면 뇌는 목표 방향으로 초점을 맞춘다고 하였다. 목표를 정하면 온갖 스트레스를 이기고자 노력하게 된다. 목표를 달성하고 하나의 산을 넘으면 이에 대한 성취감을 상당히 크게 인지한다. 저자는 창조란 "완전한 무에서 유를 창출하는 것이 아니다. 많은 자료가 뇌 속에 들어와야 새롭고 좋은 발상이 나온다"[101]고 하였다.

공부를 하면 뇌가 활성화된다. 해마의 신경 세포가 증식되고 이는 노화를 방지한다. 이러한 신체적 변화 외에도 정신적인 성취감과 자신감 획득은 행복감을 강화시킨다. 그러나 공부가 말처럼 쉽게 되는 일이 아니다.

저자는 부신피질의 방어 호르몬은 스트레스 상황에서 3일간은 무조건 견디게 한다고 했다. 3일씩 열 번만 참으면 결국은 공부가 습관이 된다. 뇌과학적으로 뇌가 무엇인가를 달성할 때 도파민과 세로토닌과 같은 쾌락보수물질을 분비하고, 이러한 과정의 반복이 공부를 지속하게 한다.

공부를 지속하게 하는 힘은 무엇일까? 물론 공부는 머리로 하지만, 공부를 지속하게 만드는 힘은 머리, 가슴과 엉덩이이다. 공부를 잘하기 위해서는 양을 늘려야 한다. 운동선수가 수천 번 연습해서 한 가지 기량을 완수하듯이 공부에서도 양이 필요하다. 공부의 흥미를 느끼게 되면 뇌에서 세로토닌이 분비된다. 이는 노르아드레날린과 엔도르핀을 조절하고, 이를 통하여 안정감을 느끼게 한다. 공부할 때에 효과를 높이는 세로토닌 분비를 잘하기 위해서는 평소에 세로토닌 분비에 대하여 관심을 가져야 한다. 평소에 잘 씹고, 심호흡하고, 걷고, 달리며, 사랑하고 그리고 좋아하는 사람들과 함께 지내면 세로토닌의 분비가 활성화된다. 물론 이러한 생활은 집중력 있게 공부하는 데 많은 도움을 준다.

뇌를 알면 효과적으로 공부할 수 있다. 뇌과학적으로 '첫 번째 펭귄 효과'라는 것이 있다. 펭귄이 먹이를 구하기 위해서는 천적인 바다표범이 기다리는 물속으로 뛰어 들어 물고기를 잡아와야 한다. 천적을 생각하면 두려움이 생겨 전혀 물에 들어가지 못하지만, 한 마리가 뛰어들면 그 때 부터는 연쇄적으로 다른 펭귄들이 물속으로 입수하게 된다. 뇌도 처음에는 불안하고 긴장감을 느끼는 상태에서부터 어느 순간 문제가 해결되면 순간적으로 활성화된다. 불확실성과 두려움이 존재할 때에 뇌는 특정한 실행을 선호한다. 케임브리지대학교의 슐츠 박사는 원숭이들에게 50프로의 확률로 주스를 주는 실험을 했다. 나올지, 혹은 안 나올지 모르는 상황을 기다리면서 원숭이의 뇌에서는 도파민이 분비된 것을 확인했다. 만약 불확실성이 '특정한 범위 내에서 존재'할 수 있다면, 이 자체는 즐거움을 줄 수 있다[102]. 공부할 때에도 너무 쉽지 않고, 아주 어렵지 않은 정도의 난이도 문제를 풀고 이를 해결하고자 할 때에 즐거움은 증가된다. 이러한 적절한 난이도를 유지하는 것이 꾸준하게 공부하는 비법이다.

공부 잘하는 사람들은 다섯 가지 공통점이 발견된다. 첫째, 공부를 잘하는 이는 실천이 가능한 장단기 학습계획을 반드시 세운다. 무엇을 읽을 것인지, 언제 까지 읽을 것인지, 그 다음의 학습 순서는 무엇인지에 대한 구체적 계획을 세운다. 둘째, 공부 잘하는 이는 실패를 통하여 큰 깨달음을 배운다. 시험의 경우에는 어떤 문제를 틀렸는지, 왜 틀렸는지, 정답을 찾아내는 방식이 맞는 지에 대하여 끊임없이 고민을 한다. 실패의 요인을 정확하게 인지해야 실패를 다음에 막을 수 있다. 셋째, '왜'라는 질문을 하는 사람이 공부를 잘 하는 이이다. 질문을 적극적으로 하고 의심을 해결해내는 능력이 있어야 공부를 잘 할 수 있다. 넷째, 메모와 자료 정리를 잘하는 사람이 공부를 잘한다. 남의 이야기나, 혹은 자신의 아이디어를 메모로 정리하는 습관을 가져야 한다. 내 머릿속에 있는 아이디어가 글로 나와서 적힐 때에 온전히 나의 것이 된다. 그렇지 않으면 금세 사라진다. 다섯째, 책상과 책장이 잘 정리된 사람이 공부 잘한다. 책상을 정리를 잘 못하는 사람은 집중력이 저하된다. 집중력을 높일 수 있도록 정리하고 책을 효과적으로 읽을 수 있는 배치를 하는 것이 공부 잘하는 비법이다.

공부는 환경이 중요하다. 이 책에는 공부에 집중할 수 있는 환경으로 여덟 가지가 제시되었다. 첫째는 주변 환경을 정리하고 오늘의 목표를 정해야 한다. 목표를 정해서 나아가면 훨씬 더 효과적으로 공부에 임할 수 있다. 둘째는 일점(一點) 집중을 한다. 너무 집중해서 누가 와도 모를 정도로 한 점에 집중한 것을 일점 집중이라 한다. 셋째는 생각과 감정을 정리해야 한다. 시험을 잘 못 보았거나, 혹은 사람으로 상처를 받은 후에는 공부에 집중이 안 되는 것이 당연하다. 이때에 감정과 생각의 전환을 해야 한다. 넷째는 자신의 시간 창출 방식을 고안하여 실천해야 한다. "short sleep-early up-power nap"이 시간 창출의 방법을 이시형은 제안한다. 아침 일찍 일어나서, 밤잠을 줄이고, 부족한 잠은 낮잠으로 충당한다. 성공적인 삶을 살고 싶으면 수면을 6시간 정도 자고 잠이 부족하면 15분에서 20분 정도 낮잠을 자는 것이 좋다고 한다. 다섯째는 긴장과 이완을 적절하게 활용하는 휴식을 취한다. 휴식을 잘 취하면 공부의 효율성이 증가된다. 여섯째는 필요한 정보만을 얻는 정보 습득의 기술을 활용해야 한다. 책을 읽을 때에도 한 번에 꼼꼼히 읽기 보다는 여러 번 읽을 수 있는 것이 좋다. 일곱 번째는 기억할 때에 온몸을 활용하여 기억하는 것이 좋다. 여덟 번째는 필요할 때 마다 정보를 뽑아낼 수 있도록 정보를 활용해야 한다.

이 책에서 공부를 하는 이유는 창조성을 배양하기 위해서라고 하였다. 창조성을 갖기 위한 전제로는 입력과 저장된 자료가 필요할 때에 적재적소에서 나올 수 있어야 한다. 전두엽의 창의력이 활발하기 위해서는 뇌의 여러 부분이 활발해야 한다. 전두엽에 필요한 정보를 넣어두고, 측두엽에서 필요할 때에 즉시 써야 한다. 이시형은 "고로 창조는 기억이고, 기억은 암기다. 기억은 지능과도 관계없고 특별히 기억의 재주가 따로 있다는 뇌과학적 보고도 아직 없다"[103]고 말한다. 결국 공부에서 중요한 것은 의지,

몰입, 체력, 뇌의 적절한 사용이라는 것이다. 공부를 해야 되지만 공부가 낯선 자들에게 저자의 메시지는 단호하다. "지금도 늦지 않았다","공부는 할수록 잘 된다"라는 저자의 강한 메시지를 이해해야 한다. 특히 공부를 많이 접해보지 않은 운동선수들도 공부를 잘 할 수 있다. 현재 공부하는 일이 힘든 까닭은 해보지 않았다는 것과 용기가 부족해서이다. 지금 당장 그러한 나태와 의지 부족에서 벗어나 책을 손에 잡고 지식의 바다에 빠지자. 신세계(新世界)를 만날 것이다.

함께 읽으면 도움이 되는 책

- 이시형, 《행복한 독종》, 리더스북, 2012.
- 황농문, 《공부하는 힘》, 위즈덤하우스, 2013.

09 경계를 뛰어 넘어 창조적 사고를 배운다

《생각, 엮고 허물고 뒤집어라》, 김용학, 21세기북스, 2011.

순혈(純血)주의는 사회의 발전을 저해한다. 함께 어우러질 때에 그 조직이 보지 못하는 모순으로 부터 벗어날 수 있다. 조직의 리더가 자가당착(自家撞着)에 빠지고, 문제 상황에 대하여 옆에서 지적할 수 없는 조직은 창의적인 조직이 될 수 없다. 창의성은 '경계 넘기'와 '네트워킹'을 기반으로 해서 이루어진다. 이질적인 존재들의 서로 다른 목소리들이 융합될 때에 창조적 산물이 나온다.

한국 사회에서 창의성이라는 화두가 중요해졌다. 창의성이 중요하지만, 이에 명확한 정의를 내린 학자는 없다. 김용학은 창의성을 이렇게 정의한다. "나는 새롭고 유용한 아이디어나 개념을 떠올릴 수 있는 능력이 창의성이라고 간단히 정의하고 출발하고자 한다. 문제를 정의하거나 해결할 때, 상식적인 규칙이나 전형적인 사고 유형, 고정관념이나 기존의 틀을 벗어나서 새로운 생각이나 개념을 떠올릴 수 있는 능력 말이다"[104] 새 생각은 새로운 질문에서부터 도출된다. 질문을 던지기 위해서는 기본적으로 일상에서 꾸준히 공부를 해야 한다.

저자는 창의성을 갖기 위한 전제로 호기심, 장난기, 몰입과 유연성을 제시한다. '호기심'은 질문을 던지게 하고 문제를 풀기 위해서 생각을 즐겨하게 된다. 저자는 모기업 회장이 일본에 방문했을 때의 일화를 소개해 준다. 모 기업의 회장이 일본 지사의 한 임원에게 동경에는 까마귀가 몇 마리가 있는지를 물어보았다고 한다. 물론 정확한 답을 아는 사람은 없다. 그런데 이 질문을 던진 이유는 답을 알아가는 추론 과정인 얼마나 창의적인지를 알아보기 위해서 였던 것이다.

창의성을 위한 필요조건 두 번째는 '장난기'이다. 노벨상 수상자인 파인먼교수는 장난기가 많은 것으로 유명하다. 그가 노벨상을 받은 양자역학에 대한 이론은 코넬대학 학생식당에서 대학생이 허공에 접시를 돌리면서 노는 모습에서 착안되었다. 장난기는 "고정 관념이나 자기중심적 사고에서 벗어나게 해주며, 문제를 다양한 관점에서 보도록 도와준다"[105]

세 번째 조건은 '몰입'이다. 몰입은 운동선수들이 "개 발에 땀났다"라고 표현할 정도로 어느 정도 흥분해서 최적의 수행력을 자랑할 때를 말한다. 일반인들도 공부할 때에 집중하여 확 몰입하면 주위에서 무슨 일이 일어났는지 모른다.

네 번째 조건은 '유연성'이다. 틀에 벗어난 사고를 하기 위해서는 사고가 유연해야 한다. 이러한 유연한 사고는 역발상이 가능케 하고, 창의적인 발상을 가능하게 한다. 하나의 틀에만 묶여 있어서는 창의적인 발상이 불가능하다. "왜 축구장은 사각형이어야만 하지?", "원형의 구장에서는 축구 경기가 힘든가?"와 같은 질문은 유연적인 사고에서 비롯된다. 질문을 던지고 그 해답을 찾아가는 과정에서 창의적인 생각을 하게 된다.

경계 넘기의 위력은 스포츠계에서 이미 검증되었다. 외국 선수들이 프로 구단에 많이 유입되면서 한국 농구, 축구, 야구, 아이스하키의 전체적인 실력이 크게 향상되었다. 이질적인 플레이를 하는 선수들과 경기를 하다가 우리나라 선수들의 기량이 크게 향상되었다.

창의성은 일상 밖에 있는 것이 아니다. 창의성은 기존에 익숙한 것에 대한 다시 보기에서 비롯된다. 이에 김용학은 "일반적으로 사람들은 창의성에 대한 잘못된 믿음을 갖고 있다. 그 첫째가 창의성은 대단히 희귀한 사건으로서, 우연적이고 기발한 발상의 결과라는 생각이다. 그러나 창의성은 일상적으로 표출되거나, 특정한 사고의 틀을 따라 착상될 수도 있다. 또 창의성은 타고나는 것만도 아니다. 노력과 생각의 패턴을 숙지하면 후천적으로 만들어낼 수 있는 것이 창의성이다"[106]고 말한다. 다시 한 번 곱씹어 생각해 볼 부분이 '후천적으로 생성'가능하다는 측면이다. 창의성은 머리가 좋거나, 천재들의 전유물이 아닌, 누구나 노력하면 얻을 수 있는 산물이라는 점이 중요하다.

저자는 '뒤집기'가 창의적 발상의 기초라고 주장한다. 기존 상식에서부터 벗어나 뒤집으면 전혀 다른 스토리가 된다. 예를 들어, 백설 공주 이야기를 뒤집어 보면 백설 공주의 악한 면이 부각된다. 일곱 난쟁이의 정성스러운 병간호에 병에서 낫고 그녀는 백마 탄 왕자와 떠난다. 일곱 난쟁이의 시각에서 그녀가 과연 선한 지 살펴볼 필요가 있다. 그녀를 사랑했던 일곱 난쟁이의 불쌍함에 대하여 생각하면 백설 공주는 다른 모습으로 해석된다. 식사할 때에도 뒤집기는 기존에 먹던 음식을 색다르게 느끼게 해준다. 많은 사람들은 고추를 쌈장에 찍어 먹을 때에 뾰족한 부분부터 먹는다. 그런데 어떤 이는 꼭지를 따고 뒷부분부터 쌈장에 찍어 먹는다. 그렇게 해야 쌈장이 잘 찍히고, 고추를 남기지 않고 다 먹을 수 있기 때문이다. 이렇게 기존 방식을 뒤집으면 다른 느낌을 가질 수 있다.[107]

창의성 발현의 다른 열쇠는 '모순(矛盾)'에 있다. 노트북 컴퓨터는 가벼우면서도 열이 발생하면 안 된다. 전자회로기판이 얇아지면 열의 발생은 필수적이다. 자동차는 승차감도 좋고 연비도 좋아야 한다. 엔진 출력이 높아지면 승차감은 좋아지지만 연비는 형편이 없게 된다. 이와 같은 기술적 모순을 해결하고자 머리를 싸매는 과정에서 창의적 문제 해결이 가능해진다. 자본주의 사회에서 실업자들은 노동력을 시장에서 팔지 못하는 '탈 상품화'된 존재이다. 이들이 다시 시장에 재진입하게 유도하기 위해서 사회는 여러 가지 복지 정책이 필요하다. 국가는 이들을 위해 실업수당을 주고, 직업 재교육을 실시하고, 푸드 스탬프를 제공한다. 인력의 탈 상품화를 막으려다 보니 오히려 탈 상품화를 조장하는 형국이 복지국가에서 종종 벌어진다. 이 모순을 극복하기 위해서 시민단체, 사회적 기업들을 통한 문제 해결 방식은 모순에 따른 창의적인 대안을 선택한 결과이다.

저자는 지금 세상을 지식이 빠르게 바뀌는 시대로 규정한다. 이러한 시대에 지식을 빠르게 학습하는 일은 필수불가결한 일이 되었다. 지식의 변화상에 대하여 김용학은 이렇게 언급한다.

"지식이 빨리 변한다는 말은 대학생들도 졸업 후에 끊임없이 공부를 하지 않으면 사회에서 낙오되는 평생학습 시대에 접어들었다는 것을 의미한다. 지금 대학에 갓 입학한 신입생이 몇 년도에 죽을지 생각해 본 적이 있는가? 현재의 평균 수명 추세라면 2090년경이다. 의학 혁신이 비선형적으로 발전한다면 더 빨리 늘어날 것이다. 이렇게 긴 세월을 살아가려면, 빠르게 변하는 지식을 계속 배우면서 스스로 생각해야만 생존할 수 있다."[108]

지식 생태계의 빠른 변화 속에서 공부를 등한시 하면 안 된다. 이제 평생학습은 시대적 사명이다. 기대 수명이 엄청나게 증가한 지금, 그 시대에 필요한 지식과 등한시해서는 삶을 향유하기 불가능하다. 100세 시대에 공부는 삶을 윤택하게 만들어주는 수단이요, 과정이다. 경계 넘기, 네트워킹, 익숙한 것을 낯설게 보기, 뒤집기를 근간으로 한 평생학습은 건강한 '나'로 살기 위한 전제 조건이 되고 있다. 멋지게 살고 싶은가? 그렇다면 지금부터 평생 공부할 목록을 만들고, 거기에 몰입해 보고 깊은 사유를 해보자. 그 시공간에 펼쳐지는 수많은 '거인'의 어깨 위에 올라타 색다른 세상을 음미해보자. 내 삶이 달라질 것이다.

함께 읽으면 도움이 되는 책

- 김효준, 《창의성의 또 다른 이름 트리즈》, 인피니북스, 2009.
- 미하이 칙센트미하이, 《창의성의 즐거움》, 노혜숙 옮김, 더난출판사, 2003.
- 에드캣멀, 에이미 월러스, 《창의성을 지휘하라》, 윤태경 옮김, 와이즈베리, 2014.

10
철학은 사유를 위한 무기이다

《철학의 진리나무》, 안광복, 궁리, 2007.

상식을 의심해 보는 것이 진정한 공부의 시작이다. 철학은 기존 질서의 정당성에 대하여 의문을 던지는 학문이다. 인간의 존재를 둘러싼 일반 지식에 대한 물음에 대하여 해답을 구하는 과정은 잠자는 의식을 깨우는 실천 행위이다. 철학은 혼탁한 세상을 비추는 한줄기 빛이다. 삶에 대하여, 죽음에 대하여, 윤리에 대하여, 인간 존재의 의미에 대하여, 타자의 위치에 대하여, 기투(企投)된 존재에 대하여, 의미 없음의 유의미 등에 대한 해답을 철학적 사유를 통하여 얻을 수 있다.

안광복은 철학 교사이다. 일선 학교 현장에서 학생들의 고민을 상담하는데 있어서 그 처방으로 '철학'을 사용한다. 그의 말대로, 철학은 "굉장히 요긴하고 효과가 높은 '치료제'라는 것"[109]이 현장에서 검증된다. 그는 입시 준비로 지친 학생들에게 암담한 현실 속 제약을 극복하는 힘은 철학에 있었다고 말한다.

저자는 먼저 행복에 대한 이야기에 철학을 끌어들인다. 진정으로 행복하기 위해 어떻게 해야 하나? 우선적으로 '나'를 튼튼하게 만들어야 한다. 자아를 강하게 하면 어떠한 세파에도 흔들리지 않는다. 강한 자아를 갖고 있는 사람은 돈과 명예에 의해 흔들리지 않는다. 멋진 자아를 갖기 위해서는 먼저 "내 삶은 어떤 의미가 있는가?"에 대하여 질문을 던져야 한다. 삶의 의미를 위해서 질문을 던지고, 또 던지고, 사유할 때에 자아에 대하여 알 수 있게 된다. 이렇게 질문을 던지는 철학은 '멘탈 짐내스틱(mental gymnastic)'이다. 철학은 '정신의 운동'이다. 정신의 운동을 통하여 건강한 정신과 자아가 만들어진다.

철학적 사색은 높은 차원의 공부이다. 이 사색의 방해가 일어나는 이유는 마음의 여유가 부족하기 때문이다. 마음의 여유라는 것은 감정을 잘 추스를 때에 생길 수 있다. 저자는 미국 심리학자인 리처드 래저러스의 말을 빌려, 상황에 따라 '문제 해결적 접근'을 해야 하는지와 '감정적 접근'을 해야 하는 지에 대하여 잘 판단해야 한다고 하였다.[110] 내일 시험을 봐야 한다면 제일 좋은 일은 시험공부를 열심히 하는 것이다. 다른 사유나 고민은 현 상황을 개선하는 데에 아무런 도움을 주지 못한다. 내일 치과에 가야하는데 불안하다면 감정적 접근을 해야 한다. 내일 치과 치료에 대한 공포에서 내가 할 수 있는 일은 아무것도 없다. 그저 담담하게 받아들이는 것이 좋다. 치과 치료를 앞두고, 은행에서 기다릴 때에, 전철을 타고 갈 때 불안하거나 조바심을 가질 필요가 전혀 없다. 그냥 명상을 하거나, 책을 보는 것이 좋다.

저자는 일상에서 철학하기 위해서 세 가지를 제안한다. 첫째, 일상 속에서 '화두'를 들고 자주 사색해야 한다. 신념, 정의, 평등, 용기 등과 같은 시대적인 덕목과 관련된 개념들을 생각하는 연습을 해야 한다. 둘째, 움직이는 '주제'를 잡아야 한다. 이 순간에 나의 마음을 움직이는 주제에 대하여 관심을 가져야 한다. 셋째, 현재 문제의 뿌리까지 내려가서 문제를 들어다 보는 연습을 해야 한다. 일상 속에서의 철학적으로 사유한다는 것은 일반적으로 인식하는 것, 평범하다고 느끼는 것, 자연스럽게 받아들이고 있는 현상에 대한 '의문'에서 시작한다. 이러한 의문을 위해 깊게 생각하는 일은 진정한 공부의 한 모습이기도 하다.

저자는 우리 현상에서 쉽게 접하는 현상들에 대하여 철학적인 질문을 던진다. 시뮬라크르, 섹슈얼리티, 노마디즘, 가정, 시간, 언어, 전통, 노동, 보수와 진보, 선과 악, 정치, 여가, 법, 이상, 퓨전 문화, 응징, 호모루덴스, 인터넷 폐인 문화, 인터넷 지식 검색 등에 대한 이슈들에 대하여 철학적으로 해답을 제시하고자 한다. 먼저 '여가'에 대하여 생각해 보자. "우리는 일하기 위해 노는가?", 혹은 "놀기 위하여 일하는가?" 동양에서는 '정명(正名) 사상'이 생활에 많은 영향을 미쳤다. 정명이란 '이름값을 해라'라는 뜻이다. 어떤 사람이 그 이름값을 했느냐에 따라서 사람에 대한 평가가 달라진다. 서양에서는 '아레테'사상이 삶의 덕목으로 작용하였다. 아레테는 본래 '자신의 능력을 최대한 발휘'하는 것을 말한다. 사람은 자신에게 주어진 역할을 잘 수행했을 때에 아레테가 실현된 것이다. 정치를 잘하는 정치가, 전장에서 승리하는 군인, 그림을 잘 그리는 화가는 아레테를 실현한 이들이다. 이러한 가치관에서 노는 것은 일하기 위해서이다. 일이 중심이 되고 이에 도움을 주기 위해서 놀기가 존재하는 것이다. 현대 사회에서는 이러한 전통적인 '여가 가치'가 바뀌고 있다. 여가는 인간을 인간답게 만들어준다. 이제는 놀기 위해서 일하는 문화가 확산되고 있다. 데카르트는 동물은 먹고 살기 위해서만 움직이는 자동기계(automata)라고 하였다. 동물은 자동적으로 사냥할 때에 on이고, 배가 부르면 off가 되는 존재이다. 이에 반해서 인간은 배가 부르고 나서 자신의 진정한 가능성을 매진해 나간다. 인간적 가치에 대하여 지향적인 예술, 문화, 철학, 스포츠와 같은 위대한 인간의 산물은 모두 여가를 통하여 만들어졌다[111]. 많은 여가 시간을 확보하고, 이 시간 동안 보다 인간적이고, 창의적 문화를 개발하고자 할 때에 사회는 발전한다. 주 5일 근무제 이후 늘어난 여가 시간을 창의적으로 보낼 때에는 개인과 조직 모두가 발전한다. 그렇지 못할 경우에 늘어난 여가 시간은 또 다른 재앙이 될 수도 있다.

저자는 "놀이는 왜 즐거운가?"라는 질문을 던진다. 박물관을 가득 채운 역사유물의 생성 목적은 놀기 위해서 만들어 졌다. 예술은 그 자체에 의미가 있는 것이다. 예술의 심미적 가치를 판단하는 유일한 존재는 인간이다. 그래서 인간은 호모 사피엔스 이전에 '호모 루덴스(놀이하는 인간)'이다. 호모 루덴스라는 개념을 주창한 네덜란드의 사학자 호이징가는 놀이의 특징을 세 가지로 규정한다. 첫째, 놀이는 그 자체가 즐기기 위해서 이루어진다. 둘째, 술래잡기에서처럼 숨을 수 있는 범위와 도망갈 수 있는 시간을 서로 합의하여 정해진 '시공간'에서 이루어진다. 셋째, 지켜야 할 규칙이 반드시 존재한다. 농구에서 공을 발로차면 안되고, 축구에서 손으로 공을 잡으면 안 된다는 규칙이 놀이를 운영하기 위한 전제로 작동한다. 광의의 개념 하에서 삶은 놀이가 된다[112]. 삶과 놀이의 관계에 대하여 안광복은 이렇게 말한다.

"우리는 삶을 '놀이'로 받아들일 때 비로소 너그러워질 수 있다. 우리는 모두 죽음이란 형태의 '게임 종료'를 맞아야 할 운명이다. 아무리 많은 재산을 모으고 명예를 쌓았다 해도, 이는 결국 게임장에 두고 나가야 하는 칩(chip)에 불과하다. 반대로 꼬여만 가는 듯한 생활도 안 풀리는 '게임'에 불과하다고 생각하면 삶을 즐길 수 있는 여지는 훨씬 더 많아질 것이다."[113]

온갖 명예나 재물이"게임장에 두고 가야만 하는 칩"에 불과하다면 그렇게 전전 긍긍하고 살지 않게 된다. 누구나 즐기는 게임 종료가 존재한다는 사실을 인식하는 것만으로 겸손해진다.

저자는 철학의 역사는 인류의 성장과 그 맥을 같이 한다고 주장한다. 철학을 통해 "우리가 왜 그리고 어떻게 살아야 하는가?"에 대한 답을 추구할 때에 철학은 필요한 사유의 무기가 된다. 인생을 어떻게 살아야 올바로 사는 것인지에 대한 방향을 알기 위해서 철학적인 물음이 필요하다. 치열한 물음과 해답을 찾는 과정은 공부의 길이요, 인간답게 사는 길이기도 하다.

함께 읽으면 도움이 되는 책

- 강신주, 《철학 VS 철학》, 오월의 봄, 2016.
- 이지성, 스토리베리, 《나를 세우는 단단한 힘 문사철》, 자음과 모음, 2017.
- 이진우, 《의심의 철학》, 휴머니스트, 2017.

11

공부는 나이 듦에 대한 보험이다

《40대, 다시 한번 공부에 미쳐라》, 김병완, 함께, 2012.

한국 사회에서 중년은 고달프다. 1997년 IMF 구제금융기 이후로 중년의 의미는 퇴색되게 되었다. 중년은 삶의 허리부분이다. 청년시기에서 노년기로의 부드러운 연결을 위해 존재하는 여유 있는 삶의 시기가 중년기였다. 그러나 세계적인 금융 한파현상은 한국의 중년기를 세파에 가두어 놓았다. 여기와 저기도 속할 수 없는 '낀'세대가 되어버렸다. 이 중년 시기에 공부는 자존감을 회복할 수 있는 해답이 된다.

저자는 평생직장이 없어지고 중년에서 공부하는 삶이 중요한 이유로 "인생은 길어졌고, 직장은 짧아졌기" 때문이라고 말한다. 덧붙여 "40대 이후의 삶을 인생의 후반부로 생각하기보다는 또 다른 하나의 인생이라고 생각해야 한다"[114]고 말한다. 청년기에 배운 지식의 수명은 40세 이전에 마모(磨耗)된다. 길어진 40세 이후의 행복한 삶을 생각한다면 거기에 맞는 '참된 공부'가 필요하다. 이제는 평생학습의 사회에서 실제 생활에 유용하게 적용할 수 있는 지식의 배양이 선택이 아닌 필수가 되었다.

중년은 지식 배양을 위한 좋은 시기이다. 우리의 사고가 결정되는 것은 체험과 습득된 지식의 총체에 덧붙여지는 언어와 어휘력이다. 중년은 이 시기까지 다양한 체험을 했다. 직장에서, 학교에서, 동아리에서, 모임에서, 조직에서, 여행에서의 여러 가지의 체험은 그 사람의 사유의 바탕이 된다. 이러한 상태에서 어휘력을 배양한다면 현상에 대한 혜안(慧眼)을 갖게 된다. 어휘력은 공부를 통해서 크게 늘어날 수 있다. 어휘력 수준이 높은 사람은 수준 높은 사고와 언어력을 구사한다.

저자는 40대에 공부에 온몸을 던져야 하는 이유에 대하여 초반 '운'에 삶을 내맡겨서는 안 되기 때문이라고 한다. 공부는 중년의 삶에서 '가능성'을 열어주는 촉매제 역할을 한다. 예를 들어, '1인 출판'이나 '1인 기업' 시대가 도래함에 따라 누구든지 책을 내고, 강사가 되고, 지식을 판매할 수 있는 시대가 된 것이다. 김병완은 40대의 공부는 '틀을 파괴하는' 공부가 되어야 한다고 주장한다.

"40대, 다시 한 번 공부에 미쳐야 한다. 하지만 자격증이나 취업을 위한 스펙 쌓기 공부를 해서는 안 된다. 이것은 단기적으로 유익을 줄 수 있지만, 이러한 공부는 또다시 자신을 궁지로 모는 공부가 될 뿐이다. 40대 공부는 자신의 편협하고 고정된 사고의 틀을 깰 수 있는 공부다. 이 세상의 위인들과 많은 사람들의 사고(思考)를 빌려서 사색해보고, 세상을 지금까지와는 다른 방식으로 세상을 바라보는 연습을 해야 한다"[115]

중년 공부의 혜택은 고정된 사고로부터 벗어나는 일이다. 고전을 탐닉하고 지금과는 다르게 보는 연습을 통해 중년의 삶이 바뀔 수 있다. 이렇듯 공부를 위해서는 기본적으로 공부를 위한 습관을 들여야 한다. 저자는 퇴근 후 3시간을 잘 활용해야 한다고 주장한다. 가족의 이해와 협조, 신문 스크랩과 전 방위적 독서를 활용하고, 그리고 텔레비전을 멀리하는 습관이 필요하다.

40대에 공부로 성공한 사람들이 있다. 화가 폴 고갱은 증권거래소 직원으로 일하다가 43세가 되어서 화가의 길을 걷기 위해 타히티 섬으로 떠났다. 정신분석학의 대가 지그문트 프로이트는 심리학 분야에 새로 발을 디던 나이가 40세였다. 40세는 몰입해서 시작만 한다면 멋진 성과를 낼 수 있는 시기이다.

중년의 공부의 목적은 자신만을 위한 것은 아니다. 나의 공부의 지평이 넓어지면 타인과의 관계도 좋아진다. 공부하는 사람 곁에는 사람들이 자연스럽게 몰려든다. 공부를 통한 지식을 삶에 실천하는 모습과 사용하는 언어를 보고 사람들은 함께 있고자 한다. '성숙한 방어기제'는 삶을 살면서 맞게 되는 여러 문제들에 대하여 성숙하고 의연하게 대처해 나가는 삶의 태도나 마음가짐을 말한다[116]. 꾸준히 공부하는 사람은 이러한 높은 방어기제 능력을 형성할 수 있다. 특히 성숙한 방어기제가 높은 사람은 타자와의 관계에서 빚어지는 여러 가지 오해나 갈등으로 부터의 대처할 수 있는 심리적인 능력을 갖고 있다. 공부는 나에 대한 수련의 과정이기도 하지만, 공부를 통해서 타인과의 관계 개선에도 도움을 줄 수 있다.

내가 생각하는 중년 공부가 가장 중요한 이유는 노년으로 이어지는 삶에서의 방향 설정 때문이다. 내 삶에서 노화는 피할 수 없다. 나이 들어가면서 인생의 방향을 점검할 수 있는 기회가 있는 삶은 후회할 일이 적어진다. 저자는 " 40대 공부를 통해 얻을 수 있는 유익함 중의 하나는 바른 방향을 잡을 수 있다는 점이다. 그렇기 때문에 올바른 인생을 살아갈 수 있게 되고 그로 인해 참된 비전을 가질 수 있다"[117]고 말한다. 나이 들면서 나의 비전을 점검하기란 쉽지 않다. 그러나 공부하는 자에게는 매일 매일에 내 삶에 대한 점검의 시간을 갖는다.

나이 들면서 공부를 꾸준히 하는 사람은 '부자'이다. 진정한 부자는 재물이 많은 이보다는 삶을 풍요롭게 영위할 수 있는 학식, 마음가짐, 심리상태, 삶의 질, 심리적 웰빙감, 스트레스 대처 능력, 성숙한 방어기제 등을 갖춘 자이다. 멋진 중년의 삶을 꿈꾼다면 평상 공부하는 자세를 젊었을 때부터 견지하는 자세가 필요하다.

함께 읽으면 도움이 되는 책

- 고미숙 외, 《나이듦 수업》, 서해문집, 2016.
- 와다 히데키, 《공부 잘하는 사람 못하는 사람》, 한선희 옮김, 을지외국어.
- 우리창, 《매일 심리학 공부》, 지식너머, 2017.

12
헌책을 찾아가는 공부

《전작주의자의 꿈》, 조희봉, 함께 읽는 책, 2003.

나에게 책은 삼라만상(森羅萬象)이다. 책에는 온갖 이야깃거리가 넘친다. 새 책도 좋지만 헌책에 더 애착이 간다. 책 앞부분에 적힌 이름이나 전 책주인이 적어 놓은 글자 안에 담긴 의미가 나에게 말을 걸어오는 듯하다. 책은 헌책이 되었더라도 그 가치가 전혀 퇴색되지 않는다. 어떤 책들은 절판이 되어 오히려 귀한 대접을 받기도 한다. 내가 소장했던 '철학 소사전'을 누군가가 빌려갔다가 반납하지 않아서 재 구매하려 해도 절판되어 구입 자체가 불가능했다. 꼭 필요한 책이 절판되어 구입할 수 없을 때에는 헌책방 사이트를 기웃거리게 된다. 그 사이트에서 좋은 가격으로 필요한 책을 사게 되면 커다란 희열을 느낀다. 책은 새것이나, 헌 것이나 주인에게 '설렘'으로 다가온다.

저자는 '헌책수집가'이다. 저자의 꿈은 작은 도서관을 만드는 일이라고 한다. 좋아하는 작가들의 작품으로 가득한 서재는 보기만 해도 배가 부르다. 저자의 헌책 수집에는 묘책(妙策)이 있다. 선호하는 작가의 작품 전체를 구입하고 수집하는 일이다. 조희봉은 이를 '전작주의'라고 부른다.

"전작주의란, 한 작가의 모든 작품을 통해 일관되게 흐르는 흐름은 물론 심지어 작가 자신조차 알지 못했던 징후적인 흐름까지 짚어 내면서 총체적인 작품세계에 대한 통시/공시적 분석을 통해 그 작가와 그의 작품세계가 당대적으로 어떤 의미를 지니는지를 찾아내고 그러한 작가의 세계를 자신의 세계로 온전히 받아들이고자 하는 일정한 시선을 의미한다."[118]

특정 작가의 흐름에 대하여 일정한 방향을 발견해 나가는 일이 전작주의이다. 저자는 전작주의의 대상 작가로 이윤기와 안정효 작가를 선정했다. 이 두 작가를 통해 저자는 세상을 보는 힘을 키웠다고 한다. 전작주의를 지향할 수 있는 작가는 삶의 "나침판"이고, 누군가의 "뒤를 따라가는 행위"이고, 내가 처음 읽어버린 "원래의 길을 찾는 일"이기도 하다. 전작주의를 추구하는 것은 특정 작가에 대한 맹목적인 추종이 아닌, 작가가 걸어온 길을 "현재와 연관해서 어떤 의미를 지니는 지를 묻고 재해석을 하는 작업"[119]이다.

전작주의자의 놀이터는 헌책방이다. 헌책방 순례의 묘미는 절판되어 더 이상 서점에서 구하기 어려운 책들을 구하기 좋다는 것이다. 저자는 자기가 원하는 책들의 리스트를 머릿속에 기억해 놓았다가 발품을 팔아서 책을 찾아다니는 즐거움이 여행의 기쁨과 유사하다고 한다. 본인이 원하는 책을 드디어 발견하였을 때에 그 화락(和樂)은 어디에도 비교할 수 없다. "헌책방은 세상의 속도를 일부러 거슬러 자신의 중심을 잡으려고 하는 거꾸로 사는 재미가 있다."[120] 헌책방은 미로(迷路)의 집이다. 좁은 길 사이를 건너고, 책을 뛰어 넘어 책의 산더미 속에 파묻히게 된다. 이는 '불편한 기쁨'에 휩싸이게 한다.

헌책방은 보편적인 곳이 아닌, 개별적인 곳이다. 헌책방을 찾는 독자들이 원하는 취향은 다르다. 베스트셀러와 같이 대중이 좋아하는 책도 있지만, 전작주의를 추종하는 이에게는 특정 작가의 작품만이 눈에 띈다.

저자의 책에 대한 사랑은 거의 독보적이다. 700권이 들어갈 책장을 직접 만들고, 'LG홈스타'라는 스프레이로 책을 닦는다. 일제 woody pal이라는 색연필로 줄을 그으면서 책을 읽는다고도 한다. 전작주의를 숭배하고 헌책방을 순례하는 자는 책을 통해 세상을 얻는 자이다. 책을 쫓아다니는 그 과정 자체가 공부이다.

헌책방은 책을 숭배하는 자들의 성지이다. 이제는 새 책방에서 자취를 감춘 작품들을 만날 수 있는 비밀스러운 공간이기도 하다. 그 공간에 들어서면 세월의 냄새를 맡을 수 있다. 그 공간은 내 머릿속에 있는 오래된 책 제목들을 들추어내게 한다. 그 제목들을 찾아내고, 책들을 읽는 순간이 즐거운 공부의 세계로 끌어당긴다.

함께 읽으면 도움이 되는 책

- 우다 도모코, 《오키나와에서 헌책방을 열었습니다》, 효형출판, 2015.
- 조경국, 《소소책방 책방일지》, 소소책방, 2015.
- 최종규, 《모든 책은 헌책이다》, 그물코, 2004.

13
행복은 공부순(工夫順)이다.

《공부란 무엇인가?》, 이원석, 책담, 2014.

자유의 삶을 바꾸고, 사회를 변화시키는 일은 단시간에 되지 않는다. 오랜 시간 동안의 미비한 노력들이 모여서 거대한 변혁의 파도로 바뀌게 된다. 이 책의 저자는 "공부란 무엇인가?"라는 화두를 책 앞부분에서 던진다. 이 질문을 던지는 근본적 이유에 대하여 저자는 이렇게 말한다. "나는 이 질문이 미시적으로 우리 삶을 돌아볼 수 있는 렌즈를 제공하고, 우리가 삶을 새롭게 구성할 수 있도록 이끌어 준다고 믿는다. 또한 나는 이것이 우리 사회를 들여다 볼 수 있는 방향으로 우리를 이끌어 준다고 생각한다."[121]

유학에서는 '배움'을 위한 선행조건이 있다. 먼저 지식을 담을 신체를 정결하게 수련하는 일이다. 공자는 《논어》에서 "배우고 때 맞춰 익히면 또한 즐겁지 아니한가(學而時習之 不亦說乎)"를 강조했다. 배운 것을 몸에 제대로 익히는 것이 '학습'이다. 습(習)은 배운 것을 몸으로 아로새기는 일을 말한다. 공자는 공부에서 먼저 몸을 바로 세우는 일을 강조했다. 공부라는 것은 기존 몸을 통한 습관을 바르게 한 후에 반복하여 지식을 체득(體得)하는 일이다. 이러한 관점에서 저자는 공부에 대하여 이렇게 규정한다.

"공부란 사람을 만드는 것이다. 온전한 사람을 만드는 것이다. 자연적 존재로서의 동물을 문화적 존재로서의 인간으로 만드는 것이다. 따라서 무술을 단련하고(쿵후), 기술을 가다듬고(工夫), 심성을 연마하는(마음공부) 것 등이 모두 '공부하다'라는 표현으로 재현되는 것이다."[122]

공부는 인간을 "문화적 존재"로 만든다. 공부를 통해 환골탈태가 가능하다는 이야기이다. 이러한 개념에서의 공부는 추상적인 개념이 아닌, 실천적인 적용이 중요해진다.

저자는 그리스 철학을 이야기하며 플라톤의 아카데미아, 아리스토텔레스의 리케이온, 에피쿠로스의 호케포스와 제논의 스토아 학당을 소개했다. 이들 학당은 '삶의 방식에서의 철학'을 전수하고자 하였다. "무엇보다 중요한 것은, 그리스의 학당에서 학도들이 배우는 것은 단순히 머리에 담으면 되는 철학 지식이 아니라 몸으로 배워야 하는 삶의 방식이었다."[123] 당시에 철학을 배우던 학도들은 기숙하는 생활공동체 안에서 학습을 하고 있었다. 머리로만 철학을 공부하는 것이 아니라, 배운 것을 일상에서 적용하도록 독려하는 체제였다.

중세 유럽에서의 가톨릭 공부법은 '렉티오 디비나(Lectio Divina)'이었다. 이는 매일 최소 두 시간씩 경전과 교부들의 글을 연구하는 공부 방식을 말한다. 수도사들은 언어를 중심으로 말씀을 듣고 읽었으며, 평신도들은 미사와 순례 여행에 참여하면 '렉티오 디비나'를 수행했다. 마르틴 루터가 중세의 종교 개혁을 수행할 수 있었던 이유는 렉티오 디비나를 바르게 수행했기 때문이다. 성서를 바르게 읽고, 기도하고, 명상하고 시련을 감내해 내었기에 종교 개혁이 가능했다.

고전은 인간이 어떠한 삶을 살아야 하는 지와 관련된 가치들의 퇴적물(堆積物)이다. 저자는 고전을 선택하는 방법에 대하여 두 가지를 제안한다. 나 자신에게 와 닿는 책을 선택하는 일과 약간의 난이도가 존재하는 책을 선택하는 일이다. 고대의 독서법은 '낭독(朗讀)'이었다. 고전의 가르침은 청각을 통해 효과를 낸다. 저자는 고전에 대한 낭독 효과를 이렇게 말한다.

"위대한 고전의 본문을 읽는 나의 목소리가 내 귀에 들려오고 내 몸을 훑어 내려야 한다. 이것이 어느 정도 누적되면, 기존에 눈으로만 읽던 것과는 분명히 다른, 새로운 경험을 하게 될 것이다. 무엇보다 먼저 이것이 제공하는 통찰은 내가 혼자가 아니라는 사실이다. 거대한 전통의 질서와 그 공동체 안에 서 있는 자신을 발견하게 될 것이다"[124]

고전을 읽으면서 수백 년 전의 인류 공동체의 가치와 질서를 깨달을 수 있는 시간은 환희가 묻어나는 시간이다. 지식에 대한 깨달음은 시공간을 초월하게 만든다. 오래 전에 고민을 하고, 생각하고, 느끼고, 울고 웃던 그 사람들의 '어깨 위에' 앉아 세상을 보는 재미는 그 무엇과도 비교할 수 없다.

암송 방법에 대하여 가톨릭 영성가인 헨리 나우웬은 최대한 집중하고 천천히 반복하라고 하였다. 일부러 외우려고 하기 보다는 반복하여 읽고 느끼는 슬로우 독서가 필요하다. "잠들기 전이나 기다릴 때나 혹은 산책하거나 운전할 때 입으로 나직이 읊조리는 것도 좋은 방법이다."[125]

생각 없이 공부하기란 불가능하다. 묵상은 깊은 생각을 하는 것이다. 묵상을 하면서 일기를 쓰는 일은 공부의 효과를 높인다. 키에르케고르의 뛰어난 사유는 일기에 있었으며, 헨리 나우웬도 오랜 시간 동안 일기를 쓰면 묵상을 하였다. 문학평론가 김현은 1986년에서 1989년 사이의 독서 일기를 정리한 《행복한 책읽기》를 통해 뛰어난 작품 분석을 보여주었다. 보르헤스(Jorge Luis Borges)에게 책을 읽어주면서 독서 지도를 받은 엘베르트 망구엘의 《독서일기》도 독서와 묵상의 위대함을 나타내는 책이다.

공부를 하는 이유는 스스로 행복하기 위해서이다. 나에게 억지로 지식을 집어넣으려고 하는 공부가 아닌, 내 안의 가진 것을 드러내서 지식과 자연스럽게 만나게 하는 공부는 희열 넘치는 삶을 살게 한다. 그래서 공부는 올바로 해야 한다. 이원석은 공부하는 것의 의미를 이렇게 규정한다.

"바르게 공부하는 것은 자신의 내면에 찬란한 빛을 되찾게 해줄 뿐만이 아니라 우리 사회에도 밝은 광명을 비추어줄 것이다. 단언컨대 자기 자신과 우리 사회의 밝은 미래를 위해 우선적으로 필요한 것은 공부의 의미를 바르게 회복하는 것이다. 그러한 회복은 바로 욕망의 변혁으로부터 모습을 드러낼 것이다. 이를 통해 행복의 기준이 달라질 수 있다. 그러므로 이제 행복은 공부 순이라고 말할 수 있어야 한다."[126]

욕망의 대상은 쉽게 바뀌지 않는다. 욕망의 대상이 바뀌게 되면 행복에 대한 기준이나 조건이 변화하게 된다. '바른 공부'를 통해 행복의 근원은 공부를 통해서 생성된다는 깨달음을 얻게 된다.

함께 읽으면 도움이 되는 책

- 알베르트 망구엘, 《밤의 도서관》, 강주헌 옮김, 세종서적, 2011.
- 조한별, 《세인트존스의 고전 100권 공부법》, 바다출판사, 2016.
- 호르헤 루이스 보르헤스, 윌리스 반스톤, 《보르헤스의 말》, 서창렬 옮김, 마음산책, 2015.

DUXIANA
HOTEL
DUXIANA
HOTEL
DUXIANA

제 3 장
왜 책을 읽어야 하나?

01

독서에도 방법이 있다.

《나는 이런 책을 읽어 왔다》, 다치바나 다카시, 이언숙 옮김, 청어람 미디어, 2001.

책은 인간이 만든 가장 완벽한 지식체이다. 아무리 정보화시대가 되었다고 해도 책의 영향력은 결코 퇴색되지 않는다. 책은 인간사에 대한 보고(寶庫)이다. 나는 그 곳에 들어갈 때 마다 희색(喜色)이 돈다. 한두 번도 아닌데 책을 대할 때마다 긴장감이 돈다. 책 안에 들어가면 흙 속에서 진주를 발견하듯이, 집중해서 지은이가 만들어 놓은 복선(伏線)을 요리조리 살핀다. 책은 언제나 나를 실망 시키지 않고 지적 열망을 충족시킨다. 그래서 오늘도 책을 읽는다.

다치바나 다카시는 일본의 '지(知)의 거인'이라 불리는 평론가이다. 워낙에 다독가로 유명세를 떨치고 있는 인물이기도 하다. 그는 열심히 책을 읽는 이유에 대하여 "지적 욕구는 책을 쓰기 위한 욕구가 아니라 제가 본래 가지고 있는 '어떻게든 알고 싶다', '좀 더 자세히 알고 싶다'는 욕구 때문"[127]이라 한다. 알고자 하는 욕구는 책을 가까이 하게 만든다. 책 속의 미로를 걷다보면 내가 알고 싶어 하는 길이 나타난다.

다카시는 수업 보다는 독학을 통해 얻어지는 것이 더 많다고 한다. 다카시만의 독학 방법은 다음과 같다. 첫째, 거금을 들고 '간다'지역의 대형서점에 간다. 생활비의 반절 정도를 들고 책을 한 번에 구입한다고 한다. 서점에서는 자기가 배우고 싶은 분야의 신간 서적을 하나도 빠짐없이 본다. 둘째, 책 제목을 하나하나 읽어 가는 동안 한 분야의 큰 흐름을 그린다. 제목을 보고 책을 집어 들면 머리말, 맺음말, 목차를 살핀다. 목차를 보고난 후에 관심이 있는 책들은 참고문헌과 색인도 확인한다. 교과서적인 책을 구입할 때에는 세권 정도를 구입하는 것이 좋다고 한다. 특히, 성향이 다른 관점의 저자들의 책들을 구입하는 것이 좋다. 셋째, 특정 학문에 대하여 역사, 학설사와 사상사를 조망할 수 있도록 지식 체제를 그려본다. 가벼운 개설서부터 읽기 시작하여 전문적으로 책을 읽어나간다. 다카시는 지식의 전체적인 밑그림이 그려져야 필요한 지식을 쌓아갈 수 있다고 하였다.

"인간이 현재 가지고 있는 전반적인 지식이, 알 수 있고 알아야 할 모든 지식 가운데 어떤 위치를 차지하고 있는지, 인간으로서 알 수 있는 것과 알 수 없는 것 사이의 어디쯤에 선이 그어져 있는지, 인간이 알려고 하는 것과 알려고 하지 않는 것 사이에는 어떤 차이가 있는지 등에 관해서도 일단 지식을 갖추어야 할 필요가 있다."[128]

나의 지식의 '정도'를 파악할 수 있을 때에 필요한 것을 찾을 수 있다. "지금 내가 아는 것은 무엇인가?"에 대한 경계를 제대로 파악하고 있을 때에 모르는 것들을 찾아 나설 수 있게 된다.

다치바나 다카시는 장서를 보관하고 있는 사람으로도 유명하다. 그가 말하는 좋은 서재란, 바깥 세계와 동떨어져 있고, 좁으며 그리고 기능적으로 구성되어 있는 공간이다. 그가 책을 모으기 시작한 초기에는 책 보관을 위해 사과 상자를 주로 썼다고 한다. 이후에는 목수에게 부탁하여 책장을 짜서 사용하였다 한다. 책을 좋아하는 이에게 책상은 책을 점령하기 위한 교두보(橋頭堡)이다. 이곳에서는 언제나 전쟁이 일어난다. 이 책상에서 애서가들은 은밀하게 숨은 저자의 뜻을 찾아 헤매는 파수꾼이 된다. 다카시는 책상을 두 개를 이용한다고 하는데, 둘 다 1미터 x 2미터 정도 되는 대형 사이즈이다. 이 책상들을 방에 평행으로 두고 그 사이에 회전의자를 놓고 작업을 한다고 한다,

장서를 보관하는 이들의 꿈은 '서고(書庫)'를 갖는 것이다. 다카시도 오매불망 그리던 서고 전담 빌딩을 지었다. 10평 정도의 토지에 철근 4층 건물을 신축하였다. 지하 1층은 서고, 지상 1층과 3층은 작업실로, 그리고 2층은 사무실로 꾸몄다. 공간을 잘 활용하여 서가의 충 길이는 총 700m에 이르러 35,000권의 책을 꽂을 수 있다고 한다. 서류 등의 자료는 B4판 크기의 홀더에 보관한다. 저자는 이 서고 빌딩을 지을 때에 오직 튼튼하게 짓는 데에만 주력하였다고 한다. 화장실과 세면장 이외의 모든 공간은 없앴다. 이 공간은 빌딩에 고양이 그림이 그려져 있어 '고양이 빌딩'으로 유명하다.

많은 책을 읽고 방대한 저작물을 쓴 평론가로서 다카시는 책을 읽을 때에 두 가지 책을 구분하여 읽으라고 조언한다. 첫째는 처음부터 끝까지 읽어야 하는 책이다. 둘째는 필요한 부분만 찾아서 읽어야 할 책이다. 일할 때에는 주로 후자의 책 읽기가 중요하다. 필요한 것을 찾기 위해서는 목차와 색인을 적극적으로 활용하는 것이 필요하다.

다카시는 글을 쓰기 전에 20 - 30권 정도의 책을 책상 위에 놓고 시작한다. 집필을 하면서 책은 50권이나 60권으로 늘어간다. 책들의 필요한 내용들을 빠르게 읽어나간다. 어려운 책들을 잘 읽는 방법으로 다카시는 책의 '구조'를 잘 파악하라고 한다. 책의 단락, 절, 장으로 이어진 논리의 흐름을 이해하면 책을 빠르게 읽을 수 있다고 다카시는 말한다.

"일반적으로 책은 단락 단위로 기술되어 있고, 단락이 모여 절이나 장을 이루고 있다. 저자가 구분하지 않았더라도 구조적으로 절과 장으로 구

성되어 있다. 다시 말해 책은 단락 하나하나를 벽돌로 삼아 쌓아 올린 건축물과 같은 구조를 가지고 있다. 벽돌(단락) 몇 장이 모여 블록(절)을 만들고, 블록 몇 개가 모여 부분적인 구조물(장)을 만드는 것이다. 이렇게 만들어진 전체 구조물(←부분적인 구조물←블록)을 잘 파악해야 하는 것이다."[129]

방대한 책이나 자료를 속독으로 읽어야 할 때가 있다. 문장 하나하나를 읽기 보다는 단락의 첫 문장만 읽고 전체 절을 유추해 나가는 방식이 다카시가 추천하는 속독법이다. "전체 흐름"과 "키워드"를 중심으로 해서 책을 읽어 나가다가 반복적으로 읽는 것이 좋다.

책은 우리 인류의 살아온 궤적을 담고 있는 영혼 불멸의 생명체이다. "인류 문화의 전체상을 가장 잘 투영하고 있는 것이 바로 책 세계의 전체상"[130]이다. 인류를 대우주라고 할 때에 서점이나 도서관은 "중우주(中宇宙)"이다. 인간은 서점이나 도서관에서 읽은 책으로 지은 세계의 주민이 된다. 책을 얼마나 많이 읽었는지에 따라 그 사람의 우주의 풍요성은 달라진다. 일본에서는 해마다 14억 7천만권의 책이 발행되는데(1999년 기준), 60%인 8억 1천만 권만이 독자의 손에 들어가 생명력을 얻는다. 나머지는 반품되거나 폐품으로 금세 사라진다. 그 8억1천만 권은 "누군가가 사고 누군가가 읽어 그 나름대로 소세계를 만든다."[131] 책은 각자의 소우주를 구축하고, 그 안에 별들을 채워 넣게 한다. 책에는 수많은 인간 군상들이 존재하고, 인류가 살아온 법칙이 담겨진다. 이를 탐닉(耽溺)하는 자는 인류 전개의 비밀 열쇠를 쥐게 된다.

이 책은 장서가이자, 다독가인 다치바나 다카시의 책에 대한 이야기를 담고 있다. 다카시의 책에 대한 애정은 무한하다. 이 책을 읽으며 "왜 책을 읽어야 하는지?"에 대한 의문에 대한 일말의 답을 구할 수 있었다. 책은 한 인간을 특정의 세계로 옮겨간다. 다카시식으로 말하면, 책은 '소우주'를 만들어 주고 그 우주를 채우게 한다.

함께 읽으면 도움이 되는 책

- 서민, 《서민 독서》, 을유문화사, 2017.
- 유시민, 《청춘의 독서》, 웅진지식하우스, 2017.

02
옛 선인들의 독서 지혜

《오직 독서뿐》, 정민, 김영사, 2013.

세상에 정보를 얻을 수 있는 출처는 많다. 정보화 시대에 고리타분하게 독서 타령을 하는 것은 진부하게 비춰질 수 있다. 그러나 시대가 아무리 바뀌어도 독서는 내면을 바라볼 수 있는 가장 강력한 수단이다. 책을 읽는다는 것은 자신만의 우주를 개척하는 일이다. 나만의 우주를 갖는 자만이 깊은 생각을 할 수 있다. 시대의 흐름에 상관없이 내 스스로 강해지기 위해서는 책을 읽어야 한다.

저자는 빠른 세상의 흐름 속에서 일상은 비탈길에서 굴러 내려오는 수레와 같다고 한다. 잘못 세우려 한다면 자칫해서 뒤집어지고 만다. 살얼음판을 걸어야 하는 세상 안에서 이에 대한 처방은 무엇인가? 저자는 "오직 독서뿐!"이라고 자신 있게 말한다. 미시적으로는 깊은 사유를 위하여, 거시적으로는 환경에 따라 흔들리지 않는 나만의 내공을 지니기 위하여 책을 읽어야 한다. 저자는 독서의 중요성을 이렇게 부연 설명한다.

"독서의 중요성은 갈수록 커질 것이 틀림없다. 우리의 삶이 독서와 멀어질수록 그렇다. 도대체 책을 안 읽고 사람이 발전할 수 있다는 말을 나는 믿지 않는다. 귀 밝고 눈 맑은 젊은이의 예지는 게임으로는 결코 습득되지 않는다. 빨리 가고 싶은가? 속도를 늦춰라. 서두를수록 목표에서 멀어진다. 책을 통해서만 생각은 깊어진다. 책 안에 원하는 대답이 있다. 책을 어찌 멀리할 수 있겠는가?"[132]

이 책에 소개된 9명의 선인들은 책 읽기의 달인이었다. 이들은 항상 책을 가까이 하고 책에서 삶의 해답을 찾았다. 가장 먼저 소개된 허균은 조선 중기의 문인으로 우리에게는 《홍길동전》의 저자로 잘 알려졌다. 허균은 책을 읽는 이유에 대하여 마음을 지키기 위해서라고 하였다. 허균은 책 읽는 방법으로 '몰입하여 읽기'를 강조한다. 허균은 책 속의 주인공과 하나가 되어 감정이입이 된 독서가 진정한 독서라고 하였다.

두 번째로는 이익의 책 읽기에 대하여 소개하였다. 이익은 《성호사설》에서 책을 간수하는 마음가짐에 대하여 이야기 했다. 책의 내용을 사랑하게 되면 당연히 보관도 잘해야 한다. 이익은 책을 읽다가 아이디어가 떠오르면 바로 적어놓으라고 했다. 그는 이를 '묘계질서(妙契疾書)'라고 표현했는데, 메모의 중요성을 이야기한 것이다. 메모라는 것은 생각이 진화되는 흔적이다. 다산 정약용도 책을 읽을 때에 책 모퉁이에 메모를 가득 적으며 책을 읽는다고 한다. 메모는 책의 내용에 대한 나의 적극적 반응이다. 이익은 독서에서 '자기주장'을 가져야 한다고 강조한다. 책에 나온 대로만 믿고 행하기보다는 책에서 '의문'을 발견하고 이를 풀기 위하여 노력해야 한다.

세 번째로는 조선 후기의 학자 양응수의 책 읽기가 소개되었다. 양응수는 책을 읽는 이유에 대하여 삶의 이치를 깨닫고, 이를 실제 삶으로 전이(轉移)하는 것에 있다고 했다. 그는 독서에서 '사색'이 반드시 필요하다고 했다. 또한 책을 읽는 법으로 '줄줄이 외우는 것'을 강조하였다. 양응수는 많이 읽으면 저절로 외워지고, 생각이 무르익으면 저절로 외워진다고 하였다. 양응수의 독서 방식은 철저하게 마음을 비우고 책에 몰입하는 것이다. 자신의 마음을 가라앉히지 않으면 절대로 다른 사람의 사상이 내 머릿속으로 들어올 수 없다. 이 말은 선입견을 없애고 지식을 대해야 한다는 것을 말한다.

양응수는 독서를 하면서 모르는 것이 있으면 반드시 질문해야 한다고 하였다. 모르는 것을 그냥 지나치면 제대로 된 책읽기가 될 수 없다. 양응수는 이 부분을 지적하면서 올바른 책읽기는 모르는 부분을 완전히 이해하고 이것을 토대로 해서 이해의 지평을 넓혀야 한다고 하였다. 양응수는 송나라 때 학자인 진열의 공부법인, '구방심(求放心)'을 소개하였다. 이는 마음이 제 멋대로 가지 않도록 잡아놓는 것을 말한다. 마음을 바로 잡아야 정신을 차릴 수 있고, 이때에 읽은 책의 내용은 머릿속에서 하나의 지식으로 자리 잡는다.

양응수의 책인 《독서법》은 효과적 독서에 대한 정보를 총망라하고 있다. 그는 이 책에서 독서는 천천히 살펴보는 것이 기본이라고 강조하였다. 성인의 말씀도 이와 유사하다. 그 말씀 속에서 가르침을 얻기 위해서는 정신을 바짝 차려야 한다고 충고한다. 천천히 책을 읽는 것이 필요한데 숙독했는지의 여부에 대해서 양응수는 책 속의 글이 내 말처럼 느껴진다면 숙독한 것으로 간주했다.

네 번째는 조선 후기의 학자인 안정복이다. 안정복은 책을 제대로 읽기 위해서는 '1만독'을 하라고 하였다. 여러 번 읽다 보면 글의 기운이 내 몸속으로 스며든다. 그리고 가락과 의미가 나의 심신 안에서 춤을 춘다. 명나라의 양천상 이란 사람은 마음으로 책을 보고, 소리를 내어 읽고, 귀로 소리를 들었다고 한다. 그는 입으로 외우며 반복해서 읽었다고 한다. 각 페이지당 1백 번씩을 되풀이해서 읽었다. 이렇게 15년 동안 날마다 3장을 읽어 책 1만 5천장을 1백번이나 읽었다고 한다. 안정복은 책은 머리로 읽기 보다는 '엉덩이'로 읽는 것이라 하였다. 진득하게 앉아 있을 수 있어야 책을 집중해서 읽을 수 있다.

안정복은 책을 읽는 것은 '안목'을 형성하기 위해서라고 한다. 안목은 자득(自得)을 통해 형성된다. "자득으로 이어지지 않는 박학은 헛똑똑이 공부다. 어디서 이상한 소리나 주워듣고 와서 젠체하는 것은 섭렵이 아니다."[133] 자득을 위해서는 양서를 많이 읽고, 음미해야 한다. 한 단계 더 나아가 이를 암기해야 한다. 사서오경은 총 478,990자이다. 하루 300자씩을 외우면 4년 반이면 외울 수 있다고 안정복은 말한다. 4년 이상이 걸려 사서오경을 다 외우면 우주의 삼라만상이 내 머릿속에 내려앉게 된다.

다섯째는 조선 영조 때의 실학자인 홍대용이다. 홍대용은 책읽기에서 자세를 중시했다. 책을 읽을 때에 집중하기 위해서 몸을 기둥처럼 곧이 세우고, 눈은 책 위로 바로 고정시키라고 하였다. 책의 특정 구절을 외울 때에도 차분히 마음을 먼저 가라앉히고 순서대로 외우라고 했다. 빨리 외우려 들지 말고 천천히 순서대로 외우는 것이 필요하다. 홍대용은《여매헌서》에서 책을 읽는 데에 '마음가짐'을 계속 강조하고 있다. 공부의 가장 큰 적은 '뜬생각(浮念)'이라고 했다. 뜬 생각을 잘 걷어내야 공부에서 승리해야 수 있다. 자꾸 뜬생각이 생기면 이를 이기기 위해서 다시 자세를 세우는 노력이 필요하다고 홍대용은 주장한다.

여섯째는 조선 후기의 대표적인 실학자인 연암 박지원이다. 박지원은 군자의 말에도 실수가 있을 수 있지만 책에는 올바른 지식을 전달한다고 말한다. 책은 많이 읽을수록, 오래 읽을수록 그 가치가 발한다. 박지원은 독서의 방법으로 '규칙'을 강조한다. 빨리 많이 읽는 것보다 꾸준하게 읽는 것을 중요시 여겼다. 매일 정해진 분량만큼 읽고, 읽은 후에는 반드시 그 내용을 점검해야 한다. 책을 읽는 다는 것을 어떤 수단을 위한 것이 아니라, 그 자체가 합목적적이어야 한다. 읽어서 기쁘고 이로 인해서 생각이 바뀌고 그리고 삶이 바뀐다는 깨달음이 필요하다.

일곱 번째는 조선 후기의 문인 이덕무이다. 군자의 일상은 공부하는 것이다. 마치 세끼 식사를 챙겨서 먹는 것처럼 꾸준하게 독서를 하는 것은 자연스러운 일이다. 책을 멀리하면 정신은 몽롱해지고 다른 생각이 머릿속에 가득 찬다. 이덕무는 책을 읽다가 좋은 구절을 발견하면 혼자만 알지 말고, 이를 나누어야 한다고 말한다. 진정한 공부는 '나눔'을 통하여 진화되는 것이다.

여덟 번째는 조선 후기의 문인인 홍석주이다. 홍석주는 공부하는 사람은 항상 '생각 관리'를 잘 해야 한다고 하였다. 사념(思念)은 필요해도, 상념(想念)은 공부에 방해가 된다. 마음을 잘 갖추는 일을 통해서 공부의 효율을 높여야 한다.

마지막으로, 조선 후기의 문인 홍길주이다. 홍길주는 독서를 통해 책과 내가 따로 놀아서는 안 된다고 하였다. 독서를 통해서 내 삶이 변화가 되지 않는다면 이는 더 이상 올바른 독서가 아니다. 단 한 줄이라도 내 마음에 깊이 새길 수 있는 독서가 내 삶을 진일보하게 만든다.

이 책은 옛 선인들의 독서에 대한 태도와 지향점을 정민교수가 해제(解題)한 것이다. 조선 후기의 공부의 달인들이 말하는 공부는 나를 지키기 위한 수단이요, 군자의 삶을 영위할 수 있는 최소한의 장치였다. 책을 읽어서 밥이 나온다든지, 재물이 들어오는 것은 아니지만, 최소한 독서는 조선 후기 어수선한 시대 상황에서 불안과 정신적 허기를 달랠 수 있는 지적 자위(自慰)의 한 방도가 아니었을까 싶다.

함께 읽으면 도움이 되는 책

- 박경남, 《조선 왕의 독서법》, 북씽크, 2014.
- 이상주, 《조선 명문가 독서교육법》, 다음생각, 2011.

03
이기적인 독서

《왜 책을 읽는가》, 샤를 단치, 임명주 역, 이루, 2013.

인간의 삶은 유한하다. 누구나 종말이 있다는 인간의 숙명을 알기에 잠시 불멸을 꿈꾸기도 한다. 우리가 꿈꾸는 불멸은 헛된 꿈이다. 그것은 시지프스가 신들을 기만한 죄로 산 정상에 바위를 올리고, 떨어지고, 다시 올리고, 다시 떨어지는 끊임없는 반복성에서 탈출하고자 하는 꿈과 같다. 그 유한한 삶 속에서 무한으로 나아갈 수 있는 방법은 '독서'에 있다. 독서는 수천 년의 지혜를 깨닫게 하고 앞으로 펼쳐진 미래의 불확실성의 실마리를 제공해주는 마법이다.

샤를 단치는 프랑스의 소설가이다. 이 책《왜 책을 읽는가》를 출간하고 대중과 문단으로부터 큰 호응을 얻었다. 이후 장지오노 그랑프리(Grand Prix Jean Giono)상을 수상했다. 샤를 단치는 우리가 독서를 하는 데에 있어서 지식의 축적보다 중요한 것은 '유추(類推)'라고 한다. 철학과 문학의 차이는 바로 '유추'를 인정하는 정도에 있다. 철학은 분석과 지성에 기대어 사물을 판단한다. 이에 반해, 문학은 감성과 유추에 의해 해석하게 만든다.

샤를 단치는 독서는 나의 미적 감수성을 일깨우는 수단이라고 한다. 그는 독서가 어떻게 우리의 은밀한 내면을 깨우는 지를 언급한다.

"독서는 굳이 말하지 않아도 되는 우리 내면의 은밀한 것들을 드러낸다. 추잡한 것, 소중한 것, 혹은 약한 것들까지. 아무 말 없이 문장 속에 온몸을 파묻고 책과 단 둘이 마주하게 되면, 내 안의 정직하지 못하고 거친 모습, 화내기 좋아하는 바보 같은 모습들은 감쪽같이 사라져버린다."[134]

나와 책, 단 둘이 마주치는 엄청난 '만남' 속에서 나의 내면은 정화된다. 그런 책을 마주할 때에는 흔적을 남겨야 한다. 샤를 단치는 좋은 독자는 읽으면서 쓴다고 한다. 특히 책의 여백에 사유의 흔적을 과감히 남긴다. 저자는 프루스트의 책을 여러 판본을 구입한 이유는 책의 여백에는 지렁이가 기어 다니는 것처럼 꼬불거리는 선과 글씨로 가득 차 있기 때문이라 한다.

저자는 독서를 "고독한 전쟁"[135]이라고 한다. 책을 읽는 동안에는 책과 독자 사이의 대칭적 관계가 형성된다. 책이 제공하는 지식에 대하여 독자는 독서가 끝난 후에 비로소 '해석'이 가능하다. 독서가 고독한 전쟁인 이유는 독자는 자신을 성가시게 하는 개념과 철저히 싸우기 때문이다. 샤를 단치는 독서의 '홀로서기'에 대하여 자주 이야기 한다. "책을 읽을 때 독자는 혼자가 된다. 그러나 다른 사람들이 존재한다는 것을 알기에 그들을 요령껏 스쳐가며 자신만의 명상에 잠기고, 다른 이들의 몰입도 존중해 준다."[136]

독서의 숭고한 목적은 바꿀 수 없는 진리에 대한 항거(抗拒)에 있다. 인간은 누구나 죽는다. 이 죽음을 뛰어넘을 수 있는 방법으로 독서보다 더 좋은 방법은 없다. 그래서 샤를 단치는 죽음과의 '결투'에 대하여 이렇게 언급한다.

"책을 읽으며 나아갈 때 나는 죽음과 경주를 한다. 이는 다른 모든 독자들도 마찬가지일 것이다. 왜냐하면 독서의 본질적인 동기이자 유일한 이유, 그것은 바로 죽음과 당당히 결투를 하는 것이기 때문이다. 죽음과의 결투를 지지하며 앞에서 이끄는 용사들은 바로 작가들이다."[137]

독자에 의해서 걸작은 영원한 생명력을 갖는다. 저자에게 독자의 호평은 죽음에 맞설 수 있는 용기를 준다. 인간이 피할 수 없는 숙명인 죽음에 대한 공포를 이길 수 있는 방법은 저자는 멋진 책을 내는 것이요, 독자는 독서 안에서 나를 발견하는 데에 있다.

책을 파는 서점은 신성한 곳이다. 책을 좋아하는 사람만이 아는 그 희열은 독서를 좋아하지 않는 사람들은 알 수 없다. 샤를 단치는 서점에 대해 "내 삶을 구원해 주었다"[138]고 단언한다. 툴루즈에 위치한 '카스텔라'라는 서점에 가면 문학 코너 아래쪽에서 빛이 올라온다고 한다. 그 곳을 저자는 '천국'이라고 한다.

책이 생명력을 갖기 위해서 독자의 역할이 중요하다. 양서를 발견하고 그것을 꾸준히 읽어야 한다. 책은 독자가 읽으면서 새로운 생명을 얻는다.

작가와 다른 관점을 갖고 대칭적으로 독자와 작가가 마주설 수 있을 때에 새로운 지식이 잉태된다. 그래서 "독서는 죽음이 꼭두각시가 되기를 거부하며 인생의 아름다운 복잡성을 회복시킨다"[139] 인생의 미학(美學)은 독서를 통하여 복원된다. 분주, 바쁨, 헤매기, 안절부절, 스트레스, 험담, 영혼없이 살기, 참견하기 등은 독서와 반대적인 입장에 서있다. 독서는 마음이 안정이 되었을 때에 가능한 명상이다. 작가와의 치열한 싸움 속은 '힘들지만 행복한 싸움'이다.

함께 읽으면 도움이 되는 책

- 이재범, 《부자가 되는 책읽기》, 다온북스, 2016.
- 이정훈, 《10권을 읽고 100권의 효과를 얻는 책읽기 기술》, 비엠케이, 2017.

04
책은 어떻게 인생을 바꾸는가?

《독서의 신》, 마쓰오카 세이고, 김경균 역, 추수밭, 2013.

책은 팔색조(八色鳥)이다. 한 권의 책 안의 특정 개념은 읽는 이의 성향, 수준, 편견, 선입견, 태도, 가치, 역량 등에 따라 다르게 해석된다. 엄밀히 말하면 책은 읽는 이의 관점에 따라 다양하게 변모한다. 서평을 잘 쓰는 이는 작가와의 끈질긴 씨름을 마친 자이다. 서평을 써내려 간 독자는 치열한 싸움 끝에 얻은 전리품(戰利品)을 늘어놓는다. 이는 숭고한 작업이다.

마쓰오카 세이고는 일본 최고의 독서 고수이다. 하루도 거르지 않고 매일 밤 독서 감상문 한편씩을 인터넷에 게재한 이로 유명하다. 그는 북 내비게이션 프로젝트인 〈센야센사쓰〉(千夜千冊)를 진행하고 있기도 하다. 1944년 생으로 와세다 대학교에서 불문학을 전공하고, 26세에 고샤쿠샤 출판사를 설립하여 잡지 〈유〉(遊)를 창간하였다. 특히 1987년 '편집공학연구소'를 설립하여 도상, 문자와 전통 문화 연구에서 정보 편집 기술을 이용하는 프로젝트를 수행해왔다. 현재 6만권이 넘는 책을 보관한 편집공학연구소의 원장으로 일본의 지적 세계를 대변하는 인물로 정평이 나있다.

세이고는 독서에 대하여 '대단한 행위'나 '숭고한 작업'이라고 너무 치켜세우지 말라고 한다. 일상에서 쉽게 접하는 행위로 마치 외출을 위해 옷을 갈아 입는 행동과 비슷하다고 한다. 세이고의 독서법에서 특이한 점은 같은 책을 '두 번'읽는 것이다. 책은 언제, 어떠한 기분, 어떠한 감수성으로 읽었는지에 따라 다른 모습으로 다가온다. 그러한 재독(再讀)을 통하여 독서의 본질에 다가갈 수 있다고 한다.

"어쩌면 옛날에 먹었던 그 과자나 계란말이가 같은 맛으로 느껴지는지를 다시 확인하는 것입니다. 그렇게 하면 대체로 거기에 '틈'이 생깁니다. 그것도 상당한 '틈'입니다. '개구멍'이라고 해도 좋겠지요. 다시 읽으면 전혀 인상이 달라지는 경우도 많아요. 그렇지만 그 '틈'이야말로 무척 소중한 것으로, 제 경험에 의하면 독서의 본질에 연관된 것이 적지 않습니다."[140]

세이고는 서점에서 책을 처음 만나는 순간에 반드시 차례를 읽는다고 한다. 그는 "차례 독서법"이라고 명명하고, 책을 선정하는 데에 차례를 보면서 그 책의 내용을 상상하는 것이 필요하다고 한다. 이와 같은 3분 동안의 차례 독서는 독자와 책 사이의 "부드러운 감촉 구조물"[141]을 쌓게 한다.

이 구조물의 형성 여부는 추후에 독자를 매끄럽게 하게 한다. 세이고는 독서에서 모든 사람에게 보편타당한 독서 방식은 없다고 하였다. 독서는 엄밀히 말해서 작가의 의견을 읽는 것이다. 독서는 "누구나 체험하고 있는 것처럼 읽고 있는 도중에도 여러 가지 것들을 느끼거나 생각하게 되는 행위"[142]이다. 세이고의 이 독서 관점은 객관성과 주관성이 섞이는 과정이라고 한다. 책에 적힌 내용과 독자의 느낌이 함께 어우러지는 과정이 독서라는 것이다. 이는 우리가 수박을 먹으며 붉은 색을 보지만, 오직 붉은 색만이 아닌 나만의 다른 색이 연상되는 것과 마찬가지이다. 세이고는 저자와 독자가 함께 의미를 나누는 '협업'을 "자기편집"이라고 하였다.

적극적으로 독서하는 방법으로 세이고는 두 가지를 제안한다. 첫째는 '예측하면서' 읽는 것이다. 책을 읽으며 내가 궁금해 하는 내용이 어느 부분에 들어갈 지에 대하여 예상하면서 읽어 보라고 한다. 둘째는 독서 중에 새로운 시공간에 들어와 있다고 상상하면서 읽는 것이다. 책 안의 시공간으로 투입되어 무엇을 느꼈는지에 대해 인지한다. 이를 위하여 세이고는 책 속에 '표시'하는 것을 제안한다. 자신이 좋아하는 방식으로 밑줄을 치거나, 중요한 단어나 개념에 표시를 해둔다. 점점 표시가 익숙해짐에 따라 인명과 개념을 구분하고, 동의하는 내용이나 의문시하는 내용에 다른 표시를 해 나간다.

독자가 저자의 뜻을 잘 이해하기 위해서는 저자의 '글쓰기 모델'을 이해해야 한다. 특정 작가의 글쓰기 모델을 인식하는 것만으로도 그 저자의 책은 한 눈에 들어온다. 이를 통해서 저자의 다음번 책의 내용을 유추할 수도 있다.

세이고만의 다독술 기법이 있다. 첫째로, 노트를 여러 권 준비하라고 한다. 노트 다섯 권에 1만 년 전 부터 현대까지 연호를 표기한다. 각 연호 사이에는 적당한 분량의 페이지를 비워둔다. 책을 읽다가 연대가 나올 때마다 내용을 적는다. 둘째로 '인용노트'를 만든다. 책을 읽다가 마음에 드는 구절이 나오면 노트에 적어둔다. 노트를 여러 권 준비하고, '재미있는 논리', '원래 이미지', '안타까움','지적 농담', '한시의 구절' 등의 항목을 표시한다. 책을 읽으며 항목별 기호를 만들고 잘 인식하도록 한다. 세이고는 자신의 독서법의 핵심을 '링크를 늘리는 편집적 독서법'이라고 명명하였다[143] 이는 여러 가지 책들을 동시에 읽다가 발견한 메모, 강조, 내용, 인용 구절 들을 노트에 적어놓고, 일부 문장이나 구절에서 공통점을 발견해 나가는 독서법이다.

독서는 독자의 '의도적 노력'이 투입되어야만 지속할 수 있는 행동이다. 세이고는 독서는 결코 평균적 일을 하는 것이 아니라는 '자기 암시'가 필요하다고 하였다. 라면을 먹을 때에는 젓가락이 필요하고, 파스타를 먹을 때에는 포크를 이용하듯이, 독서를 할 때에도 필요한 준비가 있다. 독서가는 반드시 "언제 독서가 잘되는가?"에 대하여 답을 찾아야 한다. 세이고는 과학책을 읽을 때에는 반드시 큰 책상이 필요하다고 한다. 책 몇 권을 준비하고 또한 샤프 펜슬로 밑줄을 긋거나 여백에 메모를 한다. 세로로 된 과학책에는 파란색이나 빨간색 빠이롯드 V콘 볼펜을 사용한다고 한다. 이러한 필기구를 세이고는 라면의 젓가락이나 파스타의 포크와 같은 것 이라 하였다.

독서는 저자와 독자의 '교제'이다. 이 교제를 통하여 우리는 사색의 세계로 들어간다. 세이고 말대로 모든 사색, 논리, 표현, 행동은 결합을 통해서 이루어진다. 이는 '편집'이라고 표현되는 데, 편집은 지식을 양산시키는 기본이 된다. 편집 공학적으로는 뇌 안에 일종의 마당이 구성되어 있어

정보가 편집 구조로 변화하면서 기억을 변화시킨다. 독자의 이와 같은 '읽기 모델'에 저자의 '글쓰기 모델'이 만나 융합되어 것이 독서이다.

독서는 누군가의 삶에 들어와 그 삶에서 혁명을 일으킨다. 세이고처럼 매일 책을 읽고 서평을 쓰는 자는 독서를 통하여 날마다 지적 성장을 이룬다. 좋은 독서란, 그냥 책만 펼치는 일이 아니다. 책의 정보들을 효과적으로 분리하고, 각 정보들 사이에서 지금 필요한 지식을 끄집어내는 일이다. 그 지식은 내 삶을 풍성하게 만든다. 독서는 수동적 행위가 아닌, 나의 인생을 통째로 바꿀 수 있는 그러한 변혁이다.

함께 읽으면 도움이 되는 책

- 서상훈, 유현심, 《독서토론을 위한 10분 책읽기》, 경향미디어, 2016.
- 이진우, 《대통령의 책읽기》, 휴머니스트, 2017.

05 책에 던지는 숭고한 질문들

《책에 대해 던지는 7가지 질문》, 정수복, 로도스, 2013.

작가와 학자의 차이는 경험과 상상력에 있다. 학자가 사실(fact)에 대해서만 각종 이론을 동원하여 설명하고자 하는 반면에, 작가는 보이는 것과 보이지 않는 것의 경계를 두지 않는다. 보이지 않다고 물러서는 것이 아닌, 보이지 않는 곳에 작가는 상상력을 총동원한다. 작가의 체험과 상상력에 근거한 글을 읽어 나가는 일은 다른 이의 삶 속으로 걸어가는 것이다. 그 속에는 내가 보지 못한 또 다른 세계가 존재한다. 그 곳에서 나는 희로애락에 빠진다. 책은 나와 그(그녀)의 세계가 서로 만나는 4차원 공간이다. 그 공간에는 내가 궁금해 하는 멋진 질문들이 산재해 있다.

책과 삶의 관계는 "서로 밀어내는 관계이기 보다는 서로 끌어당기는 관계"[144]이어야 한다. 독서는 지금 보다 나은 삶을 위해 하는 것이다. 그냥 책에만 묻어 사는 것은 진정한 독서의 길이 아니다. 독서는 책과 삶의 관계를 제대로 알고, 이를 통해 일상을 바꾸는데 있다. 이에 때로는 서재를 박차고 나아가 세상으로, 자연으로 나가야 한다. 사람을 만나고 자연을 음미하면서 내가 얻은 간접 체험을 직접 체험으로 용해해야한다.

독자는 책을 통해 간접 체험을 쌓고 이를 자신의 직접 체험과 만나게 한다면 자신의 삶의 철학을 가질 수 있다. 정수복은 이에 철학자 박이문의 철학을 빗대어 독서는 '생각의 둥지'를 엿보는 행위라고 이야기 한다.

"독서는 개인이 속한 좁은 공동체의 체험을 넘어서 넓고 다양한 세계로 나가는 관문이다. 책 읽기를 통해 수많은 시대의 다양한 사람들이 만들어 놓은 다른 둥지들을 볼 수 있다. 철학자이자 시인인 박이문은 산다는 것은 자신의 직접체험과 간접체험에서 얻은 모든 재료를 종합하여 자신만의 둥지를 짓는 일이라고 말했다. 모든 사람은 자신이 편안하게 거처할 영혼의 둥지를 필요로 한다."[145]

작가는 미지의 사람에게 연서(戀書)를 쓰는 자이다. 정성스럽게 편지를 쓰듯이 글을 쓰고, 독자는 낯선 자로부터 온 편지를 떨리는 마음으로 읽는 자이다. 책은 대화를 갈구하는 자에게는 인생의 책이 되게 한다. 우리는 수많은 그 '한 권'의 책을 만나기 위해서 오늘도 책을 읽어야 한다. 안중근

의사는 죽는 그 날 까지도 눈에서 책을 떼지 않았다. 죽기 전까지 독서를 하고자 하는 이는 '책 읽는 습관'이 몸에 밴 자이다. 독서 습관이 몸에 밴 사람은 "자기 안에서 우러나오는 문제의식"에서 출발하는 책 읽기를 한다.

독서하는 습관을 보면 그 사람이 어떤 사람인지 알 수 있다. 프랑스의 사회학자인 니콜 라피에르(Nicole Lapierre)는 "당신의 서재를 보여달라. 그러면 당신이 누구인지 말할 수 있다"고 했다[146]. 서재는 그 사람의 내면의 가면이다. 내면이 들어있는 사고나 사상은 그 사람의 서재 이상을 넘을 수 없다.

고전은 읽어야 하는가? 고전을 읽는 일은 인류의 문화사의 위에서 "높은 산맥을 타고 넘으면서 저 아래쪽 경치를 바라보는 일"이다[147]. 고전은 높은 산의 봉우리와 비슷하다. 고전을 읽는 일은 거인의 어깨 위에 앉아서 세상을 보는 일이다. 고전을 읽기 위해서는 고전을 무조건 '낡은 책'이라는 생각에서 벗어나야 한다. 고전은 우리 삶이 흘러온 그러나 간과하고 있는 현상에 대한 혜안(慧眼)을 제공해준다. 정수복은 고전의 가치에 대하여 이렇게 말한다.

"고전을 읽으려면 일단 고전을 읽고 싶은 마음을 만들어야 한다. 고전을 세월의 이끼가 낀 고릿적 낡은 책으로만 생각해서는 안 된다. 고전은 우리가 사는 시대에 대해 많은 생각을 하게 한다. 변화의 속도가 빠르고 인생의 의미가 흔들릴 때일수록 고전의 힘은 빛을 발한다. 그러니까 고전은 '오래된 새것'이다. 고전을 읽다보면 중요하지만 잊고 지냈던 중요한 문제들을 재발견할 수 있다."[148]

고전은 오래되었지만 언제나 새 것처럼 존재한다. 놀랍게도 천 년 전의 지혜가 지금의 인간사에 그대로 적용된다. 고전을 읽으며 지금 내가 직면한 문제에 대한 해답을 찾아내는 지혜가 필요하다. 독서는 '나를 지키는 힘'을 키우는 과정이다. 고전과 현재 출간된 책들을 적절하게 배합하여 읽어 나가면 사람이 사는 세상에 대한 통시적인 안목이 생긴다.

책을 잘 읽는 방법은 오직 눈으로만 읽는 것이 아니라, '마음'으로 읽어야 한다. 저자와의 대화를 하면서 책을 읽는다는 것은 독자 스스로가 마음을 추스른다는 것을 의미한다. 공자는 책을 읽지 않고 생각만 많이 하는 것은 위험하고, 생각은 하지 않고 책만 많이 읽는 것도 문제라고 하였다. '행간'의 의미를 생각하면서 책을 읽는 것은 능동적으로 읽는 것을 의미한다. 능동적으로 책을 읽기 위해서는 '사전'을 적극적으로 이용하는 것이 좋다. 외국어 사전, 옥편, 우리말사전, 용어사전, 철학사전, 백과사전 등은 책을 읽는 지평을 넓혀준다. 나는 사전을 이용해서 읽으면서 행간의 의미를 잘 이해할 수 있었다. 사전을 이용하는 것은 책을 읽는 재미를 배가 시킨다. 그래서 위대한 문호 보르헤스는 하루 종일 《브리태니커 백과사전》의 이곳저곳을 읽는 것을 즐겨했다. 보르헤스에게는 백과사전의 여러 부분을 읽는 것은 세상의 다양한 지역으로 상상력을 넓혀가는 일이었다.

책은 나의 내면을 이해하는 동시에 타자에 대하여 이해하는 과정이다. 우리가 살면서 만날 수 있는 사람들은 한정적이다. 책을 가까이 하다보면 일상에서 만날 수 없는 다양한 군상들을 만날 수 있다. "책을 통해 다양한 타자들의 삶을 이해하게 되면서 현실에서의 타자를 이해하는 능력도 커진다.[149]"

책 읽기는 현실의 나를 구원해줄 수 있는 처방이다. 우리의 삶이 한계적이기에 독서라는 간접 체험은 지금 겪고 있는 삶의 문제를 해결하도록 한다. 책 읽기는 영혼을 성장시키는 '인큐베이터'이다. 그 인큐베이터 안에 얼마나 있었는지에 따라 삶의 깊이는 달라진다.

함께 읽으면 도움이 되는 책

- 김현, 《행복한 책읽기》, 문학과 지성사, 2015.
- 이권우, 《책읽기의 달인 호모 부커스》, 그린비, 2008.

06
독서 유희(遊戲)에 빠지는 법

《유혹하는 책읽기》, 앨런 제이콥스, 고기탁 역, 교보문고, 2014.

지금은 디지털 시대이다. 모든 디지털 기기가 우리의 하루를 지배하고 있다. 새로운 기계의 사용 방식을 모르면 사람과의 소통이나, 은행 거래에서 도태될 수밖에 없다. 어느 순간 2G폰을 통신업체들이 서비스를 하지 않아서 모두가 신형 스마트폰을 사용할 수 밖에 없었다. 신형 스마트폰의 액정에 터치를 통하여 이루어지는 텍스트 쓰기나, 정보 검색은 낯선 행위였다. 하지만 '지금'을 살아가기 위해서는 어쩔 수 없는 선택 행위였다. 이와 같은 스마트폰 문화가 일상에 깊이 침투한 시점에서도 책은 필요한가? 전자책으로 종이책을 대치할 수 있지 않나? 이 질문들에 대하여 나는 종이책은 그 나름대로의 '성역(聖域)'을 갖고 있다고 말하고 싶다. 종이책이 소유한 성역은 어떤 디지털 기기도 침투할 수 없다. 종이 책만의 감촉, 터치감, 향, 부피감, 질감은 저자의 목소리를 내면으로 즐겁게 흘러들어오게 하기 때문이다.

앨런 제이콥스는 미국인의 40%는 한해에 책을 한 권도 읽지 않는다고 한다. 미국인만이 아니라 한국인들도 책을 읽지 않는 이유는 책읽기의 강박 관념에서 근거한다. 앨런 제이콥스는 좋은 독서는 '마음 가는 대로 읽기'라고 한다. 앨런은 이렇게 말한다.

"자신이 읽고 싶은 작품을 읽고, 독서 자체를 진정으로 즐길 수 있도록 해주는 작품을 읽는 것이 자연스런 일상이 되어야 한다. 다만 그런 기준을 따르려고 해도 가끔 "그게 전부인가요?"하고 묻는 경우가 발생하기 마련이다"[150]

마음 가는 대로 읽기 위해서는 자신에게 즐거움을 주고 깨달음을 주는 책이 어떤 책인지를 알아야 한다. 누군가의 추천에 의해서 읽는 책들은 진정으로 감동을 주지 못한다. 독자들은 누구나 수준 차이가 있다. 자기의 취향과 수준에 맞는 책들부터 읽어야 중도에 그만두지 않고 지속적으로 읽을 수 있다. 독서의 방법을 가르쳐 주겠다는 많은 지침서들은 오히려 독서의 즐거움을 방해하는 경우가 많다. 독서는 개인의 즐거움이 동인(動因)이 될 때에 지속 가능하다. 저자는 독서 지침서를 맹신하는 것에 대하여 부정적으로 본다. "그토록 회의적인 태도를 보이는 주된 이유 중 하나는 그런 책들이 우리에게 독서에 관한 우리의 의무감을 해결해주겠다고 약속하기 때문이다. 또한 그런 책들은, 암묵적으로, 자기 이해나 자기 인식에 대해 전문가들이 돌봐주기 때문에 우리는 신경 쓸 필요가 없다고 말한다.[151]" 책에 대한 나의 지향성을 전문가의 식견에 맡겨버리는 일은 위험하다. 그 책을 선택하게 된 나의 주관이나 사고가 명확하게 존재할 때에 그 저자에 대한 비평적 독서가 가능하기 때문이다.

독서의 자세를 이야기 할 때에 자주 회자되는 인물이 마키아벨리이다. 그는 정치적 사건에 휘말려서 유배되었다. 귀양살이를 하는 그의 독서에 대한 자세는 우리를 놀라게 한다.

"저녁이 되면 나는 집으로 돌아가서 내 서재로 들어간다네. 문가에 그 날 입었던 진흙과 진창으로 더럽혀진 옷을 벗어두고, 위풍당당한 궁정풍의 옷을 입지. 나는 고대의 대가들을 만나러 고대 궁정으로 들어가고, 그들로부터 따뜻한 환영을 받으면서 나를 위해 준비된, 내게 어울리는 음식을 먹는다네. 그곳에서 나는 그들과 대화하길 부끄러워하지 않으며, 그들에게 왜 그렇게 행동했는지 이유를 묻는데 주저함이 없네. 그러면 그들은 내게 친절하게 대답하지. 따라서 그곳에 머무르는 네 시간 동안 나는 지루함을 전혀 느끼지 않고, 모든 고통을 잊어버리고, 빈곤을 두려워하지 않으며, 죽음도 두려워하지 않는다네."[152]

위 글은 마키아벨리가 1513년에 고통과 두려움으로 떨고 유배된 지역에서 썼던 것이다. 고위 관직에 있다 세상 가장 낮은 곳으로 떨어진 그가 썼다고는 믿어지지 않는 독서에 대한 애정을 담고 있다. 그는 일을 마치고 돌아와 예전 궁정에서 일하던 차림으로 허리를 곧이 세우고 책을 4시간 이상씩 읽었다. 그 시간 동안 고대의 대가들을 만나 인간, 삶, 철학, 가치, 정치, 모함, 술수, 전술, 전복, 음모, 세도, 왕도 등에 대한 이야기를 구했을 것이다. 진정한 독서는 때와 장소를 가르지 않는다. 오히려 힘든 때에 독서를 통하여 마음의 위안을 얻는다.

앨런 제이콥스는 책을 이해하는 방식으로 반추동물이 위에서 여러 번 음식물을 되새김하는 것처럼 해야 한다고 말한다. 반추(反芻)는 한번 먹은 음식을 다시 게워내고 씹는 행위이다. 소나 양은 위를 여러 개를 가지고 있기에 음식물을 씹었다 내리고 다시 올린다. 독서에서도 특정 구절을 다시 한 번 생각하고, 또 생각하고, 그 말의 진정한 의미를 맥락에서 이해하는 자세가 필요하다. 이와 같은 독서의 반추는 책의 내용을 내 것으로 만들게 한다.

독서는 "개인적인 체험과 허상의 기묘한 조합"으로 이루어진다[153]. 책을 읽을 때에 느끼는 공감대는 책읽기의 재미를 더한다. 나를 유혹할 수 있는 책 읽기란, 다른 일보다도 책을 읽기가 선행될 때이다. 책을 읽고 싶어 새벽에 깨거나, 가방에 있는 책을 지하철이나 버스 안의 소음 속에서도 그 구절을 미치도록 탐닉하게 하는 것은 책 읽기만의 유혹 때문이다.

함께 읽으면 도움이 되는 책

- 앙즈랑, 《잊지 못할 책읽기 수업》, 강초아 옮김, 미래의 창, 2016.
- 이현우, 《그래도 책읽기는 계속 된다》, 현암사, 2012.

07 책은 혁명이다

《잘라라, 기도하는 그 손을》, 사사키 이타루, 송태욱 역, 자음과 모음, 2012.

일상에서의 혁명은 어떻게 일어나는가? 일상에서의 혁명은 공부를 통해서 발생한다. 공부는 지금 나의 부족함을 깨닫고 환골탈태하고자 하는 욕구에 의해서 지속된다. 시험을 위해서 하는 공부가 아닌, 공부가 일상 속에 녹아내리기 위해서는 스스로의 '절제'가 필요하다. 나태함과의 싸움에서 이기고, 공부를 통해 주변의 모든 현상에 의문을 갖는 자는 일상에서 혁명을 수행하는 위대한 사람이다.

사사키 아타루는 현재 일본에서 촉망받는 젊은 철학자이다. 그의 데뷔작인 《야전과 영원》은 600페이지가 넘는 대작임에도 불구하고 많은 이들에게 회자될 정도의 화제작이었다. 그가 말하는 혁명은 '문학'을 통해 이루어진다. 읽는 것과 쓰는 것이 혁명의 단초가 된다. 혁명은 총과 칼로 완성되는 것이 아니라, 문학을 통하여 이루어진다. 아타루가 말하는 문학은 시, 소설, 에세이등과 같은 미시적인 관점에서의 문학이 아닌, "문자로 쓰인 텍스트" 모두를 말하는 것이다. 춤, 음악, 미술, 행위 예술, 광고 등의 의미 있는 텍스트들은 모두 문학이다.

아타루가 말하는 혁명은 읽는 것과 쓰는 것의 순환관계로 이루어진다. 책을 읽고, 고쳐 읽고, 고쳐 쓰면 결국은 사회를 구성하는 법(法)을 고쳐 쓸 수 있는데, 이러한 고쳐짐이 바로 혁명이라는 것이다. 그는 읽는다는 것은 저자의 꿈에 들어가는 것이라고 하였다.

"읽는다는 것은 무의식적으로 접속하는 것입니다. 그러므르 카프카의 소설을 읽는다는 것은 거지반 카프카의 꿈을 자신의 꿈으로 본다는 것입니다. 그렇다면 거기에서 '자연스러운 자기 방어'가 작동하는 것도 당연하겠지요."[154]

책은 독자에게 '자연스러운 자기 방어' 심리를 갖게 할 때 가치가 있다.

글쓴이가 말하는 관념에 동의하도록 이끌지만, 한편으로 난해함 속에서 허우적거리게 만들어야 한다. 그 정도가 안 되면 혁명이 가능한 책이 되지 못한다. 혁명으로 인도하는 책은 반복해서 읽어야 한다.

마르틴 루터는 혁명을 일으켰다. 루터는 성서를 반복해서 읽었다. 그는 당시 세상의 움직임이 인간 삶의 준거(準據)인 성서를 따르지 않는다는 것을 파악했다. 농민의 아들인 루터는 성서를 반복해서 읽고 교황과 대척점에 서게 된다. 그는 라틴어로 철저하게 읽은 성서를 독일어로 번역하고, 이를 대중에게 읽을 수 있는 텍스트로 변화시켰다. 철저하게 읽고 그 이후에 쓰는 행위는 종교 개혁이라는 대변혁을 일으켰다. 무함마드도 천사로부터 "읽어라"라는 메시지를 듣고, 《코란》을 만들게 되고 이슬람 세계를 구축한다. 혁명의 시작은 읽는 것, 지겨울 정도로 되풀이해서 읽는 것, 의식적으로 읽는 것, 읽는 부분을 고쳐 쓰는 것, 고쳐 쓴 부분을 현실과 맞추어 보는 것, 고쳐 쓴 부분이 현실에 대해 '울림'을 줌으로써 사회를 변혁시킨다. 아타루는 문학은 잠재적 '혁명성'으로 인하여 세상으로부터 외면당할 수밖에 없다고 하였다.

"혁명은 문학으로부터만 일어나고, 문학을 잃어버린 순간 혁명은 죽습니다. 왜 우리는 이렇게 문학을 폄하하고 문학부를 대학에서 추방하려고 할까요? 왜 문학부 스스로가 문학을 이렇게 업신여길까요? 그것은 바로 문학이 혁명의 잠재력을 아직도 갖고 있기 때문입니다."[155]

아타루는 책을 읽는 다는 것은 "자신의 무의식을 쥐어뜯는 일"이라고 하였다[156]. 독자는 자신의 몸과 마음을 자신이 마주친 종이위의 글자에 투영해야 한다. 독자가 자신의 무의식을 쥐어뜯을 정도로 의식을 갖고 읽을 때에 비로소 혁명이 가능하다.

니체의 최고 걸작인 《차라투라스는 이렇게 말했다》의 최종부인 제4부는 당시 모든 출판사로 부터 외면을 당했다. 자비로 40부를 찍었고, 7부만이 지인들에게 전달되었다. 오직 7부만이 세상 속에 나왔다. 이렇게 살아남은 그 책이 현대 많은 철학자들의 사상을 건조(建造)하는데 커다란 역할을 수행했다. 그래서 들뢰즈는 공개적으로 니체의 사상이 현대 철학에 미친 영향을 극찬하였다. 아타루는 니체의 말을 빌려 책 한권이나, 책의 한 줄만으로도 세상의 전복(顚覆)은 가능하다고 주장한다.

니체가 강조하는 초인(超人)으로 진화하는 인간이 방황할 때에 만날 수 있는 책 한권이나 문장 한 줄은 혁명의 모티브가 될 수 있다고 본다. 그렇기에 책은 우리 문명사에 중요하다. 책을 읽고, 다시 쓰는 가운데에 현실과 이상의 모순을 발견할 수 있다. 이 발견은 진부한 세상과의 '투쟁'을 선고하게 만든다.

이와 같은 위대한 싸움에 동참하기 위해서 우리는 책을 읽어야 한다.

함께 읽으면 도움이 되는 책

- 사사키 아타루, 《야전과 영원》, 안천 옮김, 자음과 모음, 2015.
- 이현우, 《너의 운명으로 달아나라》, 마음산책, 2017.

08
인문고전 책은 역사를 바꾼다

《리딩으로 리드하라》, 이지성, 문학동네, 2010.

나에게 인문고전 책은 계륵(鷄肋)이다. 가까이 하기에는 어렵고 멀리해서는 나의 인생을 제대로 살 수 없기 때문이다. 서가에 많은 책들이 있지만 인문고전책들은 쉽게 손이 가지 않는다. 소크라테스, 플라톤, 아리스토텔레스, 근대 및 현대 철학자들의 서책들을 소장하고 있지만, 이 책들에 선뜻 손을 내밀지 못한다. 인문고전책은 읽기 힘들지만 읽고 나서 여운을 강하게 남긴다. 니체의 책들은 항시 나를 새로운 지적 세계로 인도했으며, 그의 책의 몇몇 문장에서는 손에 강한 힘이 들어가게도 했다. 인문고전 책은 이와 같은 '열락(悅樂)' 체험으로 우리를 인도한다.

이지성은 자기 계발 분야의 베스트셀러 작가이다. 그는 인문고전의 독서가 개인, 사회와 국가를 변혁시킨다고 말한다. 한 개인이 인문고전을 꾸준히 읽으면 두뇌가 바뀐다. 단 한권이라도 통독하면 그 사람의 두뇌의 지형은 바뀌게 된다. 이지성은 역사속의 천재들은 한 결같이 인문고전을 사랑한 이들이라고 말한다.

"정치, 경제, 경영, 문학, 수학, 과학, 미술, 음악, 건축 등 각 분야의 대표적인 천재치고 인문고전에 깊이 빠지지 않았던 사람은 없다. 이는 곧 무엇을 뜻하는 가? 누구든지 자신의 두뇌를 지금보다 몇 단계 높은 차원으로 도약시키고자 한다면, 나아가 천재의 영역에 까지 들어가고자 한다면 반드시 인문고전을 읽어야 한다는 것이다."[157]

인문고전을 읽는 것은 쉽지 않다. 이지성은 인문고전을 읽으면 1)'저자'만 있는 단계; 2) '나'가 나타나는 단계; 3) '너'가 나타나는 단계; 4) '우리'가 나타나는 단계로 변화한다고 했다. 저자의 의도를 파악하는 단계에서 올바로 인문고전을 읽으면 나, 너와 우리에 대한 문제와 개선에 대하여 사고가 확장된다. 인문고전을 읽는 것이 단순히 나의 만족을 위한 것이기 보다는 사회 변화를 위해서 필요한 것이다.

어려운 인문고전책을 어떻게 하면 꾸준히 읽을 수 있을까? 이지성은 읽으면서 필사가 중요하다고 했다. 그는 필사 경험을 이렇게 말한다. "하얀 종이 위에 찍힌 검은 글자들이 단순한 글자로 머물지 않고 시공을 초월한 '대화'로 변해서 나에게 다가오던 그 순간들을 어떻게 설명할 수 있을까. 그 순간들은 필사를 할 때 주로 찾아왔는데, 그 순간들이 쌓여서 나의 작은 변화를 만들어냈다고 믿는다."[158] 필사는 이렇듯 시공을 초월한 대화를 가능하게 한다. 필사는 정신의 문을 여는 육체 행위이다. 이를 통해 글쓴이의 말이 나의 정신세계에 각인(刻印)이 된다.

필사 다음에 인문고전을 읽을 수 있는 비법은 '일단 저지르는 일'이 수반되어야 한다. 인문 고전 책 한권을 구입해서 이해가 되던, 안되던 간에 무조건 처음부터 읽어보는 것이다. 포기하지 않고 꾸준하게 읽어나가는 의지가 중요하다. 그 다음에는 처음부터 필사를 시도한다. 이렇게 철학고전책을 세권 정도 독파하고 나면 '감(感)'을 느낄 수 있다 한다. 이지성은 파스칼의 《팡세》를 책을 열두 등분한 후에 읽고 필사하였다 한다. 그 다음에는 필사한 부분을 찢었다고 하였다. 이렇게라도 했으니 80년대 문체의 난해한 책을 다 읽을 수 있었다 토로하였다.

인문고전책은 '치열하게' 읽을수록 그 효과가 좋다. 지독하게 읽어야 효과가 있다. 저자는 인문고전을 잘 읽을 수 있는 방법을 몇 가지 제안하고 있다. 그 중에서 마음에 와 닿는 것들이 있다. 첫째, 인문고전의 책이 닳도록 읽고, 또 읽는다. 반복 독서는 천재들이 주로 행하는 독서법이다. 공자가 《주역》의 이치를 깨치기 위해서 반독해서 읽었는데, 책을 묶은 끈이 세 번이나 떨어졌다고 한다. 둘째, 연애편지를 쓰듯이 필사를 하는 것이다. 원전을 매일 몇 줄, 몇 쪽씩 계속 필사해나간다. 헤겔이나 뉴턴도 자신만의 필사노트를 만들었다. 그들은 독서를 하다가도 필요한 부분을 발견하면 바로 필사를 했다고 한다. 셋째, 깨달음을 향해 나가는 독서가 필요하다. 인문고전의 달인들은 '반복독서→필사→사색'을 행한다. 여러 번 읽고, 필사하고 그리고 사색을 통해 인문고전에서 깨달음을 얻는 것이다. 이지성은 인문고전을 통하여 천재들의 오래된 사상을 향유하라고 말한다.

"무조건적으로 사랑의 마음으로 인문고전을 읽고, 필사하고, 사색하라. 그러면 보일 것이다. 문장 뒤에 숨은 천재들의 인류를 향한 숭고한 '사랑'이. 그 사랑과 만나는 순간 당신의 심장은 위대한 전율을 느끼게 될 것이다. 동시에 당신의 두뇌 깊은 곳에서 황홀한 깨달음의 빛이 터져 나와서 당신을 송두리째 바꿔버릴 것이다. 그러니 사랑하라. 영혼 깊이 사랑하라."[159]

천재의 인류애를 느끼면 내 삶이 바뀐다. 그 "황홀한 깨달음의 빛"이 들어와 나, 너와 우리의 삶을 통째로 드러낸다. 이 빛을 내면에 갖은 이는 지혜를 통해 사회에 기여할 수 있다. 어떤 교수들은 일평생 인문고전에 파고든다. 그러나 그들은 세상에 별다른 영향을 미치지 못한다. 이들은 인문고전을 '공부'만 해서 그런 것이다. 인문고전을 통해서 내면의 지혜를 살리는 자들은 세상에 큰 영향을 미칠 수 있다. 존 템플턴이나 피터 린치와 같은 저명한 금융가들은 철학책에서 지혜를 발견하여 몸 안에 "철학 세포"를 만든 뒤 월스트리트 금융시스템에서 성공하였다.[160] 우리 운동선수들에게도 인문고전 독서는 내가 하는 운동의 방향을 가르쳐 주고, 운동과 삶의 관계를 제시해 준다. 뛰어난 운동선수는 스포츠 상황을 스포츠로만 보지 않고, 인간 삶이 빚어내는 '전주곡'으로 볼 수 있는 안목을 지닌다.

당송 팔대가 중 한명인 왕안석은 책에 대한 명언을 남겼다. "가난한 사람은 독서로 부자가 되고, 부자는 독서로 귀하게 된다(貧者因書富 富者因書貴)." 부자는 독서를 통해서 결국은 귀함을 추구한다. 조너선 에드워즈는 미국을 대표하는 위대한 사상가 중 하나이다. 그는 어려서부터 인문고전 교육을 받고, 열두 살에 예일대에 입학하고 4년 뒤에 수석 졸업하였다. 스물한 살에 예일대학교 교수가 되었으며, 나중에는 프린스턴대학교 총장이 되었다. 미국 뉴욕시 교육위원회에서 조너선 에드워즈 가문을 평가하기 위해서 그와 동시대 사람들 중에서 같은 지역에 살았으며, 비슷한 경제력을 가졌고, 같은 정도의 가족 수를 가진 마커스 슐츠라는 인물을 선정하여 집안을 비교했다. 슐츠집안은 인문고전 공부를 한 적이 없고, 《성경》에 무관심한 집안이었다. 뉴욕교육위원회의 조사에 따르면, 두 집안 사이의 간극은 엄청나게 벌어졌다. 조너선 에드워드의 후손은 총 896명으로, 1명의 부통령, 4명의 상원의원, 12명의 대학 총장, 65명의 대학교수, 60명의 의사, 100명의 목사, 85명의 저술가, 130명의 판검사와 변호사, 80명의 공무원을 배출하였다. 마커스 슐츠의 후손은 총 1,062명으로, 전과자가 96명, 알코올중독자가 58명, 창녀가 65명, 빈민이 286명, 평생 막노동으로 살았던 사람이 460명이었다. 미 정부는 마커스 슐츠 후손들을 위해 약 1억 5천만 달러의 국고 보조금을 사용하였다고 한다.[161] 이 비교 사례는 가문의 귀함은 인문고전의 힘에서 나온다는 것을 보여주는 증거이다.

우리 운동선수들에게도 인문고전 독서는 내가 하는 운동의 방향을 가르쳐 주고, 운동과 삶의 관계를 제시해 준다. 뛰어난 운동선수는 스포츠 상황을 스포츠로만 보지 않고, 인간 삶이 빚어내는 '전주곡'으로 볼 수 있는 안목을 지닌다.

세상을 살아가면서 자신의 내면의 빛을 발견할 수 있는 사람은 행운아이다. 그 행운아가 되기는 어렵지는 않다. 인문고전책에 몰입함으로써 인류의 천재들의 사상과 소통하고, 내면의 지혜를 채굴(採掘)한다면 내면의 빛과 조우할 수 있다.

함께 읽으면 도움이 되는 책

- 강유원, 《인문 고전 강의》, 라티오, 2010.
- 장강, 《인문 고전에서 나를 찾는다》, 글로북스, 2014.

09
독서만한 도락(道樂)은 없다

《소소하게, 독서중독》, 김우태, 더블엔, 2016.

우리가 사는 세상은 온갖 볼거리로 가득차 있다. 텔레비전의 미니시리즈나 영화는 보는 내내 다른 생각을 하지 못하게 우리의 시선을 사로잡는다. 즉시적이고, 즉흥적인 쾌락이 판을 치는 세상에 책은 벼랑 끝으로 내몰리고 있다. 그럼에도 불구하고, 책을 가까이 하는 이유는 드라마나 영화가 주지 못하는 '깊은 맛'을 주기 때문이다.

이 책의 저자 김우태는 '책도락가'이다. 1976년생인 그는 낮에는 양계장에서 일 하고, 밤에는 책을 읽고 글을 쓴다. 그가 이렇듯 낮에 많은 노동을 하고도 밤에 책을 집어 드는 이유는 책은 "나를 알게 해주기 때문"이란

다. 그가 게임중독에 빠졌을 때는 꿈같은 것이 없었다고 한다. 그러다가 책을 읽으면서 꿈이 생겼다고 말한다. 그는 게임에 빠졌던 30년 동안에는 '나'라는 사람의 정체성이 없었다. 그런데 책을 읽으면서 나에 대하여 알게 되었다. 인생을 어떻게 살아야 하는 지에 대하여 알고 사는 것과 모르고 사는 것 사이에는 많은 차이가 존재한다. 책을 가까이 하는 사람은 '내 삶이 어떻게 나아가야 하는 지?'에 대하여 진지한 물음을 던진다. 김우태는 "내가 누구인지, 내가 뭘 했을 때 기쁜지, 왜 사는지, 어떻게 살아야 되는지?"에 대한 해답을 책을 통해 얻었다고 하였다[162]. 그는 과거 텔레비전과 게임으로 점철된 삶을 후회하면서 이렇게 말한다.

"텔레비전과 게임으로 점철된 나의 30년 인생을 돌아봤을 때 남는 것이 무엇이던가? 못생긴 얼굴 가리라고 안경을 씌워줬으며, 복잡한 세상 단순하게 살라고 말초적인 뇌를 선사해주었다. 만약 30년 책을 읽었더라면 지금 어떤 모습을 하고 있을까? 적어도 내가 바라는 대로 삶을 살고 있을 거라 확신한다. 내가 생각하는 대로 인생을 살아갈 수 있었을 것이다."[163]

생활 속에서 열독(熱讀)을 실현하는 방법에 대하여 김우태는 세 가지를 제거하라고 한다. 첫째는 집 거실 한가운데의 텔레비전을 제거하는 일이다. 집에서 텔레비전을 치우는 순간부터 책과 가까이 되는 시간은 시작된다. 둘째는 집의 컴퓨터를 제거해야 한다. 모니터 본체뿐만이 아니라, 하드 디스크 안의 모든 자료도 다 없애야 한다. 셋째는 스마트 폰도 없애야 한다. 이 세 가지를 없애는 순간부터는 몰입 가능한 독서가 시작될 수 있다. 이들을 없애고 그 다음에 독서 전용 책상을 구입한다. 나의 경우에는 스타벅스 커피숍에 가서 여럿이 앉는 의자에서 책을 보면 이상하리 만큼 몰입이 잘 된다. 그런 책상을 집에 들이면 거실이 크다는 가정 하에서 책 읽기가 즐거울 것이다. 다음으로는 독서 대를 사야 한다고 저자는 말한다.

저자의 이야기 중 재미있는 부분은 '책 도장'에 대한 것이다. 김우태는 집에서 가까운 도장집에 가서 정사각형의 도장을 주문했다고 하였다. 4만 원을 주고 4자가 들어가도록 요청했다고 한다. 그 문구는 '책력갱생(冊力更生)'이었다. 김우태는 자력갱생(自力更生)이라는 말을 이렇게 바꾸었다. 책 도장을 찍으며 '책력갱생'의 의미를 마음속에 두니 독서에 자연스럽게 몰입하였다고 한다. 책과 친해지기 위해서 이렇듯 문구가 새겨진 도장을 찍는 것도 좋은 아이디어라 생각된다.

책을 좋아하는 사람이라고 해도 책이 술술 읽히지 않고, 글씨가 눈에 잘 안 들어오는 경우가 있다. 그 때의 지속적으로 책을 읽는 처방으로 김우태는 세 가지를 조언한다. 첫째, 소리를 내어 읽는 것이다. 책이 유독 잘 안 읽히는 날에 소리를 내어 책을 읽으면 지속적인 독서가 가능하다. 둘째, 글을 쓰며 읽는 것이다. 목소리로 소리를 내어서 읽을 만한 상황이 안 될 때에는 종이에 적어본다. 셋째, 쉬운 책을 골라서 읽어보는 것이다. 잘 아는 분야, 재미있는 분야의 책을 골라서 읽다보면 쉽게 읽힌다.

책을 읽고 나서 바로 덮는 것보다는 '사색'의 시간도 필요하다. 저자가 던지는 화두에 대하여 나만의 '답'을 찾는 시간이 필요하다. 책에 나오는 의미 있는 구절에 대하여 신중하게 따져보면 좋다. 결국 읽고 생각하고 이를 현실에 적용하는 자세가 좋은 독서의 자세이다. 아울러 책의 내용을 음미하기 위해서는 좋은 구절을 적어놓는다. '독서 노트'를 작성하여 나에게 의미를 주는 구절을 적어 놓으면 필요할 때 마다 이를 찾고 생각을 해 볼 수 있다. 저자는 한글 프로그램으로 독서노트를 작성한 후에 컴퓨터에 저장해 놓는다고 한다. 종이에 적어놓으면 나중에 찾기 어려울 수 있다. 간편하게 찾기 위해 컴퓨터에 저장하고, 혹은 블로그에 올려본다. 독서 노트는 '주도적'으로 작성하는 것이 좋다. 주도적인 작성이란, 구절을 옮겨 적고 내가 사고한 바도 같이 적는 것이다. 주도적인 독서노트의 필요성에 대하여 저자는 이렇게 말한다.

"책을 읽고 독서노트를 쓰지 않으면 완전히 내 것으로 만들기 힘들다. 인간의 기억력은 매우 짧기 때문이다. 아니, 책 한 권 읽는 것도 힘들어 죽겠는데 무슨 독서노트까지 쓴단 말인가, 하고 볼멘소리를 하는 사람들이 있을지 모르겠다. 그런데 내가 경험해보니까 책 읽고 그것을 다시 훑으면서 밑줄 그어놓은 것을 베껴 써넣으면서 다시 한 번 재탕하게 되면, 책을 두 번 읽는 효과가 나더라는 것이다."[164]

책과 친하지 않은 사람이 처음 책을 접할 때에 어떻게 해야 하나? 운동선수들도 책과 친할 시간이 없었다. 중등학교때 부터 학생 운동 선수의 삶을 살았던 내 지인은 원래는 초등학생 시기에는 책을 아주 좋아했다. 그런데 중등 학교 때부터 운동을 하면서 시간이 부족하고 운동 후에는 피곤하여 책을 전혀 접할 수 없었다 하였다. 이런 운동선수나 운동선수 출신들이 책과 친해지기 위해서는 우선적으로 '재미있는 책'들을 만나야 한다. 처음부터 인문고전을 읽기 보다는 소설이나 에세이를 취하는 것이 좋다. 만약 처음 책을 접하는 이들에게는 김진명이나 무라카미 하루키의 소설들은 권하고 싶다. 재미있게 읽는 다는 것은 심적 부담을 갖고 읽는 것이 아니다. 편하게 읽고, 이해가 안 되면 넘어가고, 다음에 다시 읽는 자세가 중요하다. 그래서 저자는 책을 읽을 때에 "힘을 빼고 여러 번 읽기"를 제안한다.

"한 문장, 한 글자 힘 빡 주고 읽지 말고 느슨하게 읽는 거다. 뜻이 안

들어와도 상관없다. 내 눈에 단어들, 문장들을 눈에 익혀둔다는 정도로만 읽으면 된다. 그렇게 문장을 눈으로 따라가면서 죽 읽고 한 장 한 장 넘어간다."[165]

눈으로 그냥 넘기는 식으로 2회독과 3회독을 하다보면 눈에 확 들어오는 문장들이 있다. 힘을 빼고 책을 읽고 반복해서 읽으면 어려운 책에서도 핵심을 발췌해 나갈 수 있다. 나는 운동선수들에게도 처음에는 편하게 읽고, 재독할 때에 눈에 띄는 문장을 음미해 보는 독서를 권하고 싶다.

저자는 책의 중요한 가치에 대하여 "책을 통한 위로"라고 하였다. 책은 선인들의 위기관리 능력, 지금의 무기력함에 대한 탈출구, 답답한 일상, 풀리지 않는 대인관계, 가중되는 스트레스, 선인들의 삶에서의 희로애락을 공유하게 한다. 김우태는 책을 통해 위로를 얻었고, 이제는 삶이 바뀌었다며 이렇게 말한다. "버티는 힘이 생겼다. 그러다 당해서 쓰러지면 책을 통해 용기와 희망을 얻는다. 그리고 계속 생각하는 힘이 길러지니까 나는 더욱 강하게 발전할 수 있다. 이게 바로 책의 힘이 아니겠는가."[166]

중독이라는 말의 어감은 부정적이다. 그럼에도 '독서 중독'이라는 말은 매혹적이다. 독서 중독은 자발적 고행을 기반으로 이루어진다. 이는 단순한 즐거움으로 동기화되는 것이 아닌, 자기 수행, 인내, 끊임없는 지적 충동, 적극적 사유에 의하여 이루어진다. 그래서 독서 중독은 '행복한 고행'의 길에 들어서는 일이다.

함께 읽으면 도움이 되는 책

- 김은섭, 《책 앞에서 머뭇거리는 당신에게》, 지식공간, 2012.
- 수전 와이즈, 《독서의 즐거움》, 이옥진 옮김, 민음사, 2010.

10
어떻게 책을 사랑할 수 있을까?

《닥치는 대로 끌리는 대로 오직 재미있게 이동진 독서법》, 이동진, 예담, 2017.

책은 나와 타자 사이의 보이지 않는 연대(連帶) 고리이다. 책을 읽는 자는 필연적으로 고독할 수밖에 없다. 타자도 책을 읽으면서 고독을 느낀다. 책이 주는 울림을 서로가 고독 속에서 향유할 때에 서로는 보이지 않게 연결이 된다. 책은 나의 고독이 나만의 유일한 슬픔은 아니라는 것을 가르쳐준다. 그 고독을 통해 우리는 성장한다. 지식을 내면화하는 작업은 시끄러운 시장 통에서 일어나는 것이기 보다는 곱씹을 때에 일어난다. 그래서 책과 마주하는 자는 고독 속에서 빠지고 이를 즐기는 사람이다.

영화평론가 이동진은 우리 시대 대표적인 애서가(愛書家)이다. 보유한 책만 1만 7천여 권이라고 한다. 이동진은 하루에 8시간씩 할 수 있는 것이 무엇인지 생각해 보라고 한다. 우리가 하루에 8시간이나 할 수 있는 것은 '일'과 '독서'뿐이다. 그는 독서의 효능에 대해서 양이 질로 전환될 때까지의 기다림을 강조한다. 책 한권으로 독서에서 재미를 느낄 수 없다. 어느 단계에 이르기까지 꾸준하게 독서를 하다보면 재미를 얻게 된다. 이동진은 책을 읽는 다는 것은 "지적인 호기심을 충족시키는 가장 편하고 체계적인 방법"[167]이라 하였다.

저자는 문학작품이 우리 삶에서 필요한 이유에 대하여 "한번 뿐인 인생"때문이라 한다. 소설을 읽으면 타인이 삶의 선택과 결정에 대하여 알 수 있다. 우리 삶에는 생각지 않은 변수들이 많다. 문학은 직접 체험을 할 수 없는 일들에 대한 간접 체험의 기회를 제공해준다. 문학 읽기의 또 다른 혜택은 "언어를 예민하게 다루는 것"에 있다. 말은 계속 쓰다보면 "좋은 말일수록 먼지가 내려앉게 되어있다."[168] 문학은 세속적으로 많이 사용되는 단어나 어귀의 진정한 의미와 느낌을 제공해준다. '사랑해'라는 말은 주위에서 많이 쓰여서 의미가 퇴색되었다. 전화 상담원 조차 "고객님, 사랑합니다"라고 응대하듯이, '사랑해'는 원의미와 다르게 흔하게 사용되는 보편적인 어귀가 되었다. 이렇게 상투적으로 사용되는 귀한 말들에 대하여 문학은 말속의 쌓인 먼지를 털어내고, 그 속의 고유한 의미를 되새기게 한다.

책을 많이 읽기 위해서는 무조건 가까이 두어야 한다. 집에서도 곳곳에 책을 두어 언제든지 집어 들 수 있어야 한다. 책은 시간을 내서 읽기 보다는 시간이 나면 자연스럽게 접해야 한다. 이동진은 사람마다 잘 맞는 독서 '환경'이 있다고 한다. 책은 집이나 사무실 어디든지 두되, 책 읽는 효과가 최적이 되기 위해서는 자신만의 책 읽는 환경을 발견해야 한다. 이동진은 가장 책 읽기 좋은 곳으로 '욕실'을 들었다. 그는 오래전부터 욕조 안에서 책을 읽어 왔다고 한다. 이에 이사 갈 때에도 중요한 조건 중 하나가 욕조가 있는지 여부라 한다. 그는 이렇게 욕조에서의 책읽기의 즐거움에 대하여 말한다.

"저는 물에 목까지 담그고 팔도 상당 부분 물에 넣은 채 책을 들고 읽습니다. 책이 젖을까 걱정하는 사람도 있는데 나름대로 방법이 있어서 물에 적시지 않고 잘 읽습니다."[169]

독서를 습관화 하는 데에 친구와의 관계가 중요하다. 운동도 같이 하면 즐거움이 배가 되듯이, 독서도 같이 하는 친구가 있으면 좋다. 책에 대해서 이야기를 나눌 수 있는 사람이 있으면 지속가능한 독서가 이루어진다. 독서한 부분을 친구들에게 이야기 하는 것도 좋지만, 독서한 내용을 글로 쓰는 것은 생각을 '정제'시켜 독서를 재미있게 한다. 책을 읽고 난 후에 그 감정과 느낌을 정리하는 일은 즐거운 독서 체험으로 이끈다.

나는 개인적으로 책을 읽다가 중도에 그만 둔 경험이 꽤 많다. 저자에 의하면, 책을 꼭 끝까지 읽지 않아도 된다. 어떤 책을 읽기를 그만 두고, 다른 책을 집어 드는 행위 모두가 독서의 중요 과정이다. 이동진은 책 읽기는 시간이 오래 걸리는 일이라 하였다. 책이 우리에게 반드시 도움이 되기 위해서는 "책과의 만남, 그 글을 쓴 저자와의 소통, 또 책을 읽는 나 자신과의 대화"[170]가 필요하다. 책 읽는 시간이 오래 걸리는 것은 자연스러운 일이다. 그 시간을 아까워하기 보다는 그 시간을 즐겨야 한다. 독서의 목적은 독서의 힘든 시간 속에 존재하는 것이지, 읽고 난 후 어떤 만족감 때문이 아니다. 읽는 과정에서 발생하는 사고의 전개나 작가와의 소리 없는 대화는 그 시간에 몰입하게 한다.

책을 잘 읽는 사람의 특징은 책을 '하대(下待)'한다는 것이다. 책을 막 다루는 자는 진짜 책을 좋아하는 사람이다. 책에 낙서를 하고, 메모도하고, 밑줄을 긋고, 동그라미도 친다. 심지어 책을 찢어 가지고 다니면서 곱씹기도 한다. 이동진은 "저는 늘 책이란, 늘 가까이 두고 언제나 펴보고 아끼지 않고 읽고 그러다가 읽기 싫으면 집어 던진다[171]"고 한다. 역설적으로 너무 좋아하면 하대해야 한다. 책의 외관에 대해 우상 숭배하는 일은 어리석다. 책의 내용에 대하여 숭배하는 사람은 외형적인 면에 크게 가치를 두지 않는다. 책 속의 콘텐츠에 대하여 깊이 관여해 나가는 일이 바로 진정한 독서이다.

나는 그 사람의 서재를 보면 그 사람이 책에 대한 철학을 깨달을 수 있다. 서재의 꽂힌 책은 서재 주인의 관심사를 한 눈에 알게 한다. 이동진은 서재의 책 배열을 자주 바꿔 보라고 권한다. 책의 위치와 배열이 달라지면 자신의 정신의 자세도 바뀐다. 책들을 배치하는 가운데에 과거 읽었던 책 내용이 튀어나오기도 하고, 책을 읽었던 당시 감정이나 느낌이 의식 저편에서 신호를 보내기도 한다.

저자는 책을 고르는 방식으로 세 가지를 이야기한다. 첫째는 서문을 꼼꼼히 읽어보는 것이다. 본문이 좋은 책은 항시 서문도 뛰어나다. 서문은 그 책에 대한 저자의 '안내'를 담고 있다. 개괄적 안내를 통해 독자는 책의 전체 로드맵을 그려 볼 수 있다. 둘째는 차례를 보는 일이다. 차례는 건축에서는 설계도에 해당한다. 차례가 건실한 책은 그 전개가 치밀하다. 셋째는 책을 고를 때에 책의 3분의 2 정도 되는 부분을 읽어보는 것이다. 저자의 입장에서 책을 쓰다가 지치는 시점은 대략 중간 정도가 지난 후이다. 그래서 3분의 2를 집중해서 읽어보면 그 책의 가치가 판단이 난다.

좋은 독서는 책을 읽으면서 내게 어떤 변화가 일어나는 지에 대하여 주목함을 포함한다. 독서가 주는 진정한 의미는 책과 나 사이에서 발생할 수 있는 그 '짜릿함'에 있다. 아무런 느낌을 주지 못하는 독서는 카프카가 말하는 책이 우리의 이성을 깨는 '도끼'가 못되는 경우이다. 이동진은 책을 읽는다는 것은 저자의 세계에 능동적으로 진입하는 것이라 말한다.

"한 사람이 책 한 권을 쓴다는 것은, 하나의 세계를 만들어 내는 것입니다. 하나의 주제 아래 자신의 세계를 만들어서 거기에 투사하는 것입니다. 아무리 부족하고 어설퍼도 그것에 들어가는 저자의 노력은 대단한 것입니다. 우리가 책을 읽는다는 건, 저자가 만들어낸 지적인 세계, 그러니까 한 사람의 세계와 통째로 만나는 것입니다. 이것은 굉장한 경험입니다."[172]

애서가 이동진은 독서는 "길을 읽는 경험"을 제공하는 매력이 있다고 말한다. 우리는 정해진 길을 갈 때에는 불안감을 느끼지 않는다. 조금만 길을 잘못 들어도 불안해진다. 좋은 독서는 그 정해진 길에서 벗어나도록 해준다. 정해진 길이 아닌, 뜻밖에 일들을 많이 만나게 해주어야 좋은 책의 조건이 된다. 일상은 다람쥐의 쳇바퀴처럼 반복된다. 마치 끊임없이 펼쳐진 수평선처럼 일상의 고리는 이어진다. 이 삶의 반복성 속에서 책이 제공하는 '다른 길'은 다른 삶을 엿보게 한다. 그 관음증은 부정적이기 보다는 나를 발전시키는 동기가 된다. 다른 길을 통해 나의 것을 소중하게 여기는 역할을 하기 때문이다. 어떤 책들은 부피는 얼마 되지 않아도 나를 거인의 어깨에 앉게 하고, 세상을 관조하게 만드는 놀라운 마력이 있다.

이러니 어찌 책을 가까이 하지 않을 수 있겠는가!

함께 읽으면 도움이 되는 책

- 김겨울, 《독서의 기쁨》, 초록비책공방, 2018.
- 이동진, 김중혁, 《질문하는 책들》, 예담, 2016.

YT 20019

제 4 장

책은 우리의 삶을 어떻게 바꾸나?

01
책 읽는 사람의 시간과 공간

《책인시공》, 정수복, 문학동네, 2013.

2002년부터 2011년에 파리에 체류했던 사회학자 정수복의 파리에서의 책 읽는 일상은 부럽기 그지없다. 그는 센 강변 근처의 파리시가 내려다보이는 파시(Passy)라는 언덕 동네에 살면서 센 강 근처의 유리 건물인 파리 일본 문화원 3층에서 독서삼매경에 빠졌다고 한다. 그가 책을 읽다 피곤하면 센 강으로 잠시 눈을 돌리고, 읽었던 책 내용을 되짚어 보며, 사유의 세계를 확장해 나가는 그 시간은 분명 지복의 시간이었으리라. 누군가는 환경 탓을 하고 책을 안 읽는 것은 책 읽기 싫은 핑계에 불과하다고 한다. 하지만 나는 독서는 내가 가장 여유 있는 시간과 공간에서 읽을 때에 최적 경험을 제공한다고 믿는다. 나만의 책 읽는 시공간이야 말로 다른 사람은 돈으로도 살 수 없는 비밀스러운 영역이다.

디지털 중심의 시대가 되었다고 해도 종이책의 장점은 여전히 존재한다[173]. 첫째, 책의 신뢰성이다. 한번 나온 책이 도서관에 비치되는 순간부터는 고칠 수 없다. 그래서 작가는 무조건 책을 쓸 때에 전심을 다해서 쓸 수밖에 없다. 진실한 삶을 추구하는 사람들이 책 속에서 지혜를 찾고자 한 이유는 그 곳에는 저자의 진실한 목소리가 담겨져 있기 때문이다. 둘째, 책의 간편성이다. 책의 모양은 직사면형으로 구성되어 들고 다니기 쉽고 또한 꽂아 놓기도 좋다. 여행에서는 어떤가? 여행 가방에서도 항시 한구탱이를 차지하지만 여행에서 진짜로 요긴하게 쓰이는 물건이다. 책의 어마무지한 내용을 고려해 보건데 그 정도의 부피와 무게는 아무 것도 아니다. 셋째, 책의 역사성이다. 책은 시간의 흐름을 대변한다. 시간의 흐름에 따라 색이 바래지기도 하고, 책 안에 적어둔 메모지가 없어지기도 한다. 젊었을 때에 읽었던 그 때 그 모습으로 책은 우리를 맞는다. 책은 우리와 함께 늙어간다. 넷째, 책은 자연과의 접촉성이 있다. 책은 눈으로만 조우(遭遇)하는 것이 아닌, 촉각과 후각을 통해서도 만난다. 책은 그것이 만들어 지기 전의 원 상태와의 만남도 제공한다. 자연으로부터 온 책과의 만남은 결코 전자책이 흉내 낼 수 없는 종이책만의 고유성을 지닌다. 나는 책은 지구의 불멸(不滅)의 존재라고 부르고 싶다.

책의 위대함은 그것이 지닌 "절망의 치료제" 역할 때문이리라[174]. 책은 글자를 통해 희망의 소리를 읽는 이에게 전한다. "무너지지 말아라" "이것 또한 지나가리라" 등의 희망의 이야기를 전달한다. 지은이는 자신이 지은 생각으로 만들어진 집으로 우리를 초대한다. 독자들은 자기방식대로 지은이가 지은 그 집으로 들어가서 아무 때나 나올 수 있다. 독자는 본인이 힘들고 어려울 때에 책의 어떤 부분에서 삶을 지탱할 용기를 얻기도 한다. 책의 그 한 모퉁이의 한 문장이 한 사람의 삶을 구원하게 만든다.

사람마다 책 읽기를 선호하는 때가 있다. 나는 토요일 오전에 집에서 드립 커피를 천천히 내리고, 커피를 마시며 거실에 앉아 책 보기를 좋아한다. 거실 한 켠으로 들어오는 오전 햇살의 살아 있는 기운을 느끼며 책을 읽는 다는 것은 행복과 조우하게 한다. 여기에 하나 더 베토벤이나 바흐의 음악이 있다면 금상첨화이다. 근래에는 안드레아 보첼리의 영혼을 울리는 노랫소리를 들으며 하는 독서는 지상이 아닌, 천상에 있는 느낌을 전해준다. 정수복의 이 책에서 소개하는 몇 몇 분의 책 읽는 습관이 재미있다. 《먼나라 이웃 나라》의 저자인 이원복은 잠들기 20-30분 전에 독서를 즐긴다고 한다. 그가 꿈나라로 가기 위한 일종의 예식이 바로 책 읽기이다. 라디오 방송 PD이자 독서 비평가인 정혜윤은 침대 밑에 읽고 싶은 책을 수북하게 쌓아놓고 잠자기 전 아무 책이나 손에 잡히는 대로 읽는다 한다. 고(故) 법정 스님은 모두가 잠든 밤에 홀로 깨어서 독서를 즐겼다. 고요한 산중에서 등잔불 아래에서 책을 읽으며 영혼을 가다듬었다. 책을 꾸준히 읽기 위해서는 자기만의 독서를 위한 루틴을 만들어야 한다. 마치 산사의 스님이나 수도원의 수도사가 모든 것을 절연(絶緣)하고 책 읽기에 매진하듯이 독서를 위한 환경 조성은 중요하다. 정수복은 스님이나 수도사의 책 읽는 방식을 이렇게 표현한다.

"그들의 일상적 삶은 침묵 속의 참선과 명상, 그리고 노동과 독서로 이루어진다. 유교적 선비, 불교의 승려, 가톨릭 수사들은 모두 세속의 욕망을 제어하고 '한가함'을 누림으로써 책을 읽을 시간과 자유를 확보했다."[175]

의도적으로 '한가함'을 만드는 삶이 필요하다. 아침에 일어나자마자 출근하고, 퇴근과 동시에 삼겹살에 소주를 곁들여 얼큰하게 취해 사는 삶에는 '분주함'만이 있을 뿐, 한가함이 없다. 어느 정도 나이가 되면 자신만의 내적 성장을 위한 시간을 확보하는 고집이 필요하다. 우리 청년 시기에도 책을 많이 읽어야 궁극적인 '질문'이 생긴다. 자기 안에 감추어진 내면의 빛을 발견하고 거기에서 가능성을 발견해서 인생을 살아가기 위해서는 인생에 대한 질문이 있어야 한다. 그 질문은 책 읽기를 통해 만들어진다. 청년만이 아니라, 장년의 삶에서도 독서는 중요하다. 장년의 독서는 "자기 자신의 정신적 안정과 휴식을 위한 '둥지 짓기'로서의 독서"[176]가 필요하다. 장년의 책 읽기는 내면의 '성숙'에 도움을 준다. 청년기가 지나고 장년기에 접어들면서 인간은 많은 변화를 경험한다. 사회적으로도 승진, 퇴직,

전출, 창업, 폐사, 퇴출 등을 경험하고, 가정적으로는 자녀의 진학이나 독립, 유학, 취업, 부부 관계의 소홀함, 노부모의 건강 악화, 재정 문제, 보험금 처리 등의 다양한 문제 상황에 직면하게 된다. 또한 사회관계 집단이 약화되면서 '홀로됨'을 강하게 느끼게 된다. 이러한 흐름에서 나를 지켜내기 위한 처방이 바로 독서이다.

책을 모아둔 공간이 서재이다. 이 곳은 "일상의 여가를 보내는 영혼의 사랑방이 될 수도 있고, 언제라도 달려가서 깨끗한 공기를 들이마시는 '아름다운 숲'이 될 수도 있다."[177] 정수복이 설명하는 철학자 자크 데리다의 서재의 모습은 이러하다. 데리다는 파리에서 25키로미터 정도 떨어진 교외인 리스오랑지에 단독주택을 마련하였다. 그 집의 1층이 서재인데, 책상 앞에는 정원이 펼쳐지고 책상 앞 전면 유리창으로 외부가 보인다. 실내는 따듯하고 아늑한 느낌을 주고 내부에서는 정원의 나무를 감상할 수 있다. 1층 서재에는 여러 개의 책상 위 많은 책들과 자료가 놓여있다. 파리 교외의 정원을 소유한 주택 1층 통유리로 된 서재에서 책을 읽고, 초록나무를 보고 가을바람 소리를 듣고, 겨울에 눈이 오는 전경(全景)을 감상하며 데리다는 '차연'과 같은 철학적 개념들을 만들어 내었을 터이다.

서재는 그 사람이 어떠한 존재인지를 알게 해준다. 서재 안에 배치된 책을 보면 그 사람의 지적 세계를 알 수 있기 때문이다. 모든 사람이 다른 성격을 지니고 있듯이, 모든 서재에는 다른 책들이 존재한다. 서재에서 책이 어떻게 배열되고 배치되었는지를 살피는 일은 그 사람이 현재 어떻게 살아가고 있는지를 알게 한다. 그래서 "모든 서재는 그 주인의 내면 풍경"이다[178].

사람은 저마다 다른 책을 읽는 시간과 공간을 간직한다. 그 시공간 동안에 내면과의 대화가 가능하고, 이미 세상에 없는 저자와의 시공간을 초월한 지적 혈투(血鬪)가 이루어진다. 작가의 시공간에 들어가는 것은 그 사람의 세계를 엿보는 일이다. 정수복은 책 읽는 사람의 풍경에서 색다른 대화가 시작될 수 있다고 단언한다.

"책 읽는 사람도 독서삼매에 빠져 주변을 인식하지 않고 그냥 거기 풍경처럼 존재한다. 나는 책 읽는 사람을 바라보면 그 사람의 머릿속에서 피어나는 생각들을 상상해본다. 지하철이나 버스 안에서 옆이나 앞은 사람이 책을 읽을 때 나는 슬쩍 그 책의 제목을 보고 그 사람이 어떤 사람인지를 짐작해본다. 그 순간 책 읽는 삶은 나에게 말을 거는 풍경이 되고 풍경화와 추상화 사이의 거리가 없어진다."[179]

함께 읽으면 도움이 되는 책

- 김소연, 《마음사전》, 마음산책, 2008.
- 이종서, 박창희, 《책읽기가 필요하지 않은 지금은 없다》, 나비의 활주로, 2018.

02 책을 통해 나만의 우주를 만든다

《내가 읽은 책이 곧 나의 우주다》, 장석주, 샘터, 2015.

우리 시대 뛰어난 '문장 노동가'인 장석주 시인에게 책은 "밥"이라고 한다. 날마다 밥을 먹듯이 책을 읽기에 그에게 책은 밥과 같은 존재이다. 특별한 약속이 없을 때에는 하루에 네다섯 시간은 책을 읽는다고 한다. 그는 왜 이토록 책에 집착하는 것일까? 책을 읽으면 일상에서는 경험할 수 없는 기분, 정신적인 고양이나 열락감을 느낄 수 있기 때문이다. 책 읽기는 그에게 "내면이 고요해지면서 내 안에 잠재된 막연한 실존의 불안이 가라앉는 걸 느끼게"[180] 해준다.

장석주는 책 읽기가 중요한 이유에 대하여 그 동안 읽은 책들이 자신만의 "우주"를 만들기 때문이라고 한다. 우리 모두는 자신만의 우주가 있다. 이 한정된 우주를 밀고 나가기 위해서는 안으로 부터의 무엇인가의 동력이 필요하다. 그 동력을 주는 일을 책이 수행한다. 책을 읽으면 그 전과 다르게 우리 뇌 구조가 바뀐다. 책을 읽는 다는 것은 내용에 대하여 만족하고 해석하는 일이 동시에 일어난다. 책을 읽을 때에는 단어들을 읽고, 그 의미를 생각하고, 문맥 속에서 다시 한 번 생각하게 된다. 이러한 의미를 되새기는 일이 뇌에서 일어나는 정보 처리과정이다. 단어가 의미로 인식되는 동안 동공은 빨리 움직이는데, 이러한 작용은 '좌측 후두측두 열구'에서 일어난다[181].

나에게도 어렵게 느끼지는 책들을 의도적으로 피하던 때가 있었다. 데리다나 들뢰즈의 책들이 특히 그랬다. 지금도 내 서재 한 켠을 차지하고 있는 위대한 현대 철학자들의 책들을 아직도 제대로 이해하지 못하고 있다. 지금은 피하지 않고 여러 가지 해설서를 동원해서 읽고 있지만, 예전에는 책을 펴볼 엄두가 나지 않았다. 장석주는 들뢰즈, 벤야민, 스피노자, 니체와 같은 철학자의 책을 포기하지 않고 읽게 되는 이유를 "자아와 자아가 부딪치면서 일어나는 섬광"같은 것이 있어서라 한다.[182] 같은 책을 여러 번 읽을 수 있는 것은 바로 이와 같은 '섬광'을 맛봐서 일게다. 저자는 들뢰즈와 가타리가 쓴 《천개의 고원》을 여러 번 읽은 대표적인 책으로 소개한다. 2003년에 나온 번역본을 통독만 세 번하고 부분적으로는 수십 번을 읽었다고 한다. 또한 해설서인 2차 텍스트도 닥치는 대로 다 읽었다고 하였다. 이 열정이 어디서 나오는 것일까? 그것은 새로운 지식을 발견하고, 이해의 폭이 넓어짐으로 해서 느껴지는 희열 때문이다.

저자의 독서 습관은 '메모 안하기'와 '겹쳐 읽기'이다. 그는 원래는 책의 귀퉁이를 접거나 메모를 항시 했다 한다. 그러다가 이러한 접기와 낙서가 책을 읽는 흐름을 방해한다는 것을 깨달았다. 또한 두 번째 읽을 때에 처음에 읽을 때에 몰랐던 것을 발견하기 위해서는 책이 깨끗하게 읽는 것이 좋다 한다. '겹쳐 읽기'는 보통 대 여섯 권의 책을 함께 읽는 것이다. 서로 다른 책을 교차하여 읽으면서 '교집합'을 발견하는 재미가 있다고 한다. 책 마다 지식의 차이를 발견하고 그 기원을 따져 가면서 읽는 것을 "맥락의 책 읽기"라고 저자는 말한다.[183]

책을 잘 읽기 위해서 필요한 것은 바로 건강이다. 저자는 건강을 유지하기 위해서 매일 1만보 이상을 걸으려고 한다. 척추를 바로 세우고 책을 몇 시간 동안 읽기 위해서는 기본 체력이 필요하다. 저자는 젊었을 때에는 수영을 하고, 근래에는 단전호흡과 명상을 하면서 체력 유지에 힘썼다고 한다. 체력이 따라 줘야 책을 오랫동안 읽을 수 있다. 책을 읽으면서 지적인 세계가 넓어지는 경험이 가능한데, 이렇듯 지적 세계의 확장을 위해서는 기본적으로 신체적 조건이 완비되어야 한다.

장석주가 주변 사람들에게 자주 충고하는 말은 "책 사는 데 돈을 아끼지 말아라"라고 한다. 책을 사는 것 자체가 이미 지적 생활 속으로 들어가는 것이다. 장서가 가득 찬 서재는 언제든지 창조를 잉태할 수 있는 영적 공간이요, 지적 세계를 확장할 수 있는 곳이다. 장석주는 책을 사야 글도 잘 쓸 수 있다고 말한다.

"내 경우도 서재를 갖춘 뒤 분명 책 쓰기에 탄력이 붙었어요. 서재에 책들이 있으니 필요한 자료를 찾기 위해 들이는 시간을 단축할 수가 있고, 책을 쓸 때 오롯이 집중하는 데도 도움이 됩니다. 실제로 글을 쓸 때 여러모로 도움이 되어서 서재가 지적 생산의 원천이라는 걸 톡톡히 실감할 수 있었습니다."[184]

장석주는 서재를 예찬하기 위해서 이 곳을 "봉쇄 수도원"이라고 한다. 책을 읽는 자는 그 곳에 스스로가 유폐되어 책만을 탐닉하는 자이다. 그가 30년 넘도록 발품을 팔아 장만한 책을 보관한 서재는 영혼이 숨을 쉬고, 재충전이 가능한 숭고한 공간이다. 그 봉쇄수도원에는 한해에 1천 권에서 2천권에 이르는 책들이 들어온다. 책이 늘어나 40평짜리 서고 건물을 새로 짓기도 한 그는 서재는 글쓰기에 도움을 주는 역할을 한다고 하였다. 그가 생각하는 지적 생산의 원천이 될 만한 서고의 책 분량은 얼마일까? 그는 "8만 권에서 10만권 정도"라고 말한다.[185]

제대로 책을 읽기 위해서 저자는 반복적 학습과 훈련을 강조한다. 그에 따르면, 독서 초보자는 책을 글자로 읽는다고 한다. 이후 조금 독서 능력이 향상 되면 문장으로 읽고, 그 다음에는 문단으로 읽는다. 저자는 책을 펼치면 한 눈에 거의 들어온다고 한다. 머릿속에 빈 공간을 만들어 놓고 거기에다 '키워드'를 배치하고 그 키워드들이 어떠한 상관관계를 형성했는지를 확인하면서 책을 읽는다고 한다. 머릿속에 마인드맵을 만드는 것을 '우뇌의 책 읽기'의 전형이라 볼 수 있다. 이렇게 할 때에 저자가 말하는 '맥락의 책 읽기'가 가능해지는 것이다. 마인드 맵 된 상태에서 이 책과 저 책이, 저 개념과 이 개념이 서로 어떻게 연결되는지를 따지면서 읽는 것이다.[186]

장석주에게 책은 삶을 건실하게 만드는 자양분이었다. 지금도 새벽에 일어나서 오전에 글을 쓰고, 한 시간 이상 걷고, 나머지 시간은 책을 읽으면서 보낸다고 한다. 그는 "살아온 인생을 뒤집어 보면, 항상 가장 중요한 국면마다 책이 있었다"고 고백한다.[187] 어릴 적에 저자를 단련시킨 것도, 잘 달리다가 돌부리에 걸려 넘어졌을 때에 일으킨 것도, 세상으로 부터 외면을 받아 낙오자가 되어 시골에서 살 때에 힘과 용기를 준 것도 책이었다고 말한다. 나만의 우주가 팽창할 수 있는 것은 책을 통하는 것 이외에는 방법이 없다.

한 애서가의 책 사랑은 오늘의 나를 되돌아보게 한다. 이번 토요일에는 내가 좋아하는 '케냐AA' 원두를 갈고, 바이올리니스트 정경화의 바흐 연주곡을 들으며 책을 읽어야겠다. 그 생각만 해도 행복감이 밀려온다.

함께 읽으면 도움이 되는 책

- 가쿠다 미쓰요, 《보통의 책읽기》, 조소영 옮김, 엑스북스, 2016.
- 안건모, 《삐딱한 책읽기》, 산지니, 2017.

03
독서는 나를 지켜주는 도구이다

《독서는 절대 나를 배신하지 않는다》, 사이토 다카시, 김효진 역, 걷는나무, 2015.

창의성을 갖기 위해서는 반드시 일상을 뒤집어 보아야 한다. 일상적으로 보던 것들을 새롭게 볼 때에만 변화가 일어날 수 있다. 일상의 반복성에서 색다른 것을 볼 수 있는 힘은 독서에 있다.

사이토 다카시는 책은 다양하게 읽고 수용해야 한다고 주장을 한다 자신의 사고와 유사한 책만을 읽고 감탄하는 삶에는 변화가 없다. 이런 식의 독서는 "편협한 인간"으로 만들 수 있다. 나의 생각과 대척점에 있는 사람들의 책을 읽으며 나의 세계관은 확장이 된다.[188] 다양한 책을 읽으면 후회 없는 삶을 살 수 있다. 매일, 혹은 일주일 동안 책을 꾸준히 읽으면 삶은 바뀌게 된다.

일본의 평론가인 다치바나 다카시는 "서점의 판매대는 한 나라의 문화, 사회현상을 전달하는 최고의 매체"라 하였다.[189] 《장미의 이름》의 세계적인 작가 움베르토 에코는 "책을 사서 책장에 꽂아만 두어도 그 책이 머리에 옮겨 간다"고 했다.[190] 책은 존재 그 자체로도 의미가 있다. 우리가 서점에 가서 신간 책 제목을 훑어보는 일은 시대를 읽는 일이다. 내 서재에서 읽었던, 혹은 읽지 못한 책들의 제목을 눈으로 보는 것만으로도 지식의 지평이 열린다.

다카시는 '독서는 지식의 세계가 넓어지는 일 외에도 대화 기술을 배우게 한다'고 주장한다. 책을 읽으면 핵심을 파악하는 혜안이 생긴다. 독서를 통해 '맥락 찾기-생각하기-질문하기'가 연습이 된 사람은 다른 사람과 대화에서 내 생각과 비교하고, 질문을 던지고, 자연스럽게 대화를 이끌어 나갈 수 있다. 맥락에 따라 내용을 이해하고, 이를 내 머리로 사유하고, 현실에서 적용해 나갈 수 있으면 나만의 개성과 경쟁력이 생긴다. 책을 읽는 이는 저자의 사고체제를 비판적 시간으로 받아들이는 가운데 지적 성장을 이룰 수 있다.

"책을 읽는 행위는 저자의 사고방식을 자기 것으로 만드는 것이다. 저자의 지적 수준이 높으면 높을수록 풍부한 지식과 고차원의 사고방식을 따라 배울 수 있다. 과연 책 한권으로 그게 가능할까 싶겠지만 지적으로 자극하는 힘은 생각보다 커서 사람을 변화시키기에 충분하다."[191]

사람의 삶이 바뀌는 데에 책 한권이면 충분하다. 아니, 책 한 문장만으로 사람의 인생은 바뀔 수 있다. 니체, 쇼펜하우어, 칸트의 책 한권은 청년기의 삶을 바꾼다. 위대한 철학자의 세상에 던지는 메시지는 내가 살아가야할 길에 대하여 다시 생각하게 만든다. '나는 초인(超人)이 되기 위해서 어떻게 살아야 할까?'와 같은 고민은 지금과 다른 나를 잉태하게 만든다.

현대인들은 책을 못 읽는 이유로 시간이 없다는 핑계를 자주 댄다. 다카시는 출퇴근 시간을 잘 이용해서 전철을 타고 10분만이라도 책을 보라고 한다. 자투리 시간을 잘 이용해서 책을 손에 드는 지혜가 필요하다. 시간적 제약 외에 무엇을 읽을지 몰라서 책 선정에 주저하는 이들도 많다. 다카시는 "끌리는 책부터 손에 잡는 것"이 좋다고 한다. 독서에서 중요한 일은 자신의 '지적 호기심'을 계속 견지하는 일이다. 끌리는 책, 자신이 재미있어 하는 책부터 읽다 보면 자신에게 필요한 책들이 무엇인지를 알게 된다. 예를 들어, 마르크스에 대한 책을 읽다보면 마르크스의 기독교 비판에 대하여 알게 된다. 그렇다면 "기독교는 마르크스의 비판에 대하여 어떻게 했을까?"와 같은 물음을 던지게 된다. 이에 마르크스에 대한 기독교에 대한 책들로 관심이 옮겨가고 종합적인 지식을 형성할 수 있다. 이렇듯 하나의 책에서 또 다른 책으로 옮겨 가는 독서는 사람을 성장시킨다.[192]

다카시는 책의 핵심을 빠르게 파악하는 독서방법으로 세 가지를 소개한다. 첫째, '취사선택 독서법'이다. 본인이 필요한 부분만 집중적으로 읽는 독서법을 말한다. 차례를 보고 부분을 찾아가서 읽어도 되고, 책장을 빠르게 넘기다가 필요한 부분을 꼼꼼하게 읽는 것이다. 둘째, '역사 독서법'이다. 소설이 아닌 책의 경우 처음부터가 아닌 결론부터 읽는 독서 방법이 있다. 목차를 보고 결론에 해당하는 부분을 찾아내서 먼저 읽는다. 저자가 말하는 결론을 먼저 파악하고 그 다음에 다른 부분을 빠르게 읽어 본다. 셋째, '2할 독서법'이다. 이는 책의 2할만을 읽고, 내용을 파악하는 독서 방식이다. 300페이지의 책이라면 3할에 해당하는 60페이지만 읽고 전체를 파악한다. 이 정도는 1시간 정도만 투자도 된다. 이러한 독서법은 "전체를 읽는 독서가 아니기 때문에 읽을 부분을 선별하는 것이 이 독서법의 핵심이다. 무턱대고 아무 데나 읽으면 의미가 없다. 중요하다고 생각되는 부분, 저자가 책을 쓴 의도가 가장 정확하게 드러난 부분을 찾아 읽어야 한다. 그리고 그 부분만큼 꼼꼼하게 정독하는 것이 좋다."[193]

다카시는 어려운 고전 책에 도전하는 몇 가지 팁을 가르쳐주고 있다. 첫 번째는 고전 원전 책보다 그를 이해할 수 있게 도와주는 책을 먼저 읽는 것이다. 중등학교 때에 교과서의 이해를 도모하는 데에 참고서가 많은 역할을 했다. 시(詩)의 경우, 참고서에서는 시가 나온 시점의 시대의 맥락까지 정리해 이해하기 쉬었다. 고전 책에도 이런 원칙은 그대로 적용된다. 소화하기 힘든 고전 책은 쉽게 풀이해서 쓴 해설서를 읽고 그 다음에 고전을 읽는 것이 좋다. 두 번째는 번역과 해설의 수준을 확인하고 독서를 하는 것이다. 신문이나 각종 매체의 서평을 확인하거나, 출판사별 번역서 2 - 3권을 추린 뒤에 비교하여 읽어보는 것이 좋다. 번역자의 능력에 따라 특정 구문을 전혀 다르게 느껴지게 한다. 세 번째는 반복해서 읽는 것이다. 고전의 매력은 읽을 때마다 다르게 느껴진다는 것이다. 지금 내가 어떠한 상황에 있는 지에 따라, 그리고 어떠한 생각을 하고 있는지에 따라서 이미 읽었던 고전 책은 팔색조(八色鳥)가 된다[194].

책은 우리를 지적 성장으로 이끈다. 지적 성장은 육체적 성장처럼 눈에 보이지는 않지만 한 사람의 내면의 변화를 이끈다. 그 변화는 사회에서 어떻게 살아가야 하는 지에 대한 의문을 던지고 답을 찾아 이끈다. 그러는 와중에 '올바른 삶'에 대한 가치관이 형성된다. 그래서 책은 나를 항상 올바름으로 이끄는 충직한 조언체이다. 또한 책은 나를 절대 배신하지 않는 충복이다.

함께 읽으면 도움이 되는 책

- 김무곤, 《종이책 읽기를 권함》, 더숲, 2011.
- 도야마 시게히코, 《나는 왜 책읽기가 힘들까?》, 문지영 옮김, 다온북스, 2016.

04 지식인의 서재 엿보기

《지식인의 서재》, 한정원, 행성: B잎새, 2011.

나는 타자의 삶에서 항시 궁금한 것이 그(그녀)가 품고 있는 서재이다. 친구 집이나 지인의 연구실의 서재를 구경하는 것은 생각만 해도 즐거운 일이다. 누군가의 서재는 그 사람의 사유세계를 만든 흔적들이 보인다. 서재는 단순한 책들의 배치 공간이 아닌, 누군가의 인생 '지침서'와 같은 역할을 한다.

이 책은 15명의 우리 시대 지식인들의 서재를 엿보았다. 그들의 책에 대한 애착과 서재를 어떻게 이용하는 지를 다루고 있다. 조국 교수의 서재에 있는 책들은 한 번도 만난 적이 없는 저자와의 대화 창구이다. 그에게 서재는 "영혼의 안식처"이다.[195] 그는 책을 읽을 때마다 선인의 지혜, 저자의 꿈과 고통에 대해 파악한다. 세상과 타인에 대해 상처를 입을 때마다 책은 그를 위로해주고, 다시 서게 하는 힘을 준다고 한다. 조국은 책을 가까이 하지 않는 것은 상한 물을 먹는 것과 같다고 하였다.

"독서를 하지 않는 것은 흐르지 않는 물을 계속 먹는 것과 같다. 이미 갖고 있는 감성과 얕은 지식으로만 버티다 보면 어느 순간 바닥이 드러나고 만다. 책을 읽는다는 건 새 물을 채워 넣는 것이다. 다른 사람의 간접 체험을 통해 지식과 지혜를 자신의 우물에 채워 넣는 것이라고 조국은 말한다."[196]

최재천 교수에게 서재는 '통섭원'이다. 세상, 사람, 제자, 자연과학과 인문학의 벽이 깨지고 서로가 통섭되기를 바라는 숭고한 장소이고, 진리의 세계로 들어가기를 원하는 창의적 소통의 공간이다. 최재천은 책을 읽으면서 접거나 구기지 않는다. 책에 줄을 긋고 여기저기에 메모하는 것을 싫어한다. 이는 책이 귀했던 어린 시절에 책을 아끼던 습관이 몸에 밴 것이다. 이렇게 책을 아끼는 그는 책을 읽을 때에도 아주 '정독'을 한다고 한다. "그에게 완전하게 사유하지 않는 독서는 독서가 아니다. 그것은 그저 글자 읽기에 지나지 않는다. 책은 읽고 사유해야 하며 그 알맹이를 내 것으로 만들어야, 그리고 내 피와 살이 될 수 있게 씹어 먹어야 제대로 된 독서라고 믿는다."[197]

예술작가 이안수에게 서재는 책의 숲이다. 거실을 빙 둘러서 바닥에서 천장에 까지 놓인 책들은 지적인 욕구를 불러일으키게 한다. 그는 1만 2천

권 정도의 책을 소장하고 있는데 이 책을 분류하지 않는다. 그는 무분류식 책 꽂기에 대하여 이렇게 말한다. "늘 똑같은 자리에 책을 놓아야 한다면 조금만 달라져도 스트레스가 되죠. 하지만 분류를 하지 않으면 다시 배열된 책들의 제목만 봐도 한편의 에세이가 나와요."[198] 이안수는 책을 단순히 읽기 보다는 '사유'가 중요하다고 한다. 책을 읽는 것을 제대로 소화하는 것이 바로 사유이다. 사유는 자신이 읽을 것을 내 식으로 만드는 작업인데 사유할 수 있는 좋은 방법이 글쓰기이다. 글로 표현하기 위해서는 제대로 생각해야 하기 때문이다.

시인 김용택은 책을 읽는 행위는 우리가 세계를 이해하는 길이라 한다. 그는"문학적 감성이야말로 우리가 사는 세계를 제대로 보게 해주는 힘"이라고 말한다.[199] 시인인 그에게 독서와 글쓰기는 칼의 양날과 같다. 그는 글쓰기의 목적은 이 세상의 모든 사물의 귀중함을 깨닫기 위해서이다. 글을 쓴다는 것은 세세한 관찰에서 이루어지기 때문이다.

북디자이너 정병규는 인문학 서적은 매력적이라고 한다. 처음에 접근이 어렵지 인문학은 어느 단계를 넘어가면 자력을 갖는 마성의 힘이 있다. 정병규는 인문학의 매력에 대해 이렇게 말한다.

"우리의 삶은 모두 인문학으로 들어갔다가 다시 나오는 거예요. 인문학적인 필터나 인문학적 용해가 안되면 인류의 삶을 '지식과 지혜'라고 할 수 없어요. 들어가면 나오지 못하는 곳, 깊어질 수는 있어도 나올 수는 없는 그런 세계가 독서죠. 하지 말라고 해도 하게 되는 것이 바로 진정한 독서입니다."[200]

들어가면 나올 수 없는 곳이자 미로처럼 구불구불한 길이 독서이다. 그 길은 낯선 길이다. 익숙한 길은 눈을 감고서도 갈 수 있지만, 낯선 길에 들어서는 무조건 눈을 크게 뜰 수밖에 없다. 눈을 크게 뜨고 오감을 열고 책을 맞이할 때에 그 책의 알맹이를 취할 수 있다. 정병규는 책을 읽으며 메모를 꼼꼼히 한다. 처음 책을 읽으면서 연필로 체크한다. 그러다가 정독할 필요가 있다고 느껴지면 그 책에 깨알같이 메모하고 읽는다고 한다. 이렇게 메모하는 이유는 책과 책 사이의 "네트워킹" 때문이라 한다. 메모를 통해 이 책과 저책 사이의 연관을 확인할 수 있다.

건축가 김진애의 서재는 온실과 닮았다. 햇살이 들어오는 책장과 그 사이에 책과 화초의 어울림은 여느 농가를 연상시킨다고 한다. 그녀에게 의미가 있는 책으로는 한나 아렌트의《인간의 조건》, 앙드레 말로의《인간의 조건》, 고미까와 준빼이의《인간의 조건》이라고 한다. 그녀의 삶에서 고비 때 마다 이 책들은 문제를 해결하는 단초를 제공해주었다고 한다. 그녀의 독서하는 방식은 '지식의 체계를 잡아가며 읽기'이다. 이는 한 분야에 중점을 두고 그 분야에 대한 세권 정도의 책을 동시에 읽는 것이다. 그러다가 그 분야가 확장되거나 깊이 파고들어 가기도 한다. 김진애는 "저는 한꺼번에 다섯 권의 책을 봅니다. 제가 다니는 곳곳에 책이 있어요. 화장실에서 읽는 책, 잘 때 읽는 책, 차안에서 틈틈이 읽는 책, 그리고 보고서들"[201]이 있다고 한다. 이런 책들을 읽을 때에 그녀는 철저하게 메모를 하고 '의문'을 갖고 독서한다고 한다.

건축가 승효상은 독서는 '왜'라는 질문을 던지는 행위이다. 방법론적인 것보다는 본질적인 것들을 찾고자 한다. 그는 책을 읽으며 "책을 왜 읽어야 하나, 읽으면서 '무엇'을 얻어야 하는지, 그 '무엇'의 의미는 무엇인지"[202]에 대하여 계속 질문을 던져야 한다고 말한다. 건축가는 예술가이다. 머릿속에 생각한 관념을 현실 세계에 작품을 창조한다. 그에게 책이란 나의 정체성을 알게 해주는 고귀한 매체이다. 승효상은 책의 의미를 이렇게 말한다.

"저에게 책은 존재의 근거를 밝혀주는 가치입니다. 세계 몇 십억 인구 중에 제가 어느 부분 어느 지점에 위치하고 있는지 알려주거든요. 책을 통하지 않으면 그것은 불가능하다고 봅니다. 다른 사람이 어떻게 생각하는지 알아야 하고, 자기가 사는 지점도 알아야 하고, 자신이 누군지도 알아야 하는데 산에 가서 도를 닦는다고 알아지는 게 아니거든요."[203]

타자가 무엇을 생각하는지, 자기가 세상의 어느 위치에 있는지, 어떻게 앞으로 나가야 하는지에 대한 고민은 책의 '화두'에서부터 시작된다. 그 고민이 있어야 세상과 주체적으로 만날 수 있다.

함께 읽으면 도움이 되는 책

- 다치바나 다카시, 《다치바나 다카시의 서재》, 박성관 옮김, 문학동네, 2016.
- 탕누어, 《마르케스의 서재에서》, 김태성 옮김, 글항아리, 2017.

05
우리 시대의 책벌(冊閥)들

《책, 세상을 탐하다》, 장영희 외, 평단, 2008.

우리의 삶은 순간, 순간이 의미를 경험하는 과정이다. 우리가 체험 가능한 순간은 한정적이다. 이 한정적인 삶의 순간들을 늘리는 방법은 책 속에 나온 많은 이야기에 빠지는 일이다. 자신의 삶의 밀도를 늘리는 사람은 진정한 부자이다. 돈이 많은 재벌이 있듯, 책으로 세상을 탐닉하는 책벌(冊閥)이 있다. 책벌들은 단순하게 책을 많이 가진 자가 아닌, 책을 통해 세상을 다양하게 보는 자이다.

이 책은 29인의 지독하게 책을 사랑하는 사람들을 다룬다. 도정일은 인간의 고유한 능력으로 기억, 사유, 상상과 표현을 제시한다. 이 능력들은 결코 완전하지는 않다. 기억은 곧 망각으로 이어지고, 사유는 불안하고, 상상은 내가 경험한 이상을 뛰어넘을 수 없고, 표현 또한 시간적으로 유한하다. "책은 인간이 가진 그 독특한 네 가지 능력의 유지, 심화, 계발에 봉사하는 가장 유효한 매체이다. 문자를 고안하고 책을 만들고 책을 읽는 것은 결코 '자연스런'행위가 아니다."[204] 책 읽기는 인위적인 노력이 필요한 행위이다. 도정일은 책의 세계는 고독한 성찰과 불안을 안고 있는 의심의 극장, 의식들이 만나는 대화의 극장, 인간의 유한성을 확장하기 위한 노력이 숨어있는 음모의 극장들로 이루어진다고 하였다. 이 책의 세계는 힘들고 어려운 길이다. 이 세계에 능동적으로 들어간다는 것은 우리의 정신세계를 확장하는 일이다.

독서는 세상과 만나는 일이다. 홍세화는 독서는 "세계를 향한 창을 여는 것"[205]이라고 했다. 창을 열어야 세상과 만날 수 있다. 이 세상은 현재가 아닌, 과거와 미래 세계를 포함한다. 세상을 위한 창을 열기 위해서는 독서인의 자세가 중요하다. 이문재 시인은 척추를 곧이 세우고 몸과 마음을 집중해서 책을 읽어야 책 속에서 '길'을 찾을 수 있으며, 이 길에서 새로운 길을 향해 나갈 수 있다고 한다. 많은 책을 읽기 보다는 책 한두 권을 집중해서 몰입할 때에 그 책이 나의 삶으로 들어온다.

독서를 꾸준히 하기 위해서 이 책의 저자들은 '재미있는 책'을 선택하라고 한다. 무엇보다도 책에서 '재미'를 느껴야 한다. 책을 읽는 동안에 상념이 생기더라도 이를 즐겨야 한다. "상념들 가운데도 건설적인 부분이 있고, 또 책 읽기를 풍부하게 할 수도 있다. 그 상념 끝에 우리는 우리 현실의 다른 모습을 새로 발견할 수 있다. 인간은 직간접적으로 자신이 보이지 않는 것은 잘 상상할 수 없다."[206] 책에서의 재미를 느끼고 이를 통해 인간의 다양한 면들을 경험할 수 있다. 그 경험은 타자의 경험을 통해 숙성된다. 김상욱 아동문학가는 책을 통한 나와 타자를 읽고, 우리가 만들어낸 의미를 제대로 해석할 수 있다고 말한다.

"인간의 사유를 경험하고, 인간의 상징을 경험하고, 기호를 넘어 의미를 경험하는 것이다. 읽고 또 읽어나가는 덧쌓이는 경험을 통해 비로소 우리는 우리 자신을, 그리고 타자를 제대로 읽을 수 있게 되는 것이다. 그저 사실을 이해하는 차원을 넘어, 인간과 세계의 표상 너머의 감추어진 의미를 해석할 수 있게 되는 것이다."[207]

책은 영혼의 치유제이다. 책을 읽는 사람이 적은 사회는 마음의 배고픔을 느끼는 사람들이 많아진다. 종이 책의 위기를 말하는 사람들이 많지만, 정호승 시인은 책은 결코 없어지지 않을 것이라 단언한다. 책은 인간 영혼의 구체적인 면을 드러내기 때문이다. 우리가 영혼을 찾아보기 위해서는 우리가 만든 책에서 그 원류(原流)를 찾는 것이 바람직하다. 인간의 영혼은 책을 통해 아름다워지고 가꾸어진다.

장영희 교수는 학교장 추천으로 지원했던 어느 학생에게 "문학하는 사람들은 어떤 사람들인가?"라는 질문을 던졌다. 그 때에 이 학생은 "문학하는 자들은 이 세상이 조금 더 아름다울 수 있다고 믿는 사람들입니다"라고 답했다고 한다. 장영희는 이 답을 문학하는 이유로 가장 멋진 답으로 뽑았다. 문학 작품을 읽는 것은 대리경험을 통하여 누군가의 치열한 삶 속으로 투입되는 것이다.[208]

인간은 유한한 삶을 살기 때문에 하루하루 최선을 다해 살아야 한다. 우리가 천년, 만년 생존이 가능하다면 '선택'이라는 것은 큰 의미가 없다. 한정된 시간 동안 의미 있게 살기 위해 오늘도 책을 손에 드는 것이다. 공병호는 글을 읽고, 무엇인가를 창조하는 것은 노동이 아닌, "환상적인 게임"이라고 하였다.[209] 책읽기와 글쓰기에서 재미를 느끼는 사람만이 그러한 행위들을 게임이라고 여긴다. 이 책에서 소개한 '책벌'들은 하나같이 책을 사랑하는 사람들이다. 그들은 책을 통하여 세상과 소통하고, 타자의 삶 속에 들어가고, 나의 영혼의 지평을 넓히고, 사회의 부족한 면을 개선하고자 노력한다.

책은 우리가 만든 세상을 구원할 최후의 보루(堡壘)이다.

함께 읽으면 도움이 되는 책

- 김삼웅, 《독서독본, 현암사》, 2012.
- 김주현, 《최고의 서재를 찾아라》, 창비, 2016.

06
책은 삶의 재료로 쓰인다

《삶을 바꾸는 책 읽기》, 정혜윤, 민음사, 2012.

라디오 PD인 정혜윤은 서평을 맛깔나게 쓴다. 서평 속 그녀의 감각적인 글쓰기는 언젠가 읽은 책을 다시 찾게 한다. 이 책은 우리 삶 속에 책이 어떠한 위치를 차지하는지에 대해 이야기하고 있다.

정혜윤은 책은 '어떻게 살아갈까?'라는 고민을 하는 사람들에게 대화상대가 될 수 있다고 한다. 책은 답을 찾는 이에게 응대하는 묘한 물건이다. 정혜윤은 책을 왜 읽는지에 대하여 자주 질문을 받는 다고 한다. 그 때마다 이렇게 답한다.

"책을 왜 읽어요? 라는 질문에 저는 무수히 많은 디테일로 답하고 싶습니다. 우리의 충동, 능력, 게으름, 타성, 우정, 불안, 고통, 회한, 슬픔, 욕망, 상상력, 기억, 위로, 공감, 재탄생, 창조, 이 모든 것에 대해서요. 저는 이러한 디테일을 책을 통해 조금씩 배운 듯합니다. 저는 책을 읽고 한 발짝씩 나가며 거기서 배운 디테일들로 사람과 세상을 사랑하고 싶었습니다. 사랑은 그만큼 중요하기 때문입니다."[210]

삶을 살아가는 것은 디테일한 일들의 충돌을 포함한다. 인간과 인간이 부딪쳐서 의미가 발생하는 과정에 많은 디테일들이 쏟아져 내린다. 불안, 고통, 화해, 용서, 실망, 낙담, 재생 등과 같은 감정들의 소용돌이 총합들로 일상은 구성된다. 이러한 일상에서 내가 겪어야 하는 에피소드들에 대하여 담담히 대처할 수 있는 힘은 어디서 얻을까? 그 힘은 책을 통해 배양

된다.

「새벽 3시 책읽기」라는 칼럼을 연재했던 정혜윤에게 사람들은 새벽 3시에 책을 읽고 글을 쓰느냐 묻는다. 그녀는 불면증 환자들에게는 그렇다고 하고, 잠이 많은 사람들에게는 그렇지 않다고 대답한다. 그녀는 실제 한 달에 몇 번씩은 그 시간에 글을 쓴다고 한다. 그 시간은 그녀에게 '나를 세우는 시간'이라고 한다. '나를 세우는 시간'은 영혼에도 척추와 같은 시간이다. 이 시간은 어떤 새로운 일을 할 수 없고, 친구와도 전화하기 힘든 시간이고, 고요 그 자체의 시간이다. 이 때 시간은 "직선으로 흐르지 않고 둥근 원으로" 흐른다.[211] 과거에 일어났던 일들에 대하여 반추하고, 재경험해 볼 수 있기에 그 시간은 순환적 성격을 갖는다.

나는 이런 시간은 갖지 못했다. 내가 시간을 둥글게 느끼는 때는 토요일 오전의 안락함이 함께 할 때이다. 출근하지 않아도 되고, 파자마 차림으로 거실에 나와 바흐의 무반주곡을 듣는 이 시간은 내 내면을 돌아볼 수 있는 시간이다. 이러한 의미 있는 시간 속에서 읽는 책 속의 문장 하나, 하나는 내 영혼으로 파고든다. 나는 그러한 시간 속에서 발터 벤야민의 《기술복제시대의 예술작품》, 가스통 바슐라르의 《촛불》같은 책들을 읽었다. 거실을 비추는 햇살을 느끼며 가스통 바슐라르의 이런 문장들은 나를 봄날 한가운데에서 몽상의 세계로 인도한다.

"작은 빛에 대한 몽상은 우리를 친숙함의 골방으로 데려간다. 우리 내면에는 오직 가물거리는 빛만 용인하는 어두운 구석이 있는 듯하다. 예민한 마음은 부서지기 쉬운 가치들을 사랑한다. 그런 마음은 투쟁하는 가치들과 하나가 되기에 어둠에 맞서 싸우는 미약한 빛과 하나가 된다. 그래서 작은 빛에 대한 우리의 모든 몽상은 오늘날의 삶에서도 심리적 실재성을 유지한다. 그것들은 어떤 의미를 지닌다."[212]

책을 읽는데 능력이 필요한가에 대하여 정혜윤은 이를 고독을 두려워하지 않는 힘이라고 한다. 정혜윤은 책을 읽는 데에 특별한 독해력은 필요 없다고 한다. 왜냐하면 다독(多讀)이 중요하지 않고, 반복해서 읽는 것이 중요하기 때문이다. 그녀는 "진정한 독해력이란 문자를 정확히 읽어내는 능력이 아니라 무엇을 읽건 거기에서 삶을 바라보는 능력"[213]이라고 말한다.

책은 인간을 제대로 보게 한다. 책은 읽는다는 것은 단순히 텍스트를 눈으로 보는 것 이상으로 인간사에 대한 이해를 가능하게 한다. 정혜윤은 책을 읽으면서 인간을 제대로 볼 수 있었다고 한다. 인간은 형편이 없는 존재이기도 하지만, 자신의 존엄성을 지키기 위해서 저항하고 목숨을 바칠 수 있는 존재라는 사실을 알게 되었다고 한다. 그녀는 이렇게 첨언한다.

"책은 다른 사람들이 존재함을 보여줍니다. 눈을 돌리니 정말 보이기 시작했습니다. 다르게 사는 사람들요. 다르게 생각하는 사람들요."

책은 다른 사람들이 살아가는 모습을 보게 한다. 세계 내에서 내가 존재할 수 있는 체험은 한계적이다. 내 체험의 폭은 책을 통해 넓어진다. 책을 통해 다르게 사는 사람들과 그 사람들의 사고방식을 엿보게 한다. 책은 비단 남을 보게 하는 것이 아니라, '나'를 보게 한다. 나 자신을 돌아보게 한다. 돌아보게 해서 '인간으로 어떻게 살아야 하는가?' 에 대한 답을 찾게 한다. 책은 남과 나를 바라봄으로써 인간의 전체 삶을 성찰하게 만든다.

세상의 모든 책은 저 마다의 운명이 있다. 어떤 책은 사람의 운명을 바꾸기도 하고, 어떤 책은 소리 없이 사라진다. 같은 책이라도 누구 곁에 있는지에 따라 운명은 달라진다. 책은 읽는 자가 어떠한 의미를 갖는 냐에 따라 그 가치가 달라진다. 책의 가치를 제대로 인지하는 사람의 삶에 그 책은 향기가 되고 질료(質料)로 쓰인다.

함께 읽으면 도움이 되는 책

- 가쿠다 미쓰요, 오카자키 다케시, 《아주 오래된 서점》, 이지수 옮김, 문학동네, 2017.
- 헤르만 헤세, 《헤르만 헤세의 독서의 기술》, 김지선 옮김, 뜨인돌, 2006.

07
책을 좋아하는 뇌는 만들어지는 것이다

《책 읽는 뇌》, 매리언 울프, 이희수 역, 살림, 2009.

인간은 본인이 가진 뇌의 능력을 다 사용하지 못한다. 뇌를 충분히 활용하는 방법 중의 하나가 독서이다. 독서는 책을 객관적인 존재에서 개별적 존재로 바꾼다. 매리언 울프는 독서는 작가의 생각을 '초월'하게 하고, 이를 통하여 자신만의 자율적이고, 변형적인 개별적 사고를 갖는다고 하였다. 독서 학습은 누군가의 품에 안겨 있을 때부터 시작된다. 처음에는 의존적 활동이었다가 후에는 자율적인 활동으로 변한다. 유치원에 들어갈 연령이 될 때 부터 독서에 충분히 노출된 아이와 그렇지 못한 아이 사이에는 3,200만 개의 어휘 격차가 벌어진다고 한다.

매리언 울프의 제안대로, 인간의 뇌는 책을 통해서 바뀐다. 사람의 뇌는 기존의 구조 안에서 새로운 연결을 계속 만들어내게 된다. 이는 뇌의 독특한 프로세스이다. 독서하는 동안 우리의 '자의식'은 놀랍게 변화한다. "기사가 어떤 생각을 하는지, 노예가 무엇을 느끼는지, 여주인공이 어떻게 행동하는지, 악당이 자신이 저지른 악행에 대해 어떻게 참회 또는 부인하는지 그 속에 유월해 들어갔다가 나오면 우리는 약간 다른 사람으로 변한다."[214] 책을 읽으면서 그리고 읽은 후에 우리의 뇌는 확장된다.

뇌에서 문자, 문자의 패턴과 단어를 인지하는 세포망은 시각 정보에 대한 표상(representation)을 만든다. 능숙하게 독서하는 뇌는 "망막을 통해 정보가 들어가면 문자들이 물리적 속성을 특화된 일련의 뉴런들로 처리하며, 이 뉴런들은 문자에 대한 정보를 자동적으로 더 깊숙한 곳에 있는 다른 시각 프로세싱 영역으로 들여보낸다. 바로 그 곳이 독서하는 뇌의 실질적 자동 처리 능력의 핵심 영역이다. 그 안에서 시각 프로세스만 처리하는 것이 아니라, 독서하는 뇌의 모든 표상과 프로세스들이 어렵지 않게 속사포처럼 발화(rapid-fire)하는 것이다."[215] 저자의 텍스트와 독자의 경험이 합쳐져서 새로운 표상이 발현되는 것이다.

아이들이 처음 독서를 할 때에는 후두엽의 넓은 부분, 후두엽 안쪽 깊숙한 곳과 후두엽 인근의 방추상회에서 활성화가 일어난다. 이후 좌뇌와 측두엽의 언어 이해 부위인 '베르니케 영역'도 활성화된다. 다음으로는 전두엽의 일부인, '브로카 영역'이 활성화된다. 장 폴 샤르트르는 회고록 《말》에서 처음 책을 읽었던 희열을 이야기했다. 어린 샤르트르는 독서의 세계로 들어가며 지식의 원천을 축적했다.

매리언 울프는 독서가를 몇 가지 단계로 구분하여 제시한다. 첫째는 '입문 단계의 예비 독서가'이다. 주로 생후 5년간 부모님에 의해서 말소리에 노출되어 음성, 단어, 이미지, 이야기들을 받아들인다. 둘째는 '초보 독서가'이다. 초보독서가는 문자가 언어의 음성과 연결이 되고 있다는 것을 인지한다. 이후에 문자를 해독하면서 '문자소'와 '음소'간의 규칙을 배운다. 셋째는 '유창하게 독해하는 독서가'이다. 이런 독서가는 대뇌변계와 인지와의 연결이 활성화된다. 대뇌변계는 "독서를 하면서 읽은 것에 대한 반응으로 기쁨, 혐오, 공포, 성취감 등을 느끼는데 이는 프로도, 헉, 안나 카레니나의 경험을 이해하는 기반이 된다."[216] 넷째는 '숙련된 독서가'이다. 숙련된 독서가는 특정의 단어를 발견하고 그 의미와 문법의 정보를 빠르게 파악한다. 대략 0.15초와 0.2초 사이의 전두엽이 활성화되기 시작한다.

독서하는 뇌가 되어 가장 큰 이익은 무엇일까? 매리언 울프는 '시간'이 가장 큰 이익이라 말한다. 뇌에서 책을 읽으면서 해독 프로그램이 자동적으로 작동하여 뇌는 1밀리세컨드의 시간 여유가 생길 때 마다 유추, 추론, 은유와 자신의 경험적인 통합 방법을 배운다. 독서하는 뇌가 되어 두뇌의 회전은 빠르게 진행된다. 독서하는 뇌를 가진 운동선수는 유추, 추론, 은유와 경험을 통합하는 능력이 그렇지 못한 사람보다 좋을 것이다. 운동선수는 스포츠 상황에 따라 여러 가지를 판단하고 해결을 해야 한다. 이때에 독서를 통한 변한 뇌는 엄청난 힘을 발휘할 수 있다.

19세기 말의 학자인 에드먼 휴이(Edmund Huey)는 독서를 이해한다는 것은 심리학자가 이룰 수 있는 최고의 업적이라고 했다. "그것은 인간의 마음속에서 일어나는 가장 난해한 활동 가운데 대다수를 설명하는 것으로 인류 역사 전체를 통해 문명이 습득한 가장 놀랍고 독특한 수행 능력의 얼키설키 뒤엉킨 사연을 풀어내는 일이다."[217] 에드먼 휴이의 이 말처럼, 독서는 인류가 생성해낸 가장 "독특한 수행 능력"이다. 이 능력의 비밀을 푸는 일은 인간의 문명사 형성의 비밀 열쇠를 여는 길이 아닐까?

매리언 울프는 인간사에 독서 이야기는 끝없이 펼쳐질 것으로 예견했다. 그녀는 독서의 발달의 끝이란 존재하지 않고 끝없이 이어질 것이며, 독자를 "진실이 솟구치는" 새로운 곳으로 인도할 것이라 했다. 독서는 우리의 뇌를 진보적으로 바꾼다. 인간이 만든 어떤 매체가 이렇듯 감동적일 수 있을까? 책처럼 우리 뇌를 전복(顚覆)시키는 것은 존재하지 않는다.

함께 읽으면 도움이 되는 책

- 움베르토 에코, 장 클로드 카리에르, 《책의 우주》, 임호경 옮김, 열린책들, 2011.
- 장정일, 《장정일, 나》, 한빛비즈, 2016.

08

낭독은 치유다

《소리내어 읽는 즐거움》, 정여울, 홍익출판사, 2016.

낭독은 활자를 허공 속으로 불러내는 일이다. 밖으로 나온 글자는 새로운 생명을 얻고 기호와 기호가 부딪치고 새로운 생명을 얻는다. 기표와 기표, 기의와 기의, 기표와 기의들은 서로 허공에서 춤을 춘다. 그것을 듣는 독자는 그것들에 여러 가지 가치를 부여한다. 기표와 기의의 색다른 만남은 한 자아의 생각에 깊숙이 침투하여 사고 체제를 바꾼다. 이렇듯 낭독은 읽는 이의 의지와는 상관없이 청자(聽者)의 삶을 전도(顚倒)한다.

정여울은 90여 편의 낭독하기 좋은 글을 선별하였다. 개인적으로는 소설이나 에세이의 문장보다도 시(詩)가 눈에 끌리고 읽기 좋다. 나는 이 책에 있는 시 몇 편을 소리 내어 읽어 보고, 적어도 보았다. 익숙한 내 목소리를 통해 낭독된 시어들은 허공 속에서 오랫동안 생존하였다. 그것들은 내 마음속의 여운으로 자리 잡아 옛 추억의 시공간으로 나를 인도하게도 하였다. 묵독이 조용하게 나를 갈고 다듬는 시간이라면, 낭독은 나와 밖이 텍스트와 소리를 통하여 조우(遭遇)하게 한다.

정여울은 낭독의 효과를 세 가지로 정리하였다. 첫째, 낭독을 하면 오감이 활성화된다. 어떤 시어들은 영화를 보는 듯한 화면을 우리에게 펼치고 오감을 활성화한다. 둘째, 낭독은 '마음 챙김'에 좋은 효과를 보인다. 스트레스 받거나, 우울할 때에 기분 좋은 시어를 읽으면 금세 마음이 밝아진다. 셋째는 '내 안의 다른 나'와 대화하는 기분을 가질 수 있다. 소리를 내어 읽는 '나'와 듣는 '내가' 대화를 나눌 수 있다. 우리 안에 존재하는 수많은 목소리들이 낭독을 통해 어느 순간에 튀어 나와 자아와 더불어 살기를 제안 한다[218]. 낭독의 중요한 효과는 '자기 회복'에 있다. 낭독은 아픔이 남을 통해서가 아니라, 나를 통해서 치유될 수 있다는 것을 깨닫게 한다.

이 책에 소개된 많은 낭독 거리 중에서 내 입에 착 달라 붙는 시 몇 개를 소개해 보고자 한다. 먼저, 이원의 〈사랑 또는 두발〉이라는 시가 있다. "내 발 속에 당신의 두발이 감추어져 있다/ 벼랑처럼 감추어져 있다/ 달처럼 감추어져 있다/ 울음처럼 감추어져 있다/ 어느 날 당신이 찾아왔다/ 열매 속에서였다/ 거울 속에서였다/ 날개를 말리는 나비 속에서였다/ 공기의 몸속에서였다/ 돌멩이 속에서였다/ 내 발 속에 당신의 두 발이 감추어져 있다/ 당신의 발자국은 내 그림자 속에 찍히고 있다/ 당신의 두 발이 걸을 때면/ 어김없이 내가 반짝인다 출렁거린다/ 내 몸이 쓰라라다" 내 발 속에 당신의 바로 함께 존재한다는 말에서 사랑하는 이의 마음이 느껴진다. 당신이 걸을 때에 나는 반짝이고 출렁거리는 그 느낌이 낭독하면 느껴진다.

두 번째는 김소월의 〈먼 후일〉이다. "먼 훗날 당신이 찾으시면/ 그때에 내 말이 "잊었노라"/ 당신이 속으로 나무라면/ "무척 그리다가 잊었노라"/ 그래도 당신이 나무라면/ "믿기지 않아서 잊었노라"/ 오늘도 어제도 아니 잊고/ 먼 훗날 그때에 "잊었노라"" 시인은 지금 나를 찾지 않은, 떠나간 연인을 행해 "잊었노라"라고 외친다. 지금이 아닌, 먼 훗날에 그대가 나를 찾아올 때에 매정하게 말하겠다는 다짐을 한다. 나는 이 시어를 낭독하다가 나도 모르게 강하게 "잊었노라"하고 외쳤다. "무척 그리다가 잊었노라"에서는 나도 모르게 북받쳐 오르는 연인의 마음이 느껴져 강하게 말하게 된다. 낭독의 힘은 묵독에서 알지 못하는 오감을 통한 표현을 하게 이끈다.

세 번째는 정채봉의 〈들녘〉 중 시 구절이다. "네 잎 클로버 한 이파리 발견했으나 차마 못 따겠구나/ 지금 이 들녘에서 풀잎 하나라도 축을 낸다면/ 들의 수평이 기울어질 것이므로" 귀한 네 잎 클로버를 발견하여 기분이 좋았는데, 가만히 생각해보니 '들의 수평'이 기울어질까 염려한다. 나의 이기심이 거의 흔적도 나지 않는 조그마한 미물도 건들지 못하는 그 마음이 아름답다. 소리를 내어 읽어보면 시인의 그 아름다움 마음이 전해온다.

네 번째는 기형도의 〈엄마걱정〉이다. "열무 삼십단을 이고/ 시장에 간 우리 엄마/ 안 오시네. 해는 시든지 오래/ 나는 찬밥처럼 방에 담겨/ 아무리 숙제를 해도/ 엄마 안 오시네, 배추잎 같은 발소리 타박타박/ 안들리네, 어둡고 무서워/ 금 간 창틈으로 고요히 빗소리/ 빈방에 혼자 엎드려 훌쩍거리던/ 아주 먼 옛날/ 지금도 내 눈시울을 뜨겁게 하는/ 그 시절, 내

유년의 윗목” “열무 삼십단”에 시장통에서 가족의 생계를 책임지기 위해서 억척스럽게 일하시는 엄마가 생각난다. 이 시를 읽으면서 엄마에 대한 걱정과 소년의 외로움이 교차되어 느껴진다. 나에게 “열무 삼십단”은 유년기의 추운 겨울 우연히 본 술 취하신 아버지의 뒷모습이기도 하다. 기형도 시인의 슬픔에 대한 변주곡은 낭독을 통해 내 가슴에 꽂힌다. “윗목”은 차가움의 상징이다. 나는 어릴 적에 돈암동의 한옥에 살았다. 겨울철 군불의 온기는 아랫목에만 머물렀다. 가족 모두가 동짓날에는 아랫목에서 두꺼운 이불에 발을 넣고 팥죽을 먹었던 기억이 있다. 윗목은 누구도 앉기 싫은 공간이다. 마지막 싯구인 “유년의 윗목”을 소리 내어 읽을 때에는 소년과 내가 오버랩 되어 슬픔이 허공에 퍼졌다.

다섯 번째는 정현종의 〈섬〉이다. “사람들 사이에 섬이 있다/ 그 섬에 가고 싶다” 사람과 사람 사이에는 ‘간격’이 있다. 그 간격을 시인은 섬으로 표현하고 있다. 이 간결한 시어를 읽다가 “그 섬에 가고 싶다”에서 목소리가 높아지고 있음을 느꼈다. 그 섬에 간다는 것은 누군가와 만나서 마음을 터놓고 대화를 한다는 것이다. 소통이 되지 않는 사람들 사이에 존재하는 것 자체가 고통이다. 주위에 사람들이 많이 있지 않아도 서로는 마음 통하는 사이가 되어야 한다.

낭독은 나를 치유한다. 푸시킨은 “삶이 그대를 속일지라도/ 슬퍼하거나 노하지 말라/ 우울한 날들을 견디면/ 믿으라, 기쁨의 날이 오리니”라고 노래했다. 시인의 말처럼, 삶은 우리를 자주 속인다. 우울한 날을 견디기 위해서 낭독을 추천한다. 위에서 소개한 시어 외에도 많은 낭독물들이 우리를 기다리고 있다. 그것들을 소리 내어 읽을 때에 마법처럼 몸을 통해 에너지가 발산된다. 운동선수들에게도 좋은 시를 낭독하라고 권하고 싶

운동선수들에게도 좋은 시를 낭독하라고 권하고 싶다. 훈련을 마치고 돌아와 숙소에서나, 집에서 낭독하는 그 시 구절은 나의 영혼을 구원한다. 육체의 피로는 시를 통하여 해소된다.

다. 훈련을 마치고 돌아와 숙소에서나, 집에서 낭독하는 그 시 구절은 나의 영혼을 구원한다. 육체의 피로는 시를 통하여 해소된다.

말을 하는 자아와 그것을 인지하는 자아는 서로 함께 어울린다. 조용히 책을 읽는 것이 힘들거나, 집중이 되지 않는 사람들에게는 낭독을 추천하고자 한다. 낭독은 나를 치유하기에.

함께 읽으면 도움이 되는 책

- 김운하, 《카프카의 서재》, 한권의 책, 2013.
- 소피 카사뉴 브루케, 《세상은 한 권의 책이었다》. 최애리 옮김, 마티, 2013.

09
책읽기는 쾌락과 고통의 변주곡이다

《정희진처럼 읽기》, 정희진, 교양인, 2014.

글을 쓰는 사람만 스타일이 있는 것은 아니다. 글을 읽는 사람도 저마다의 스타일이 있다. 책을 취하는 사람의 취향에 따라 그 책은 다양하게 활용될 수 있다. 저자의 읽는 방식에 따라 그 책의 특정 부분이 발췌되어 또 다른 독자들에게 여러 방향으로 소개될 수 있다.

여성학자 정희진은 소위 책 읽는 달인이다. 이 책은 그녀가 읽은 79편의 책에 대한 이야기이다. 나는 79편의 책을 요약하고 싶은 생각은 없다.

대신 그녀가 어떻게 책을 대하고, 책을 읽었는지에 대하여 말하고자 한다. 그녀는 "좋은 책은 세상이 내게 주는 선물, 생명, 세로토닌(행복감을 생산하는 뇌의 화학물질)이다. 위로는 깨달음에서 온다. 이 위로가 몸에 습관이 되어 독서의 즐거움에 중독되면 다른 일에는 흥미가 떨어진다"[219]고 하였다. 독서는 위로를 주는 매체이다. 소리 소문 없이 우리 곁에서 나를 토닥인다. 이처럼 자기 생색을 내지 않고 내게 위로해주는 타자는 없다.

정희진은 "편협한 독자"이다[220] 정희진은 본인을 자극할 책에만 관심을 갖는다. 예측 가능하거나 너무 뻔한 내용의 책은 멀리한다고 한다. 그녀는 동물행동학, 군사학, 영어사, 코란과 이슬람 연구 등 다양한 책들을 가지고 있다. 이런 책들을 접할 때에 독자가 어떻게 관점을 가지고 들어가느냐에 따라 책의 '위치'는 달라진다. 독자는 그(그녀)의 세계관이나 사유 방식에 따라 책을 올바르게 읽을 수 있다. 그렇기에 자기의 학문 전공에 대하여 편협한 지식이나 기준만을 고집하기 보다는 사회적 맥락을 먼저 이해야 한다. "학문이 생겨난 이유와 문제의식에 의문을 품지 않기 때문에 자기 전공의 전제와 맥락을 모르게 된다. 이때 지식의 목적은 해결(solution)로 전락하고 앎이 아니라 정보만 소유하게 된다."[221]

이 책은 책이 몸을 통과하는 경험을 이야기 한다. 책을 통해 몸은 즐겁게 되고, 슬프게 되고, 감동에 넋을 잃을 수도 있다. 몸으로 제대로 통과한 책들은 그 '흔적'을 남긴다. 어떤 여운이 그대로 심신에 남아있을 때에 그것은 한 사람의 삶에 영향을 행사한다. "여운이 남고, 머릿속을 떠나지 않으며, 괴롭고, 슬프고, 마침내 사고방식에 변화가 오거나 인생관이 바뀌는 책이 있다.[222]" 이런 책을 만나면 나는 열병을 앓는다. 다 읽고 나서도 책이 계속 내게 말을 건다. 이런 책을 곁에 두고 자주 본다. 내게는 니체의 저작들이, 발터 벤야민의 책들이, 들뢰즈의 저서들이, 한나 아렌트의 책들이 그런 책들이다. 정희진은 이런 책들은 필할 필요가 있다고 말한다. 필사를 하면 최소한 4번 정도를 읽게 된다고 하는데, 이런 과정을 거치면 저자보다도 오히려 책의 글들이 자기 것이 될 수 있다.

지적 자극이 일어난다는 것은 내가 모르는 세계관과의 만남을 전제로 한다. 외부에서 보는 시각과 관점에 대한 수용은 나의 지식과 사유 세계를 확장한다. 동종보다는 이종에서 창의성이 발현되는 것과 같은 맥락이다. 정희진은 우리를 다른 세계로 인도하는 책의 '효과'에 대하여 이렇게 말한다.

"우리를 다른 세계로 인도하는 책은 피사체를 내가 모르는 위치에서 찍은 것이다. 하늘 위에서가 아니라 건물 옆에서, 지하에서, 건물 뒤에서, 아주 멀리서, 혹은 나와 완전히 다른 배경에 있는 사람이 찍은 것이다. 건물 안에서는 건물을 볼 수 없다. 즉 피사체, 문제 대상(사회)을 자신과 동일하거나 그 안에 있으면 자신을 알 수 없다. 교회의 문제점은 교회 안에서는 볼 수 없다. 학교도 마찬가지다. 외부에서만 보인다. 사회 밖, 틀 밖, 궤도 밖에 서 있는 연습이 필요하다."[223]

밖에 있는 자가 진정으로 문제를 해결할 수 있다. 책은 나의 주관적 관점에서 벗어날 수 있는 용기를 준다. 책에 대해서는 읽기 보다 중요한 일이 '생각하기'이다. 아무 비판 의식 없이 읽기만 하는 사람은 그 책이 말하는 핵심을 놓칠 수밖에 없다.

정희진은 독서를"저항과 불복종의 시작"이라고 규정을 한다.[224] 인간은 독서를 하기 전과 후로 나뉜다. 독서라는 과정을 겪으면 그 전과는 다른 사람으로 환골탈태한다. 책을 읽는 자는 기존 관념에 대하여 회의를 하는 자이고, 기존 체제에 대하여 의문을 품는 자이다. 그 회의와 의문은 당연시 되는 관념을 무너뜨리고자 하여 특정 행동에 영향을 미친다. 당연한 복종에 대하여 재고(再考)함으로써 새로운 환경 구축을 위해 나가는 사람이 참 독서인의 자세라고 판단된다.

함께 읽으면 도움이 되는 책

- 샤를 단치, 《걸작에 관하여》, 임명주 옮김, 미디어윌, 2015.
- 장석주, 《강철로 된 책들》, 바움, 2003.

10
명사들의 서재

《내 인생은 서재에서 시작되었다》, 정윤희, 박환희, 카모마일북스, 2014.

중년 남성들의 로망 중 하나는 '나만의 서재'이다. 중년에 나만의 공간을 갖는다는 일은 부러운 일이다. 특히 내가 읽은 책, 읽고 있는 책과 읽고 싶은 책들이 가지런히 있는 그 공간은 나의 사유의 흔적터 일테다. 그 공간에는 저 마다의 기이한 삶이 녹아 있다.

이 책은 12명의 명사의 서재가 소개되었다. 왕성한 교수는 독서를 '내공'이라 말한다. 사람을 만나 대화를 하다보면 그 사람의 깊이를 느낄 수 있다. 독서는 깊이를 만들어 내는 마법이다. 그는 책을 고르는 방법에 대하여 두 가지를 말한다. 첫째, 책의 목차를 잘 살핀다. 내용을 보고 그 다음 목차를 다시 살핀다. 둘째, 저자의 서문을 꼼꼼히 읽는다. 서문은 저자의 의도가 드러난다. 책을 잘 고르는 일은 독서를 잘하기 위한 기본 방향이다.

유영만 교수의 연구실 서재는 삼면이 책으로 꽂혀있다. 그는 공업고등학교를 나와 한국전력에서 용접공으로 다니다가 인생의 책을 발견하게 된다. 고시생의 수기를 쓴《다시 태어나도 이길을》이었다. 그에게 영향을 끼친 책으로는, 신영복의《감옥으로부터의 사색》,《강의》, 이홍우의《교육의 목적과 난점》, 윤석철의《프린시피아 메네지멘타》,《삶의 정도》라고 한다. 그는 뒤늦게 한양대에 진학하고 유학 길에 올랐다. 지금도 왕성하게 책을 내는 그는 다양한 독서가 책을 내는 원천이라고 한다. 학생들에게 반드시 하고 싶은 말은 "무조건 일주일에 책 한 권을 읽으라는 것이다. 그 다음으로는 책상에 앉아서 고민만 하지 말고 대학 4년 동안 다양한 도전과 체험을 해라"는 것이라 한다.[225]

김훈은 서재를 '막장'이라고 말한다. 막장은 어떤 곳인가? 홀로 앞으로만 진행해 나가야 하는 막장에는 도구가 필요하다. 그에게 쟁기나 망치는 바로 '백과사전'이다. 그의 서재에는 사전이 많다. 소설에 나오는 내용에 대한 묘사는 소설가의 몫이다. 김훈은 이렇게 말한다. "나는 소설가로서 기록하지 않고 기록하지 못한 것들이 필요하다. 그래서 지어낼 수밖에 없고, 지어냈다고 하더라도 그것을 사실과 전혀 무관하게 지어내는 것이 아니라 그러한 상황에서 있을 수 있는 일들을 소설가로서 상상력으로 이야기를 만들어내는 것이다. 자료 백 개를 찾으면 하나 정도 참고할 수 있다."[226] 문학을 하는 그의 서재는 인간사의 비애, 시대에 쓰러져간 민초들의 아픔, 시대상에 대한 자료들과 아이디어가 충만한 공간이다.

번역가 안정효의 서재는 '책의 향연'이다. 서강대 영문학과 재학 시부터 책을 사랑한 그의 서재에는 원서들이 가득하다. 국내서, 번역서, 사전, 스크랩북 들이 다양한 텍스트들이 서재를 채우고 있다.[227] 번역가로 명망을 쌓은 그는 젊은이들에게 실수를 부끄러워하지 말라고 한다. "언젠가 다 내 것으로 돌아온다. 무엇이든지 과하다 싶을 정도로 하는 게 손해 보는 것이 아니다. 다 어울려 하나로 집약될 때가 있다. 여러 우물을 파되, 남들보다 더 깊게 파라."[228]

서민 교수는 서른 살 까지는 책을 거의 읽지 않았다고 한다. 서른 이후에 약 15년 동안 책을 꾸준하게 읽었다. 어릴 적에는 마음껏 뛰어놀고 20대부터 책을 읽는 것이 좋다. 서민 교수는 본인이 20대까지는 유머를 키우고 그 이후에 책을 읽었다 한다. 그래서 그런지 그는 젊은이들에게 자기계발서를 그만 읽으라고 하며 다음과 같이 말한다. "상상력이 미래의 원동력이다. 자기계발서는 유행에 따라 달라지기 때문에, 일생에 그렇게 도움이 되지 않는다고 본다. '돈을 어떻게 버는가?'를 주제로 한 책들이나 '위로' 해 주는 책들은 한번쯤은 읽을 수 있지만, 그런 책들보다는 차라리 무협지가 나은 것 같다."[229]

함정임 소설가는 작가는 "가장 절박한 것을 쓰는 사람"이라고 한다. 작가는 대중에게 '샤먼'과 같은 역할을 하고, 대중이 필요한 것을 전해준다. 소설의 핵심은 구원이고, 소설은 작가의 자전이야기라는 함정임은 그녀의 서재에 대하여 이렇게 말한다.

"강의나 외부 약속이 없는 날에는 온종일 바다로 면한 서재에서 틀어박혀 책을 읽거나 글을 쓰는데, 바다를 향해 책상이 놓여 있는 서재는 언제나 스크린으로 창을 가려 어두운 골방이다. 글이란 눈부시게 밝은 세계, 태양 아래의 산물이 아니라, 태양이 지나가고 다가온 어둠의 세계, 빛나는 순간을 영원히 포착하는 카메라의 암실처럼, 어둠 속의 흔들리는 작업이기 때문이다."[230]

바다의 전경이 보이는 작가의 서재는 글이 잉태되는 공장이다. 어둠의 세계, 암실과 흔들림이 동반되는 세계에서는 인간의 고뇌가 살아 숨을 쉰다. 글이란 무릇 고뇌를 극복하려는 의지의 표현이어야 한다. 이런 서재에 앉아 책을 읽고 글을 쓴다는 것은 지복(至福)을 누리는 일이 아닐까 싶다.

함께 읽으면 도움이 되는 책

- 권영식, 《다산의 독서 전략,》 글라이더, 2016.
- 한정원, 《명사들의 문장 강화》, 나무의 철학, 2014.

11 오래된 서가에서 시대의 지성을 만나다

《세계도서관기행》, 유종필, 웅진지식하우스, 2010.

내가 꿈꾸는 여행은 세계 유명 도서관 탐방이다. 한 달 정도의 여가 시간이 주어진다면 세계 곳곳의 도서관을 구경하고 싶다. 도서관은 국가나 도시의 자양분이다. 도서관의 규모로 그 나라와 도시의 힘을 알 수 있다. 언어는 안 통해도 대형 도서관의 서책에서 풍겨 나오는 냄새에 취하고 싶다.

저자 유종필은 전 세계 50여 곳의 도서관을 구경하고 이 책을 집필했다. 그가 목격한 국가에서 만든 국회 도서관들의 규모는 엄청났다. 유종필은 도서관에 '길'이 있다고 말한다.

"도서관이란 무엇인가. 도서관은 대지(大地)다. 땅이다. 땀 흘린 만큼 인간에게 돌려주는 곳이다. 자주 찾고 갈고 닦은 만큼 돌려주는 정직한 곳이다. 땅이 육신의 양식을 주는 것처럼 도서관은 마음의 양식을 제공한다. 우리는 도서관에서 네잎 클로버의 특별한 '행운'을 찾지 말고 세 잎 클로버의 일상적 '행복'을 찾아야 한다. 도서관은 학문과 사상의 자유를 넘어 상상과 공상의 자유가 있는 공간이다. '책 속에 길이 있다'라는 말이 있듯이, 도서관에는 셀 수 없는 길이 있다."[231]

미국의 힘은 도서관에서 나온다. 빌게이츠가 "오늘날 내가 있게 된 이유는 동네 조그마한 도서관 때문이었다"라고 회고할 정도로 미국은 도서관의 천국이다. 미국은 의회도서관, 공공 도서관, 대학도서관 등으로 어느 지역에 가든 손쉽게 도서관을 발견하고 드나들 수 있다. 미국의 맥도날드 가게는 1만 2천여 개인데 반해, 공공도서관은 1만 6천여 개이다. 여러 가지 형태의 도서관 까지 합치면 총 수가 12만 2천여 개에 이른다. 가히 천문학적인 숫자이다. 미국을 대표하는 도서관으로는 미의회도서관, 뉴욕공공도서관, 보스턴공공도서관, 하바드 엔칭도서관과 로스쿨 도서관, 케네디 대통령 도서관 등니데. 이들은 미국의 저력을 느끼게 한다. 미국 의회도서관은 의회 건물 바로 뒤에 위치한다. 3개의 건물 중 본관인 제퍼슨관은 23미터 천장에 스테인드글라스 채광창으로, 대리석 바닥은 태양모양의 놋쇠 세공 작품이 그려져 있다. 1897년 지어진 이 건물은 1980년부터 17년간 리노베이션을 했다. 직원만 4천 명이다. 장서는 1억 4,200만 점, 서가 길이가 1,046km이고 소장 언어의 종류만 470종이다.

영국의 대영도서관은 런던 시내 킹크로스역 근처에 있다. 이 도서관 마당에는 뉴턴 청동상이 있다. 이 도서관을 이용하는 사람들은 먼저 위대한 과학자 뉴턴과 인사하고 입장하게 된다. 대영도서관은 원래는 대영 박물관에 있었다. 이곳의 유명 이용자로는 마르크스, 레닌, 버나드 쇼, 토마스

하디, 예이츠, 찰스 디킨스, 에즈라 파운드, 오스카 와일드, 버지니아 울프, 이사도라 덩컨, 마하트마 간디 등이었다. 걸쭉한 사상가와 대문호들이 대영도서관에서 책을 읽고 사유의 폭을 넓혔다. 대영도서관은 기원전 3세기의 유물을 포함해서 1천 4천만 권의 단행본과 92만 종의 저널, 1억만 점 이상의 다양한 자료 등을 소장하고 있다.

프랑스의 미테랑 국립도서관은 센강을 근처에 위치하고 있다. 미테랑 대통령 재임 기간인 1988년에 가장 현대적 도서관을 짓고자 하는 '그랑 프로제'선언에 따라 시공되어 7년 뒤에 완공되었다. 건축비만 12억 유로(약 2조원)이 투입되었다. 이 도서관을 건립하는 데에 미테랑 대통령은 49회나 방문하였다 한다. 1995년 준공식을 할 때에 미테랑 대통령이 직접 테이프 커팅을 하였다. 그 다음해에 미테랑 대통력은 세상을 하직하였다. 1천 4백만 권의 장서를 갖고 있고, 서가 길이가 4백 여 km에 이른다.

아르헨티나의 아르헨티나국립도서관은 부에노스아이레스의 팔레르모 공원에 위치한다. 이 도서관은 남미 문학의 최고봉인 보르헤스(Jorge Luis Borges)가 18년간 도서관장으로 봉직한 곳으로 유명하다. 그는《바벨의 도서관》에서 이렇게 도서관찬가를 썼다. "도서관은 영원히 지속되리라. 불을 밝히고, 고독하고, 무한하고, 확고부동하고, 고귀한 책들로 무장하고, 쓸모없고, 부식되지 않고, 비밀스러운 모습으로." [232] 지금도 이곳에는 보르헤스의 애장 도서, 그가 관장 때에 사용하던 책상과 미니 서가가 보관되어 있다. 보르헤스의 체취를 그대로 느낄 수 있는 이 곳은 남미를 대표하는 도서관이다.

여기에서는 저자가 다녀온 도서관 중에서 몇 개의 도서관만을 소개했다. 여행은 일상에서 부터의 진취적 '일탈'이다. 여행을 통하여 나는 성장하고, 내 일상을 감사한 눈으로 보게 한다. 도서관으로의 여행은 그 지역의 지적 세계로의 탐방이다. 그 나라를 대표하는 도서관의 규모와 특징은 책으로 배울 수 없는 그 나라의 성장 비법을 알게 한다. 내가 미국에서 공부할 때에 거주하는 동네에서 10분 거리에 4군데의 도서관이 있었다. 이 공간은 지역 사회 주민들의 쉼터이자 지적 성숙의 터전이었다. 지금도 봄날 햇살이 미국 오하이오의 지역도서관 창문으로 들어 올 때 의자에 앉아 소설책을 읽었던 추억을 아련하게 간직하고 있다. 상큼한 봄 향기, 햇볕의 포근함, 천장에 울려 퍼지는 책 넘기는 소리는 아직도 내 의식 어딘가에서 살아 숨을 쉰다.

다음번 안식년에는 반드시 오하이오의 지역 도서관에서 평안하게 책을 읽고 내 중년의 삶을 반성해 보리라.

함께 읽으면 도움이 되는 책

- 조금주, 《우리가 몰랐던 세상의 도서관들》, 나무연필, 2017.
- 최정태, 《최정태의 세계 도서관 순례기》, 한길사, 2011.

12
유명인이 꼽은 고전

《한권의 책이 한 사람의 인생을 바꾼다》, 임영택, 박현찬, 위즈덤하우스, 2013.

책이 한 사람의 삶에 영향을 주기 위해서는 그 사람이 받아들일 준비가 되어야 한다. 아무리 좋은 책이라도 그 책을 읽는 독자가 마음이 열리지 않으면 무용지물인 것이다. 책은 누군가의 인생을 바꿀 수 있지만, 아무나 인생은 바뀌지 않는다.

이 책은 유명 인사들의 삶에 중요한 영향을 준 책들을 소개하고 있다. 한권의 책과의 만남은 '운명'이다. 그러한 만남은 사람을 투쟁의 장으로, 광명의 장으로, 성취의 장으로, 출세의 길로 이끈다.

안철수의 삶에 영향을 미친 책은 에드워드 카의 《역사란 무엇인가》이다. 이 책에서 역사란, "과거의 사건들과 서서히 등장하고 있는 미래의 목적들 사이의 대화"라고 말한다.[233] 카는 역사는 '과정'이라고 하였다. 출발점과 종점이 없고 서서히 진행해서 나가는 것이다. 안철수는 《역사란 무엇인가》를 읽고 다음의 소회를 밝힌다. "역사는 영웅 한 사람에 의해 바뀌지 않는다. 한 국가, 한 사회의 거대한 변화 속에서 그 변화의 아이콘이 되는 사람이 영웅으로 등극하는 것 일뿐, 사회적 시스템 자체가 바뀌지 않으면 큰 그림이 나오지 않는다."[234]

간디의 의미 있는 책은 헨리 D. 소로우가 쓴 《시민의 불복종》이다. 이 책은 정의에 대한 존경심을 강조한다. 공동체를 위협하는 법은 개혁해야 한다는 입장이다. 소로우는 그가 살았던 시대에 멕시코 전쟁과 미국 독립 이후 유지되었던 노예 제도는 중지해야 한다고 믿었다. 저항권을 드러내기 위해 소로우는 불복종을 강조하였다. 이러한 소로우의 철학은 간디의 삶 전체에 영향을 미쳤다.

체 게바라에 영향을 미친 책은 《자본론》이다. 혁명가 체 게바라의 삶에 이 책은 사회 변혁을 이루게 하는 방향이 되었다. 체는 미국의 자본주의와 남미의 독재정권에 힘들어 하는 남미 대중들의 삶을 바꾸고자 노력한 인물이다. 《자본론》은 19세기 중반 자본주의 사회에서 자본에 의한 '노동의 약탈'을 다루었다. 이 책은 "있는 그대로의 자본주의 사회를 보여주면서 모순된 현실을 바꿔야 하며 바꿀 수 있다"는 것을 제시했다.[235]

처칠에게 영향을 준 책은 《로마제국 쇠망사》이다. 《로마제국 쇠망사》는 에드워드 기번이 지은 것으로, 로마 전성기인 2세기부터 동로마 제국의 멸망한 15세기까지의 약 1,400년을 다루었다. 이 책은 로마 제국의 쇠망의 원인을 심도 있게 제시한다. "로마의 쇠망은 제국의 거대함에서 비롯된 자연스럽고 피할 수 없는 일이었다. 번영이 쇠망의 원리를 무르익게 한 것이다. 정복 지역이 넓어지면서 쇠망의 원인도 늘어났다. 그 때 우연인지 필연인지, 인공적인 기둥이 제거되자 이 엄청난 건축물은 자신의 무게를 감당하지 못하고 스스로 무너졌다. 로마제국 쇠망의 과정은 지극히 단순하고 명백하다. 오히려 놀라운 것은 어떻게 이다지도 오래 유지할 수 있었는가 하는 점이다."[236] 《로마제국 쇠망사》는 처칠 집안의 독서 목록 제1호였다. 처칠의 아버지는 이 책을 부분별로 암기했고, 처칠은 책의 여백에 빼곡하게 적으면서 글을 읽고 또 읽었다. 그는 이 책을 통하여 정치적인 교훈을 얻었으며, 로마 시대 정치가들의 연설을 인용하기도 하였다.

페스탈로치에게 영향을 준 책은 《에밀》이다. 《에밀》은 장 자크 루소가 소설의 형식으로 쓴 교육 방법을 소개한 책이다. 에밀의 연령대에 따라 5부작으로 이루어졌다. 이 책은 나오자마자 많은 사람들의 공격을 받았다. 스위스 정부는 루소를 추방하기도 했다. 페스탈로치는 이 책의 영향으로 법률가의 꿈을 버리고 교육가의 길을 걸었다. "《에밀》의 영향을 받은 페스탈로치 교육의 가장 중요한 원칙은 가능한 한 모든 것을 아이들의 성장 단계를 감안해 그것에 맞추는 것이다. 느리더라도 아이들의 발달 과정을 확실하게 하자는 입장이다. 가르치는 사람은 아이가 스스로의 감각과 이성으로 배우고 익히도록 돕는 안내자일 뿐이다."[237]

한 권의 책은 누군가에게 꿈을 발견하게 이끈다. 꿈에 향해 나갈 때에 그 책은 방향타(方向舵)가 된다. 살다보면 의도하지 않는 일들이 나타나고 좌절을 경험하기도 한다. 이럴 때에 그 책은 힘을 발휘한다. 그 책은 쓰러진 자를 일으켜 세우고, 넘어진 자에게 걷게 하는 요술 램프이다.

함께 읽으면 도움이 되는 책

- 요네하라 마리, 《대단한 책》, 이언숙 옮김, 마음산책, 2007.
- 최효찬, 《5백년 명문가의 독서교육》, 한솔수복, 2014.

13
공부는 성스러운 의무이다

《공부하는 삶》, 앙토냉 질베르 세르티양주, 이재만 역, 유유, 2013.

앙토냉 질베르 세르티양주는 프랑스의 가톨릭 신부이자 철학자이다. 세르티양주는 토마스 아퀴나스(1224-1274)에 대한 연구를 주로 수행한 학자이기도 하다. 이 책을 통해서 세르티양주는 공부하는 삶은 신에게 '복종'하는 삶이라고 했다. 공부를 위해 생활을 절제하고, 사교활동을 자제하고, 내면의 고요를 유지하라고 조언한다. 1920년에 출간된 책이니 나온지 거의 100년이 된 이 책은 삶에 대하여 스스로의 통제를 요구한다. '지성인'

이 되고자 한다면 공부라는 소명을 받고 살아야 할 것을 저자는 강조한다.

세르티양주는 공부는 "성스러운 의무"라고 한다. 그에게 공부를 잘하는 것은 공부를 통해서 '신(神)'과의 교통이 수월하다는 것을 말한다. 우리가 만약 이와 같은 신과의 교통을 망각한다면, "신의 이미지는 우리와 신 사이를 갈라놓을 것이고, 신의 흔적은 우리를 지켜보는 신을 향해서가 아니라 정반대 방향으로 우리를 끌고"[238] 갈 수 있다. 이렇게 신과 정반대의 길로 가는 것을 저자는 "광대 놀음"이라고 말한다.

공부하는 자에게 무서운 것은 정념과 악덕에 빠지는 것이다. 공부하는 데에는 강인한 영혼이 필요하다. "자기 혼자서 지성인 공동체가 되는 것, 홀로 자신을 격려하고 지원하는 것, 다수의 자극이나 불가피한 필요에서나 솟아날 법한 힘을 초래하고 고립된 개인의 의지에서 발견하는 것은 얼마나 드문 영웅적 자질인가!"[239] 지성인은 영웅적 자질을 가진 자이다. 세르티양주는 공부하는 자는 "고독한 묵상"에 빠지는 사람이라고 하였다[240].

지성인은 저녁 시간을 잘 이용해야 한다. 저녁은 고요한 시간이어야 하고 저녁 식사를 가볍게 하고 내일을 준비해야 하는 시간이다. 지성인은 저녁 시간을 마무리와 기도를 위해 사용해야 한다. "저녁은 생의 나날을 연결하는 중간 다리 같은 시간이다. 아침이 되면 우리는 당장 삶을 다시 시작해야 한다. 우리는 저녁에 고유한 방식으로 의식적인 노고의 시간을 연결하는 밤을 준비해야 하고, 아침을 준비해야 한다."[241] 세르티양주는 휴식이란, "우리의 근원", "생명의 근원", "힘의 근원", "영감의 근원"으로 돌아가는 것이라 했다.[242]

공부는 '치료제'이고 또한 '위로'이다. 이는 우리의 정신적인 균형을 갖게 하고 내면을 통합시킨다. 내면의 통합은 공부 외에는 얻어지기 힘들다. 지성인들은 가시적 성과가 나타나지 않아도 공부 그 자체를 가치 있게 여긴다. "그들이 공부하는 것은 열매만을 위해서가 아니라 공부 자체를 위해서다. 장연하게 공부하는 그들의 삶은 순결하고 올곧고 용맹하며, 신의 삶과 합일할 준비가 되어 있다. 그러므로 그들은 실망해도 멈추지 않는다."[243]

저자는 책을 읽는 방법에 대하여 몇 가지를 언급한다. 첫째, 책은 신중하게 읽도록 한다. 책을 무조건 읽기 보다는 읽고 사유를 많이 해야 한다. "허겁지겁 읽는 것", "자제하지 못하는 습관","정신을 해치는 과도한 마음의 양식"을 지양해야 한다.[244] 많이 읽기만 하는 것은 진정한 공부라 할 수 없다. 많이 읽기 보다는 밖으로 나가서 긴장을 푸는 것이 필요하다. 둘째, 책을 잘 골라야 한다. 저자는 '일급 사상가'들의 책을 고르라고 한다. 또한 "주요 관념을 직접적으로 표현한 책만을 읽어라. 이런 책은 그리 많지 않다. 책은 서로 되풀이되고, 서로 내용을 희석하고, 서로 반박한다."[245] '주요 관념'을 직접 표현한 책은 고유한 이념이나 이론을 포함한 것이다. 좋지 않은 책은 내용을 반복하거나 남의 내용을 그대로 비판 없이 수용하는 책을 말한다. 셋째는 천재 저자들의 책을 읽어야 한다. 문인이라면 호메로스, 소포클레스, 단테, 셰익스피어, 라신, 파스칼을, 철학자라면 소크라테스, 플라톤, 아리스토텔레스, 데카르트, 칸트, 베르그송 등의 책을 읽어야 한다. "천재 저자들과 교제하는 것은 우리를 더 높은 수준으로 끌어올리는 직접적인 이득을 가져다준다. 그들은 우수성 하나만으로도 우리에게 무언가를 가르치기 전부터 혜택을 준다."[246]

이 책은 공부를 사랑한 가톨릭 신부의 공부에 대한 연정을 담은 텍스트이다. 지금과 조금은 동떨어지는 고풍적 관념이 섞인 책이지만, 저자가 말하는 주제는 일관적이다. 공부는 신의 부름에 응하는 것과 신과 소통하는 것이다. 공부를 잘 하기 위해서 저자는 절제, 단련, 수련, 훈련, 단순, 회피, 귀기울임, 간소한 저녁, 노트하기에 대하여 언급한다. 공부를 이렇게 자기 절제의 차원으로 승화시킨 저자는 지성인의 소명을 생각해보라고 말한다. 저자에 따르면, 지성인이 되어 본인의 영달보다는 사회적 '봉사'가 지성인의 나갈 길이라는 것이다. 기독교 신자이건, 타교 신자이건 간에 "지적인 일이 소명"인 생은 아름답다. 이 글을 쓰면서 '운동선수의 삶은 어떻게 하면 지적일 수 있나?'에 대하여 고민을 하였다. 세르티양주가 말하는 공부를 위한 마음가짐처럼, 운동선수가 운동을 잘하기 위해서는 절제, 단련, 수련, 훈련, 명상, 깨달음, 메모하기를 실천해야 한다. '지적'인 삶은 머리로 하는 공부에서만 달성되는 것이 아니다. 몸으로 깨닫고 실천할 때에 지적인 삶이 완성이 된다. 그런 의미에서, 운동선수는 신체 훈련을 통하여 지적 연마를 추구해 나가는 자들일 테다.

공부를 지속적으로 하는 삶은 힘들다. 지금 시대를 살아가는 우리는 학교에서, 운동장에서, 직장에서, 일터에서 의무적인 일에 치이며 살아가고 있다. 여백의 시간 동안 공부를 탐닉하며 살기가 쉽지 않다. 오직 소명을 받은 자이나, 자신의 삶을 한 단계 업그레이드 하려는 자만이 가능하다.

함께 읽으면 도움이 되는 책

- 손기원, 《공자처럼 학습하라》, 새로운 제안, 2012.
- 신창호, 《마흔은 어떻게 단련되는가》, 위즈덤하우스, 2015.

14
책읽기와 글쓰기를 통해 나를 발견한다

《글쓰기는 스타일이다》, 장석주, 중앙북스, 2015.

책 읽기와 글쓰기는 사촌지간이다. 글을 잘 쓰기 위해서는 어느 정도의 책 읽기가 선행되어야 한다. 누구나 글을 잘 쓰고 싶어 한다. 치열하게 읽고 사유해야만 좋은 글이 나온다. 어둠의 시간을 뚫고 세상의 빛을 본 글들은 읽는 이의 가슴에 꽂힌다. 나에게 몇 몇 고전문학의 글들이 그렇다.

장석주는 20대 초반에 시립도서관의 참고 열람실에서 줄기차게 책을 읽은 사람이다. 도서관이나 서점에서 좋아하는 작가들의 책을 탐독하면서 작가의 꿈을 키웠다. 그가 가장 좋아했던 작가는 김승옥과 최인호였다. 그는 헌책방에서 《서울, 1964년 겨울》 초판본을 발견하고 희열을 느꼈다고 한다. 그러한 황홀감이 그를 작가로 인도했으리라.

장석주는 수만 권의 책을 읽는 사람이다. 그는 책읽기에 대하여 이렇게 말한다. "이해와 공감의 능력을 키우는 지름길이다. 이해와 공감 없이는 어떤 글도 쓸 수가 없다. 글쓰기의 동기는 자기 내면에서 나오는 것이지만 그것을 자극하고 촉발하는 것은 다양한 책 읽기다. 훌륭한 작가들이 쓴 책들을 두루 읽다 보면 어느새 자신도 그런 글을 쓰고 싶다는 욕구를 느끼게 된다."[247] 작가는 책 읽기는 자연스럽게 글쓰기로 연결된다고 이야기한다. 훌륭한 작가의 문체를 흉내 내고 싶은 욕구를 통해 멋진 글이 나온다. 그렇기에 책을 읽고자 하는 욕구와 쓰고자 하는 욕구는 동일하다. 이 욕구는 자신이 진정으로 원하는 바가 무엇인지를 알게 하고, 글쓰기를 통해 나와 타자를 구원하게 이끈다.

책 읽기에 빠져든 사람은 스스로가 고독 속으로 들어가 자기만의 도서관을 만든다. 이 도서관에서 타인의 생각, 감정, 정서를 느끼고 교류한다. 이를 통하여 타인과 사회가 형성되는 굴레 바퀴 안의 법칙을 이해한다.

책 읽기는 글쓰기의 비료와 같다. "글쓰기는 언표(言表)행위이고, 우연히, 혹은 필연적으로 자기 안의 무의식, 지각, 기억들을 드러낸다."[248] 자신의 내면을 드러낸다는 측면에서 비밀스러운 행위이기도 한다. 작가는 항상 멋진 말로만 글을 포장하지 않는다. 자신이 본 사물, 이미지, 현상에 대하여 귀를 기울이고, 그것들이 말하는 '그것'에 관심을 나타낸다. 작가의 내면에서부터 밖으로 나오기 힘든 그것들을 글로 쓰는 것이 작가의 임무이다. 장석주는 자기 삶의 경험에서 글이 만들어 진다고 이렇게 말한다.

"글쓰기는 무지와 맹목에서 나와 자기 삶의 한가운데로 뚜벅뚜벅 걸어가게 만든다. 누구나 제 삶의 경험으로 이야기를 만들 수 있다. 이 이야기 속에서 '공감'을 찾고, 다양한 인생 항로들에 대한 하나의 '예시'를 발견할 수 있다. 그것은 이야기가 시대와 세대를 넘어서서 공통적인 감정 기반을 갖고 있기 때문에 가능한 일이다. 세계는 이야기의 날줄과 씨줄로 짠 피륙이다. 인류는 이야기들 속에서 하나로 연결되어 있다."[249]

나의 이야기가 세계를 구성하는 여러 가지 스토리 중의 하나가 되기를 꿈꿔본다. 비단 작가가 일기, 편지, 연설문, 시 등의 이야기는 나의 내면에서 잉태되어 세계 속으로 흡입된다. 나의 이야기는 세계를 구성하는 원소(元素)로 자리잡는다.

글쓰기는 기본적으로는 노동이다. 앉아서 펜으로 쓰건, 혹은 컴퓨터 자판을 두드리건 간에 육체적인 노동 없이 글쓰기는 없다. 문장을 빚어내는 노동은 흥미가 없으면 지속되기 어렵다. 작가들은 왜 글을 쓸까? 장석주는 "자기 치유"와 "자기 정화"를 뽑는다. 글쓰기는 우리 내면에 상처받은 부분에 대한 치유를 수행한다. 또한 "인생을 어떻게 살아야 하는지?"에 대한 답을 준다.[250]

장석주는 글쓰기는 집짓기라고 한다. 한편의 글을 쓰는 일은 집을 짓는 것과 같다. "좋은 건축이란 구조적으로 안정을 이루고, 기능적으로 편리하면서도 조화와 균형을 이뤄야 한다. 건물의 내부 공간과 외부 공간이 충동 없이 조화를 이루며 알맞은 구조와 디자인으로 구성해야 한다. 글쓰기도 마찬가지이다."[251] 나도 글쓰기의 시작은 하나의 '설계'에서 시작된다고 믿는다. 나는 어떤 글을 쓰건 백지에 여러 가지 아이디어를 마인드 맵핑하고, 아이디어에 맞게 글을 적어 나간다. 이는 내 보이지 않는 생각을 정교화 하는 작업이다. 잘 지은 집은 기둥을 여러 개를 넣듯이, 주제들의 어울림을 확인하고 그 주제를 구성하는 개념들을 글로 적어나간다. 글을 써 나가면서 중요한 것은 '독창성'이다. 내가 쓰는 주제에 대하여 '다르게 보기'를 통하여 남과 다른 글을 쓰고자 노력한다.

글을 잘 쓰기 위해서는 꾸준한 독서를 통하여 재료를 수급 받아야 한다. 여러 책 사이의 '맥락'을 파악하는 독서를 통한 지식을 글쓰기로 수용해야 한다. '맥락적인 독서'의 좋은 사례는 문학평론가 김현의 독서 방식이다. 김현은 많은 독서를 하고 텍스트 사이의 전후 상황을 살피고, 이 내용과 저 내용을 잘 잇는 평론가였다. 이러한 맥락의 독서는 현상 사이를 잘 이해하게 하고, 다른 사람이 보지 못하는 글을 쓰게 한다.[252]

운동선수가 글을 잘 쓰기 위해서는 광범위한 책을 읽고, 그것들을 나의 것으로 수용하고 글 쓰는 연습을 해야 한다. 글을 잘 쓰겠다는 '문제 의식'을 견지할 때에 좋은 글이 만들어진다. 결국 글에 대한 관심을 계속 가져야 한다. 저자 장석주는 글을 잘 쓰기 원하는 운동선수들에게 이런 충고를 하는 듯 하다. 첫 번째는 온 몸으로 글을 쓰라는 것이다. 몸에 주의를 기울이고 집중하여 글을 써야 한다. 두 번째는 자신이 겪은 많은 일들, 시합, 훈련, 승리, 패배, 역전, 부상, 탈락 등에 대한 "몸에 입력된 감각"들을 글로 쓰는 것이다. 머리로만 쓰는 것이 아니라 내가 몸으로 기억하는 체험을 솔직하게 쓸 때에 멋진 글이 나온다.[253]

함께 읽으면 도움이 되는 책

- 박찬영, 《글쓰기 비결 꼬리물기에 있다》, 리베르, 2017.
- 이강룡, 《글쓰기 기본기》, 창비, 2016.

15
책은 운명을 만든다

《책은 도끼다》, 박웅현, 북하우스, 2011.

멋진 광고를 많이 만든 광고인 박웅현 또한 애서가이다. 그는 다독보다는 탐독(耽讀)을 한다. 그가 책을 읽으면서 지향하는 점은 바로 "온 몸이 촉수인 사람"이 되는 것이라고 한다. 온 몸이 촉수인 사람은 누구일까? 일상에 대하여 예민하게 반응하고, 그것을 음미하는 사람일 것이다. 봄이 되었는데, 개나리, 진달래, 모란과 작약의 아름다움을 보지 못하는 사람은 불행한 사람이다. 촉수를 세운 사람만이 주변에 애착을 갖고, 사랑을 느낄 수 있다.

이 책은 박웅현의 책에 대한 소견과 더불어 삶에 대한 관점들을 소개하고 있다. 일상을 즐기기 위해서 저자는 '훈련'을 강조한다. 우리가 풍요로운 인생을 살기 위해서는 반드시 훈련이 되어야 한다. 좋은 것을 볼 때에 그것의 가치와 의미를 알지 못하면 좋은 것과 나쁜 것을 구별할 수 없다. 유홍준 교수는 "문화미와 예술미는 훈련한 만큼 보인다."고 하였다.[254] 나는 미술품을 보기 위해서 예술의 전당에 자주 간다. 마크 로스코의 회화전 같은 경우에는 사전에 그의 그림에 대한 해설을 충분히 공부하고 갔다. 로스코가 말한, "회화란 경험에 관한 것이 아니라 경험 그 자체"의 의미를 생각해 보고, 전시회에 가서 그 의미를 되새겨보았다. 로스코는 화가는 경험으로 그림을 그리는 것이 아니라, 그리는 작업이 자기 정화를 수행한다고 했다. 전시회 관람객들에게도 로스코는 "그림을 응시하면 당신이 그 색이 될 것이다"라는 도발적 발언을 했다. 이런 화가들의 작품을 감상할 때에는 사전 공부가 필수적이다.

박웅현은 삶의 '풍요'가 무엇인지를 독자에게 묻는다. 돈, 지위, 명성, 권력 등은 한 사람을 행복을 위한 필요조건은 아니다. 박웅현은 본인이 세상을 하직할 때에 떠오르는 장면은 프레젠테이션을 잘 하고 박수를 받는 장면보다는, 멋진 풍경 속의 햇살일 것이라고 하였다. 의미 있는 대화, 표정, 웃음 등이 많이 축적되어 있는 사람이 그렇지 못한 사람보다 훨씬 행복한 사람이다. 이러한 관점에서, 저자는 행복은 '추구'의 대상이 아니라, '발견'이라고 주장한다. 그 발견의 장이 '일상'이다. 일상에서 사소한 부분에서 의미와 가치를 발견하는 삶이 진정 행복하다. 무엇인가를 추구하거나 갈구(渴求)하는 데에서 그 한계는 없다. 인간의 욕망은 한이 없기 때문이리라. 돈을 어느 정도 가져야 행복한가? 10억을 가지면 50억을 갖고 싶고, 50억을 가지면 100억 가진 자와 비교한다. 돈이나 명성이 아니라 하루하루의 삶을 둘러싼 모든 것에 관심을 갖고 음미하는 사람이 행복한 자이다.

카프카가 "책은 우리 내면에 존재하는 얼어붙은 그 바다를 깨는 도끼"라고 했다. 책은 우리의 당연히 생각하는 관념을, 편견을, 오해를, 안이함을 깨는 도끼이어야 한다. 책이 이런 역할을 하기 위해서는 그 책을 읽는 독자의 의식이 중요하다. 박웅현이 강조하는 '시이불견 청이불문(視而不見 聽而不聞)'의 자세를 견지해야 한다. 그냥 보는 것이 아니라, 꼼꼼히 보고, 흘려듣는 것이 아니라 유심히 들어야 한다. 책을 이렇게 읽을 때에 그 책은 우리 삶을 해방시킨다.

운동선수의 삶에서도 "책은 도끼"가 되어야 한다. 운동을 하면서 읽은 철학책 한 구절이 그 사람을 의식 있는 지도자로 바꿀 수 있다. 힘든 운동선수의 생활에서 어떤 책은 치유제가 된다. 영혼이 힘들고 외로울 때에 몰입해서 읽은 그 책은 운동선수의 삶을 통째로 바꾸어 버린다. 지금 우리 사회는 책으로 자신의 내면을 깨고, 운동과 삶의 의식으로 무장한 바로 그 사람을 기다린다.

마치 니체가 말한 그 '초인'을 간절하게 기다리는 마음으로.

함께 읽으면 도움이 되는 책

- 박웅현, 《다시, 책은 도끼다》, 북하우스, 2016.
- 유지은, 《종이책의 위로》, 프로방스, 2018.

제2부

행복

제 5 장

행복이란 무엇인가?

01
삶에서 고통 성찰하기

《인간이라는 직업》, 알렉상드르 졸리앙, 임희근 옮김, 문학동네, 2015.

많은 사람들이 '고통'이라는 단어를 부정적으로 여기는 경향이 있다. 인생을 살아가는데 있어서 누구나 크고 작은 고통을 경험한다. 누군가는 사고를 통해서, 다른 누구는 선천적으로 태어날 때부터, 또 다른 이는 타자와의 관계 속에서 고통을 경험하고 살아간다. 인간은 고통이나 힘들고 어려운 상황에서 이를 어떻게 이겨내는가에 따라 지금보다 나은 인간으로 성장할 수 있다. 힘든 상황에서 좌절보다는 상황을 극복하기 위한 노력을 통해 주도적인 인간이 될 수 있다. 고통, 불안, 암담, 처절 등과 같은 심리 상태를 잘 이겨낸 사람은 내공(內功)을 갖고 있다. 장애를 갖고 태어난 사람들에게 삶 자체는 고통의 연속이다. 그들의 삶 속에는 불편, 고통, 슬픔 등이 고요하게 침전되어 있다.

철학자 알렉상드르 졸리앙은 장애를 갖고 태어나 하루 하루 어려움을 이겨내며 살아간다. 그 힘들고 어려운 과정 중에서 졸리앙은 자신의 장애에 대해서 무조건적으로 불평과 불만을 하기 보다는, 장애의 뒤안길에 펼쳐진 삶의 진실, 의미, 의지에 대하여 이해하기를 원한다. 장애가 장애물이 아닌, 나의 생을 성찰할 수 있는 무기가 될 때에 그 사람은 수도자의 길을 걷는다. 행복의 기준을 눈에 보이는 것만으로 한정한다면 장애는 불행의 조건이다. 그러나 장애가 사람을 발전시키는 동기(動機)로 작용한다면 이는 오히려 행복의 조건이 될 수도 있다.

줄리앙은 인간의 성장은 '동반자' 의식에서 비롯된다고 말한다. 그는 장애인이 이 사회에서 성공적으로 살기 위해서는 타자와의 연대감이 필요하다고 역설한다. 타인의 따뜻한 시선은 장애를 가진 사람들이 사회 안에 안착하도록 돕는 촉매제이다. 졸리앙은 이렇게 말을 한다.

"우리는 인간으로 태어나는 것이 아니라 만남과 수많은 기회와 내면적 길에 들어서고자 하는 결심 덕분에 인간이 되어가는 것입니다. 혹시라도 나의 여정을 보고 사람이 혼자서 자신을 구축해가는 것이라고 생각해서는 안됩니다. 타인의 따뜻한 마음이 없다면 우리는 아무것도 아닙니다."[255]

인간이 되어간다는 것은 누군가와 함께 세상을 만들어 가는 것이다. 누군가를 소외에서 벗어나게 하고, 스스로의 어떤 제약으로 부터 해방되는 데 도움을 주면 아름다운 세상을 만들 수 있다. '진정한 인간이 된다는 것'은 나와 타자가 함께 공동체를 발전시킨다는 명제를 포함한다. 졸리앙은 "인간이라는 직업" 이란, 인간이 여러 가지 어려움과 힘듦을 극복해 나가는 과정을 포함한다고 하였다. 이러한 삶의 제약에 대하여 매일 이겨내고자 노력하는 삶이 인간이라는 직업을 잘 수행하는 인생이다. 그렇기에 졸리앙은 "인간이라는 직업을 수행해 나간다는 것은 운동선수가 몸을 훈련하는"[256] 자세로 살아가는 것이라고 강조하였다.

장애를 가진 사람의 실존은 하루하루의 전쟁 경험으로 이루어진다. 신체적 장애를 갖고서 매일 삶의 현장에서 좌절과 극복을 동시에 경험하는 과정은 위대한 싸움의 여정이다. 우리가 행복하지 못한 것은 스스로가 현실에 대해서 부정적인 생각을 하고 있거나, 혹은 '꼬리표'를 스스로에게 부착하기 때문이다. 나에게 주어진 장애나 부족함을 극복할 수 없는 대상으로 믿는 순간부터 나는 불행해진다. 행복을 위해서 인간을 한 가지로 규정해서는 안 된다. 장애인, 조울증 환자, 우울증 환자, 흑인, 이기주의자 등과 같이 개인을 하나의 꼬리표를 부착하는 순간부터 삶의 무한한 가능성이 막힌다. 이에 대해서 졸리앙은 이렇게 말한다.

"말 뒤에 숨어 있는 것은 하나의 존재, 풍부하고 유일하고 축소할 수 없는 개별성인데, 선입견의 무게는 끝내 단호함을 뽐내는 하나의 층으로 이를 덮어버린다. 이러한 겉치레 때문에 단순하고 편견 없는 접근이 어려워진다. 휠체어, 시각장애용 흰 지팡이, 오직 이런 것만 눈에 띄는 것이다. 그러나 휠체어를 놀랍도록 숙달된 솜씨로 타고, 흰 지팡이를 능숙하게 다루는 사람은 누구인가? 그것이 사람들 눈에 보이는가? 사람들은 과연 보려고 하는가? 그리고 그런 부속물들이 어째서 반드시 불행의 징표란 말인가? 이처럼 밖으로 보이는 표시들이 '행복한 맹인'을 아예 상상하지 못하게 하는 까닭인 것이다."[257]

졸리앙의 말대로 매사에 단순화시키려는 습성은 위험을 잉태하는 일이다. 우리가 누군가를 규정짓는 것, 그리고 그 규정된 감옥에 갇히는 일은 불행으로 가는 첩경(捷徑)이다. 불행하지 않기 위해서는 고정 개념을 깨야 한다. 개인의 고유성은 주관적 의지가 동반되어 만들어진다. 내가 장애를 갖고 있다고 해도 스스로가 행복하다고 느끼는 사람은 진정한 행복을 경험할 수 있다. 우리가 동일한 고통을 경험해도 이를 받아들이고 극복하는 방식에 따라 고통의 의미는 달라지기 때문이다.

고통은 인간을 성장시키는 매체이다. 고통보다 중요한 것은 '회복탄력성'이다. 에밀 시오랑은 이렇게 말했다. "고통은 눈을 뜨게 하고, 고통이 아니었다면 인식하지 못했을 것들을 보도록 도와준다. 그러니 고통은 오직 앎에 쓸모 있을 뿐이며, 앎을 벗어나면 실존을 악화하는 데만 쓸모가 있을 따름이다"[258] 에밀 시오랑의 말대로, 고통은 이를 정확하게 아는 자에게만 '빛'을 준다. 고통을 피하기보다는 그 실체를 알고 응대하는 자는 고통 속에서도 깨달음의 단계에 이르게 된다. 고통을 성찰하는 삶은 아름답다. 소크라테스는 가장 좋은 삶으로 '성찰하는 삶'을 꼽았다. 그는 눈에 보이는 세상의 넘어선 곳에 변하지 않는 실재가 존재하고 이러한 곳을 완벽한 세계라고 하였다. 성찰하는 사람은 고통을 포함한 자신의 내면을 들어다 볼 수 있는 자이다. 그 사람은 환상을 쫓거나, 피상적인 것에 관심을 갖지 않는다. 고통에 대한 성찰은 우리를 '영원'으로 인도한다.[259]

우리 자신에 대한 성찰을 위해서는 특별한 자세를 취해야 한다. 인간이 현재의 시간을 영원의 시간 속에 넣기 위해서는 자신을 되돌아보는 의식을 갖추어야 한다. 배철현은 이를 위해 앉아서 묵상할 것을 이렇게 권유한다.

"오늘이라는 순간을 영원으로 만들기 위한 의례가 있다. 바로 '좌정(坐定)'이다. 좌정은 자신이 정한 장소에 가부좌를 틀고 가만히 눈을 감는 행위다. 좌정은 나를 매일 조금씩 변화시켜 내가 가고자 하는 목적지로 나를 인도한다. 유대인들은 이 순간을 포착하기 위해 일주일에 하루를 구별해 특별한 일을 한다. 인생의 7분의 1을 이것을 위해 온전히 바치는 것이다. 그들은 그것을 '사바스'라고 한다."[260]

몸은 고통이 존재하는 장소이고, 또한 쾌락을 공급하는 주체이다. 그래서 몸으로 산다는 것은 졸리앙 말대로, 인간이라는 직업을 수행하기 위한 전제 조건이다. 몸은 우리가 행복을 느낄 수 있는 구체적 터전이다. 우리는 몸을 통하여 세상과 만나고, 행복에 대한 여러 가지 감정들을 경험한다.

졸리앙은 인간이 살아가는 것을 직업에 비유했다. 일상에서 고난과 고통을 자주 경험하는 그에게 삶은 싸움터이다. 이 일상의 삶은 그에게 계속 재촉한다. "다시 일어나라!", "계속 노력해라!", "행진해라!" 그리고 "상처를 극복해라!"고 끊임없이 주문한다. 이 싸움터에서 승리하는 방법은 무엇일까? 졸리앙은 장애를 가진 사람이 힘든 삶 속에서 행복해질 수 있는 전제 조건은 '유머'라고 한다. 웃음과 삶을 향해서 끊임없이 나가고자 하는 의지만이 우리의 삶을 구원할 수 있다. '인간이라는 직업'을 잘 완수하기 위해서는 스스로가 삶에 대한 유머를 가질 필요가 있다. 이 전쟁터에서 기쁨과 즐거움으로 나갈 때에 행복을 만끽할 수 있다.

삶에 대해서 관조하며 유머를 가지고 지낼 때에 행복이 만개(滿開)한다. 장애를 가지고 하루하루를 투쟁적으로 살아가는 이 철학자는 우리 모두에게 행복의 조건으로 '타자와의 연대', '의지', '웃음'과 '유머'가 필요하다고 말한다.

함께 읽으면 도움이 되는 책

- 만프레트 가이어, 《웃음의 철학》, 이재성 옮김, 글항아리, 2018.
- 알렉상드르 졸리앙, 《벌거벗은 철학자》, 임희근 옮김, 문학동네, 2016.

02
노자, 장자와 맹자에게 배우는 행복론

《죽기 전에 논어를 읽으며 장자를 꿈꾸고 맹자를 배워라, 김세중, 스타북스, 2012.

행복은 무조건 편하게 지낸다고 해서 얻어지는 것이 아니라, 행복은 인간과 자연의 길에 따라가다가 얻어진다. 특히, 인간이 살아갈 길을 현명하게 걸어가고, 자연의 이치와 도를 파악하여 나갈 때에 행복을 경험할 수 있다. 중국의 사상가들은 이와 같은 자연의 도를 따라 가는 삶의 즐거움을 권유하였다.

중국 사상의 핵심은 공자와 맹자를 중심으로 한 유가사상과 또 다른 하나는 노자와 장자를 중심으로 한 '도가사상'이다. 이 두 사상은 중국의 사상체계를 지배하여 왔다. 공자는 춘추시대 말기의 노나라 출신으로 열다섯 살 때부터 학문에 뜻을 세우고 서른 살이 되어 제자를 받아들이고 가르치기 시작하였다. 공자는 제자들과 함께 당시 여러 나라를 돌아다니면서 자신이 세웠던 뜻을 군주들한테 펼치기를 원했다. 공자가 평생 동안 제자들한테 가르쳐서 정리한 책이 《논어》이다. 이 책은 공자 사상 핵심을 다룬 것으로 정치, 사회, 문화, 철학, 교육 등의 다양한 영역을 포함하는 중국 사상의 핵심을 이루는 텍스트이다. 맹자는 주나라 사람으로 공자의 대를 이어 유가철학을 대표하는 학자이다. 맹자는 공자의 손자라고 일컬어지는 자사(子思)의 제자이기도 하다. 맹자는 자신의 정치적 신념을 사람들한테 알려고 전국을 돌아다녔으나, 그의 정치적 꿈이 현실 정치에서는 실현되지 못했다. 기원전 312년 맹자는 추나라로 돌아가 제자들과 자신의 사상을 정리한 《맹자 7편》을 만들었다. 맹자는 특히 인과 의를 중시하는 공자의 사상을 좀 더 체계적으로 발전시켰고, 치국의 덕과 강국을 위한 도에 대한 사상을 펼쳤다. 도가사상을 대표하는 장자는 전국시대의 송나라에서 태어난 사상가이다. 장자는 한 때 관직에 나가서 지방 관리가 되기도 하였으나, 현실 정치에서 한계를 깨닫고 칩거 생활에 들어가서 도학사상을 완성하였다. 노자와 양주의 철학을 정리하여 그는 도가 사상을 대표하는 인물로 자리 잡았다. 장자는 도(道)를 중시 여기며 도는 시공을 초월하여 절대적인 것으로 간주 하였다. 그의 사상을 담은 책, 《장자》는 도가사상의 핵심적 텍스트라고 불린다. 중국 사상을 이해하는 데에 있어서 《논어》, 《맹자》, 《장자》는 뛰어난 길을 제시한다.

공자가 이야기한 행복과 연관된 몇 가지 이야기들을 소개해 보고자 한다. 첫째, 공자는 죽음을 초월하기 위해서 불안해하기 보다는 현재 삶의 이해를 주장하였다. 공자는 "삶도 모르는데 어찌 죽음을 알겠는가"라고 했다. 자로(子路)는 춘추시대 노나라 사람으로 효성이 아주 대단하였다. 어린 시절부터 부모님을 봉양하기 위하여 100리길도 마다하지 않고 걸어가서 쌀을 구해왔다. 그는 부모님이 돌아가신 후에 벼슬길에 올라 관직에서 성공적인 일을 수행했다, 그가 고위 관리가 되어 진수성찬을 대할 때마다 돌아가신 부모님을 항시 떠올리며 '부모님 계실 때 더 잘 했어야 하는데'라는 한탄을 자주 하였다고 한다. 이런 자로는 공자한테 찾아가 귀신을 어떻게 섬겨야 하는지에 대해서 질문을 했다. 또한, 그는 "도대체 죽음이 무엇인가요?"라고 공자한테 물었다. 이에 공자는 "사람이 삶도 잘 모르는데 어찌 죽음을 알겠는가?"라는 우문현답을 해주었다. 우리가 행복하기 위해서는 죽음에 대해서 초월해야 한다. 내 삶을 잘 알고 삶에 대하여 의미 하나 하나를 깨닫고 지낼 때에 나의 삶은 행복해질 수 있다. 돌아가신 부모님을 생각하고 아무것도 하지 않고 깊은 슬픔에만 빠져있는 것은 결코 부모님의 뜻을 이어받는 일이 아니다. 지금 나한테 주어진 일을 잘 하는 것이 부모님의 뜻에 따라 사는 것이다. 둘째, 제자 중궁(仲弓)이 공자한테 '인'에 대하여 물었을 때 공자는 "자기가 원하지 않는 일을 남한테 시키지 말라"고 했다. 공자는 군자는 백성을 대할 때에 자기가 하고 싶지 않은 일을 시키지 않아야 한다고 하였다. 이럴 때에 대인 관계가 원만해지고 백성의 원망이 없는 국가 운영이 된다고 하였다. 내가 행복해지기 위해서는 다른 사람에 대한 나의 태도가 중요하다. 나만 편하고자 다른 사람을 하대(下待)하거나, 혹은 자기가 하기 싫은 일을 시켰을 때는 반드시 문제가 파생된다. 셋째, 공자의 제자 안회(顔回)는 공자에 대하여 우러러 볼수록 높은 곳에 계시는 스승이라고 하였다. 안회는 공자의 가르침을 통하여 지식이 넓어지고, 예를 갖출 수 있고, 또한 배움의 중요성을 인식할 수 있었다고 말했다. 그는 공자가 친애하던 제자로, 공자의 교육 방식을 후대에 잘 설명한 인물이기도 하다. 안회는 공자의 가르침을 자기 것으로 수용하였기에 당대 사람들은 그를 공자의 버금간다고 해서 '복성(復聖)' 이라는 성인으로 까지 추대하였다. 공자 사상에 따르면, 행복하기 위해서는 인과 예를 갖추고 끊임없는 배움의 길로 나가야 한다. 안회는 공자라는 위대한 스승이 있었기에 진정으로 행복할 수 있었다. 그는 스승 덕에 배움을 놓지 않았고, 의문 사항에 대해서 항시 질문 할 수 있었다. 그는 이런 배움의 조건이 바로 행복의 조건이라고 하였다.

다음으로는 장자가 이야기한 행복의 조건에 대하여 이야기해 보고자 한다. 첫째, 장자는 마음으로 사물과 대화하는 법을 이야기 했다. 언젠가 문혜군(文惠君)은 백정이 소를 잡는 모습을 보았다. 백정은 좋은 리듬감을 갖고 소를 자연스럽게 잡았다. 문혜군은 어떻게 해서 그렇듯 자연스럽게 소를 잡을 수 있는지에 대하여 백정에게 물었다. 이에 백정은 이렇게 대답하였다. "제가 관심을 갖고 있는 것은 기교가 아닌, 아주 높은 경지의 도입니다. 저는 19년 동안 칼로 수 천 마리의 손을 잡았지만 아직도 칼끝이 살아 있습니다." 그 백정의 말을 듣고 문혜군은 '양생'에 대하여 깨닫게 되었다. 사물을 마음으로 이해할 때에 숙달된 경지에 도달할 수 있다. 자기가 하는 일에서 숙달된 경지에 이른다는 것은 행복을 경험하는 일이다. 둘째, 장자는 겉과 속이 다름에 대하여 이야기했다. 장자가 어느 날 제자들과 산에 올랐을 때 희한하게 생겨서 나무꾼들이 좋아하지 않는 나무를 보게 되었다. 장자가 나무꾼에게 그 나무를 좋아하지 않는 이유에 대하여 물었을 때에 나무꾼은 "그 나무는 아무 쓸모가 없어요"라고 했다. 이에 장자는 제자들에게 "이 나무는 쓸모가 없어 보이기에 천명을 누릴 수 있었다"고 하였다. 현재의 겉모습이 부족하고 모자란다고 해도 종국에는 다른 평가를 받을 수 있다. 그 나무 또한 못생긴 나무였기에 오랫동안 생존이 가능했다. 우리가 인생을 살아가는데 있어서 외모나 외양은 그 사람의 판단 기준이 될 수 없다는 것을 알아야 한다. 오히려 현재의 외형은 발전을 위한 걸림돌이 될 수 있다.

맹자는 인간 삶의 이상적 방향에 대해서 여러 가지를 이야기했다. 첫째, 제자 공손추가 냉정하게 스승님이 잘하는 것이 무엇인지 물었다. 이에 맹자는 나는 호연지기(浩然之氣)를 기르는 것을 잘 한다고 하였다. '호연지기'라는 것은 의와 도가 함께 어우러지는 상태이다. 운동선수의 삶에서도 호연지기는 중요하다. 이를 갖고 훈련을 하고 시합에 임하는 선수가 멋진 시합을 할 수 있다. 떳떳한 승부와 멋진 경쟁은 의와 도를 통해 달성된다. 둘째, 맹자는 책을 맹신하지 말라고 하였다. 그는 책만 믿는 것은 책이 없는 것만 못하다고 하였다. 우리는 살아가면서 활자화 된 것에 대하여 맹목적으로 믿는 경향이 있다. 책 보다 더 중요한 것은 현실에서 적용되고 통용되는 지혜이다. 우리의 운동 현장에는 책에 나온 법칙과 다르게 통용되는 기술과 기법들이 존재한다. 책에 나온 기술보다 현장에서 내가 몸과 마음으로 깨닫는 법칙이 더 중요할 수 있다. 셋째, 맹자는 무엇이든지 간에 지나치지 않는 것이 중요하다 하였다(불위이심, 不爲已甚). 과욕은 필멸(必滅)이다. 욕심을 부리지 않고 현재에 만족해서 삶을 살아가는 것이 중요하다. 맹자가 말하는 중도의 도는 중심을 지키고, 균형을 지키고, 이성을 잃지 않는 선에서 삶을 살아가는 것이다.

중국의 위대한 사상가들은 우리가 삶을 살아가는 지혜에 대하여 혜안을 제시해주었다. 공자, 장자 그리고 맹자가 이천 몇 백 년 전에 이야기했던 인간, 자연, 도에 대한 사상은 오늘 날의 삶에도 그대로 적용이 된다. 달인이라는 사람들은 생과 사에 대한 경계에서 민감성을 유지하는 엄청난 감각인 "더듬이"를 갖고 있다. 이들은 이 더듬이가 아주 발달해서 이론으로 정리가 되지 않는 상태라고 해도 "내가 어떻게 해야 하나?"에 대하여 잘 알고 있다. 어떠한 의사 결정을 할 때에 어떤 감으로 하는데 이는 대부분 옳은 결정으로 이어진다. 최진석은 "이게 감각이에요. 이게 통찰이고, 이게 바로 더듬이란 말이지요. 세상사 모든 일은 딱 보고 알아야 합니다. 생각하기 시작하면 대개는 꼬여 버려요"[261]라고 말한다. 우리가 삶의 더듬이를 갖는 방법은 위대한 사상가의 지혜를 내 안으로 용해하는 것이다. 공자, 맹자와 장자의 사상이 우리 안으로 들어와 자리를 잡을 때에 그 자리는 삶의 숙제를 풀어가는 무기로 탈바꿈한다. 특히, 이는 어떻게 행복하게 살아야 하는가에 대한 비책을 전해줄 수 있다.

함께 읽으면 도움이 되는 책

- 강신주, 《강신주의 노자 혹은 장자》, 오월의 봄, 2014.
- 공자, 《인생의 절반쯤 왔을 때 읽어야 할 논어》, 박훈 옮김, 탐나는 책, 2017.
- 김용옥, 《맹자 사람의 길 상, 하》, 통나무, 2012.
- 명로진, 《논어는 처음이지?》, 세종서적, 2017.
- 박경덕, 《지금, 혼자라면 맹자를 만나라》, 페이퍼스토리, 2016.
- 이석명, 《장자, 나를 깨우다》, 북스톤, 2015.

03
어떻게 행복을 예측하나?

《행복에 걸려 비틀거리다》, 대니얼 길버트, 서은국, 최인철, 김미정 옮김, 김영사, 2006.

행복은 주관적인 감정이다. 행복은 과거의 경험이나 미래의 예측과 연관된 감정이다. 그러나 미래에 대한 무분별한 예측은 행복감을 강화하지는 못한다. 우리는 미래에 대하여 잘 모르는 예측을 통하여 행복감을 느끼려고 하고 있다. 미래에 대한 잘못된 예측은 행복을 제대로 느낄 수 없게 한다. 앞으로 한 달이나 일 년 후에 어떠한 변수들이 생길지도 모르는데 우리는 그 시점에 지금 내가 생각하는 상태에서의 행복을 느낄 것이라는 착각을 한다. 미래의 행복은 지금 생각하는 것과 같을 수 없다. 또한 행복이나 불행이 영원하다는 것도 착각이다. 행복이나 불행은 일시적인 감정이다. 제2차 세계대전에서 파시즘에 저항한 지하운동에 참여하다가 체포당해 아우슈비츠로 이송되어 제3수용소에서 힘든 생활을 하다가 생환된

프리모 레비는 행복과 불행의 속성에 대하여 이렇게 말한다.

"누구나 인생을 얼마쯤 살다 보면 완벽한 행복이란 실현 불가능하다는 것을 깨닫게 된다. 하지만 그것과 정반대되는 측면을 깊이 생각해보는 사람은 드물다. 즉 완벽한 불행도 있을 수 없다는 사실 말이다. 이 양 극단의 실현에 걸림돌이 되는 인생의 순간들은 서로 똑같은 본성을 가지고 있다. 그것들은 모든 영원불멸의 것들과 대립하는 우리 인간적 조건에 기인한다. 미래에 대한 우리의 늘 모자란 인식도 그 중 하나다. 그것은 어떤 때에는 희망이라 불리고 어떤 때는 불확실한 내일이라 불린다. 모든 기쁨과 고통의 한계를 지우는 죽음의 필연성도 그 중 하나다. 어쩔 수 없는 물질적 관심들도. 이것들이 지속적인 모든 행복을 오염시키듯, 이것들은 또 우리를 압도하는 불행으로부터 끊임없이 우리의 관심을 돌려놓음으로써 우리의 의식을 파편화하고, 그만큼 삶을 견딜 만한 것으로 만들어 준다."[262]

행복에서 상상은 중요하다. 우리의 뇌는 우리가 경험하지 않은 미래에 대해서 현재의 상태와 경험을 통해서 예측하고자 한다. 우리가 아직 오지 않은 미래 상황에 대해서 예측할 때에 분명 '오류'가 존재한다. 미래에는 지금 현재 예측 불가능한 많은 변수들이 갑자기 출현할 수 할 수 있다. 현재 감정을 기반으로 미래를 생각하는 것은 미래의 행복을 올바로 예측할 수 없다.

저자 대니얼 길버트는 우리가 생각하는 행복은 예측을 빗나갈 수 있다고 이야기한다. 평상시에 다이어트하고, 패스트푸드를 절제하고, 운동을 열심히 하고, 여가 시간에 책을 읽는 것은 다가올 미래를 위해서이다. 만약 당장 삶이 얼마 안 남았다고 했을 때에는 사람의 행동은 다르다. 이때에는 자기가 하지 못했던, 그러나 진짜 원하는 것을 하게 된다. 미래를 위해서 현재 행동을 규제하는 것은 너무 미래를 예측해서이다.

행복은 세 가지 측면을 갖고 있다. 그 측면은 감정적 행복, 도덕적 행복, 그리고 평가적 행복이 있다. 첫째, 감정적 행복이라는 것은 느낌, 경험, 주관적 상태를 포함한다. 감정적 행복의 핵심은 '경험'이다. 이는 언어로 설명하기는 힘들지만 느낌으로 인식하고 경험한다. 예를 들어, 기쁨, 즐거움, 만족들은 감정적 행복의 구성 요인이다. 둘째, 도덕적 행복은 좋은 느낌만이 아닌, 특별한 수단을 통해서 얻을 수 있는 느낌을 포함 한다. 많은 철학자들은 행복하기 위해서 자신에게 주어진 의무를 잘 수행해야 한다 하였다. 그들은 행복함을 '고결함(virtous)'과 규정 지어 설명하였다.[263] 셋째, 평가적 행복은 주관적인 경험 상태에 대한 평가를 통해 얻어지는 행복이다. 예를 들어, 우리 집 정원을 어느 동물이 훼손시켰을 때 밤에 잠복하고 있다가 이 동물을 잡으면 '행복하다'고 느낀다. 이는 즐거운 느낌과는 상관이 없는 주관적 평가에서 오는 행복 상태이다. 어떤 사건이나 상황이 행복감을 줄 때에 평가적 행복감은 고조된다. 행복이라는 감정은 복합적인 감정으로, 어느 한 부분으로 구성되기 보다는 감정적, 도덕적, 그리고 평가적인 감정의 복합적 측면에서 경험된다.

대니얼 길버트는 우리가 미래를 상상할 때에 현재 상태의 지배를 받는다고 하였다. 현재는 미래를 상상하는데 있어서 중요한 역할을 한다. 많은 이들은 현재와 전혀 다른 미래를 상상할 수가 없다. 그들은 현재 생각하고 느낀 감정이 미래에도 동일할 것으로 확신한다. 저자는 헬스클럽에서 운동하는 사람들한테 만약 하이킹을 하다가 길을 잃어서 음식도 물도 없이 하룻밤을 숲 속에서 보낸다면 어떠한 느낌이 들지 대해서 상상하게 하였다. 이때 한 그룹은 런닝 머신에서 막 운동이 끝난 후에 이 질문을 받았고, 다른 그룹은 런닝 머신에서 운동을 하기 전에 질문을 받았다. 실험 결과에 따르면, 목마른 집단의 90프로는 산 속에서 길을 잃게 된다면 아주 심한 갈증을 느낄 것이라고 이야기했고, 목이 마르지 않은 집단에서는 61프로가 목이 마르면 불쾌할 것이라고 대답을 했다. 이 결과가 나타나는 것은 뇌는 현실에서 경험한 것을 바탕으로 상상 속의 장면을 연상한다는 점이다. 우리의 뇌는 현재 느낌과 미래를 혼동한다.[264] 그렇기에 현재 기분이 나쁘면 미래를 긍정적으로 상상할 수가 없다. 반대로 현재 기분이 좋으면 미래를 긍정적으로 상상할 수가 있다.

미래에 대한 상상 오류의 원인으로는 세 가지가 있다. 첫 번째는 상상의 과정에서 우리가 갖고 있지 않은 정보를 넣거나, 혹은 갖고 있는 정보를 빠트린다는 점이다. 미래에는 상상과 다른 곤란한 경험을 할 수 있다. 두 번째는 현재 조건을 미래 예측에서 너무 많이 고려한다는 것이다. 우리가 미래를 상상할 때에 현재로 부터 많은 부분을 끌고 오기에 실제 미래를 제대로 볼 수가 없다. 아주 배고픈 상태에서 쇼핑을 하는 사람, 담배를 막 피운 후에 담배를 끊겠다고 맹세한 사람들은 현재의 기분에 따라서 미래의 감정을 예측하게 되고, 그 예측은 올바른 예측이 되지 못한다. 세 번째는 어떤 일이 발생하고 나면 그 일은 전에 상상할 때와는 전혀 다르다는 것을 파악하지 못한다. 실제 나쁜 일이 일어나면 상상한 것 보다는 크게 문제가 되지 않는 경우가 많다. 우리가 직장을 실직 했을 때를 상상할 때와는 다르게 실제 실직 상황에서는 우리의 '심리적 면역체계'가 실직 상황에 대한 아픔이나 고통을 경감시켜준다. 그럼에도 우리는 이러한 면역 체계에 대한 부분을 항시 고려할 수 없다. 상상에 의존하지 않고 현재와 미래의 행복감을 올바로 추론하기 위해서는 객관적인 자료를 분석하는 능력이 필요하다. 대니얼 길버트는 이렇게 말한다.

"개인이 지니는 다양성과 독특성에 대한 사람들의 강한 믿음이 우리가 타인을 우리 경험의 대리인으로 사용하기를 거부하는 주요 요인이다. 다른 사람의 실제 경험을 우리의 미래 경험에 대한 대용물로 사용하려면 동일한 사건에 대한 다른 사람의 반응과 우리의 반응이 대략 비슷할 거라고 믿어야만 한다. 그런데 사람들의 감정적 경험이 매우 다양하다고 믿는다면, 다른 사람의 경험을 대용한다는 것을 쓸모없는 것으로 여겨질 수밖에 없다. 결국 다른 사람의 경험이야말로 우리의 미래 감정을 예측하는데 손쉽고 효과적인 방법이지만, 우리가 서로 얼마나 비슷한지 깨닫지 못하기 때문에 우리는 이 믿을만한 방법을 거부하는 대신, 흠도 많고 오류도 많은 우리의 상상에 의존하게 되는 것이다."[265]

행복하기 위해서는 자신의 맹목적인 믿음보다는 객관적 자료를 갖고, 혹은 타인의 경험을 통해서 미래를 살펴보는 지혜가 필요하다. 운동선수들도 지금 운동이 너무 힘들어서 이를 그만두면 모든 행복을 경험할 것으로 착각한다. 자신의 현재 상태에서 무조건 미래를 예측하는 것 보다는 다른 사람의 선행 데이터나 과거 사례들을 충분히 살피고, 그 후 나의 미래를 계획했을 때에 훨씬 많은 행복감을 경험할 수 있다.

함께 읽으면 도움이 되는 책

- 대니얼 카너먼, 《생각에 관한 생각》, 이진원 옮김, 김영사, 2012.
- 유키 소노마, 《하버드 행복수업》, 정은희 옮김, 매일경제신문사, 2017.

04
감(感)과 행복

《감이 온다》, 한상복, 위즈덤하우스, 2015.

이성과 감성은 반대되는 영역이다. 이성이 지배하는 사회에서는 개인의 주관적인 느낌이나 경험은 무시당하기 쉽다. 그러나 한 사람의 경험을 바탕으로 한 '감(感)'은 현상에 대한 통찰력을 증진시킨다. 우리는 감이 주관적인 요소라고 해서 무시해서는 안된다.

한상복은 감은 선택 상황에서 중요한 역할을 수행한다고 하였다. 그는 불확실한 미래, 또는 지금과 같은 정보화 사회에서 감이 왜 중요한지에 대하여 이렇게 말한다.

"우리의 삶은 갈수록 팍팍해지고 있으며, 많은 이들이 힘든 삶을 살아가고 있다. 현실에 대한 한국인의 태도를 빅데이터로 분석한 결과, '답이 없다'는 한마디로 요약된다. 그럼에도 우리는 지금 이 순간을 살아야 하고, 삶을 영위하기 위해서는 매순간 선택 앞에 놓인다. 여유가 주어질 때도 있지만 지금 당장 최선의 결정을 내려야 할 때도 있다."[266]

순간의 선택이 평생을 좌우하는 경우가 있다. 탁월한 감은 나만의 최고의 무기가 될 수 있다. 이와 같은 감을 얻기 위해서는 다양한 경험을 위해 부단한 노력을 해야 된다. 영국의 프리미어리그 감독의 평균수명은 2년 정도이다. 맨체스터 유나이티드의 퍼거슨 감독은 27년간을 감독으로 재직하고, 38개의 우승컵을 들었다. 퍼거슨 감독의 성공 이유는 '관찰'을 통한 감에 있었다. 그는 선수들을 꼼꼼히 관찰 하여 그 선수를 언제 투입할 것인지, 소중한 작전 타임을 언제 쓸 수 있는지에 대한 독특한 감이 있었다. 언제 공격하고, 후퇴하는 지에 대한 퍼거슨만의 전략은 바로 감에서 나왔다.

감은 심리학적으로는 휴리스틱(heuristics)과 유사하다. 휴리스틱은 우리의 뇌가 다양한 정보를 받아들이지 않고, 순간적으로 적당한 결론을 내리려고 하는 속성을 말한다. 휴리스틱은 특히, 시간이나 정보가 불충분해서 합리적 판단이 힘든 상황에서 신속하게 결론을 끄집어내게 한다. 이 휴리스틱의 단점은 너무 편향적이라는 것이다. 정보가 부족하고, 무조건 경험에 의해서 판단을 하다 보니 한쪽으로 치우칠 수 있다. 그러나, 휴리스틱은 급하게 결정을 내려야 하는 위기의 상황에서 힘을 발휘할 수 있다.

"감이 좋다" 라는 말은 내면의 잠재의식과 현재의식이 적절하게 조화를 이루는 것을 말한다. 잠재의식으로 부터 적절한 신호를 받고, 현재 상황을 적절히 헤쳐 나갈 때에 올바른 판단이 가능하다. 내면으로부터 소리를 들을 수 있고 이 소리에 따라 현재의 문제를 해결할 수 있을 때 자신의 감을 느낄 수 있다. 말로 할 수 없는 미묘한 느낌에 의존하여 문제가 해결될 때의 쾌감은 어디에도 비할 수 없다.

그렇다면 어떻게 이 '감'을 만들 수 있을까? 한상복은 감을 만들기 위해서 무엇보다도 몸을 많이 움직이는 것이 중요하다 하였다. 마음의 준비가 부족하더라도 몸을 먼저 움직여 몸의 '느낌'과 마음의 '느낌'을 연결했을 때에 감에 대한 시동을 걸 수 있다. 감을 잡기 위해서는 개인이나 조직 모두 '리추얼'이 필요하다. 리추얼은 의미가 있는 반복적 행위이다. 주변에 보면, 많은 운동선수들은 자기만의 리추얼를 갖고 있다. "어떤 야구선수는 타석에 들어가서 왼쪽 어깨를 씰룩인 다음에 스윙을 하고,"[267] 유명한 골프선수는 반드시 손목을 좌우로 흔들 후에 어드레스에 들어간다. 이는 나의 내면에 있는 감을 끌어내기 위한 습관이 된다. 지금 문제가 잘 풀리지 않는다면 오히려 자기만의 리추얼을 만들고 현재 상황을 객관적으로 보고 접근해 볼 필요가 있다. 한상복은 리추얼의 의미를 이렇게 말한다.

"리추얼은 궁극적으로 '나만의 시스템'을 가동 하는 것이다. 나에게 맞는 최상의 느낌을 끌어내기 위해 수차례의 시행착오 끝에 발견한 최적의 패턴으로 자극을 주는 셈이다. 이는 잠재의식 어딘가에 있는 영감을 펌프질하기 위한 일종의 마중물로 볼 수 있다."[268]

쇼펜하우어는 인생에서 중요한 것으로 '습관'을 들었다. 프랑크푸르트에서 말년을 보낸 그는 아주 규칙적인 생활을 한 것으로 유명하다. 매일 오전 일곱 시에 기상하여 정오까지는 글을 썼다. 30분간은 플롯을 불고 다음으로 항상 같은 곳에 가서 점심식사를 하였다. 식사 후는 잠시 쉬고 다시 방에 들어와 네 시까지 책을 읽고, 두 시간 동안을 산책을 했다. 산책이 끝나는 지점은 도서관이었는데 이곳에서 〈런던 타임스〉를 읽었다. 저녁에는 연극이나 음악 공연을 보고 〈잉글리셔 호프〉라는 호텔에 가서 저녁식사를 했다. 이와 같은 쇼펜하우어의 규칙적인 생활 패턴은 무려 30년 동안이나 지속된 것으로 알려져 있다. 그에게 규칙적 생활은 나만의 지적 생활을 가능하게 했던 실존주의자식 리추얼 이었던 것이다.[269]

프로야구 오클랜드의 빌리 빈단장은 대표적으로 '감'이 좋은 사람으로 꼽힌다. 1999년에 취임한 그는 부자 야구 구단과 경쟁할 수 있는 자신만의 방법을 개발하였다. 그는 선수 선발 있어서 색다른 기준을 만들었다. 먼저 신뢰를 중요시 여겼다. 당시만 해도 출루율은 장타력이나 빠른 발과는 비교할 수 없는 하찮은 항목이었다. 빌리 빈은 오직 출루율 하나를 적용해서 선수들을 뽑았다. 이후 2000년과 2001년 2년 연속 플레이오프 진출에 성공했고, 아메리칸 리그 역사상 처음으로 20연승 기록을 달성하였다. 빌리빈이 성공할 수 있었던 것은 남이 시도하지 않았던 영역에 대한 자신만의 '감' 때문이었다.[270]

의사들이 환자를 살피는데 있어서 예감은 중요한 역할을 한다. 환자가 어디가 아픈지, 그리고 환자를 수술할 때에 섬세하게 환부를 도려내고, 자르고, 꿰매는 과정에서 중요한 것은 바로 감각이다. 의사들은 수술에서는 달인이 되어야 한다. 그들이 달인이 되기 위해서 많은 훈련과 경험을 쌓는다. 동시에 이러한 많은 훈련과 경험은 그들에게 감을 만들어준다. 어떤 의사는 수술이 다 끝났는데도 불구하고 무엇인가 불편하고 신경을 쓰고 있다. 그래서 수술 환자의 환부를 다시 확인한 후에 중요한 잘못을 발견하기도 한다. 이러한 발견이 가능한 것은 그 의사의 탁월한 '감'에 의한 것이다. 감은 하늘에서 뚝 떨어지는 것이 아니라, 부단한 노력과 연습의 결과로 잉태된다.

감을 쌓는 방법 중에 하나는 훈련이다. 우리의 뇌는 훈련을 통하여서 원하는 형태로 바뀐다. 뇌과학에서는 '신경 가소성'의 원리라는 것이 있다. 이는 인간의 두뇌가 경험에 따라서 바뀌어지는 능력을 말한다. 예를 들어, 매일 1시간 동안 영어 단어 열개씩을 외우면 일 년 후에는 매일 1시간 동안 영어 단어 100개를 외울 수 있게 된다. 반복되는 자극과 경험은 나의 뇌의 연결망을 강화시킨다. 이러한 뇌의 가소성 원리는 감을 발전시키게 만든다. 이를 통해서 나만의 감이 발전하고, 감이 변화하면서 천재성을 얻을 수 있다. 뇌의 변화는 놀랍다. 뇌가 바뀌면서 없던 감이 생성된다.

"느낌을 소중히 하라. 느낌은 신의 목소리이다" 라는 이건희 삼성 회장의 이야기처럼, 느낌은 우리 삶에서 중요하다. 우리는 매시간 선택을 통해 삶을 영위한다. 선택을 하는데 나만의 느낌은 적절한 답을 얻게 해준다. 행복하기 위해서는 나만의 감을 갖고 있어야 한다. 운동선수가 훈련을 할 때에도 감이 있으면 부상의 위험이 줄어든다. 운동선수가 잘 훈련하고 경기에 즐겁게 임하는 것은 행복으로 나가는 길이다. 운동선수가 행복하기 위해서는 자신의 느낌과 감에 주목할 필요가 있다.

함께 읽으면 도움이 되는 책

- 마스노 순묘, 《행운은 반드시 아침에 찾아온다 》, 부윤아 옮김, 쌤앤파커스, 2017.
- 조우석, 김민기, 《행운사용법》, 문학동네, 2013.

05
어떻게 행복을 정복할 것인가?

《행복의 정복》, 버트런드 러셀, 이순희 옮김, 사회평론, 2005.

버트런드 러셀(1872 - 1970)은 1950년에 노벨문학상을 받은 작가이자, 철학자이다. 그는 사회변혁 운동을 벌이고, 철학, 수학, 윤리학, 정치, 문화에 이르기까지 많은 책들을 출판하고 다양한 학문의 세계를 펼쳐보였다. 제1차 세계대전 이후에는 수소폭탄 실험을 반대하고, 핵무장 반대 운동을 벌이기도 하였다. 20세기 최고의 철학자인 러셀은 현대인의 삶에서 행복을 얻기 위해서는 끊임없는 '자기 투쟁'이 필요하다는 것을 강조하였다.

러셀은 노년기의 접어들면서 삶이 점점 즐거워진 비결에 대하여 "내가 원하는 것을 손에 넣고, 본질적으로 얻을 수 없는 것은 깨끗이 단념했기 때문이다"고 하였다. 특히, "자신에 대한 집착"이 줄었다는 것이 행복을 느끼는 중요한 요인이라고 강조하였다. 불행의 심리적인 원인은 어린 시절부터 정상적인 만족을 경험하지 못했기 때문이라고 러셀은 설명하였다.

현대 사회의 특징 중 하나는 경쟁 지향적 사회라는 것이다. 러셀은 성취감은 어느 부분은 행복한 삶에 영향을 준다고 하였으나, 지나친 성취감을 추구한다는 것은 행복에 반(反)한다고 이야기한다. 그는 과도한 경쟁은 우리의 삶을 건조하게 만들고, 이는 휴식을 취하지 못하게 한다고 말한다.

"인생에서 중요한 것으로 간주되는 경쟁은 지나치게 냉혹하고 집요하며, 필요 이상으로 근육을 혹사시키고 의지 또한 지나칠 정도로 집중하도록 만든다. 이런 경쟁이 삶의 근본 철학이 될 수 있는 시기는 기껏해야 한두 세대에 지나지 않는다. 그 기간이 지나고 나면 경쟁은 신경의 피로를 초래하고, 여러 가지 도피현상을 일으키며, 쾌락 추구를 사업만큼이나 긴장되고 어려운 일로 만들어 버려(휴식이 불가능해지기 때문이다), 마침내 재생산이 이루어지지 못해 재고가 바닥나는 지경에 도달 할 것이다."[271]

경쟁이 일뿐만이 아니라 여가의 영역까지 침범하는 것을 경계해야 한다. 경쟁을 좋아하는 사람은 조용하게 보낼 때에 외롭다고 느낄 수밖에 없다. 그래서 여가시간에도 끊임없이 무언가를 추구할 것이고 이는 결국 탈진 상태에 이르게 한다. 이러한 문제에서 극복하는 방법은 자신만의 건전하고 조용하게 즐거움을 추구할 수 있는 여가 생활을 탐닉하는 것이다. 내 삶에서 경쟁을 어느 정도 빼는 것이 필요하다. 러셀은 이미 오래전에 일과 삶의 균형을 행복의 중요한 전제조건이라고 강조했다.

러셀이 강조하는 쾌락을 추구하는 좋은 방법은 대지의 '생명력'을 느끼는 것이다. 인간의 신체가 자연의 변화와 함께할 때 행복감은 증가 된다. 자연 속에서 신체를 마음껏 움직일 때에 사는 재미를 느낄 수 있다. 실내에서 쾌락을 추구하는 대표적 활동은 도박이다. 이와 같은 도박으로는 진정한 기쁨을 이끌어낼 수 없다.

피로는 행복 추구의 방해물이다. 러셀은 피로가 생기는 중요한 원인으로 "자극에 집착"[272]을 들었다. 자극 집착에 대한 한계를 넘어섰을 때에 자연스럽게 피로가 찾아온다. 피로하지 않기 위해서는 지나친 자극과 관련된 행동을 하지 않아야 한다. 적절한 휴식, 대지와의 교류, 자연으로의 귀기울임 속에서 살면 피곤하지 않은 삶을 살 수 있다.

행복에 대하여 러셀은 두 가지로 구분하였다. 평범한 것과 엄청난 것, 동물적인 것과 정신적인 것, 감정적인 것과 지성적인 것으로 구분했다. 이 구분 사이의 특징은 전자는 모든 인간한테 주어지는 행동이고, 후자는 읽고, 쓰는 사람들이 얻을 수 있는 행복이라는 것이다. 러셀은 과학자가 추구하는 삶을 행복한 삶의 표본으로 제시했다. 과학자가 예술가 보다 행복한 이유는 자신과 다른 사람들 모두가 업적을 높게 평가 하고, 그러한 평가를 받는 일에 몰입하고 있기 때문이라 하였다. 이러한 측면에서, 러셀은 행복의 비결에 대해 이렇게 말한다. "폭넓은 관심을 가지는 것, 그리고 관심을 끄는 사물이나 사람들에게 적대적인 반응을 보이는 것이 아니라 되도록 따뜻한 반응을 보이는 것"[273] 이라 했다. 자신 외 다른 사람에 대하여 호의적 태도를 갖는 것은 나를 구원하게 만든다.

행복한 사람은 주변에 대한 애정과 관심을 갖고 살아가는 사람이다. 애정과 관심이야 말로 사회에 대한 이해를 높이고 자신의 행복을 확고하게 만든다. 러셀은 자신만의 세계 속에 갇혀 있는 사람은 불행할 수 밖에 없다 하였다. 러셀은 세상에 당당하게 맞서라고 주문한다. 이 세상은 나에게 행복을 주는 토대이다. 세상에 대한 열정과 애정은 내가 행복을 찾을 수 있는 지름길이다.

나는 러셀의 행복론을 음미하면서 운동선수의 삶과 행복에 대하여 생각해보았다. 운동선수는 자신이 좋아하는 운동에 최선을 다하고 그 노력이 결실을 맺을 때에 행복에 다가갈 수 있다. 당당하게 훈련을 향해 나아가고, 경기에 최선을 다해 임했을 때에 사람의 행복의 크기가 달라진다. 내가 하는 운동에 대한 사랑과 열정이 운동선수의 행복에 대한 '재료'가 된다. 운동선수는 당당히 그 운동 속으로 몰입해 나갈 때에 행복을 얻을 수 있다. 러셀에 의하면, 행복은 자연스럽게 주어지는 것이 아닌, '쟁취'해야 되는 것이기 때문이다.

함께 읽으면 도움이 되는 책

- 버트란드 러셀, 《왜 사람들은 싸우는가?》, 이순희 옮김, 비아북, 2010.
- 버트란드 러셀, 《나는 무엇을 위해 살아왔나》, 김기덕 옮김, 민성사, 1999.

행복하기 위해서는 나만의 감을 갖고 있어야 한다. 운동선수가 훈련을 할 때에도 감이 있으면 부상의 위험이 줄어든다. 운동선수가 잘 훈련하고 경기에 즐겁게 임하는 것은 행복으로 나가는 길이다. 운동선수가 행복하기 위해서는 자신의 느낌과 감에 주목할 필요가 있다.

06
대지(大地)의 인간으로 사는 법

《조르바의 인생수업》, 장석주, 한빛비즈, 2017.

인생살이에 정답은 없다. 사람마다 주어진 길이 다르고, 가야 하는 길도 다르고, 또 가고 싶은 길도 다르기 때문이다. 인생의 해답이 있다면 우리는 젊은 시절에 그렇게 방황하지 않았을 것이다. 현재 취업이 힘든 젊은 이들에게 인생이 고달픈 여정처럼 느껴지는 것은 스스로가 답을 만들어 가야 하기 때문이 아닐까?

저자 장석주는 젊은 시절 시립 도서관에서 책을 읽으면서 시간을 보냈다. 매일 시립도서관 구석에 앉아 책을 읽거나, 또는 종로 '르네상스' 나 명동 '필하모니' 와 같은 음악 카페에서 음악을 들으면서 청년시절을 보냈다고 한다. 그러다가 만난 서책 《그리스인 조르바》는 그에게는 운명의 책이 되었다. 장석주의 말을 들어 보자.

"누구에게나 '운명의 책' 한 권쯤은 있다. 견디기 힘든 시련에 빠졌을 때, 인간이라는 직업을 더는 실행하기 어려운 위기의 직면했을 때 쓰러진 자리에서 일어날 수 있도록 구원의 손길을 내민 책이 '운명의 책'이라면, 내게 그런 책들은 열 손가락으로 다 꼽을 수 없을 만큼 많다. 카잔차키스의 《그리스인 조르바》는 그 운명의 책 중 하나다."[274]

조르바는 야생의 사람이고 몸으로 모든 것을 해결할 수 있는 사람이다. 조르바가 많은 시련과 수난을 겪으면서도 천연덕스럽게 살아가는 모습에서 우리는 용기를 얻는다. 조르바는 "대지는 그저 있을 뿐이고, 삶은 찰나를 타오르는 불꽃같은 위험이며, 삶과 죽음이 만드는 풍경은 닮았다"[275]고 말하는 사람이다. 위대한 작가 니코스 카잔차키스는 조르바를 통하여 인간은 "대지의 격렬한 소용돌이 속에서 생겨난 덧없는 불꽃"[276] 임을 이야기한다. 조르바는 종이 뭉치에 불과한 책에서 답을 찾고자 하는 어리석음을 범하지 않는다. 그는 책보다 중요한 것이 사랑이라고 여긴다. 인간의 사랑은 우리를 구원으로 이끌기 때문이다.

조르바에게 인간의 영혼은 육체라는 '뻘' 속에 갇혀 있는 존재이다. 영혼은 조잡하고 불확실하다. 게으른 육체를 잘 채찍질하고, 길들이고, 그 한계를 넘을 수 있을 때에 육체와 영혼은 좋은 관계가 설정된다. 조르바는 책을 통하여 배우는 사람이 아닌, 거친 들에서 삶을 깨닫고 배우는 사람이다. 조르바는 "육체를 가엾게 여겨야 한다"라고 이야기한다. 좋은 음식을 먹을때에 육체는 잘 움직이게 되고, 충분히 먹으며 쉬고, 적절한 여가활동을 할 때에 영혼과의 올바른 관계가 정립되어진다. 육체에 대한 가치를 인정하는 것, 바로 그것이 행복한 삶을 위한 전제 조건인 것이다.

조르바는 야생의 사람이기도 하지만, 경이로운 인간이기도 하다. 그는 술, 음식, 여자에 대한 애착이 강하지만, 한편으로는 사물을 바라보는 데에 있어서 경이로운 태도를 지니고 있다. 그는 학교에서 공부한 적이 없지만 않은 사물에 대한 뛰어난 관찰력으로 올바른 판단을 한다. 그는 모든 사물을 마치 처음 보는 것처럼 자세히 살피고 관찰을 하는 사람이다. 그냥 지나치는 것이 아니라 꼼꼼히 볼 때에 그 사물의 진정한 아름다움을 느낄 수가 있다. 조르바는 대지의 위대함을 깨닫고 있는 사람이기도 하다. 인간은 대지라는 자궁에서 태어나서 세상으로 나온다. 소설의 화자인 나는 조르바의 인도에 따라 대지의 아름다움을 느끼고, 하늘과 대지가 맞붙어 만들어내는 그 전경을 몸으로 받아들이면서 새로운 사람으로 거듭난다.

"조르바는 펄쩍 뛰어 오두막을 뛰쳐나가 신발과 코트와 조끼를 벗고 바짓가랑이를 무릎까지 걷어 올리고는 춤을 추기 시작했다. 그의 얼굴엔 갈탄이 시커멓게 묻어있었다. 눈의 흰자위는 번쩍거렸다. 이윽고 그는 춤에다 몸을 맡기고, 손뼉을 치는가 하면 공중으로 뛰어올랐고, 발끝으로 도는가 하면 무릎을 꿇었다 다리를 구부리고 다시 공중으로 뛰어올랐다."[277]

위 장면은 조르바가 춤을 추는 유명한 묘사이다. 조르바는 춤이라는 동작을 통하여 대지에서 공중을 만나고 삶에 대한 자유를 드러내는 내고자 한다. 그래서 그는 기분이 좋을 때에는 춤을 추고, 그 춤을 통해서 행복을 찾고자 한다. 조르바에게 몸은 즐거움을 표현하는 도구이고, 행복을 실어 나르는 중요한 매체가 되는 것이다.

조르바는 우리에게 행복은 소박한 것에서부터 온다고 말한다. 행복은 거저 얻어지는 것이 아니다. 행복을 누리는 자는 단순히 물질이 많거나, 권세를 가진 사람이 아니다. 매 순간 최선을 다해 즐기는 느낌을 갖고 있는 사람이다. 조르바는 행복은 지금 이 순간의 찰나를 통하여 얻어진 것이라고 이야기한다. 특히 지금 만족하고, 현재 희열을 느끼는 생활을 할 때에 행복을 느낄 수 있다.

소설 《그리스인 조르바》의 화자는 조르바와 함께 갈탄 탄광 사업을 벌이면서 진정한 행복에 대하여 깨닫게 된다. 조르바와 함께 먹고, 마시고, 춤을 추면서 삶을 있는 그대로 즐긴다. 하늘의 별 자리를 보고, 바닷가 위에서 노래를 부르고, 춤을 추면서 인생을 배운다. 먹고, 마시고, 노래하고, 춤추는 그 즐거움 속에서 진정한 행복을 느끼고 또한 행복을 경험하게 된다. 화자는 사업의 성공과 실패가 중요한 것이 아니라, 인간의 삶에서는 행복의 추구가 중요하다는 것을 깨닫게 된다.

조르바는 삶과 '영원'의 관계를 자주 언급한다. 인간은 누구나 영원한 사랑을 꿈꾼다. 영원한 생존과 사랑이 불가능한 것은 인간의 숙명 때문이다. 죽음에 굴복할 수밖에 없는 운명을 갖고 인간은 이 세상에 '피투성 기투'되어져 있다. 죽음은 그 누구도 피할 수 없다. 진시황이나 시저도 그랬다. 그렇기에 영원이라는 것은 결코 손에 잡을 수 없다. 죽음의 의미를 깨닫는 사람은 현재의 삶에 대하여 고마움을 느낀다. 이에 장석주는 '죽음의 의미'에 대하여 이렇게 말한다.

"사실 죽음이 없다면 삶은 아무것도 아니다. 죽는다는 사실로 인해 내 삶은 의미로 충만하고, 단 한 번의 삶으로 찬연하게 빛난다. 아무리 범속한 삶이라도 그 테두리를 감싸는 죽음의 광휘로 빛난다. 죽음은 존재로 부터의 탈각, 우리는 죽으면서 끊임없이 다시 태어난다. 죽음을 두려워 말라."[278]

《그리스인 조르바》의 저자 니코스 카잔차키스는 현대 그리스의 뛰어난 작가이다. 카잔차키스의 고향은 크레타이다. 1917년 카잔차키스는 그리스에서 석탄 연료가 부족하자 기오르고스 조르바라는 일꾼을 고용해서 펠로폰네소스에서 광산 개발을 시작하였다. 이때 광산개발에 실패한 경험으로 하여 쓴 책이 바로 《그리스인 조르바》이다. 카잔차키스가 조르바를 만난 것은 35세이다. 1955년 10월 26일, 카잔차키스는 세상과 이별한다. 카잔차키스의 시신이 아테네로 옮겨지지만 그리스 정교회는 그의 시신을 안치하기를 거부하였다. 그 이유는 그가 그리스 정교회로 부터 파문을 당해서이다. 우여곡절 끝에 결국 그의 시신은 11월 5일에 고향인 크레타 섬의 이라클리온에 안치되었다. 지금도 많은 사람들이 크레타에 묻힌 그의 무덤가를 찾아가 평생 인간의 본질과 자유로운 삶을 노래했던 위대한 작가가 남긴 메시지에 대한 찬사를 보내고 있다.

함께 읽으면 도움이 되는 책

- 김욱동, 《조르바를 위하여》, 민음사, 2018.
- 오쇼 라즈니쉬, 《조르바 붓다의 혁명》, 손민규 옮김, 젠토피아, 2013.

07
행복한 달리기

《나는 달린다》, 요쉬카 피셔, 선주성 옮김, 궁리, 2000.

달리기는 사람이 자신의 육체와 자연이 만나는 원초적인 본능적 행위이다. 달리기는 자신의 내면을 밖으로 표출해내는 행위이자, 나와 환경과의 상호 작용을 만들어 주는 신체활동이기도 하다. 달린다는 것은 오랫동안 우리의 육체에 새겨진 흔적을 발견해 나가는 행위이다. 달리기의 목적은 무엇일까? 그것은 행복이다. 달리는 사람은 자신과의 약속을 지키고 절제하는 자이다. 달리는 사람의 행복을 비추어 볼 때 행복은 자기 절제를 통해 얻어지는 열매이다.

전 독일 외무부 장관인 요쉬카 피셔는 이 책을 통하여 자신의 삶이 어떻게 바뀌었는지에 대해 이야기하고 있다. 과거 그는 너무 바쁘게 살고,

과식하고, 많은 술을 마시면서 몸이 망가졌다. 그 때에 그는 '행복을 얻기 위하여 지금 당장 해야 될 것이 무엇인가?'에 대하여 자각했다. 행복하기 위하여 생활에 우선순위를 달리기와 체중 감량으로 바꾸었다. 건강은 모든 사람들의 행복의 기본적 조건이다.

1996년 여름, 피셔는 키 181cm와 몸무게 112kg의 중년 남성이었다. 그는 조금만 걸어도 숨이 차고 몹시 피곤했다고 한다. 그러다가 1년 후에 몸무게를 75kg으로 감량하였다. 그가 체중을 줄일 수 있었던 가장 중요한 수단은 달리기 였다. 1996년에 그에게 무슨 일이 일어났을까? 결혼 생활은 파탄에 이르고, 스스로가 무절제한 생활로 인하여 건강도 위협을 받고 있었다. 이때 그가 택한 결정이 바로 달리기였다.

1996년 9월 말경에 피셔는 처음으로 조깅을 시작하였다. 모자가 달린 땀복을 입고 무작정 라인 강가를 뛰기 시작했다. 그는 당시의 경험에 대해서 이렇게 이야기한다. "첫 발걸음은 상당히 고통스러웠다. 나는 너무나 많은 비곗덩어리를 매달고 있었기 때문에 그저 슬금슬금 기다시피 뛰었다. 나의 몸은 조금 긴 거리를 달리는데 익숙하지 못한 상태였기 때문에 더욱 고통스러웠다. 나는 아주 천천히 시작했다. 그러나 백여 미터 뛰고 나면 숨소리가 이미 거칠어지기 시작했다."[279]

위 글은 처음 달리기 시작할 때의 고통이 그대로 느껴진다. 그는 처음 달리기를 시작할 때에는 500m 정도 되는 거리도 상당히 부담스러웠다고 한다. 며칠 달리기를 해보니 달린 후에 샤워를 하면 상당히 기분이 좋아진다는 것을 깨달았다고 한다. 그 외에도 그는 긍정적인 경험을 계속적으로 하게 된다. 하루일과를 마치고 술집에 가고 싶은 유혹이 우선은 사라지고, 술을 많이 마셨을 때보다 더 빨리 잠자리에 들게 되는 식으로 몸이 바뀌게 되었다고 한다. 그는 식사에서도 변화를 느꼈다. 그의 몸은 과일 샐러드, 채소, 생선과 같은 음식들을 더 선호하게 되고, 고기나 포도주에 대한 유혹은 달리기가 계속됨에 따라 자연스럽게 멀리 하게 되었다. 그는 스스로에게 자기 암시를 하고, 날씨 상태와 상관없이 매일 뛰러 나갔다고 한다. 매일 달리기를 한다는 것은 육체적인 체중 감소 외에도 엄청난 정신적인 노력을 필요로 한다. 그가 처음 달리기를 시도했을 때에는 행복하기 보다는 하루 종일 공격적이고 조바심이 나는 심리 상태가 지속되었다고 한다. 혹은 배고픔에 따른 통증을 느끼기도 하였다고 한다. 이와 같은 힘든 시기를 잘 극복하고 나서 그는 육체를 '개조'하는 데에 노력과 시간이 필요하다는 것을 자각하였다.

달리기를 시작한 후에 피셔는 '자신만의 시간'이 생겼다고 한다. 달리기를 통하여 자기 스스로의 삶에 대해서 생각할 수 있는 기회를 얻은 것이다. 그는 이와 같은 달리기의 효과를 이렇게 말한다. "달리기는 자기 개혁의 촉매제라고 말할 수 있고, 짧은 시간에 내가 새롭게 열정을 쏟는 대상이 되었다. 나와 같은 극단주의자의 경우에는 짧은 시간에 어떤 한 가지 일에 빠지는 경우가 많다."[280]

마라톤까지 완주한 피셔는 달리는 것은 우리의 삶의 질을 높여 주는 것이라고 했다. 그는 과거에 배가 불뚝하고, 엄청난 몸무게를 가진 나태한 삶에서 벗어나게 된 것은 달리기 덕분이라고 말한다. 그는 꾸준히 달리기를 할 수 있었던 이유를 '노력'과 '의지'에서 찾았다. 달린 후에 몸무게가 빠지고, 외모도 바뀌게 되면서 삶의 자신감이 생겼다고 하였다. 그는 달리면서 상대방과 경쟁을 하려는 것이 아니라, 자기만족, 자신 절제와 자기 극복을 통한 행복을 경험하였다고 한다.

우리가 여가 행위를 통하여 즐거움과 재미를 찾을 수 있다면 그 속에 의미가 담겨 있는 것이다. 여가활동은 누군가의 삶에 그 자체로 목적적 경험을 제공해 준다. 달리기야말로 신발 하나 그리고 가벼운 운동복으로 공간을 초월하여 어디에서든지 할 수 있는 여가이다. 달리기는 손쉽게 나와 자연과 합일이 되게 한다. 나의 발을 통해 뛰면서 환경의 변화를 느낄 수 있고, 사람들의 모습을 볼 수 있고, 또 땀을 흘리며 호흡을 통해서 대지의 기운을 느낄 수 있다. 그렇기에 달리기는 현대 사회의 또 다른 명상이다.

함께 읽으면 도움이 되는 책

- 무라카미 하루키, 《달리기를 말할 때 내가 하고 싶은 이야기》, 임홍빈 옮김, 문학사상, 2016.
- 조지 쉬언, 《달리기와 존재하기》, 김연수 옮김, 한문화, 2003.

08
익숙함과 결별하기

《나는 다른 것을 본다》, 송현석, 샘앤파커스, 2014.

지금 시대의 화두는 다르게 생각하기이다. 다르게 생각하기 위해서는 남들과 같은 것을 보는 것이 아닌, 남들이 보지 못하는 것을 바라보아야 한다. 우리는 '창의성'이라는 이야기를 자주 하는데, 이 창의성은 하늘에서 뚝 떨어진 것이 아닌, 일상에서 우리가 보지 못한 것으로 부터 나온다.

지금과 같은 대량소비 시대에는 많은 소비자들이 비슷한 것에 대하여 쉽게 싫증을 느낀다. 물건을 판매하는 마케터의 입장에서는 특히, 소비자들이 싫증을 내지 않는 색다른 것을 전달하고자 노력을 해야 한다. 소비자는 소비를 통하여 자신의 행복을 추구한다. 마케터는 소비자들이 물건을 소비하는 가운데에서 행복을 느낄 수 있도록 해야 한다.

다른 것을 본다는 것은 우리의 고정관념과 선입견에서 벗어날 때에 가능하다. 저자는 우리의 일상은 볼거리로 가득하다고 말한다. 출근길 지하철에서도 많은 것을 관찰할 수가 있고, 지하철에 물건을 파는 사람들은 어떤 형태로 물건을 파는지도 관찰할 수 있다. 또는 거리에서 사람들은 지금 어떤 옷들 입고 있는지, 무엇을 먹고 있는지, 어떠한 광고가 유행하는 지에 대해서 유심히 관찰 하는 것은 색다른 것을 발견할 수 있는 동인이 된다. 저자는 상상력이라는 것은 책상머리에서 나오는 것이 아니라고 한다. 상상력은 철저하게 경험으로부터 출발한다.

소비자의 마음을 움직일 때는 결정적인 무엇이 필요하다. 이것을 '핫 버튼'이라고 한다. 핫 버튼은 마케팅적으로 말하면, 차별화된 전략이다. 자신만의 차별화된 전략이 있을 때 소비자는 즐겁게 소비할 수 있다. 저자는 '투뿔등심'의 예를 든다. 논현동의 유명한 고기 집, 〈투뿔등심〉은 A++ 등급 소고기를 판매하는 것으로 유명하다. 이 고기 집이 유명한 것은 양질의 고기를 파는 것보다도 손님들이 가져온 술을 마실 수 있도록 한다는 사실이다. 웬만한 단골이 아니고서는 음식점에서 술을 가지고 가서 마시기 쉽지 않다. 그런데 〈투뿔등심〉은 와인을 가져 와서 고급 레스토랑에서 코키지 차지 없이 무료로 마실 수 있는 전략을 구사한다. 그러다 보니까 기념일이나 특별한 날에 많은 손님들이 여기를 찾는다. 이와 같은 '코키지 프리'

전략이 핫 버튼이다. 소비자들은 이와 같은 차별성 있는 전략에 열광한다.

골프장에서 가장 많이 듣는 이야기는 “오늘 왜 이러지?” 라는 말이다. 연습장에서는 잘 맞던 드라이버와 아이언 샷이 엉뚱한 방향으로 나가고 신중하게 쳤다고 생각하지만 볼은 벙커 안으로 들어가 어김없이 더블보기를 범한다. 내 이야기이다. 이럴 때마다 나도 모르게 혼잣말을 지껄인다. “아, 오늘 도대체 왜 이러지? 어제 연습장에서는 볼이 빨랫줄처럼 나갔는데” 누군가는 골프의 다른 말은 “나, 왜 이러지?”라고 말한다. 저자의 관점에 따르면, 이렇듯 골프 라운딩 때마다 혼잣말이 나오는 경우는 자신에 대한 환상이 있거나, 혹은 실력과 상관이 없는 장비를 쓰고 있기 때문이라 한다. 골프를 막 시작한 초보가 타이거 우즈가 쓰는 드라이버를 사서 라운딩 하는 것은 어쩌다 잘 맞을 수는 있지만, 지속적인 실력을 항상 보장 할 수가 없다. 남들이 타이틀리스트나 미즈노 클럽을 쓴다고 해서 무조건 따라 사고 쓰면 불행을 자초하는 길이다.

일본의 유명 소설가인 히가시노 게이고는 소설을 쓸 때 마다 독자에 대한 생각을 갖고 쓴다고 한다. 그가 소설을 쓸 때에 어린 시절 본인이 책을 읽기 싫어했던 모습을 떠올리고 책 읽기 싫어하는 독자가 끝까지 읽을 수 있는 이야기를 만들고자 한다.[281] 독자가 원하는 것에 대하여 생각하는 작가는 독자로 부터 사랑을 받는다. 이와 같이 마케터는 소비자를 염두에 두는 제품을 만들어야 한다. 소비자에게 행복을 주기 위해서는 본인이 판매하는 제품에 대해서 스스로가 즐겨야 한다. 예를 들어, 스타벅스는 커피를 너무나 좋아했던 하워드 슐츠에 의해서 만들어졌고, 페이스북과 구글 또한 컴퓨터 마니아였던 사람들에 의해서 창업되고 개발되었다. 내가 좋아하는 것으로 소비자를 끌어 들이고 그들을 즐기게 할 때에 성공할 수 있다.

한국 사회가 국제적인 경쟁력을 갖기 위해서는 문화적 경쟁력을 먼저 키워야 한다. 우리만의 문화를 키우고 그 곳에서 많은 젊은이들이 재미나게 놀게 해야 한다. 이원 시인의 문화에 대한 정의는 마케터가 우리 문화를 어떻게 찾아야 하고 상품화해야 하는지에 대한 혜안을 제시한다.

"문화가 있는 거리는 은폐된다. 은폐된 곳에서 은폐의 힘으로 개방된다. 이 역설의 논리가 문화의 힘이다. 숨어 빵을 굽고 있는 작은 공간으로 사람들이 찾아온다. 서로 어깨가 닿을 듯 한 거리에서 그러나 어깨가 닿지 않고 소곤거린다. 문화에 대한 또는 문화라는 최소한의 예의."[282]

강력한 브랜드 뒤에는 항시 '버프'와 '스니저'가 존재한다. 버프는 특정 브랜드에 대한 열렬한 팬을 말한다. 스니저는 특정 브랜드를 전파하는 유포자이다. 브랜드 뒤에 이들이 존재할 때에 그 브랜드는 더 확산되고, 소비자들의 인기를 얻게 된다. 저자는 할리 데이비슨 이야말로 대표적으로 버프와 스니저를 보유하고 있는 여가 제품이라고 말한다. 할리 데이비슨은 뛰어난 성능의 모터사이클을 파는 것이 아니라, 모터사이클을 타서 얻는 체험적 즐거움에 대해서 판매를 하고자 한다. 할리 데이비슨이 주는 그 기묘한 체험 속에서 소비자들은 열광한다.

마케팅에서 성공하기 위해서는 실패를 두려워해서는 안 된다. 저자는 야구의 3할 타자를 비유로 든다. 타자는 타석에서 열 번 들어가면 세 번만 안타를 쳐도 뛰어난 타자로서 인정을 받는다. 다른 영역도 마찬가지이다. 메이저 영화사가 10편의 영화를 출시해서 두 세 편만 흥행하면 나머지가 실패해도 수익을 낼 수 있다. 야구가 되었건, 또는 사업 영역이 되었건, 인생 영역이 되었건 간에 30% 정도만 성공하면 전체적인 그림에서는 성공한 것이다. 그렇다면, 우리는 7번 정도 실패해도 좌절할 필요가 없다. 그것은 운동선수의 삶에서도 마찬가지다. 우리는 항상 이길 수가 없다. 어떠한 경기는 지고, 어떤 경기는 이기고, 어떤 경기는 아쉽게 비길 수도 있다. 중요한 것은 경기가 끝난 후에 그 경기가 왜 그렇게 되었는지에 대하여 철저히 복기하는 일이다.

제품을 판매하는 마케터가 전략이 필요하듯이, 우리의 인생에서도 전략이 필요하다. 일상에 대하여 비범한 눈으로 살펴보아서 무엇이 문제인지, 그리고 나의 강점이 무엇인지를 발견해내는 전략이 필요하다. 이를 위해서는 끊임없는 자신만의 노력이 필요하다. 저자는 성공의 법칙에 대하여 이렇게 말한다.

"모든 성공에는 보이지 않는 '필연의 싸인'이 존재한다. 안타깝게도 그 싸인들은 쉽게 드러나지 않는다. 우리가 가지고 있는 상자 밖에 존재하기에 보이지 않는 게 아니다. 상자 안에서 우연을 가장한 채 존재하기에 미처 보지 못할 뿐이다. 이러한 싸인은 말하지 않는 진실이요, 보이지 않는 기운이다. 별다를 것 없어 보이는, 평범하기 이를 데 없는 일상도 애정 어린 시선으로 관찰하다보면 비범한 기회로 변모될 수 있다."[283]

운동선수가 행복한 삶을 살기 위해서는 내 삶 속에 필연적인 신호를 발견해야 한다. 지금 힘들어도 이겨 낼 수 있는 나만의 의지를 갖고 나아가는 것이 중요하다. 다른 선수와 다른 나만의 '다름'을 만들고, 그 다름을 실천하는 사람이 운동선수로 성공할 수가 있다. 매일 자신만의 훈련일지를 쓰고, 그것을 다음번 훈련에 적용해 보는 자기만의 조그만 전략이 다른 선수와 차별적 삶을 살게 한다.

함께 읽으면 도움이 되는 책

- 김재현, 《나는 이렇게 스포츠마케터가 되었다》, 허니와이즈, 2015.
- 김지헌, 《가치를 사는 소비자 공감을 파는 마케터》, 갈매나무, 2016.
- 장인성, 《마케터의 일》, 북스톤, 2018.

09
죽음을 인식하고 살아야 행복하다

《죽을 때 후회하는 스물다섯 가지》, 오츠 슈이치, 황소연 옮김, 21세기북스, 2009.

인간은 누구나 죽는다. 죽음을 피해갈 수 있는 인간은 없다. 삶의 의미가 있다는 것은 죽음이라는 마지막이 존재하기 때문이다. 우리는 피상적으로 죽음에 대하여 알고 있지만, 일상에서는 그 가치를 잘 인지하지 못한다. 만약 삶의 시간이 며칠 남지 않았다면 그때에 무엇을 생각할까? 많은 사람들이 삶이 얼마 남지 않았을 때에 후회를 한다. 후회를 하지 않기 위해서는 현재를 온전하게 그리고 충실하게 살아야 한다. 나한테 주어진 일에 최선을 다하고, 현재를 열심히 살고, 그리고 지금의 행복감을 누리는 자가 되어야 한다.

오츠 슈이치는 말기 환자를 곁에서 지켜보는 호스피스 전문 의사이다. 그는 교토에 위치한 일본 뱁티스트 병원에서 근무하기도 했고, 현재는 동경 마츠바라 얼번 클리닉에서 말기 환자들을 돌보고 있다. 말기환자를 돌보는 의사답게 그는 죽음을 앞둔 환자의 마무리 인생에 대한 여러 저서를 출간하였다. 약 1,000여 명의 죽음을 지켜본 호스피스 전문가로서 그는 많은 환자들은 죽을 때에 '후회'한다고 말한다. 이 책에 소개된 슈이치가 만난 환자들은 생이 몇 주 정도 남은 환자들이었다. 특히, 암 말기의 환자들은 체력 저하를 경험하고, 이상적인 판단이 힘들다. 그때 환자들은 자기 삶에 대해 많은 후회를 한다. 그는 환자들한테 이렇게 물어봤다.

"무엇을 가장 후회 하시나요?"

이 책에는 25가지의 죽음을 앞둔 사람들의 삶에 대한 후회가 담겨 있다. 스물다섯 가지 모두가 우리한테 삶을 어떻게 살아야 하는지에 대한 강한 메세지를 주고 있다. 그중에서 행복과 연관된 이야기로 다섯 가지를 뽑아보고자 한다. 첫째, 사랑하는 사람한테 고맙다는 말을 많이 하지 못했음을 후회하고 있다. 우리는 살아가면서 사랑하는 사람들한테 사랑한다는 말을 쉽게 하지 못한다. 어떤 환자는 자신의 병과 죽음을 부정하고, 주변 사람들의 마음에 상처를 남기기도 한다. 말기환자 임에도 불구하고, 가족들한테 따뜻한 말 한마디를 하지 못한다. 평생을 차갑고 냉정한 이미지로 살아왔던 사람들, 특히 자수성가한 사람들이나 한평생 다른 사람 밑에서 일해 보지 않았던 사람들 중에서는 "사랑해" 또는 "고마워"라는 말을 하지 못하는 사람이 많다. 그런 사람들은 죽음이 얼마 남지 않았을 때에서야 비로소 자신이 사랑하는 사람들한테 고맙다는 말을 하지 못한 것에 대해 후회를 하고 눈을 감는다.

둘째, 가고 싶은 곳으로 여행을 자주 떠나지 못했음을 후회한다. 슈이치의 환자인 H는 80이 넘은 중병 환자임에도 불구하고 휠체어를 타고 하와이에 여행을 하고 싶다고 말한다. 결국 그는 가족들의 도움으로 하와이를 여행을 마치고 돌아온다. 그는 여행 중에 아주 많은 행복을 느꼈다고 말한다. 건강할 때 우리는 여러 가지 이유로 여행을 하지 못한다. 금전 문제, 시간문제 등으로 여행을 하지 못하는 것이다. 그러나 삶이 얼마 남지 않았을 때에 세상을 더 많이 보고 싶어 하게 된다. 슈이치는 거동이 불편한 환자라도 자기가 보고 싶어 하는 곳으로 떠나라고 이야기한다. 그래야 죽기 전에 후회를 덜 할 수 있다는 것이다.

셋째, 맛있는 음식을 많이 맛보지 못한 것에 대하여 후회한다. 예전에 내 아버지는 돌아가시기 전에 이런 말씀하셨다. "얘야! 먹을 수 있을 때에 맛있는 것 많이 먹어라. 나이가 들면 먹고 싶어도 입맛이 없단다." 지금 살 빼려고 걱정하기보다는 세상에 존재하는 맛있는 것들을 실컷 맛보라. 행복하기 위해서는 미각적인 즐거움을 추구해야 한다. 말기 환자들은 식욕이 없다. 아무리 맛있는 음식이 눈 앞에 있어도 입으로 음식을 넣을 수가 없다. 맛있는 먹을거리는 건강할 때 신나게 먹고 즐기는 것이 최고이다. 슈이치는 이렇게 말한다. "먹고 싶은 게 있으면 생각날 때 먹어라. 먹는 즐거움은 우리 인생에서 결코 무시할 수 없는 강력한 힘이기 때문이다."[284] 병에 걸리면 아무리 맛있는 것이라도 먹기가 힘들다. 건강할 때 맛있는 것을 먹고, 그 영양분으로서 활기차게 살아가는 것이 중요하다. 좋은 음식을 사랑하는 가족, 친한 친구들과 함께 세상 살아가는 이야기를 하면서 먹을 때 그 안에서 진정한 행복을 느낄 수 있다

넷째, 건강을 좀 더 소중히 여겼으면 하는 후회를 한다. 사람마다 삶의 목표가 다르다. 어떤 사람들은 삶에서 도전을 하고, 그 도전을 성취하는

것을 목표로 삼는 사람들이 있다. 그와 같이 도전을 중시하는 사람들은 일을 하기 위해서, 혹은 공부를 하기 위해서 자신의 건강을 잘 챙기지 않을 수도 있다. 많은 사람들은 그러한 삶을 살다가 어느 순간 자신의 건강이 많이 나빠졌음을 깨닫는다. 건강할 때 정기적으로 건강 검진을 받는 것은 좋다. 정기적 건강 검진을 통하여 자신의 건강을 잘 확인할 때에 건강한 삶을 영위할 수 있다. 말기 환자들은 건강할 때에 자신의 건강을 지키지 못하는 것에 대하여 많은 후회를 한다.

다섯째, 신의 가르침을 알지 못했음에 후회를 한다. 나약한 인간은 삶이 힘들 때에 신이나 종교에 의지한다. 인간은 종교에 의지하고 신앙의 가르침 속에서 영원한 삶에 대한 꿈을 꾼다. 사회에서 과거 위치나 부의 정도도 죽음을 피해 나갈 수 없다. 죽음 앞에서 모든 사람은 결국 평등 하게 된다. 죽음 직전에 누구나 불안감을 느낀다. 내 경험에 의하면, 종교 생활을 열심히 했던 사람들은 그렇지 않은 사람 보다 편안한 죽음을 맞는다. 죽음이 마지막이 아니라 또 다른 영생의 문으로 들어간다는 믿음은 신앙을 통하여 굳어지는 신념이다. 무슨 종교가 되었던지 종교를 갖는다는 것은 죽음에 대한 불안감을 극복할 수 있는 좋은 면역제이다.

후회 없이 살다 가는 삶은 아름답다. 그런데 인간이기 때문에 후회를 하지 않고 사는 이는 없다. 지금 죽음을 미리 그려보는 것은 후회 없이 살게 이끈다. '만약 오늘이 지상에서의 마지막 날이라면?'이라는 가정을 갖고 산다면 한 시간, 한 시간이 소중하게 여겨질 것이다.

함께 읽으면 도움이 되는 책

- 김형석, 《선하고 아름다운 삶을 위하여》, 두란노, 2018.
- 헬렌 니어링, 스콧 니어링, 《조화로운 삶》, 류시화 옮김, 보리, 2000.

10
자기결정권은 행복의 기본 전제이다

《혼자 잘해주고 상처받지 마라》, 유은정, 21세기북스, 2016.

행복하기 위해서는 타인과의 관계가 상당히 중요하다. 타인으로 인하여 인정받기도 하고, 또한 상처를 받기도 한다. 나한테 상처를 주는 사람을 가만히 보면 주위에 친한 사람일 확률이 높다. 친한 사람과의 관계를 잘 가져가는 것, 그리고 친밀한 관계를 유지하는 것은 내 삶을 행복하게 영위하는 데에 있어서 중요하다.

정신과 의사인 저자는 심리적으로 상처받는 것, 혹은 마음에 생채기를 받지 않기 위해서는 조금은 이기적일 필요가 있다고 한다. 상대방의 과도한 기대에 대해서 무시하거나, 또는 무리한 요구는 거절 하는 것이 좋다는 것이다. 혼자 너무 잘해 주고 살다가 마음에 상처를 받기 쉽다. 이러한 상처로부터 나를 지키기 위해서는 스스로가 충분히 사랑받고 행복할 자격이 있다는 점을 인지해야 한다. 내가 상대편을 맞춰 주기만 할 때에 내 행복감은 반감될 수밖에 없다.

행복하기 위해서는 적절하게 거절하는 방법을 알아야 한다. 주변 사람들이 욕할까봐, 남들이 좋지 않게 평가 할까봐, 이런 저런 핑계로 스스로가 거절하지 못하는 습관은 본인을 힘들게 한다. 당당하게 거절하고, 그리고 '나는 행복하게 살 자격이 있다'는 강력한 자기암시가 행복한 삶으로 이끈다. 행복하기 위해서는 내 스스로가 그리는 그림대로 현실이 흘러 나간다는 강한 믿음이 필요하다. 그 강한 믿음을 위해서는 자기만의 결단이 필요하다 .

저자는 자신 있게 살기 위하여 '자존감'을 갖는 것이 필요하다고 하였다. 자존감이란, 자신의 가치를 스스로가 인정하고 아끼는 마음이다. 멋지게 살기 위해서는 자존감 외에도 심리적 독립이 필요하다. 심리적인 독립은 혼자 있는 시간을 향유할 때에 가능하다. 스스로가 자신을 위하여 시간을 쓸 때에 우리 삶은 빛이 난다. 유은정은 혼자 있는 시간이야말로 우리의 삶을 빛나게 한다고 말한다.

"우리는 모두 하나의 별이다. 반짝일 권리가 있다. 하지만 세상에 혼자 빛나는 별은 없다. 모든 별은 다른 행성에 빛을 반사하고 있을 뿐이다. 당신이 더욱 빛나게 위해 그리고 당신이 누군가를 빛나게 하기 위해 혼자 있는 시간은 반드시 필요하다. 다만 그 시간을 어떻게 활용할 것인지는 당신에게 달렸다."[285]

혼자 있는 것을 두려워 해서는 결코 행복할 수 없다. 우리가 타자와의 관계에서 자신이 원하는 것을 할 수 없고, 자신이 빛날 수 없는 위치에 억지로 와있으면 이는 불행으로 가는 길목에 위치한 것이다. 행복하기 위해서는 나 스스로가 혼자 있는 시간을 통해 내공을 길러야 한다.

행복하기 위한 또 다른 전략은 스스로가 '완벽주의자'의식에서 부터 벗어나는 것이다. 세상에 완벽주의자란 없다. 결벽증을 갖은 사람은 사회생활을 하는 것이 힘들다. 완벽주의자보다는 자신의 흠을 이해하고 인정하는 삶이 멋진 삶이다. 나쁜 생각을 버리고, 나를 사랑 하려고 하는 그 지점에서 부터 내 행복은 시작된다. 자신을 사랑하는 사람은 환경이 아무리 힘들어도 이를 극복할 수 있다. 힘들 때에 내 스스로가 한 템포 쉬면서 가다듬는 것을 저자는 "내 안에 보석 찾기"[286] 라 부른다.

남녀 사이에서도 서로의 관계성을 잘 이해해야 상처를 받지 않고 행복하게 지낼 수 있다. 연애에 대한 자신만의 철학이 있어야 하고, 자기 스스로의 자존감을 끌어올릴 준비가 된 상태에서 사람을 만나야 서로 간에 좋아하는 감정이 올바른 연애로 승화된다. 연애보다 중요한 것은 좋은 사람과 좋은 관계를 유지하는 것이다. 유은정은 사랑과 관계에 대하여 이렇게 말을 한다.

"사랑은 관계라는 커다란 카테고리의 하위 개념이다. 다른 사람과의 관계를 잘 이끄는 사람이 연애도 잘 하는 법이다. 대상이 달라진다고 해서 미숙한 모습이 사라지는 것은 아니다."[287]

누군가한테 상처를 받고 힘들어 하는 사람이 상대가 바뀌었다고 해서 연애를 잘 할 수 없다. 내 안에 있는 상처를 치유하지 않고 시작하는 새로운 연애는 상처를 더욱 크게 만든다.

저자는 상처 받지 않고 행복하게 사는 방법으로 자신의 미래를 그려 보라고 말한다. 특히, 5년, 3년 후의 모습을 심상화한 후에 스스로가 생각하는 시간을 가져 보라고 한다. 이렇듯 미래에 대한 그림을 그리는 것, 또는 인생의 특정한 롤모델을 만드는 것을 통하여 스스로가 점진적으로 변화하게 된다. 심상화 작업은 생각만으로도 즐거워지고 행복해지는 훈련이다.

운동선수들의 삶에서도 자존감을 갖고, 스스로가 생각하는 시간을 많이 갖고, 가까운 미래에 대해 좋은 이미지를 그리면 행복감이 형성된다. 운동선수들은 경기 전, 또는 훈련 과정에서 수많은 이미지 트레이닝을 할 수 있다. 이러한 이미지 트레이닝 훈련과 실제 상황을 적절히 연동할 수 있다면 실제 경기에서 경기력 향상이 향상될 수 있다.

함께 읽으면 도움이 되는 책

- 피터 홀린스, 《혼자 있고 싶은데 외로운 건 싫어》, 공민희 옮김, 포레스트북스, 2018.
- 이숙명, 《혼자서 완전하게》, 북라이프, 2017.

11
휴식 가운데에 행복이 있다

《행복의 중심 휴식》, 울리히 슈나벨, 김희상 옮김, 걷는나무, 2011.

인간이 성장하기 위해서는 여러 가지 경험이 필요하다. 그중에서 휴식만큼 중요한 것이 있을까? 인간은 '쉼'을 통하여 더 높은 경지로의 성장을 이룬다. 아직까지 한 번도 가보지 않은 경지는 휴식을 통하여 내면과의 대화를 통하여 도달할 수 있다.

저자인 울리히 슈나벨은 우리는 휴식에 대하여 잘못된 생각을 갖고 있다고 지적한다. 휴식은 아무것도 하지 않는 것이 아닌, 자기만의 시간을 향유 하는 것이라고 한다. 휴식은 내 인생에서 중요하게 여기는 것과 합의(合意)할 수 있는 시공간이다. 그리스 철학자들은 휴식야말로 신들과 교류할 수 있는 행위로 여겼다. 이에 예술이나 음악 축제와 같은 휴식 활동은 인간의 영혼을 평화롭게 하고 휴식을 통해 나아갈 길을 제시한다. 휴식은 아무것도 안 하고 있는 것이 아닌, 이를 통하여 잠시 잊었던 나의 내면과 만나는 숭고한 시간이다. 현재 많은 사람들이 휴식을 잘 즐기지 못하고 있다. 성과주의 사회, 또는 정보가 과부하된 사회에서 제대로 휴식을 즐긴다는 것은 어렵다. 저자는 자신이 발전하기 위해서 적절한 휴식이 필요하다고 주장한다.

울리히 슈나벨은 우리 삶에서 휴식에 대한 오해가 존재한다고 본다. 많이 퍼져 있는 오해는 휴식과 단순하게 사는 것이 동일하다는 것이다. 두 번째 오해는 휴식은 특별한 시간이 필요하고, 일상에서 부터 반드시 벗어나야 되고, 또한 돈이 많이 든다는 것이다. 진정한 휴식은 따로 시간을 내거나, 돈이 많이 드는 것이 아니다. 자신에게 주어진 여가 시간 동안 최선을 다해 재미있게 지낼 때에 진정한 휴식을 보낼 수 있다. 소비 중심의 사회에서의 휴식은 소비 상품으로 인식되기도 하는데, 이는 상품이 아닌 개인의 '주관성'이 많이 작용하는 영역이다. 휴식은 이용자의 태도 문제와 강한 연관이 있다. 자유 시간이 아무리 많다고 해도 휴식에 대한 태도가 제대로 정립되어 있지 않으면 이를 잘 즐길 수 없다.

현대 사회를 살면서 우리는 광고로부터 자유로울 수 없다. 경계해야 될 점은 행복은 광고에서 나오는 유혹을 통한 것이 아니라, 현재 위치에서 내가 선택할 수 있는 자율적 조건과 연관이 있다.

잠은 생존의 필수 요건이다. 근래 학계에서는 낮잠에 대한 많은 긍정적 효과들을 제시하고 있다. 역사에서 위대한 업적을 이룩한 처칠, 나폴레옹, 레오나르도 다빈치와 같은 위인들처럼 밤에 주로 일을 많이 했던 사람들은 낮에 적절한 수면을 통해 일에 완전히 몰입할 수 있었다. 현재 많은 회사들이 근무 시간 동안에도 약간의 낮잠을 자는 것을 권유한다. 뉴욕의 경우, 20분 동안 잠을 자는데 15달러의 경비를 지불하는 '낮잠 공간' 사업이 번창하고 있다. 낮잠을 즐기는 사람들은 낮의 휴식을 통해 오후 시간, 또는 밤에 능률적으로 일을 한다.

명상과 행복의 관계는 긍정적이다. 명상은 저자에 따르면, 자극과 반응에 대하여 자동적인 수용에서 벗어나고자 하는 훈련이다. 꼬리에 꼬리를 무는 생각을 그만하고, 정보의 노예 상태에서 부터 벗어나고자 하는 자발적 행위가 명상이다. 명상은 심신을 잠시 멈추는 훈련을 통하여 내면을 확장하는 능동적 여가이다. 저자는 명상의 힘에 대하여 이렇게 말한다.

"외부의 자극에 휘둘리는 대신 내면의 소리에 귀를 기울이는 훈련을 하는 것만으로도 일상을 바라보는 우리의 시각은 완전히 바뀔 수 있다. 일, 가족, 돈, 두려움, 기대 등 끊임없이 나를 지배하는 외부의 자극으로부터 잠깐 떨어져 나오면 세상이 달리 보이면서, 하루하루가 더 새롭고 소중해지는 것이다."[288]

우리가 행복을 경험하기 위해서는 내면에 대하여 귀를 기울여야 한다. 명상은 현재에서 잠시 벗어나 내면과의 대화를 가능하게 한다. 하루에 단 몇 분만이라도 자신을 위한 명상은 행복을 경험할 수 있는 중요한 시공간이 된다.

저자는 제대로 휴식을 즐기기 위해서 홀로 지내는 것의 가치를 말한다.

혼자 있는 것은 자기 자신에게로 돌아오는 것이다. 어떤 사람들은 홀로 있으면서 느끼는 지루함으로 공포감을 느끼는 경우도 있다. 홀로 있으면서 텔레비전과 인터넷에 빠지는 것은 진정으로 홀로 있는 것이 아니다. 혼자 있는 그 시간 동안에 오롯이 그 시간을 충만의 시간으로 쓸 수 있는 여가에 탐닉해야 한다. 예를 들어, 마운틴 바이크를 타거나, 정원에서 장미꽃을 다듬거나, 산책하는 일들은 자신한테 집중할 수 있는 시간과 공간을 제공한다. 저자는 발터 벤야민의 말을 인용하여 "행복은 자기 자신에게로 되돌아오고 놀라지 않는 것"[289]이라고 한다.

행복은 전염성이 강하다. 행복한 사람 곁에 있으면 나도 행복하게 된다. 마찬가지로 내가 행복하면 내 주위에 있는 사람들이 행복해진다. 제임스 파울러 와 니콜라스 크리스타키스는 약 5천여 명의 실험 참여자들을 20년 넘게 추적하면서 생활태도, 건강과 행복의 관계를 연구를 했다. 그들의 연구결과에 의하면, 주변에 행복한 사람이 많이 있을수록 그 사람이 행복해질 확률이 높아졌다. 행복한 친구를 곁에 두고 있는 사람(A)은 그렇지 않은 사람에 비해 행복할 확률이 25%가 높아지고, 행복한 내 친구(B)가 다른 행복한 친구(C)를 알고 있다면 '우리(A와 B)'의 행복도에 10%의 긍정적인 영향을 주었고, 나아가 다른 행복한 친구(C)가 아는 또 다른 행복한 친구(D)는 '내(A)'가 행복해질 확률을 6% 나 높여주었다. 결국 행복하기 위해서는 필요한 것은 행복한 타자들이다.[290] 아니, 내가 행복해지는 것이 중요하다.

내가 행복해지기 위해서는 행복한 사람들은 일상을 어떻게 보내는 지를 관찰하고 이를 나의 삶에서 실천하고자 하는 의지가 중요하다. 최인철은 행복한 사람들의 일상을 배워야 한다고 이렇게 말한다.

"행복한 사람들의 '마음의 기술'을 배우는 것도 중요하지만, 행복한 사람들이 자신의 인생을 어떻게 구성하는지를 배우는 것도 못지않게 중요하다. 행복한 사람과 행복하지 않은 사람은 같은 일상을 다른 마음으로 살고 있을 수도 있지만, 애초부터 서로 다른 인생을 살고 있을 가능성이 높다. 행복한 사람들이 마음보다 행복한 사람들의 일상을 분석해 보려는 시도가 우선이 되어야 하는지도 모른다. 어떤 음식을 먹더라도 감사하고 즐거운 마음으로 먹는 것도 중요하지만, 애초부터 맛있고 건강한 음식을 먹는 것이 중요한 것과 같은 이치다. 누구를 만나든 즐거운 마음으로 만나려고 노력하는 것도 중요하지만 처음부터 좋은 사람들과 어울리는 것이 중요하고, 지루한 일도 기쁘게 할 수 있는 마음의 비결을 발견하는 것도 중요하지만 처음부터 즐거운 일을 하는 것이 더 중요한 것과 같은 맥락이다."[291]

휴식과 행복은 서로 사촌지간이다. 올바른 휴식을 취하는 사람일수록 많은 행복을 느낀다. 행복하기 위해서 무조건 특정 활동에 몰입하게 보다는 자신의 최적화된 휴식을 취해야 한다. 운동선수의 삶에서도 마찬가지이다. 적절한 휴식은 훈련과 공부에 많은 도움을 준다. 무조건적으로 운동 또는 맹목적으로 훈련 보다 중요한 것은 적절한 휴식을 취하는 일이다.

함께 읽으면 도움이 되는 책

- 구가야 아키라, 《최고의 휴식》, 홍성미 옮김, 알에이치코리아, 2017.
- 김찬, 《휴식수업》, 웨일북, 2017.
- 정경수, 《휴식, 노는 게 아니라 쉬는 것이다》, 큰그림, 2017.

12
걷는다. 고로 행복을 사유한다

《걷기, 두발로 사유하는 철학》, 프레데리크 그로, 이재형 옮김, 책세상, 2014.

산책은 시끄러운 세상에서 나만의 시공간을 갖는 긍정적인 선택 행위이다. 걷기를 통하여 세상과 만나고, 그 만남을 통해서 내 스스로의 삶에 대해 음미하는 시간이 바로 산책이다.

저자인 프레데리크 그로는 "걷는 것은 철학 하는 것"이라고 말한다. 산책은 현재의 질주하는 삶에서 잠시 멈춤의 기회를 갖는 것이다. 내 일상의 여러 가지 잡다한 일에서 벗어나 한가로이 걸을 수 있다는 것은 세상을 관조할 수 있는 힘을 키운다. 산책은 일에서 잠시 벗어나 삶의 의미를 성찰하는 기회를 준다. 걷는 다는 것은 최고의 행복감을 선사한다. 이 행복감을 느끼는 자와 그렇지 못한 자 사이의 삶은 분명 차이가 있다. 걷는데 몰입하다보면 '초월'의식을 갖게 된다. 저자는 이런 말을 하였다. "걷다 보면 어떤 사람이 되어 하나의 이름과 하나의 역사를 가지고 싶다는 유혹을, 하나의 정체성을 가져야 한다는 생각을 떨쳐버리게 된다."[292]

이 책에는 여러 명의 걷기 달인인 철학자들이 등장한다. 그들은 걷기를 통하여 자신의 삶과 철학을 더 정교화 시켰다. 그중 몇 명을 소개해 보고자 한다. 니체는 글은 손으로 만드는 것이 아니라, 발로 쓴다는 것을 증명한 철학자였다. 니체 철학은 걷기 체험으로부터 나왔다. '영원 회귀'는 반복의 연속선상에 있는 것으로, 니체가 오래 동안 산책로를 걸으면서 생각했던 개념이다.

걷는다는 것은 안에서 밖으로의 이행(移行)이다. 내가 일하는 사무실에서 집으로, 또는 집에서 어떠한 가게로 나아가는 것은 걷기를 통한 일정한 방향으로 나아가는 것이다. 이는 '밖'으로의 '이행', 그리고 '경계'를 짓는 것이다. 걷다 보면 내가 안에 있을 때 보던 '밖'과 다르게 밖은 안정적 위치로 인지된다. 이렇듯 걷기는 안과 밖의 관계를 뒤섞는다.

걷기는 속도에 대한 해석을 가능하게 한다. 속도가 시간을 벌게 한다는 믿음은 잘못된 것이다. "조급함과 속도가 시간을 가속하면 시간은 더 빨리 지나갈 뿐이다."[293] 편히 걸으면 시간을 충분히 영위할 수 있다. 그 시간은 내 공간으로 들어와 기분, 감정과 체험에 요동을 일으킨다. 걷기를 통하여 인지된 시간은 나의 기억에 하나의 방점을 찍는다. 힘들 때 마다 꺼내볼 수 있는 기억의 소실점을.

걷는 사람들은 혼자가 아니다. 걷다 만나게 되는 많은 자연환경인 들, 나무, 꽃, 숲, 땅들과의 교류를 한다. 걷는다는 것은 "육체와 영혼의 대화"를 나누는 것이다.[294] 걸으면 내 몸과 정신은 서로 상호작용을 한다. 이들은 서로 동료의식을 갖는다.

1845년 3월 헨리 데이비드 소로는 월든 호수 근처의 땅에 오두막을 지었다. 그는 이 오두막에서 2년 넘게 자급자족하는 삶을 살았다. 소로는 매일 3시간에서 5시간 이상 숲을 걸었다. 그는 걸으면서 자신한테 주어진 현장을 철저하게 체험하고자 하였다. 그는 걷기에 걸리는 시간과 동일한 시간을 글쓰기에 할애하였다. 그는 도서관에서 책을 읽고 글을 쓰는 것보다 걸으면서 나에게 주어진 현실을 이해하고 생각해 보고자 하였다. 소로는 현실에서의 거부하는 삶을 살기를 원했고, 간소하게 살고 오랫동안 걷고, 사회의 영향력 안에서 벗어나는 삶을 살고자 하였다. 그에게서 걷기는 영혼을 해치는 타인들로 부터의 도피처이었다.

걷는 것은 행복이라는 감정에 파고 들어가는 길이다. 그로는 이렇게 말을 한다.

"행복이란 지는 햇살 아래의 보랏빛 계곡, 납처럼 무거운 햇빛에 하루 종일 짓눌려 있던 빛깔들이 하나하나 황금빛 속에서 해방되어 입고 숨을 내쉬는, 아주 짧은 순간만 지속되는 여름날 저녁의 기적이다. 숙소에 도착해서는 다른 사람과의 함께 지내는 하룻밤이 또 행복할 것이다. 걷기라는 인연으로 우연히 만난 사람들과 같이 있어서 행복한 것이다. 그런데 이 모든 것에서 중요한 것을 받아들이는 것이다. 행복이란 어떤 정경이나 어떤 순간, 어떤 분위기에 수신자가 되어 순간에 은총을 받아들이는 것을 전제로 한다."[295]

소로는 걷기는 기쁨, 즐거움, 충만감, 행복, 그리고 평정의 감정들을 만들어 준다 하였다. 이는 감정을 산출해 내는 공급원이다. 감정의 변화가 없는 자는 살아도 죽은 자와 같다. 용솟음치는 희로애락의 감정을 통하여 인간은 내 삶의 역동성을 경험한다.

발터 벤야민은 파리 거리를 유유자적하게 걸었던 철학자였다. 그는 니체나 소로처럼 자연을 걸었던 것이 아니라, 도시를 걸으며 그 풍경을 음미했던 소요자(消遙者)였다. 소요자는 군중 속에서 그들과 함께, 또는 군중을 지나서 걷는다.

걷기라는 감각적 행위는 육체를 통한 사유를 가능하게 해 준다. 두발로 밖으로 나가서 걷는 행위를 통하여 심신은 기쁨, 즐거움과 행복을 느낄 수 있다. 이러한 긍정적인 감정의 축척은 영혼의 목욕재계(沐浴齋戒)로 이끈다.

함께 읽으면 도움이 되는 책

- 로제 폴 드루아, 《걷기, 철학자의 생각법》, 백선희 옮김, 책세상, 2017.
- 리베카 솔닛, 《걷기의 인문학》, 김정아 옮김, 반비, 2017.
- 틱낫한, 《걷기명상》, 진우기 옮김, 한빛비즈, 2018.

13
느리게 걸으며 행복을 체득한다

《느리게 걷는 즐거움》, 다비드 르 브르통, 문신원 옮김, 북라이프, 2014.

걷는 것에 가치를 가장 철학적으로 부여한 작가는 다비드 르 브르통이다. 그는 프랑스 스트라스부르 대학교 사회학과 교수이다. 2002년 국내에서 출간된 그의 저서, 《걷기예찬》은 걷는 것에 대한 인문학적 성찰을 전했던 놀라운 책이었다. 브르통은 걷기란, "가장 우아하게 시간을 잃어버리는 방법'이라고 말하였다. 나는 걸을 때 마다 이 표현을 마음에 새겨본다.

걷기에 대한 그의 철학에 귀를 기울여 보자. 브르통에 따르면, 걷기는 나라는 존재에 대한 시간과 공간에 매력을 불어넣는 행위이다. 걸을 때에 중요한 것은 편안한 마음으로 걷는 것이다. 걷는 자는 감각을 열고 유연한 상태의 몸으로 땅과의 유대 관계를 형성하고자 하는 사람이다. 나무, 바위, 땅, 개울 등에 떨어져 있는 나뭇가지나 낙엽들의 자태를 감상하는 여유를 갖는 것은 걸어서 얻는 부수적인 즐거움이다.

길을 걷는 사람은 그 시간 동안 시간의 진정한 주인이 된다. 본인의 의

지에 따라 걷는 행위의 완급을 조절할 수 있다. 잠시 쉬어 갈 수도, 또한 다른 길로 나아가며 그 시간을 온전하게 즐기게 된다. 마주치는 나뭇잎의 움직임에 경탄하고, 넓게 펼쳐진 호수에 시선을 던지고, 한강의 시원한 물에 발을 담글 수 있다. 걷기는 천천히 걸으며, 느린 시간 동안 자신의 내면을 돌볼 수 있는 시간적 여유를 준다.

낯선 곳을 걷는 여행자는 걷기 여행을 통해 색다른 시각, 청각, 후각과 미각을 음미하게 된다. 브르통은 그 의미에 대해서 이렇게 말을 한다.

"익숙한 환경 특유의 무의식적인 자동성과는 멀어진 여행자는 낯선 지각에 속하는 색다른 감각적 차원에서 보고, 맛보고, 만지고, 느끼고, 들으면서 끝없는 놀라움 속에 빠져 든다."[296]

낯선 지각을 맛봄을 통하여 자연에 대한 관심이 높아지면 일상의 타성에서 벗어나고, 감각은 활성화된다. 주변의 새나 동물의 울음소리, 샘물이 흐르는 소리, 나뭇가지의 미세한 움직임 소리를 인식할 수 있다. 감각이 활성화 된다는 것은 내가 세상을 인지할 수 있음을 의미한다. 이에 걷기 여행은 "감각을 통한 전진이요, 관능으로의 초대이다."[297]

도시를 걷는 것은 도시의 활력이나 밤의 휘황찬란함을 몸으로 깨닫게 한다. 도시 안에는 여러 가지 형태의 건물들이 있고, 많은 변화들이 잠복해있다. 자연 속의 숲, 나무, 들판, 시냇물, 호수와는 다르게 도시에는 아스팔트, 콘크리트, 건물, 빌딩. 전시물로 둘러싸인다. 도시에서 걷는 것은 익명의 군중들과 함께 걷는 것을 포함한다. 브르통은 보들레르의 말을 빌려 도시의 산보객은 "남몰래 어디서나 즐기는 왕족이다. 자신의 집을 벗어나서도 어디서나 내 집처럼 편안하게 느끼고 세상을 보고 세상의 중심에 있지만 세상으로부터 숨어 지낸다"[298]고 하였다. 길을 걸으면서 본인이 원하는 길가에 잠시 쉬다 보면 그 곳에서 뜻밖의 보물을 발견할 수도 있다.

한적한 카페에서 커피를 마시는 사람들, 일터에서 퇴근 하는 사람들, 장례식 행렬 등과 같은 자신과 무관해 보이는 사람들의 일면들을 바라 볼 수 있다.

"걷는 것은 자신의 길을 되찾은 일이다. 돌연히 빠른 속도로 앞으로 나아가는 방법이다. 질병과 슬픔을 이기고 앞으로 나아가면서 자신에게 작별 인사를 하고 다른 사람이 되고자 하는 의식이다. 처음 걷는 몇 시간은 걱정거리가 줄어들고, 깊이 생각하는 경향이 적은 사색으로부터 해방 된다. 그리고 사물에 대한 시야가 넓어지는 듯 한 공간으로 들어서면서 어떤 해결책을 모색하려는 욕구가 강해진다. 걷기는 잠시 바깥에서 오는 모든 유혹을 잘라내어 자신의 재정복을 구축하기 위한 재활성화이자 내적인 은신처이다."[299]

걷기의 미덕은 나 자신을 되찾는 것에 있다. 일상생활이 바쁘다 보면 내가 누군지도 모르고 산다. 그럴 때에 걷기를 통하여 나 자신에 대한 의미와 존재의 가치를 찾아야 한다. 걷기는 가장 손쉽게 행복에 다가가는 길이기도 하다. 이는 다른 여가처럼 많은 시간과 돈이 들어가지 않는 짧은 시간 자신을 불태울 수 있는 자연스러운 몸짓의 연속성이다. 나의 내면은 걷기를 통하여 밖으로 표출이 가능하다. 그 내면의 욕구가 자연스럽게 밖으로 나올 때에 나는 세상과 호흡을 하고 즐겁게 살 수 있다.

함께 읽으면 도움이 되는 책

- 존 포트, 레이첼 피어시, 《로마 걷기여행》, 정현진 옮김, 터치아트, 2017.
- 크리스티네 튀르머, 《생이 보일 때까지 걷기》, 이지혜 옮김, 살림, 2017.

14
간소함은 행복으로 이끈다

《심플하게 산다》, 도미니크 로로, 김성희 옮김, 바다출판사, 2012.

간소하게 산다는 것은 삶의 군더더기를 벗고 사는 것이다. 간소하게 사는 것의 이미지는 '무소유'이다. 우리는 무소유가 얼마나 어려운지를 알고 있다. 필요 없는 것도 갖고 싶고, 가진 것은 더 갖고 싶은 것이 인간의 욕망이다. 심플한 삶을 위해서는 적게 소유하고 필요 없는 것을 버리는 실천을 해야 한다. 역설적이게 내가 가진 것을 버리고 물건으로 부터 해방 될 때에 나는 성장할 수 있다. 이러한 성장은 행복의 원천이 된다.

도미니크 로로는 프랑스 출신의 수필가로 소르본느 대학에서 공부했고, 영국, 미국 그리고 일본 등지에서 교사로 일했다. 동양의 아름다움에 빠져서 1970년대부터는 일본에 살기 시작했으며 여기서 살면서 동양적 아름다움과 심플하게 사는 가치를 그의 삶 속에서 실천하고 있다. 적게 가지고 단순하게 사는 것의 가치를 강조한 이 책은 프랑스와 일본에서 베스트셀러가 되었다. 이 책은 단순하게 살기 위한 세 가지 축인 물건, 몸과 마음에 대하여 이야기하고 있다.

저자는 물질적인 부는 인생에서 진정한 부를 결정짓는 요인이 아니라고 한다. 많은 사람들이 더 많은 것을 소유함에 따라 안심하게 되고, 편안함을 느낀다고 여긴다. 그러나 이는 오해다. 소유한 것들은 어느새 그 사람의 보이지 않는 무게로 작용해서 압박할 수 있다. 많은 것을 소유하기보다는 작은 것을 가짐으로 진정한 해방을 누리는 것이 행복한 삶의 기본이 된다. 집에서도 그렇다. 공간을 가구와 읽지 않는 책들을 쌓아 놓으면 자유로운 공간 사용의 기회를 잃어버릴 수 있다. 로로는 심플하게 살기 위해서는 "선택"을 해야 한다고 주장을 한다.[300] 지금 갖고 있는 물건을 팔거나, 남한테 주거나, 또는 정리해야 하는 결단을 내려야 한다. 버리는 것이 간단하다고 생각하는가? 결코 그렇지 않다. 버리는 것은 엄청난 노력이 필요하다. 로로는 삶의 본질에 대하여 이렇게 말을 한다.

"삶의 본질은 물건을 통해 구현되지 않는다. 필요 이상의 것을 절제하는 미니멀리스트가 되려면 정신적이고 지적인 짐가방을 꾸릴 줄 알아야 한다. 많이 소유 하지 않으면 실제로 삶의 질이 개선된다. 적게 소유하는 삶의 풍요로움은 누구나 마음만 먹으면 누릴 수 있다. 중요한 것은 용기를 갖고 자신의 신념을 끝까지 지켜내는 것이다."[301]

로로는 장소로서 집의 가치는 휴식, 치유, 감정의 공간이라고 하였다. 도시에 사는 사람들은 많은 소음을 경험하고 스트레스를 받고 살고 있다. 집은 귀가 후에 철저하게 쉴 수 있는 그런 공간이 되어 정신적인 영양분을 공급해야 한다. 집은 공간이 넓거나, 또는 이용할 수 있는 물건이 많은 것보다 어느 정도 안락함을 줄 수 있는지가 중요하다. 로로는 좋은 집은 여백이 많고, 집 안으로의 빛과 소리가 적당하게 들어오고, 수납공간은 충분해야 한다고 말한다. 여백이 충분한 집은 좋은 기운이 그 안에 머무른다. 먼지가 쌓인 가구나 책상, 그리고 정리가 안 된 물건은 집안의 전체적 균형을 깨뜨리는 주범이 된다. 집이 깨끗하고 좋은 기운을 갖고 있을 때 그 안에 사는 이들의 삶이 행복해지고 건강해진다. 집은 우리 성장의 터전이다. 기분이 좋은 집에서 산다는 것은 올바른 휴식을 통해 영적 성장을 의미한다.

최소한의 물건들만 구비하여 사는 것이 좋다. 옷장 또한 단순화하는 것이 좋다. 로로는 자기관리에서의 옷차림은 중요하다고 말한다. 옷을 많이 갖고 있기 보다는 자기한테 맞는 옷을 최소화하고 잘 입고 다녀야 한다.

"자기 관리를 할 때 무엇보다 먼저 생각해야 할 것은 건강, 재정상태, 그리고 아름다움이다. 정성을 들인 좋은 옷차림에서는 긍정적인 에너지가 나온다. 소극적인 태도를 버리자. 당신은 변할 수 있다. 당신도 빛날 수 있다."[302]

머리가 복잡한 이유 중 하나는 돈과 관련이 있다. 돈은 우리 생활에 절대적으로 필요한 존재이다. 또한 에너지이기도 하다. 심플하게 살기 위해서는 돈의 노예가 되지 않고 가계부로 생활을 잘 정리해야 한다. 무분별한 소비를 하다 보면 돈으로 부터 압박을 받을 확률이 높고, 이는 내 삶의 제약으로 작용한다. 주위에서 돈을 흥청망청 쓰다가 돈의 노예로 사는 사람들을 본 적이 있다. 돈을 절제하고, 필요한 부분에만 사용하고, 저축하는 삶은 심플하게 살 수 있는 길이다.

심플하게 살기 위해서는 몸을 관리하는 것은 중요하다. 몸을 잘 관리하기 위하여 로로는 작은 수첩에다 몸에 대한 여러 가지 정보를 적는다. 체중, 필요한 용품의 이름, 건강과 관련된 처방, 병원 가는 날 등을 적는다. 건강한 삶을 살기 위해서는 잘 먹고, 적당히 운동하고, 잘 씻고, 충분한 휴식을 하고, 숙면을 취해야 한다. 이런 건강을 위한 행동들을 습관으로 만들어야 한다. 혼자 있는 시간이 생길 때에 목욕은 몸과 마음을 정제(整齊)하도록 이끈다. 뜨거운 물로 목욕을 하고, 차가운 물로 샤워를 하면 심장 기능이 좋아지고 피부혈관이 확장되는 과정을 통하여 혈액순환이 좋아진다. 목욕은 휴식을 통한 새로운 에너지를 받는 건강 회복의 과정이다. 건강하게 살기 위하여 적절한 운동도 필요하다. 규칙적으로 운동을 하는 것은 건강 회복에 필요한 일이다.

심플하게 살기 위한 마음 관리도 필요하다. 우리는 자주 스트레스를 받게 되고, 불안과 고통을 시달리고는 한다. 이러한 일들이 반복될 때에 내 삶은 황폐화된다. 마음가짐을 간소화하는 것은 건강을 위해 중요하다. 로로는 마음의 건강을 위하여 고요함에 주의를 기울이라고 한다. 고요함과 친밀하게 되는 방법 중 하나는 '명상'이다. 로로는 명상 방법으로 아무 생각 없이 무념의 상태를 만들고 유지하라고 한다. 생각을 지우고, 무념무상의 상태를 지속한다. 명상은 고요함을 통하여 좋은 기운을 내면으로 가져오는 일이다. 생각이 죽으면 존재의 가치는 부상한다. 로로는 일본의 선승 데시마루 타이센의 말을 빌려 이렇게 말한다.

"생각은 하늘의 구름처럼 흘러가게 내버려 두어야 한다. 삶에 대해 생각하는 게 아니라 삶으로 존재해야 한다."[303]

많이 가져야 행복하다는 생각은 전근대적 사고방식이다. 삶에 대하여 반성하고 유연하게 대처할 수 있는 태도는 삶 속의 해방감을 높여준다. 우리가 가진 것, 또는 갖고 싶어 하는 욕망이 커지면 물건의 노예로 전락한다. 내 삶의 주인이 되기 위해서는 심플하게 살아야 한다.

1974년에 남캘리포니아대학 경제학과 교수인 리처드 이스털린은 '이스털린의 역설'을 주장하며 나라가 부유해진다고 해도 개인의 행복감이 더 커지는 것은 아니라는 것을 제시하였다. 일반적으로 부유한 국가의 국민은 가난한 국가의 국민 보다는 행복하다. 그런데 국가의 부 수준이 어느 정도를 넘어선 후에는 부의 증가는 국민의 행복에 별로 영향을 미치지 못하는 것을 밝혀냈다. 사람들은 월급이 오르게 되면 기분이 좋아지지만 자신이 갖고 싶은 소비재에 대한 기대치가 높아져 자신의 행복을 성취하는 것이 어렵다는 것을 발견한다. 월급이 증가하는 만큼 욕망은 더 커진다. 그렇다면 행복 추구에서 중요한 것은 무엇인가? 그것은 자신의 행복을 다른 사람과 비교하지 않으면서 스스로의 행복을 찾는 것이다.[304] 소비에 대한 욕망을 줄이고 간소화 하면서 살 때에 행복을 느끼기 쉽다.

욕망을 억제하는 일은 참으로 어려운 일이다. 그렇기에 이내옥은 무소유의 순간에 큰 깨달음을 얻는 것이 인간이라고 이렇게 말한다.

"사람들은 대부분 죽음의 순간에 깨달음을 얻는다고 한다. 더 이상 가져갈 수 없으니 비로소 무소유 앞에 직면한다. 모든 관계를 떠나니 무한한 고독과 대면 한다. 천 길 낭떠러지에 서서 한 걸음 앞으로 내딛는 순간에 열리는 새로운 세계이다. 아마 우리 인간의 죽음도 흰 눈에 덮인 겨울의 호수 풍경처럼 아름다울 것이다."[305]

가진 것이 행복을 좌우하는 것이 아니라, 삶의 균형을 아는 것이 행복을 느끼게 한다. 현재 상태를 만족하고, 보다 덜 소유하고, 소유한 것에 대하여 감사함을 느끼고 살 때에 행복은 우리 곁에 부지불식간에 찾아온다.

함께 읽으면 도움이 되는 책

- 도미니크 로로, 《도미니크 로로의 심플한 정리법》, 임영신 옮김, 문학테라피, 2013.
- 모니카 루꼬넨, 《진정한 심플라이프, 휘바 핀란드》, 박선형 옮김, 북클라우드, 2017.

제 6 장

어떻게 행복을 추구할 것인가?

01
행복에는 조건이 있다

《행복의 조건》, 조지 베일런트, 이덕남 옮김, 프런티어, 2010.

행복 추구에서 정답은 없다. 그러나 행복의 조건은 존재한다. 많은 사람들이 행복의 실체를 규명하기 위하여 노력해 왔다. 특히, 긍정 심리학자들은 행복을 경험하기 위한 다양한 전제 조건들에 대하여 연구 결과를 제시했다.

이 책은 1930년대 말에 입학한 하버드대학교 2학년생 268명의 삶을 72년 동안 추적하여 행복한 삶의 공식을 뽑아내고자 하였다. 하버드 대학교 의과대학 교수인 조지 베일런트는 약 40년 동안 이 연구의 대상자들을 살펴보았다. 60년대 말에는 연구대상자가 40대에 접어들었고, 이들은 사회적으로 다양한 활동을 한 것으로 나타났다. 이 중 네 명은 미국 상원의원이 되었으며, 한 명은 대통령 자문 위원회에서 일했으며, 한 명은 대통령이 되었다. 이들 중 베스트셀러 소설가도 한 명 나왔다. 50세에 이르러서는 연구대상자의 3분의 1은 베일런트 교수가 설정한 정신 질환의 카테고리에 들어갔다. 하버드대학 출신들도 중년에 접어들면서 심리적인 아픔을 경험하는 것이 나타났다. 베일런트는 아버지의 하버드대학교 동문회 25주년 회보를 받아보고는 거기에 실린 사람들의 삶에 대하여 연구하기로 마음을 먹었다고 한다. 1967년 33살의 나이로 그는 하버드대학교에서 이와 같은 장대한 연구의 연구원으로 참여하게 된다.

하버드대학교 성인발달연구는 총 세 집단의 연구를 수행하였다. 첫 번째 집단은 1920년대 태어나 사회적 혜택을 받고 자란 268명의 하버드 대학교 졸업생이다. 두 번째 집단은 1930년대에 출생한 사회적 혜택을 누리지 못한 고등학교 중퇴자 456명이다. 이 집단은 세계에서 가장 오래 동안 진행되어온 블루칼라 연구대상자이다. 세 번째는 1910년에 태어난 지적 능력이 뛰어난 중산층 여성들 90명이다. 이 또한 세계에서 가장 오래된 여성의 발달에 관한 연구대상자로 평가된다. 성인의 발달 과정을 다루었던 이 연구는 윌리엄 그랜트로부터 연구지원을 받으면서 시작되었다.

연구를 위한 첫 번째 질문은 행복에 대한 질문으로 “어린 시절의 어떤한 요인이 인생을 좌우하는가?” 이다. 하버드 연구대상자 중에서 어린 시절의 행복감이 훌륭한 노년과 최악의 노년이라고 평가되는 사람들의 삶에 미치는 영향은 별로 없었다. 만족스러운 노년의 중요한 요인으로는 오히려 ‘수입’이 들어갔다. 그러나 유년기의 환경적 요인 중 ‘신체 건강’ 상태는 노년기 까지 중요한 영향을 미쳤다. 건강하지 못했던 유년기를 보냈던 23명 중 3분의 1은 53세 경에 고혈압, 당뇨병, 심장병 등과 같은 만성질환을 앓고 있으며, 23명 중에 4명은 이 나이 전에 사망했다. 유년기의 경험이 행복한 노년에 대한 완벽한 예측은 불가능하지만, 몇 가지 시사점을 제공해준다. 불행한 유년기를 보내면 중년기 이후 정신 질환을 앓을 가능성이 높다는 것이다. 불행한 유년기를 경험한 사람들은 노년이 되어서도 놀이를 통해 인생을 즐기기가 힘들다는 것이 나타났다. 이들은 또한 자기감정 및 타인을 신뢰할 수 없고, 평생 동안 마음을 터놓을 수 있는 친구를 많이 사귀지 못했다.

건강하게 나이 드는 것은 행복의 중요한 조건이다. 사회적, 정서적, 그리고 신체적 건강을 유지하는 것이 행복한 노년의 필수적 조건이다. 건강한 노년을 예측하는 요인들로는 몇 가지가 있다. 첫 번째는 비흡연 또는 젊은 시절의 금연이다. 두 번째는 적극적 방어기제의 소유 여부이다. 일상생활에서 불편한 사항이나 문제점에 부닥쳤을 때에 이를 심각한 상황으로 생각하지 않고 스스로가 긍정적 상황으로 전환하는 능력을 성숙한 '방어기제의 보유' 능력이라고 한다. 하버드 집단과 고등학교 중퇴 집단 모두에서 성숙한 방어기제를 갖고 있는 사람들이 건강한 노년을 보내는 것으로 나타났다. 50세 정도의 나이에서 성숙한 방어기제를 가지면 노년기에 정신적으로나 사회적으로 건강하게 지낼 수 있다. 세 번째는 알코올 중독 여부가 중요하다. 연구에 따르면, 알코올 중독은 과중한 스트레스로 인한 결과가 아닌, 오히려 알코올 중독이 스트레스를 불러일으키는 원인으로 밝혀졌다. 이는 연구대상자의 자살, 살인, 암, 심장질환, 면역체제 저하 등을 유발하기도 하였다. 네 번째는 알맞은 체중이다. 다섯 번째는 안정적인 결혼 생활이다. 여섯 번째는 규칙적인 운동이다. 일곱 번째는 교육 정도이다. 고등학교 중퇴자 집단의 경우에는 고등학교의 교육 여부가 노년기에 중요한 행복 요인으로 작용하였다.

고등 교육 경험 여부는 자기 관리능력이나 자기 인내심을 강화시켰다. 교육을 많이 받은 사람일수록 담배를 끊거나, 음식을 조절하고, 운동을 규칙적으로 하고, 술을 자제 할 수 있는 확률이 높아 높은 것으로 나타났다. 고등학교 중퇴자 집단은 하버드 졸업생 집단이나 중산층 여성 집단보다 노년기의 건강이 안 좋은 것으로 나타났다. 여기에서 재미있는 것은 고등학교 중퇴 집단 중 다시 대학 교육을 받은 사람들은 70세 경에 하버드 졸업생 집단의 건강상태와 별다른 차이가 없다고 나타났다. 하버드 졸업생과 고등학교 중퇴자 사이에 유년기 가정 형편, IQ, 소득, 출신대학, 직업, 경력, 사회적 신분의 차이는 엄청나다. 이들 집단 간의 차이는 성인기에 교육 수준을 높이면 노년기의 건강 상태나 행복감의 간극을 좁힐 수 있었다.

조지 베일런트는 행복하게 은퇴생활을 살아가는 방법으로 네 가지를 제시한다. 첫째, 은퇴한 뒤에도 직장동료를 대신할 수 있는 사회적인 만남을 강화해야 한다. 둘째, 자신이 좋아하는 놀이 활동을 지속적으로 해야 한다. 셋째, 창의성을 발휘할 수 있는 활동을 꾸준히 해야 한다. 넷째, 은퇴한 뒤에도 평생 공부를 해야 한다. 조지 베일런트는 나이가 들면서 노력하면 유년기나 청년기보다도 더 많은 성장을 할 수 있다고 강조하였다. 조지 베일런트는 행복한 노년이 되는 기본 요건을 정리하여 고통에 대응하는 성숙한 방어기제, 유머, 교육, 안정된 결혼 생활, 금연, 금주, 정기적인 운동, 그리고 적절한 체중 유지를 제시하였다. 그는 나이 듦의 미학(美學)을 이렇게 말한다.

"시간이 흐를수록 더 지혜로워지는 것은 어쩌면 당연한 일이다. 오래 살면 살수록 경험의 폭은 점점 넓어지고 편견은 줄어든다. 일단 자전거 타는 법을 배우면 절대로 잊지 않는다. 험난한 길을 따라 여행을 했던 기억은 결코 잊히지 않을 것이다."[306]

나이 들면서 지혜로워지는 이유는 경험의 '폭'이 넓어지기 때문이다. 나이가 드는 일은 슬퍼할 일이 아니다. 주변에 보면 노련한 판정을 내리는 심판, 판사, 선생님들은 수십 년간의 몰입 경험이 가진 자들이다. 타인의 공감을 불러일으키는 능력 또한 시간이 어느 정도 흘러야만 얻어지는 산물이다. 세상을 관조하는 능력과 타인에 대하여 이해하는 능력은 세월이라는 흐름을 타봐야만 얻어진다.

사람은 누구나 나이를 먹는다. 저자는 행복하게 나이 드는 방법에 대하여 오랜 연구 결과를 토대로 이야기한다. 행복한 사람들은 다른 사람을 소중히 여기고, 개방적인 사고를 갖고 있고, 항상 감사하며, 언제나 희망을 잃지 않고, 유머감각을 지녔으며, 과거를 자주 회상하여 현재를 살피고, 그리고 주변에 많은 친구들과 계속 친분 관계를 유지하려고 하고 있다. 행복하기 원하는가? 행복을 원한다면 이 책의 연구참여자들 처럼 자신과 타인 모두에게 소중한 마음을 품고 살아야 한다.

함께 읽으면 도움이 되는 책

- 숀 아처, 《행복의 특권》, 박세연 옮김, 청림출판, 2012.
- 유키 소노마, 《하버드 행복수업》, 정은희 옮김, 매일경제신문사, 2017.

02
생각을 바꾸어야 행복하다

《마음의 힘》, 제임스 보그, 정향 옮김, 한스미디어, 2011.

행복은 많은 요인으로 구성된다. 그 중에서 생각은 중요한 행복 구성의 요인이다. 생각을 어떻게 하느냐에 따라 행복이 찾아 올 수도 있고, 또한 멀어질 수도 있다. 현대인의 삶에서 스트레스는 행복감에 많은 영향을 미친다. 이러한 스트레스에 대응하는 올바른 생각이 행복을 유지하고 강화시키는데 중요한 역할을 한다.

이 책의 저자 제임스 보그는 정신분석과 의사이자, '마음 마술(mimd magic)'이라는 기술을 통하여 행복을 추구하는 치료사이다. 사람은 평균적으로 하루에 6만개에서 8만개 정도의 생각을 한다. 생각은 감정을 만들어 낸다. 생각은 감정을 바꿀 수 있는 힘도 있다. 보그는 생각을 바꾸면 행동이 바뀌고, 행동이 바뀔 때에 인생 또한 변화할 수 있다고 강조한다.

우리 스스로는 마음을 지켜 볼 수 있다. 스스로가 '관찰자'의 입장에서 나를 관찰할 수 있다. 가만히 앉아 지금 내 머리 속에 떠다니는 생각들을 관찰해보자. 많은 생각들은 오고 간다. 이렇게 생각들을 바라 볼 수 있을 때에 생각에 대한 통제가 가능하다.

행복하기 위해서는 한 발짝 물러서서 자신의 생각을 관찰해야한다. 부정적인 사고를 하는데 시간 낭비를 하지 않기 위해서는 객관적으로 생각을 관찰하는 능력을 가져야 한다. 만약 머릿속에서 부정적인 생각의 회오리가 일어난다면 불편하게 된다. 나의 의지대로 부정적인 생각을 가라앉히고 긍정적인 생각을 할 수 있다는 깨달음이 행복한 삶의 필수 조건이다.

스트레스는 불안과 분노를 양산한다. 사람들은 자기가 갖고 있는 스트레스의 정도에 따라 불안과 분노를 느끼고 스트레스가 과도하면 병에 걸린다. 평상시에 조용히 넘어 가던 사소한 일들이 난폭한 반응으로 이어지는 것은 스트레스가 축적되었기 때문이다. 분노를 가라앉히는 방법으로는 분노가 날 때마다 숫자를 세거나, 분노의 근본적인 원인을 분석하는 것이 좋다. '과연 내가 지금 분노를 느끼는 것은 정당한 것인가?'라고 생각해 보는 일은 분노를 가라앉히는데 도움을 준다. 분노가 있을 때에 '과연 나는 어떤 행동을 해야 하나?'를 정확하게 아는 것이 필요하다. 조용히 뒤에 물러나 분노를 바라볼 수 있으면 이를 가라앉히는데 도움이 된다.

행복하기 위해서는 뇌의 구조를 새롭게 하고자 하는 시도가 필요하다. 신경 가소성의 원칙에 따라 시냅시스는 끊임없이 새로운 환경에 적응하면서 변한다. 뇌는 가소성을 지니고 있기에 그 구조가 계속적으로 변한다. 뇌의 뉴런들은 서로 연결이 되고, 새로운 연결점을 만들어 나가며 환경에 적응해 나간다. '시각적 형상화'는 머릿속에서 이미지를 그려봄을 통하여 뇌에 새로운 뉴런 통로를 생성시킨다. 우리의 생각은 뇌의 구조와 생각 작용을 통하여 바꿀 수 있다. 시각적 형상화를 통해서 비경험한 현상을 경험한 것과 같이 느낄 수 있다. 운동선수들은 시각적 형상화를 통한 훈련을 많이 하고 있다. 운동선수 스스로가 자신이 설정한 목표를 달성한 것으로 여기는 가상의 느낌을 갖는 훈련을 한다. 이미지를 통해서 관중의 함성소리를 실제 느낀다고 여긴다. 이미지를 통하여 100미터를 뛰거나, 공을 서브 하는 등의 동작을 생생하게 느껴본다. 이와 같은 시각적 형상화는 정신적 강인함을 키워준다.[307]

행복하기 위해서는 잘못된 생각은 버리고 다른 각도로 사물을 바라보는 훈련을 해야 한다. 긍정적이고 낙관적인 생각은 삶을 바꿀 수 있다. 행복하기 위해서는 무엇보다 지금 이 순간 행복하기 위한 자신의 결단이 필요하다. 이런 측면에서 제임스 보그는 '지금'의 중요성에 대하여 이렇게 말을 한다.

"많은 사람들은 언젠가는 행복해질 거라는 생각에 근거하여 행복을 미룬다. 그러나 우리에게 확실한 것은 지금 이 순간 밖에 없다. 직장을 옮기거나, 새로운 여자 친구 혹은 남자 친구를 사귀거나, 혹은 이사를 하거나, 체중을 줄이거나, 값 비싼 차를 살 수 있는 능력이 있거나, 복권에 당첨되거나, 시험에 합격하고, 나 자신의 책이 베스트셀러가 되거나 하면 행복해질 수 있을 것 같다고 말하는 사람을 보았을 것이다. 하지만 행복하기를 기다리는 그 시간 동안 당신은 자신의 인생을 보류하면서 지금의 소중한 순간을 낭비하고 있는 셈이다."[308]

행복하기 위해서는 부정적인 생각이 들어 올 때 마다 마음속에서 자연스럽게 흘러가게 해야한다. 이를 통해 마음 속의 부정적인 생각들을 몰아내야 한다. 행복하기 위해서는 지금의 인식을 바꾸는 것이 필요하다고 저자는 강조한다. 자신이 부정적인 생각을 많이 한다면 이를 바꾸기 위해서 시각적인 형상화나 심상 훈련을 많이 해야 한다.

함께 읽으면 도움이 되는 책

- 이명수, 《내 마음이 지옥일때》, 해냄출판사, 2017.
- 법정, 《마음에 따르지 말고 마음의 주인이 되어라》, 책읽는 섬, 2018.

03

행복 프레임

《프레임》, 최인철, 21세기북스, 2007.

'사람은 언제, 그리고 어떻게 바뀌는가?' 는 심리학의 중요 과제 중 하나이다. 사람의 가치관은 쉽게 바뀌지 않는다. 행복하기 위해서는 스스로의 한계에 대해서 인정해야 한다. 내가 가진 관점이 절대적으로 옳은 것이 아니라, 편견을 가질 수 있다는 생각을 하면 타인에 대하여 너그러움이 생기고, 현상에 대하여 폭넓은 시각을 가질 수 있다. 우리가 한쪽에만 매몰되어 바라 볼 때는 그것만을 정답인지 알고 그렇지 않은 의견이나 사실에 대하여 무조건적으로 반대한다. 이러한 행동이나 관점을 유지하면 불행해진다. 자신이 항상 옳은 판단을 하지 않는다는 겸손한 생각, 자기중심적인 관점을 타파하려는 용기, 자기편견에 대한 인정, 나와 타자가 공존한다는 사고의 틀이 행복의 길로 인도한다.

최인철에 의하면 프레임은 "세상을 바라보는 마음의 창이다."[309] 세상에 대한 관점, 시각이나 관념은 프레임에 따라 구축된다. 프레임은 어느 방향으로는 세상을 볼 수 있도록 도와주지만 동시에 우리가 보는 세상에 대한 한계를 부여하기도 한다. 프레임은 편견이나 고정관념으로 작용하기도 한다. 펩시의 수장이었던 존 스컬리는 1,350 가구를 대상으로 탄산음료 소비패턴을 조사하였다. 그는 소비자들은 콜라병의 크기나 양에 상관없이 일단 집으로 사 가면 다 마신다는 것을 파악했다. 이에 콜라병을 코카콜라 보다 훨씬 크게 만들었으며, 집으로 가져가기 편한 형태로 재구성했다. 이를 통하여 펩시는 시장에서 엄청난 성공을 거두었다. 펩시의 사례처럼, 어떤 문제에 봉착했을 때에는 그 해결점을 찾기 위해서 제대로 된 프레임을 가져야 한다. 현재의 문제를 풀기 위해 관찰이나 객관적인 조사를 해야 한다.

2000년 11월과 12월에 사회심리학자 밴 보벤은 20대부터 60대까지 약 1,200여 명을 대상으로 전화 설문조사를 실시하였다. 그의 연구팀은 행복하기 위해서 '소유 자체'를 목적으로 했던 물건과 '경험'을 목적으로 구비했던 물건 가운데에서 한 가지를 선택하게 하였다. 이 두 가지 구매 물건 중에 어떤 것이 더 자신을 행복하게 했는지를 이야기하도록 했다. 경험을 위한 구매가 자신을 더 행복하게 했다는 사람이 전체의 57% 였고, 소유를 위한 구매가 더 행복했다는 사람은 34%에 불과했다. 사람은 경험을 위해 구매했을 때에 사람들과의 관계 속에서 그 물건을 사용한다. 예를 들어, 누구와 함께 영화를 보거나, 연극을 보거나, 콘서트를 가는 것, 또는 다른 사람과 함께 평창 스키장으로의 여행 등은 다른 사람과 함께 경험을 나누게 한다. 이들의 연구 결과는 행복하기 위해서는 경험을 위한 소비를 늘려야 한다는 것을 제시하였다.[310]

현 시점에서 내리는 선택과 판단은 과연 얼마나 정확하게 미래를 예측하나? 예를 들어, 돌아오는 토요일에 연극을 보러 간다고 할 때에 월요일날 예약을 하고, 가족과 함께하는 오사카 여행은 두 달 전에 비행기 표와 호텔을 예약한다. 앞으로 일어날 일을 현재의 상황과 감정에 따라서 추측하는 일은 정확한 미래에 대한 상황과는 거리가 멀다. 점심시간에 된장찌개를 맛있게 먹은 사람들에게 "내일 점심 메뉴는 무엇이 좋은가요? 혹시 내일도 된장찌개를 먹을 건가요?"라고 물으면 대부분의 사람들은 다른 것을 먹고 싶다고 대답한다. 막 맛있는 식사가 끝난 후에는 내일 점심시간에도 된장찌개를 예약할 확률은 아주 적다. 오히려 내일 저녁은 자장면이나 냉면을 즐기고자 부서원들과 점심 식사 약속을 할 확률이 높다. 연구에 의하면, 오늘 점심 식사 때에 된장찌개를 먹은 사람이 다음날 점심시간에도 된장찌개를 먹었을 때에 식사 만족감이 가장 크게 나타난다. 막 점심식사를 마친 후에 동일한 메뉴 대신 다른 음식을 좋아하는 이유는 내일 점심까지 저녁과 아침 식사 두 끼가 남아있다는 것을 의식하지 않아서이다. 자신한테 큰 만족감을 준 된장찌개를 선택하지 않은 것은 바로 '지금 된장찌개를 먹었다'라는 현실을 기준으로 미래를 예측했기 때문이다.[311] '미래에 무엇을 할 것인가?'를 선택할 때에 중요한 기준은 내가 가장 좋아하는 것을 고르는 것이다. 좋아하는 것을 반복해서 선택할 때가 이것저것 다양하게 시도하는 것 보다 훨씬 높은 만족감을 준다.

하버드대학교 다니엘 길버트와 버지니아 대학교 팀 윌슨 교수는 심리적인 면역체계의 놀라운 치유 능력을 제시하였다. 두 교수는 실험 참여자들에게 '현재 사귀고 있는 연인과 헤어지면 자신이 얼마만큼 힘들 것인가?'를 예측 하라고 하였다. 그 결과, 헤어지는 것을 예측했던 사람들은 자신의 삶이 아주 오랫동안 불안할 것으로 예측 했다. 그러나 실제 실연을 경험한 사람들은 예측과는 다르게 빨리 행복감을 되찾는 것으로 나타났다. 그 이유는 우리 마음의 '면역체계'가 빠르게 작동하기 때문이다. 헤어진 사람에 대한 비난, 자기위안, 다른 사람과의 대화 등이 작용하면서 우리의 심리적 면역체계는 실연의 아픔을 빠르게 상쇄 시켜준다. 이러한 마음의 작동에 의해서 시련에서 빠르게 극복한다. "시간이 약"이라는 말이 실제 우리의 삶에서 많이 작동하고 있다.

행복한 사람이 되기 위해서는 최상의 프레임을 선택해야 한다. 과감한 시도를 통하여 자신이 하고 싶어 하는 일에 대하여 접근하는 프레임을 가져야 한다. 긍정의 언어로 항상 말하는 프레임을 가져야 한다. 행복하기 위해서는 경험을 위한 소비 프레임을 가져야 한다. 영화를 볼 때에도 단순히 오락적 영화를 보면서 스트레스를 푼다는 생각보다는 인간의 위대한 상상력이 창조한 멋진 드라마를 본다는 프레임으로 접근하면 그 순간이 훨씬 행복해진다. 또한 누군가와 함께 하면서 행복하게 살 수 있는 방법을 고려하는 관계 프레임도 있어야 한다.

프레임이 운동선수들한테 주는 메시지는 '반복 프레임'의 선택이다. 특정 운동 분야에서 전문성을 얻고 최고가 되기 위해서는 최소한 10년 이상의 부단한 노력과 훈련이 필요하다. 일반적으로 알고 있는 천재들은 모두 엄청난 훈련과 반복을 경험한 이들이라는 생각을 잊어서는 안 된다.

함께 읽으면 도움이 되는 책

- 로렌스 로젠블룸, 《오감 프레임》, 김은영 옮김, 21세기북스, 2011.
- 조지 레이코프, 엘리자베스 웨홀링, 《이기는 프레임》, 나익주 옮김, 생각정원, 2016.

04
둔감력과 행복

《둔감력》, 와타나베 준이치, 정대형 옮김, 형설라이프, 2007.

어떤 이들에게 '둔감력'이라는 개념은 낯선 개념일 수 있다. 성과지향적인 우리 사회에서 둔하다, 늦다, 빠르지 못하다 등의 태도는 좋은 평가를 받지 못한다. 와타나베 준이치는 성공의 중요한 요인으로 둔감력을 들고 있다. 크게 되기 위해서는 어느 정도는 우직하게 세상을 바라보고 나가는 것이 필요하다는 말이다.

와타나베 준이치는 성형외과 의사 출신으로 의학소설, 역사소설, 연애소설들의 많은 현대 소설을 발표했다. 그는 과거 삿포로대학 병원에서 일할 때에 둔감한 능력을 가진 자가 성공하는 것을 많이 봤다고 한다. 수술실에서는 신속한 움직임이 중요하다. 그런데 S라는 의사는 누가 뭐래도 우직하게 서두르지 않고 수술실에서 천천히 수술에 임하더라는 것이다. S 의사는 나중에 큰 병원장이 되고 병원이사장이 되었다. 그 때 준이치는 다른 사람의 말을 심각하게 듣기 보다는 자신이 믿는 바를 우직하게 밀고 나가는 것이 좋다는 철학을 갖게 되었다고 한다. 둔감 하면 정신이 안정되고, 기분이 좋게 되고, 혈액 순환이 원활하게 된다. 저자는 의사의 입장에서 둔감력은 온 몸에 피가 잘 돌고 신경을 안정적으로 만든다고 강조한다.

일상생활에서 수면이 중요하다. 잘 자는 것이 건강한 삶의 비결이다. 밤에 잠을 잘 못 자는 사람은 지나치게 예민해서 그렇다. 잠을 잘 자기 위해서는 사소한 일은 생각하지 않고, 또한 매사에 빈틈없이 살려고 하는 마음을 먹지 않아야 한다.

둔감력을 갖기 위해서는 스스로가 너무 겸손하기 보다는 잘난 척하는 태도도 필요하다. 자신이 어떤 일을 하든지 간에 그 일에 대해서 주변 사람들로 부터 칭찬을 받으면 일은 잘 풀린다. 내가 하는 일에 대하여 칭찬할 수 있는 사람을 자주 만나는 일도 필요하다.

저자는 암에 강해지기 위해서도 둔감력이 필요하다고 한다. 신경이 무디고 둔한 감각을 가진 사람은 잘 놀라지 않는다. 저자는 60대까지 암에 걸리는 사람과 걸리지 않는 사람을 비교해 보니, 암에 걸린 사람은 대체로 그렇지 않은 사람보다 사소한 일에 지나치게 예민하다고 하였다.[312] 만약 암에 걸린다고 해도 둔감력을 가지면 암 치유에 탁월한 효과가 생긴다. 저자는 둔감한 마음가짐을 가진 사람은 암세포에 대해서도 잘 반응할 수 있고, 병과 친구가 되어 보자는 식의 긍정적 마인드를 갖게 되어 암의 진행을 둔화시키는 데 도움이 된다 하였다.

둔감력 능력은 남녀 사이의 연애에 도움이 된다. 저자는 연인 사이에 너무 예민하면 오히려 관계가 깨지기 쉽다고 한다. 서로가 서로에 대하여 이해하고 어느 정도 느긋하게 상대방을 바라볼 수 있을 때에 연애 감정이 오래 지속될 수 있다.

둔감한 능력은 세상에서 조금 떨어져서 현상을 관조하는 능력이다. 이는 조급하게 대응하기 보다는 한 템포를 쉬어가는 능력이기도 하다. 둔감력은 자기 절제와 자기 관리를 통해 그 능력이 증가한다. 와타나베 준이치는 둔감력에 대하여 이렇게 말한다.

"단언하건데, 결코 예민하거나 날카로운 것만이 재능은 아니다. 그보다는 사소한 일에 흔들리지 않는 둔감함이야말로 살아가는데 있어서 가장 중요하고 기본이 되는 재능이다. 이것은 오랜 경험과 삶 속에서 건져 올린 지혜이다. 둔감력이 바탕이 된 예민함, 순수함, 소박함, 진지함 이야말로 당신을 진정한 재능으로 빛나게 할 것이다."[313]

성과주의로 인하여 피로가 축척된 사회에서 둔감하게 사는 일은 쉬운 일이 아니다. 남이 뭐라고 하든지 간에 자기만의 의지로 꿋꿋하게 살아가는 자만이 둔감하게 살 수 있다. 이 능력으로 묵묵히 내 일상을 향유하는 자는 행복하리라.

함께 읽으면 도움이 되는 책

- 다케다 소운, 《민감한 나로 사는 법》, 김지윤 옮김, 글담, 2018.
- 와타나베 준이치, 《나는 둔감하게 살기로 했다》, 정세영 옮김, 다산초당, 2016.

05
예술을 탐닉하라. 그러면 답이 보인다.

《미술관에 간 CEO》, 김창대, 웅진지식하우스, 2011.

현대의 소비자는 욕망을 추구하는 자이다. 이들은 단순한 생존을 위해서 제품을 구입하는 것이 아니라, 욕망을 공략 할 수 있는 제품을 선호한다. 일반적인 예측 시장 조사는 실제 미래를 예측하는 중요한 수단이 되지 못한다. 현대 소비자의 성향은 빠르게 바뀌고 있다. 자신의 행복을 적극적으로 추구하는 소비자들을 공략하기 위하여 마케터는 '예술의 눈'이 필요하다.

창조성에 대한 가장 중요한 영역은 예술이다. 예술은 인류의 역사와 함께 문화를 만들어 온 중요한 수단이었다. 동서고금을 막론하고 인간이 무엇인가 새로운 것을 만들기 위하여 가장 필요한 정신은 예술가적 정신이다. 이를 통하여 익숙한 것을 파괴하고, 전복하고, 새롭게 구성할 수 있었다. 지금은 어느 때보다도 예술의 힘이 필요한 창조성이 중요한 시대가 되었다. 저자는 현대사회는 '필요 시장'과 '경쟁의 시장'에서 부터 '욕망의 시장'과 '선택의 시장'으로 바뀌었고, 이에 대한 대비를 강조한다.[314] 이와 같은 시장에서 필요한 것은 무엇일까? 욕망과 선택에 관련된 중요 영역이 예술이다. 예술은 파괴와 창조를 통하여 그 정체성을 구성한다. 예술 중 미술은 새로운 경험과 창조성을 부여하는 중요한 영역이고, 이 미술을 경영에 접목했을 때에 인간의 고유한 욕망의 실재를 이해할 수 있다.

화가는 무한한 상상력을 가진 자로 다른 사람이 보지 못하는 부분을 보고, 그것을 시공간으로 표현할 수 있는 능력을 갖췄다. 화가의 이러한 능력을 통해서 소비자의 보이지 않는 욕망을 읽어내고, 이를 비즈니스에 적용하면 큰 효과를 얻을 수 있다. 김창대는 예술의 창조성에 대하여 이렇게 말을 한다.

"일반인이 보지 못하고, 듣지 못하고, 느끼지 못하는 또 다른 세계를 예술가는 찾아준다. 예술가가 보여 주는 이 세계란 예술가의 창조적 시각과 혁신적인 상상력이 빚어낸 새로운 세계다. 창조도 습관이다. 이런 작품을 자주 만나다 보면 일상의 세계를 보는 눈도 크게 달라진다. 이전에는 보이지 않고 들리지 않던 것이 서서히 그 본래 모습을 드러내면서 새로운 세계가 나타난다. 피카소가 "예술은 진실을 깨닫게 만드는 거짓말"이라고 한 이유도 바로 이 때문이다."[315]

로드아일랜드 디자인스쿨의 존 마에다 총장은 "예술의 창조성이 경영을 새롭게 바꾸는 힘이 될 것이다" 고 이야기하였다. 우리가 말하는 창조경영의 핵심은 예술적 기묘함을 어떻게 비즈니스 세계에 접목하는가에 있다. 이러한 접목을 통하여 소비자의 욕망을 바라보면 기존과 다른 새로운 영역을 개척할 수 있다.

예술을 통하여 증가되는 능력이 바로 통찰력이다. 이 통찰력을 배양하기 위해서 관찰력, 직관력, 그리고 상상력 훈련이 필요하다. 관찰력 향상은 보는 능력을 확대시키는 것이다. 외형적인 면만 보는 것이 아니라, 내면에 있는 측면을 이해하는 것이 관찰이다. 직관력과 상상력은 자신의 지식과 경험을 새로운 방식으로 재조립하려고 시도할 때에 증가 된다. 예술을 통하여 평범한 사람의 경험과 지식의 '결합'을 통하여 멋진 아이디어로 승화된다.

마르셀 뒤샹의 작품 〈샘〉을 관람한 사람들은 하나같이 충격을 받는다. 남자 화장실에서 매일 보는 소변기를 떡하니 미술 작품이라고 설치해놓았기 때문이다. 현대 미술은 추상적이라고 생각하는 많은 관객조차도 이 작품에서는 충격을 받는다. 뒤샹은 1차 세계대전의 대량 살상에 대한 회의를 느끼고 기존 통념에 대한 반대 입장을 구현하는 다다이즘을 대표하는 화가이다. 뒤샹의 이와 같은 과감한 실험은 창조는 기존에 인식하지 못했던 것을 발견하고, 뒤집고, 고정관념을 깨는 것이라고 가르쳐준다.

미술과 경영의 융합은 색다른 비지니스를 만든다. 융합은 새로운 창조의 모델이 될 수 있다. 우리나라는 2010년 밴쿠버 올림픽 스피드스케이팅에서 단거리 500m에서 남녀 모두 금메달을 땄다. 남녀 선수가 금메달을 따게 된 것은 스피드 스케이팅 훈련에서 쇼트트랙 스케이트 신발을 신고 코너링 연습을 계속했기 때문이다. 스피드스케이팅으로 단련된 신체에 쇼트트랙의 코너링 기술을 접목하면 색다른 융합이 발생한다. 스포츠에서도 서로 다른 것들의 융합은 새로운 창조를 이끌어낸다. 또 다른 스포츠 융합의 사례는 다이빙 종목이다. 2009년 7월 로마 세계수영선수권대회 남자 다이빙 10m 싱크로 플랫폼 결승에서 권경민, 조관훈 조가 6위를 차지하였다. 이는 한국 선수가 거둔 역대 최고의 성적이다. 이러한 성적을 거두게 된 것은 이 선수 모두가 체조선수 출신이었기 때문이다. 오래 전부터 중국은 체조선수들 중에서 다이빙 선수를 발굴하여 좋은 성적을 냈다.

예술은 나무가 아니라 숲 전체를 조망할 수 있는 능력을 키어준다. 이러한 관점에서 저자는 예술가의 눈은 소비자의 보이지 않는 욕망과 행복의 코드를 이해할 수 있게 한다고 다음과 같이 말한다.

"새로움에 본능적으로 반응하는 예술가의 눈에는 삶의 변화가 가져오는 조그만 조짐도 예민하게 들어온다. 반면에 현재 시스템에 푹 젖어 있는 사업가나 기업인의 눈에는 그런 것들이 그저 노이즈로만 보이기 쉽다. 시장의 시그널에는 민감하면서도 시장 자체를 움직이는 거대한 지각 변동은 오히려 느끼지 못할 때가 많다. 시장 위에 올라타고 있기 때문이다. 이럴 때 조감도가 필요하다. 하늘 높이 올라가 자기가 탄 시장이라는 배가 어디로 향하는지, 소비자의 욕망이라는 해류는 어떻게 바뀌고 있는지를 봐야 한다. 예술가의 눈으로."[316]

예술가의 눈으로 주변을 본다는 것은 창조의 길에 들어선 것이다.

함께 읽으면 도움이 되는 책

- 박선민, 《하버드 예술교육법》, 별글, 2018.
- 에릭 메이슬, 《마르지 않는 창의성》, 임경아 옮김, 도솔, 2009.

06
긍정적인 생각으로 부자 되기

《진정한 부자가 되는 놀라운 법칙》, 조셉 머피, 이은정 옮김, 씨앗을 뿌리는 사람, 2001.

잠재의식은 보이지는 않지만 사람의 행동과 경험을 좌우하는 중요한 역할을 한다. 또한 의식이 나아갈 방향을 제시한다. 잠재의식을 올바로 알고 잘 활용하면 누구나 행복하고 즐거운 삶을 살 수 있다.

저자 조셉 머피 박사는 베스트셀러 작가이자, 종교적인 가르침을 일상에서 실천하는 강의를 하는 탁월한 강사이다. 그는 잠재의식과 긍정적인 마음가짐이 행복한 삶을 결정하는 중요한 요인이라는 메시지를 강조하는 이 시대 뛰어난 강사 중 한 명이다. 그는 잠재의식은 시공간을 초월해서 중요한 역할을 한다고 말하였다. 머피는 잠재의식을 잘 이용하면 무한한 능력을 통하여 내가 원하는 것을 얻을 수 있고, 내 생각과 감정을 조절하여 결국은 영혼의 위로를 얻을 수 있다고 주장하였다.

머피는 "잠재의식이야말로 부자가 될 수 있는 무한한 힘을 저장하고 있는 창고이며 그 열쇠는 당신의 생각"[317]이라고 하였다. 목사이기도 했던 머피는 우리 모두 하나님의 축복 받을 수 있는 존재라고 말을 한다. 우리는 하나님의 지혜를 빌려 세상에서 멋지게 살 수 있는 존재이다. 우리가 평화롭고 행복하게 살 수 있는 것은 하나님의 뜻이자 의지이다. 그에 따르면, 행복하게 살기 위해서는 잠재의식 안에 무한한 긍정적 마음을 심고 하나님에 대하여 감사하는 마음으로 살아야 한다. 잠재의식 안의 무한한 힘을 느끼기 위해서는 마음의 공간을 넓혀야 한다. 김상운은 공간의 고요한 주파수와 나의 마음이 일치하게 될 때에 잠재의식의 힘을 알 수 있다고 하였다. 생각이 너무 많아 삶이 힘든 사람은 잠재의식의 힘을 느끼기 힘들다. 생각을 죽이고 나의 내면에 귀 기울이는 가운데 잠재의식의 힘을 알 수 있다. 김상운은 공간을 확장함에 따른 변화를 이렇게 말한다.

"생각 주변의 공간을 조금씩 넓혀 보세요. 공간엔 아무 한계도 없다는 사실을 알게 됩니다. 공간이 넓어지면서 내 마음은 점점 공간의 고유한 주파수와 동조돼요. 그러면서 고요해집니다. 그곳엔 무한한 사랑이 흐르고 있어요. 무한하기 때문에 내가 품고 있는 어떤 부정적 생각도 있는 그대로 다 받아들여요."[318]

잠재의식을 이용한 부자가 되는 방법은 다음과 같다. 먼저 부에 대한 긍정적인 생각을 많이 하고, 잠재의식 안에 재물, 건강, 부에 대한 좋은 생각을 심어줘야 한다. 부에 대한 생각과 상상은 부를 끌어당긴다. 잠재의식으로 부에 대하여 상상하고 누리는 생각, 부를 통한 행복한 감정을 갖는 느낌이 실제 부를 갖게 한다. 머피는 "부자는 부를 마시지 않으면 안 되는 공기처럼 생각한다. 이런 점이 부자로 하여금 온갖 종류의 부를 더 많이 끌어당기게 하는 비결이다."[319]라고 부 축적의 비결에 대하여 말하였다.

우리는 살아가면서 끊임없이 선택을 하게 된다. 선택할 때에 어떤 생각이나 이미지로 하느냐에 따라 그 결과는 완전히 달라진다. 우리의 삶은 선택한 것들의 총합이다. 머피는 선택할 때에 하나님의 대하여 감사하고, 잠재의식에 긍정적인 생각을 심어 두면서 선택하는 것이 중요하다고 하였다.

"당신은 얼마든지 자신감과 부와 풍요로운 생활을 선택할 수 있다. 많은 사람들이 자신은 항상 질병이나 실패, 좌절, 고독 같은 부정적인 경험만 한다고 한탄한다. 그런 사람들에게 무한한 치유력을 가진 존재를 믿고 선택하게 하면 더 이상 그런 경험은 겪지 않는다. 감정이나 느낌은 생각보다 뒤에 온다. 따라서 당신이 새로운 느낌으로 새 삶을 시작하고 싶다면 먼저 생각하고 선택을 해야 한다."[320]

긍정적인 생각을 가지면 감정과 느낌을 지배할 수 있다. 부를 갖는 것, 건강을 유지하는 것, 건강을 회복하는 것 등의 모든 희망 사항들이 잠재의식 안에서 살아 숨을 쉰다. 잠재의식을 통하여 긍정적 이미지를 상상하는 것만으로도 누구나 행복에 도달할 수가 있다.

행복하기 위해서는 과거나 미래에 집착해서는 안 된다. 현재를 즐기고 현재의 의미를 갖고 사는 지혜가 필요하다. 머피는 현재의 중요성에 대하여 이렇게 말을 한다.

"행복하고 즐거운 추억은 현재에도 기쁨을 느끼게 한다. 이처럼 좋든 나쁘든 과거의 사건들은 현재 생각에 영향을 끼친다. 따라서 현재 생각은 올바른 통로로 돌려야 한다. 다시 말하면 평화롭고 조화로운 마음이나 기쁨, 사랑, 번영, 선의 같은 긍정적인 생각을 왕으로 모셔라. 의식적으로 자주 이런 생각들에 잠기고 그것을 요구하라. 그리고 그 밖의 것들은 잊어라."[321]

부자가 되는 방법은 이미 우리의 마음 속에 존재한다. 잠재의식과 마음의 능력을 믿지 못하는 자는 부자가 되기 힘들다. 우리 인생은 긍정적으로 생각하는 방향으로 나아가게 된다. 머피는 긍정적인 마음의 힘이야 말로 세상에서 성공할 수 있는 중요한 코드라고 강조한다.

함께 읽으면 도움이 되는 책

- 수잔 크리에글러, 《잠재의식의 문을 열고 그 힘을 사용하는 법》, 소진영 옮김, 포르투나, 2018.
- 조셉 머피, 《긍정적 사고의 기적》, 이일남 옮김, 민지사, 2014.

07
침묵은 행복한 인간으로 이끈다

《침묵의 세계》, 막스 피카르트, 최승자 옮김, 까치, 2010.

침묵은 미덕이다. 현대인의 삶 속에서 침묵은 언어가 쉬는 시공간이다. 그 침묵의 충만함 속에서 인간의 내면은 성장한다.

마르크스 피카르트는 침묵의 성자이다. 그는 침묵은 결단코 말을 포기하는 것이 아니라, 자신의 주체적 의지에 따라서 행하는 거룩한 단계라고 이야기한다. 그에 따르면, "말이 끝나는 곳에서 침묵은 시작된다. 그러나 말이 끝나기 때문에 침묵이 시작 되는 것은 아니다. 그때 비로소 분명해지는 것뿐이다"[322]라고 하였다. 말을 끝내고 침묵이 이어지는 것이 아니라, 침묵 자체는 하나의 주체적 행위이다. 침묵은 오히려 말을 숙성시키는 존재이다. 침묵은 그 자체로 독립성을 갖고 있다.

침묵은 말에 예속되지 않는다. 침묵은 커다란 자연세계를 구성하고 언어의 세계 보다 더 큰 정신세계를 가진다. 그렇기에 침묵은 하나의 세계로 존재 가능하다. 침묵과 말은 서로 대립하지 않는다. 말은 침묵의 다른 양상이다. 말을 통하여 침묵의 고유한 소리를 들을 수 있다. "진정한 말은 침묵의 반향(反響)"[323]이다.

행복을 누리는 자는 침묵의 소중함을 인지하는 자이다. 침묵의 가치를 파악하고 있을 때에 적절한 말을 하게 되고, 침묵을 통하여 말의 가치를 파악할 수 있다. 피카르트는 침묵이 어떻게 '인간성'을 구현하는지를 이렇게 말한다,

"침묵으로부터 말이 나온다는 것, 그것에 의하여 침묵은 비로소 완성된다. 침묵은 말을 통하여 비로소 그 의미와 진정한 가치를 얻게 된다. 말을 통하여 침묵은 야성적인 인간 이전의 것에서 길들여진 인간적인 것이 된다."[324]

말은 침묵에서부터 잉태되고 다시 침묵으로 확인한다. 언어는 침묵을 통하여 진행 되는 것이다.

사랑은 말보다는 침묵을 통하여 형상화된다. 침묵에서 인간은 더욱 사랑할 수 있고, 침묵을 통하여 사랑으로 쉽게 다가갈 수 있다. 이 논점에 대하여 피카르트는 이렇게 말한다.

"침묵할 때 사랑하기가 훨씬 더 쉽다. 침묵하면서 사랑하기가 더 쉬운 것은 침묵 속에는 사랑이 가장 멀리까지 뻗어나갈 수 있기 때문이다. 그러

나 그러한 침묵 속에는 위험도 있다. 가장 멀리까지 이르는 그 공간은 감독되지 않으며 따라서 그 안에 모든 것이 있을 수도 있다. 심지어는 사랑에 적합하지 않은 것까지도."[325]

연인 사이에 침묵하면 마치 사랑하지 않는 것처럼 느껴질 수 있다. 조용하다는 것, 고요하다는 것, 혹은 언어가 없다는 것에서는 말이 지배하는 공간보다 사랑이 생성된다. 말로만 무조건 사랑한다고 하는 이, 휴대폰의 문자 메시지로 구애하는 자, 행동보다 말이 앞서는 자들은 침묵의 위대함을 모르는 자들이다. 인간은 침묵을 통하여 사랑의 본질에 대하여 사색 할 수 있는 시간적 여유를 가져야 한다. 침묵은 사랑을 잉태시키는 모태(母胎)와 같다.

침묵의 위대함은 신앙을 통하여 드러난다. 신앙인은 누구나 기도를 한다. 기도를 통하여 말과 침묵 사이의 관계를 깨닫는다. 피카르트는 기도는 침묵 속으로 부터 솟아오른다고 말한다.

"기도 속에서 말은 저절로 침묵 속으로 되돌아간다. 기도란 애초부터 침묵의 영역 안에 있었다. 기도는 인간으로부터 떨어져나가 신에게 받아들여진다. 그것은 침묵 속으로 빨려 들어가고 그 안에서 사라진다. 기도는 그치지 않고 존재할 수 있지만, 기도의 말은 항시 침묵 속으로 사라진다. 기도는 말들을 침묵 속으로 쏟아 붓는다."[326]

침묵은 인간의 기도를 기도답게 만들어 준다. 종교인은 기도를 통하여 자신의 영성의 세계가 넓어질 때에 진정으로 행복함을 느낀다. 침묵이 바탕이 된 기도하는 자는 속세에서 맛볼 수 없는 지고지순한 신의 은총과 평안함 안에서 헤엄칠 수 있게 된다.

함께 읽으면 도움이 되는 책

- 알랭 코르뱅, 《침묵의 예술》, 문신원 옮김, 북라이프, 2017.
- 조제프 앙투안 투생 디누아르, 《침묵의 기술》, 성귀수 옮김, 아르테, 2016.

08
밤의 미학

《밤이 선생이다》, 황현산, 난다, 2013.

낮은 빛으로 실체가 드러나고 밤은 어둠으로 자태를 감싼다. 밤의 시간은 조용하게 휴식을 취할 수 있는 여유의 시공간이다. 모든 것은 가라앉고, 고요하며 낮의 활기는 어느새 자취를 감추었다. 밤은 수면의 길로 들어서게 하고 하루를 마무리하며 내일과 만나는 마음을 준비하도록 한다.

저자 황현산은 고려대학교 불문과 명예교수로 기욤 아폴리네르를 비롯한 현대 프랑스 시와 시인을 연구한 학자이다. 이 노교수는 본인이 살면서 느꼈던 삶에 대한 여러 가지 이야기를 책에 담았다. 한겨레신문과 국민일보에 실었던 칼럼을 중심으로 일생에 대한 관찰, 느낌, 경험을 소개하고 있다.

이 책에는 에세이이다 보니 다양한 일상의 다양한 이야기가 담겼다. 저자의 글 중에서 행복에 관한 몇 가지 흥미로운 스토리만 소개해보고자 한다.

황현산은 한국 박물관 개관 100주년 기념 전후로 '몽유도원도'가 전시되어 그 전시장을 찾았다고 한다. 전시장에 가니 관람객들이 100미터가 넘는 줄을 서고 있었다. 안내원들은 그림을 감상할 수 있는 시간은 고작 2분 정도라고 이야기했다. 몽유도원도에 가까이 갔을 때에는 이미 2시간이나 줄을 선 후였다. 뒤쪽에 다른 사람들은 무려 6시간이나 기다리고 있었다. 많은 사람들이 2시간에서 6시간 정도의 시간을 기다렸지만 그림 앞에서 후회를 하는 사람은 아무도 없었다. 그는 "특별한 것은 사실 그 끈기의 시간이었다. 그 시간은 두텁고 불투명한 일상과 비루한 삶의 시간을 해치고 저마다의 믿음으로 만들어 낸 일종에 전리품이었기 때문이다"[327]고 한다. 몽유도원도는 일생에 한번 보기 힘든 천상의 작품이다. 이를 보기 위한 몇 시간 동안의 기다림은 자기애(愛)에서 비롯된다.

저자는 인생의 '승리 서사'에 대하여 이야기한다. 우리 인생은 행복과 불행의 균형이 맞지 않는다. 행복한 일이 하나면, 불행한 일은 아홉일 수 있으며, 승리가 하나면, 패배는 아홉일 수도 있다. 우리 삶은 항상 유쾌한 승리만으로 채울 수 없다. 어떤 승리에는 패배의 순간이 포함되어 있고, 그 반대로 어떠한 패배에는 승리의 기운이 드리워져 있다.[328] 행복은 한 가지 측면만을 보는 것이 아니라, 다양한 측면을 고려해야한다.

저자는 아내와 딸과 함께 일본 만화책 〈미스터 초밥왕〉을 재미있게 본 경험을 이야기 한다. 일본의 어느 바닷가 소도시의 초밥 집은 거대 자본을 앞세운 초밥 체인점에 밀려 문을 닫게 될 지경에 이른다. 이에 그 집 중학생 아들이 동경의 유명 초밥 집에 유학하면서 각종 기술을 익히고 일본 최고의 초밥 요리사가 된다는 것이 이 만화책의 요지이다. 여기에는 밥을 어떤 쌀로 익히는지, 소금과 초를 어떻게 섞어야 하는지, 초밥의 재료에는 어떤 생선이 좋은지, 생선을 구입하는 방법은 무엇인지, 칼질은 어떻게 해야 하는지 등에 대한 여러 가지 이야기들을 담고 있다. 황현산은 만화를 보면서 음식 하나를 만드는 데에도 엄청나게 많은 스토리가 들어간다는 것을 깨닫고, 밥 한술이나 나물 한 젓가락을 먹을 때도 '먹는 기술'을 생각해 보라고 권유한다.[329] 만드는 정성과 먹는 정성이 어우러질 때 음식을 만든 이는 즐겁다. 우리가 과거 신경을 쓰지 않았던 일상의 하찮은 것 하나하나에 대해 마음을 쓰는 것, 유념(有念)을 가지는 것은 삶을 행복하게 만든다. 이런 자세는 주변 많은 사람들에게 행복을 전하는 일이기도 하다.

노학자의 살아온 경험과 걸러진 생각들은 우리 인생의 아름다운 길이 무엇인지를 제시한다. 그가 이 책을 통해서 표현하고자 한 것은 "자유롭고 평등하게 사는 세상에 대한 그리움"[330]이다. 그는 그 그리움을 바탕으로 우리 도시, 마을, 밤하늘, 골목길을 대상으로 행복한 꿈을 표현했다.

함께 읽으면 도움이 되는 책

- 김상근외 10인, 《어떻게 살 것인가》, 21세기 북스, 2016.
- 앤드루 조지, 《있는 것은 아름답다》, 서혜민 옮김, 일요일, 2017.

09
심신 이완을 위한 목욕과 술의 하모니

《낮의 목욕탕과 술》, 구스미 마사유키, 양력관 옮김, 지식여행, 2016.

목욕탕은 긴장이 풀리는 공간이다. 토요일 오전 동네 목욕탕에 가서 뜨듯한 온탕에 몸을 담그면 세상 근심이 순식간에 사라진다. 일주일에 쌓였던 피로는 목욕탕의 수증기처럼 허공으로 날아간다. 나처럼 목욕을 좋아하는 사람에게 목욕탕은 저비용으로 최고의 행복을 얻을 수 있는 여가 공간이다.

구스미 마사유키는 일본의 만화가이다. 그는 〈고독한 미식가〉 라는 만화책으로 유명하다. 본 책에서 그는 낮 시간에 가는 목욕탕과 목욕 후에 마시는 술 한 잔을 예찬한다. 밤에 마시는 술자리에는 주고받는 말이 많기에 피곤하다고 말한다. 목욕 후 낮에 마시는 술은 "하루를 처음으로 되돌려 놓는 듯"[331]한 기분을 준다고 한다.

이 책은 마사유키가 즐겨 찾는 열 군데의 목욕탕 체험을 바탕으로 하여 기술하였다. 그는 "일본인에게 목욕탕에 간다는 건, 씻는 행위 외에도 그 이상의 의미가 있다. 아니라면 집에서 충분히 씻을 수 있는데 일부러 목욕탕까지 갈 리가 없다. 어쩌면 종교의 가까운 의미가 있을지도 모른다"[332]고 말한다. 이와 같은 숭고한 의미가 있는 목욕을 하고 나서 마사유키는 목욕탕 근처에 있는 술집을 찾아 들어간다.

내가 가보고 싶은 목욕탕은 긴자의 〈곤파루탕〉이다. 긴자에 목욕탕이 있다는 것만으로도 흥밋거리이다. 이 목욕탕은 1863년에 문을 열었으니 역사성까지 갖추고 있다. 1957년부터 현재 위치에 자리를 잡았다고 한다. 목욕탕에 들어가서 다른 손님들의 삶을 자기 멋대로 상상해보는 것도 재미있다. 여기서 목욕을 한 후에 마사유키는 메밀국수 집인 〈요시다〉에 갔다. 병맥주에 가지오이, 백합조개, 달걀찜을 안주로 시켰다. 목욕을 하고 메밀국수 집에서 안주를 벗 삼아 맥주 한잔 마시는 그 시간은 세상 모든 근심을 다 잊게 한다.

저자는 목욕탕 없는 삶을 생각할 수 없다고 한다. 그의 친구 중 방송국에서 일하는 한 친구는 몽골로 다년간 취재를 다녀온 적이 있다 한다. 몽고는 공동 목욕탕이 없다. 그의 친구는 약 6개월간 공용탕 목욕을 하지 않고 일본으로 돌아온 후에 최고의 희열을 맞았다 한다. 바로 공용 목욕탕이 주는 기쁨으로.

"반년어치의 땀, 때, 먼지, 노폐물, 냄새, 나쁜 기운, 피로, 부정, 스트레스로 똘똘 뭉친 온몸을 청정하고 따뜻한 물속에 집어넣는 것이다. 천천히 발부터 시작해 허리까지 담갔다가 등, 배, 가슴, 어깨, 목까지 뜨거운 물로 감싼다. 뒤통수, 귀까지 푹 담그고 눈을 감는다. 흐흐흐. 눈앞이 일곱 빛깔 무지개로 뒤덮일 만큼 상상을 넘어서는 쾌감이 찾아올 게다."[333]

이렇듯 목욕 체험을 적나라하게 표현하였다. 눈앞에서 일곱 빛깔 무지개를 상상할 정도의 환상이 목욕에 있다니 대단하다. 위 글을 읽으면서 나는 바로 목욕탕에 달려가고 싶은 욕구가 솟구쳤다.

마사유키가 목욕탕과 낮술의 멋에 빠지게 된 것은 만화가로서 일하게 된 초기경험과 연관이 있다고 한다. 그는 1981년 미술학교 동급생인 이즈미 하루키와 함께 '이즈미 마사유키'라는 이름으로 월간 만화 〈가로〉에서 만화가로 데뷔했다. 당시의 〈가로〉의 사장이었던 나가이 사장은 원고료를 제 때 주지 못할 정도의 가난한 출판사를 운영했다. 어느 더운 여름날, 나가이 사장은 마사유키에게 목욕이나 가자고 제안했다. 마사유키는 출판사 근처 목욕탕에서 목욕을 후에 한 낮에 마시는 맥주를 통하여 그 재미를 깨닫게 된다.

이 책에서 재미있는 것은 마사유키가 주문하는 안주이다. 메밀국수, 꼬치, 오뎅탕, 샐러드, 내장구이, 생선구이, 조개구이, 돼지 소금구이 등의 다양한 안주들이 소개되고 있다.

일상에서 간단히 행복감을 느끼는 방법은 목욕탕에 가는 것이다. 토요일 오전에 목욕 후 여건이 된다면 시원한 맥주 한잔을 마시고, 햇살 따뜻한 창가에 앉아 책을 보면서 낮잠을 청하는 그 시간은 행복이 묻어나는 시간이다. 나는 별로 사치스럽지 않은 이 행위를 통하여 지상낙원을 맛보게 된다.

함께 읽으면 도움이 되는 책

- 사이토 다카시, 《만두와 사우나만 있으면 살 만 합니다》, 김윤경 옮김, 와이즈베리, 2017.
- 황보은, 《450엔의 행복 도쿄 목욕탕 탐방기》, 달, 2012.

10
자기 스스로 행복해지는 힘

《자기결정》, 페터 비에리, 문항심 옮김, 은행나무, 2015.

행복은 누군가에 의해 결정되는 경험이 아니다. 자신의 결정에 의하여 행복한 경험이 성취되고, 경험 되고, 지속될 때에 행복감의 강도가 오래간다. 오랜 동안의 행복감을 향유하기 위해서는 행복에 대한 자신만의 개념이 명확해야 한다.

'자기 결정'은 삶에 대한 능동적 의사결정을 말한다. 저자 페터 비에리는 자기 결정을 이해하기 위해서 자아와 외부 세계의 차이를 인식해야 한다고 강조한다.

"나의 내면세계가 외부와 아무리 밀접하게 얽혀 있다고 하더라도 하나의 세계와 또 다른 하나의 세계 사이에는 엄청난 차이가 존재합니다. 하나는 자신의 사고와 감정과 소망을 주관하여 말 그대로 삶의 작가요, 그에 주체가 되는 삶이고, 다른 하나는 어떤 사건을 단순히 맞닥뜨리거나 당하여 그 일로 인한 경험에 그저 속수무책으로 압도될 수밖에 없는, 그래서 주체가 되는 대신에 단순히 경험이 펼쳐지는 무대가 될 수밖에 없는 삶을 가리킵니다. 자기 결정을 이해하는 것은 바로 이런 차이를 이해하는 데서 출발합니다."[334]

자기 결정력을 갖기 위해서 '내적 독립성'이 중요하다. 스스로 무엇인가를 결정하는 능력이 '내적 독립성'이다. 이 의식은 외부 세계의 다양한 압력에 굴복하지 않고 내 삶에 대한 결정을 스스로 하고, 주체가 되고자 하는 의식이 있을 때에 강화된다. 또한 현재의 '나'와 추구하고자 하는 '이상' 사이가 멀어질 때에 자기 결정력은 부재하게 된다.

자기 결정력의 다른 중요 요인은 '자기 인식'이다. 자기 인식을 통하여 자신만의 시간을 향유할 수 있다. 잘못된 기억으로 인하여 삶이 힘들어 질 때에 이를 해결하는 능력은 올바른 자기 인식에서 나온다. 자신에 대하여 제대로 인식하는 것은 특정의 결정 상황에서 중요한 역할을 한다. 자기 인식이 부족한 경우에는 미래에 대한 두려움과 외로움으로 인하여 삶이 힘들어진다.

자기 결정력이 높은 이는 타인과 좋은 관계를 유지할 수 있다. 타인의 요구를 적절하게 배려하는 마음이나 타인에 대한 도덕적 친밀성은 자기에 대한 올바른 인식과 결정력에서 출발하기 때문이다. 이에 대하여 비에리는 이렇게 말한다.

"타인을 존중하고 그들의 욕구를 배려하려면 그들을 타자로서 인식해야 하고, 그러기 위해서는 자신이 누구인지 아는 것이 먼저 선행되어야 합니다. 도덕적 존중은 종종 우리 자신에 대한 맹목적 생각 앞에서 좌절되곤 합니다. 이것 또한 잔인함과 크게 다를 바가 없지요. 자기 자신이 하는 행동이 동기에 대한 이해가 적을수록 잔인함으로 치우칠 위험은 높아집니다. 우리의 시기와 미움, 드러나지 않는 질투심, 비록 겉으로는 아니라고 하지만 숨겨져 있는 증오 같은 것들을 알지 못하기 때문에 일어나는 잔인한 폭력이 많습니다."[335]

현대 사회에서 행복의 중요한 조건은 타인과의 관계이다. 타인을 존중하고 그들을 배려하면 이를 통해서 관계가 개선되고 나의 행복이 강화된다.

페터 비에리는 스위스 출신으로 독일 자유대학에서 철학 교수를 역임했다. 그는 언어철학에 관심을 갖고 행복하고 존엄한 삶을 위해서는 자기결정력이 중요하다고 했다. 그는 진정한 행복은 힘든 상황에 떠밀리거나, 타인에 의해서 자신의 삶이 좌우되지 않고 살아가는 데에 있다고 강조한다.

함께 읽으면 도움이 되는 책

- 조나단 에드워즈, 《자유 의지》, 정부홍 옮김, 새물결플러스, 2017.
- 조인수, 이응훈, 《자기결정 기술》, 대구대학교 출판부, 2006.

11

행복의 시작은 몸에서 부터이다

《몸이 먼저다》, 한근태, 미래의 창, 2014.

행복은 몸에서 나온다. 주변을 보면 성공한 사람들은 하나같이 건강하다. 건강 없이 성공과 행복을 달성할 수 없다. 자신의 몸을 사랑하고 몸을 잘 관리하는 것보다 인생에서 중요한 것은 없다. 몸을 관리하기 위해서는 누구보다 열심히 자신의 몸을 사랑해야 한다. 몸에 대한 사랑으로부터 삶의 행복이 우러나온다.

한근태는 운동을 하고 나서 부터 삶이 바뀌었다고 말한다. 그의 일상은 아주 단순하다. 새벽에 기상하여 한 6시간 정도 글을 쓰고, 그 다음 오전 10시 경에 동네 헬스장에 가서 운동을 한다. 유산소운동과 근력운동을 동시에 하면서 체력을 키운다고 한다. 보통 일주일에 서너 번씩은 반드시 헬스장에서 운동을 하는데 그는 운동 후에 샤워를 하고 세상에 나오면 이 보다 좋을 수 없다며 이렇게 말한다. "세상에 부러울 것이 없다. 운동 전과 운동 후, 세상이 이렇게 달라 보일 수 있다는 사실이 신기할 정도다."[336]

운동을 하면 스스로가 변화를 체감할 수 있다. 저자는 오십 견으로 고생하다 헬스장을 찾았다고 한다. 어깨가 너무 아파 상체 운동을 하기 조차 힘든 상태였지만, 코치의 효율적인 코칭을 받고 어색한 동작으로 운동을 계속 하였다고 한다. 몇 주가 지나 어깨가 낫고 계속 운동을 하니 체지방도 빠지고, 몸매가 달라지기 시작했다고 했다. 이와 같은 변화는 자신감을 준다. 자신감은 운동을 꾸준히 할 수 있는 동력이 된다.

현대인 대부분은 머리를 쓰는데 많은 시간을 할애하고 중요한 가치를 부여한다. 머리보다 몸을 어떻게 쓰는지가 건강한 삶을 위해서 중요하다. 한근태는 몸에 대하여 이렇게 규정한다.

"몸이란 무엇일까? 몸은 당신이 사는 집이다. 지식이나 영혼도 건강한 몸 안에 있을 때 가치가 있다. 몸이 아프거나 무너지면 별 소용이 없다. 집이 망가지면 집은 짐이 된다. 소설가 박완서는 노년에 이렇게 말했다. "젊었을 적의 내 몸은 나하고 가장 친하고 만만한 벗이더니 나이 들면서 차차 내 몸은 나에게 삐치기 시작했고, 늘그막에 내 몸은 내가 한평생 모시고 길들여 온, 나의 가장 무서운 상전이 되었다(박완서의 〈호미〉 중에서)."[337]

한국 축구는 과거에는 정신력을 신체적 능력 보다 더 강조하였다. 히딩크 감독이 부임 하자마자 한국의 축구 지형은 바뀌었다. 과거에는 선제골을 넣고 후반을 지키지 못해서 지는 경우도 많았다. 이에 대하여 히딩크는 정신적 보다는 체력이 문제라는 점을 파악하고 체력훈련을 집중적으로 하였다. 한국은 체력훈련을 꾸준히 하여 월드컵 때에 결국 4강까지 진출하는 놀라운 실력을 보여 주었다. 무조건 정신력이 중요한 것이 아니라, 건강 또는 체력이 뒷받침 될 때에 어느 정도의 성과가 나타나는 것이다. 이에 한근태는 이렇게 말한다.

"우리는 운동선수들을 배워야 한다. 그들의 최우선 임무는 자기 몸을 최고의 상태로 만드는 것이다. 그렇지 않으면 경기에서 이길 수 없다는 사실을 너무도 잘 알고 있기 때문이다. 그렇다. 몸이 먼저다. 몸이 정신을 이긴다."[338]

그렇다면 몸을 잘 관리하는 방법은 무엇일까? 몸을 관리하는 최고의 방법은 '운동'이다. 운동을 꾸준히 지속적으로 하는 것이 중요하다. 동시에 운동을 제대로 하기 위하여 전문가한테 배워야 한다. 자신의 삶에서 운동을 꾸준히 하는 사람은 자기 경영에 성공한 사람이다. 그들은 어떠한 업무의 강도에도 이겨낼 수 있다. 특히 머리를 지나치게 쓰는 사람들에게 운동은 삶의 오아시스이다. 그 오아시스를 통하여 멋진 삶을 영위할 수 있다. 운동의 시간은 살면서 받을 수 있는 많은 상처를 치유 할 수 있는 시간이기도 하다.

저자는 운동을 지속적으로 하기 위하여 계속 자신의 몸에 대한 변화에 주목하라고 말한다. 특히 근력과 몸매에 대하여 주목해야 한다. 자신의 근력이 달라지고 몸매가 변화하게 되면 이를 통하여 자신감이 생긴다.

저자는 새벽에 일어나 차를 마시고, 명상을 하고, 글을 쓰고, 운동하고 가급적이면 저녁 약속은 하지 않는다. 어떻게 본다면 심심한 삶을 사는 것이다. 그런데 이와 같은 심심한 삶이 건강을 유지시켜 주는 중요한 전제조건이 되는 것이다. 도파민이 분출되기 보다는 세로토닌 나와야 건강하게 살 수 있다. 자극을 추구하는 사람이기 보다는 건강을 위하여 운동하고 명상하면서 살아가야 한다.

저자는 행복하기 위하여 지금부터 운동을 시작하라고 말한다. 이 세상에 완벽한 때란 존재하지 않는다. 지금 자각을 통하여 운동을 해야 한다. 운동을 꾸준히 하면서 삶이 변하는 것을 느끼는 사람은 자신의 삶 속에서 매일 행복을 경험하는 자이다.

함께 읽으면 도움이 되는 책

- 고미숙, 《고미숙의 몸과 인문학》, 북드라망, 2013.
- 이상원, 《몸이 전부다》, 올림, 2017.

12
거절을 두려워하지 말자

《거절당하기 연습》, 지아 장, 임지연 옮김, 한빛 비즈, 2017.

한때는 오지랖이 넓은 사람이 사회적으로 인기를 얻었다. 오지랖이 넓은 사람은 남에 대한 배려를 잘 하고 자신 삶에 대하여 소홀할 수 있다. 타자의 청을 거절하거나, 남에게 거절 당해도 당당할 때에 심적 안정감을 가질 수 있다.

저자는 재미있게도 100일간 거절당하는 프로젝트를 진행하고 있는 파워블로거였다. 블룸버그 뉴스위크, 허핑턴포스트, 포브스와 같은 많은 매체에서 그에 대한 에피소드를 다루었다. 그가 출연했던 강연은 조회수가 100만 건을 넘는 인기를 얻기도 했다. 중국 베이징 출신으로 10대에 미국으로 와서 브리검영 대학에서 컴퓨터를 전공하고, 듀크 대학에서 MBA 학위를 받았다. 그는 거절당하는 것에 대하여 당당히 맞서 싸우면서 블로그를 운영하고 유명 강연인으로 우뚝 서게 되었다.

지아 장은 거절당하는 고통에서 둔감해지기 위해서는 거절에 익숙해져야 한다고 말한다. 마치 옛날에 무사들이 고통을 견디는 힘을 기르기 위해서 몸을 단단한 물체로 두드리며 지속적으로 수련하는 것처럼 거절 고통에서부터 단련이 필요하다고 한다. 그는 거절에 대한 공포를 극복하는 것이 원하는 삶을 살아가는데 중요한 철학이라는 것을 깨달았다. 그는 먼저 '두려움 없애기(FearBuster.com)' 이라는 도메인을 산 후에 '100번 거절당하기' 라는 제목의 블로그를 시작하게 된다. 이후 100일 동안의 거절을 당하고도 심리적으로 안정감을 추구하는 연습을 한다.

실험 첫째 날, 경비원에게 100달러를 빌려 달라고 말하고 거절을 당한다. 둘째 날은 공짜 햄버거를 점원한테 달라고 요구한다. 그러면서 거절을 당했을 때에 스스로가 움츠리지 않고, 당당하게, 혹은 침착하게 그 상황에 대처 했을 때에는 스스로가 자신감이 형성됨을 깨닫게 된다. 그는 이러한 거절당할 만한 일들을 매일 시도하고, 실제 거절을 당하면서 그 속에서 깨달음을 얻는다.

지아 장은 거절당하는 연습을 통하여 많은 '자신감'을 회복 하였다고 한다. 일자리를 구하면서 거절을 당하지만 별다른 거부감이나 두려움을 느끼지 않았고 계속 구직을 시도했다. 그는 거절은 "각각의 결정을 내린 당사자 두 사람만의 상호작용이다. 이런 사실을 잊고 승낙이나 거절의 당사자를 얼굴 없는 기계처럼 여긴다면, 거절은 공격처럼, 승낙은 확인처럼 느껴질 것이다"[339]고 했다.

100일 도전이 거의 절반 쯤 지났을 때에 거절에 대한 두려움은 호기심으로 바뀌었다고 하였다. 거절에 대하여 과거에는 도망쳤다면 이제는 당당히 맞설 수 있는 사람으로 변모했다.

거절은 거절당한 사람한테 중요한 동기부여를 준다. 거절이 중요한 것이 아니라, 거절을 당했을 때에 그것에 대하여 내가 어떻게 반응하는지가 중요하다. 거절은 본인이 정리하기 따라 득이 되기도 하고, 실이 될 수도 있다. 거절을 긍정적으로 받아들일 때에는 그것은 '보약'이 된다. 위대한 농구선수인 마이클 조던은 2009년 농구 명예의 전당 입회식 연설에서 고등학교 때에 대표 팀에서 탈락한 일, 상대편 감독이 자신과 동료들에게 했던 험담, 매직 존슨이나 래리 버드 보다 재능이 부족한 것으로 혹평했던 저널리스트들의 비평들이 지금의 행복을 누릴 수 있게 하는 중요한 자극제가 되었다고 말한다. 조던은 이렇게 말했다. "거절당할 때마다 내 안에서 타오르고 있는 불길에 연료를 더 집어넣으며, 매일 더 나은 농구선수가 되기 위해 노력했습니다. 나처럼 많은 것을 이루어 낸 사람은 그 어떤 메시지에서도, 다른 사람의 모든 말과 행동에서 최고의 경기를 할 동기를 찾아야 합니다."[340]

조던만이 아니라 최고의 쿼터백으로 평가받는 톰 브래디는 2000년 NFL 드래프트에서 뉴잉글랜드 패트리어츠에 지명되기 까지 무려 198번이나 거절을 당했다. 그가 들어 올린 세 번의 슈퍼볼 우승컵은 '거절의 산물'이다. 우리 운동선수의 삶에서 수많은 거절이 존재한다. 중요한 것은 내가 어떠한 거절을 당해도 답답하지 않고, 이를 이기고 새롭게 도약하는 일이다.

삶은 언제나 행복할 수는 없다. 힘들고, 어렵고, 곤란하고, 피곤하고, 패배하고, 넘어지고, 좌절하고, 쓰러지는 그러한 시간들이 존재하더라도 이를 잘 버티고 이겨내야 한다. 거절로부터 좌절하지 않으면 언젠가는 기회는 온다. 거절이 당장은 부정적으로 느껴지지만, 이를 잘 극복하면 나의 발전을 위한 터전이 된다.

함께 읽으면 도움이 되는 책

- 리사 터커스터, 《나는 매일 거절당한다》, 김성웅 옮김, 넥서스 크로스, 2017.
- 리처드 펜튼, 안드레아 왈츠, 《거절은 나를 다치게 하지 못한다》, 박옥 옮김, 나라, 2015.

13

행복은 인간이 지향하는 가장 아름다운 경험이다

《하버드대 행복학 강의 해피어》, 탈 벤-샤하르, 노혜숙 옮김, 위즈덤하우스, 2007.

많은 사람들이 궁금해 하는 것은 행복은 자연발생적인 것인가, 또는 훈련을 통하여 얻을 수 있는가 이다. 행복은 자신이 상황에 대하여 어떻게 반응하는지, 그리고 어떠한 마음가짐을 갖고 있는지에 따라서 달라진다. 현대인들은 온갖 스트레스로 인하여 힘든 삶을 살고 있다. 긍정심리학적인 관점에서 보면, 행복은 인간 삶이 지향하는 최종적 목적이다.

탈 벤-샤하르는 하버드 대학에서 〈행복학〉 강의로 인기를 얻고 있는 심리학 강사이다. 그의 강의는 항상 하버드대 생들에게 관심을 불러일으키고, 경쟁과 스트레스에 노출되어 살고 있는 그들의 삶에 한줄기 빛을 주는 좋은 강의로 평가 받고 있다.

행복하기 위해서 저자는 목표를 설정할 것을 강조한다. 꾸준하게 목표설정을 하고 이를 위하여 나가면 행복 수준은 늘어난다. 행복해지기 위해서는 자신이 원하는 목표를 계속적으로 만들어 가야 한다. 행복은 아무 것도 안하면서 얻어지는 것이 아니라, 과제를 꾸준하게 수행하는 과정에서 얻어진다.

행복하기 위해서 저자는 다음의 여섯 가지의 방법을 제시하고 있다. 첫째, 자기와 타인 모두를 귀하게 여겨야 한다. 우리가 행복하기 위해서는 주변 사람 또한 행복해야 한다. 우리 자신이 남을 돕고, 서로 행복하기 위해서 노력할 때에 나와 주변 사람 모두가 행복해진다.

둘째, 여가 시간에 도전적이고, 흥미를 가질 수 있는 취미 생활을 꾸준히 해 나가야 한다. 퇴근 후에 또는 방과 후에 흥미와 의미를 가질 수 있는 여가 활동을 꾸준히 할 때에 나의 행복감은 증가된다. 여가 시간에 수동적 즐거움을 추구하기보다는 적극적인 즐거움을 추구하는 취미활동에 몰입해야한다. 직장이나 학교에서 힘든 시간을 보내고 만나는 여가 시간은 스트레스 해체의 시간이다.

셋째, 행복에 대한 우리의 관점을 바꿔야 한다. 스스로가 행복에 대한 긍정적인 생각을 가지고 있고, 내가 노력하기 여하에 따라 행복감은 증가될 수 있다는 관점을 가져야 한다. 행복의 깊이가 정해져 있다고 생각하기보다는 행복은 자신의 노력에 따라 달성이 가능한 경험으로 여기는 정신이 필요하다.

넷째, 우리는 행복에 대하여 누릴 자격이 있다는 강한 믿음이 필요하다. 행복은 신이 우리에게 준 중요한 선물이다. 스스로가 신이 준 선물을 즐길 수 있다는 믿음이 필요하다. 스스로가 행복할 자격이 없다고 말하는 사람은 행복을 경험하기 힘들다.

다섯째, 행복하기 위해서는 우리의 내면을 들여 보아야 한다. 내면에서 진정으로 원하는 것이 무엇이고, 인간으로서 삶의 가치 있는 것이 무엇인지를 인지하며 나아가는 사람은 성장한다.

여섯째, 행복하기 위해서는 현재의 시간을 충분히 즐겨야 한다. 와인 감식가는 한 번에 와인을 마시지 않는다. 천천히 음미하며 와인의 깊은 향과 맛을 온몸을 통하여 느끼고자 한다. 이러한 음미 자세는 많은 시간을 필요로 하지만 와인을 제대로 즐기게 한다. 행복도 마찬가지이다. 천천히 그리고 충분히 현재의 감정을 즐길 때에 만끽할 수 있다.

행복은 강도가 아니라 빈도가 중요하다. 행복에서는 획기적이거나 대단한 사건 한 번이 그리 중요하지 않다. 일상에서 자주 의미 있는 경험을 할 때에 행복한 상태를 자주 만날 수 있다. 일상의 평범한 부분들이 행복을 구성하는 중요한 조각이 된다.

저자는 행복하기 위해서 개인과 사회의 조화를 강조하였다. 행복에 대한 나의 의식이 바뀌고, 타자에 대한 배려가 이루어질 때에 진정한 행복이 발생한다.

함께 읽으면 도움이 되는 책

- 남승규, 《행복심리학》, 양서원, 2017.
- 라즈 라후나탄, 《왜 똑똑한 사람들은 행복하지 않을까?》, 문희경 옮김, 더 퀘스트, 2017.

제 7 장

경험 소비와 행복

01 행복은 어디서 오나?
02 잘 쉬어야 행복하다
03 혼자 내공을 쌓는 법
04 의미 있는 반복의 위대함
05 공항에서 인생과 행복을 배운다
06 영적 지도자의 행복론
07 세로토닌으로 행복하기
08 감정은 연습을 통해 달라진다
09 삶은 예술이 발현되는 창고
10 쓰는 것만으로도 행복은 달성된다
11 생각을 뒤집어 볼 때에 세상이 보인다
12 답은 내 안에 있다

01
행복은 어디서 오나?

《행복의 기원》, 서은국, 21세기북스, 2014.

우리는 행복에 대하여 막연한 꿈을 갖고 있다. 행복은 실제 경험하는 것이지 관념으로 존재하는 것이 아니다. 누구나 행복을 이야기할 때에 막연한 희망과 꿈을 갖고 말하는 경향이 있다. 행복은 실제 지금 나의 자리에서 느끼고 생각하는 데서 나온다.

서은국은 인간이 느끼는 행복의 출처는 뇌의 경험이라고 말한다. 우리가 월급날 통장 잔고가 쌓였을 때에 일시적인 행복감을 느끼는 것은 뇌의 특정한 부위가 자극이 되어 '기분이 좋다'라는 일시적인 경험이 만들어진 것이다. 월급은 누구에게나 행복감을 증진시켜주지는 않는다. 보증을 잘못 서서 월급이 들어오는 날에 자기 수중에 한 푼도 남지 않고 다른 사람에게 빠져나가는 사람에게는 월급은 행복하기 보다는 좋지 않은 기억을 다시 한 번 되새기는 신호에 불과하다.

저자는 행복하기 위해서는 뇌를 잘 알아야 된다고 이야기한다. 우리의 뇌는 조상들이 우리에게 계승해준 살아가는 방식이자 매뉴얼이다. 위험한 상황을 잘 피하고, 먹을 것을 잘 구분하고, 어떠한 상태에서는 스스로를 보호할 능력을 갖는 유전적 정보들이 뇌 안에 심어져 있다. 저자는 인간은 생존을 위하여 투쟁을 하는 동물이라고 이렇게 말을 한다.

"인간은 행복해지기 위해 태어난 것이 아니라 생존을 위해 만들어진 동물이다. 조금 더 냉정하게 표현하자면 인간은 생존 확률을 최대화하도록 설계된 '생물학적 기계'고, 행복은 이 청사진 안에서 아주 중요한 역할을 한다."[341]

인간의 뇌는 불쾌한 또는 상쾌한 경험을 구분해 낼 수 있다. 뇌의 시상하부가 이러한 역할을 담당하고 특정한 사물이나 현상에 대하여 뇌는 직접적인 반응을 한다. 즐겁다, 재미있다, 기쁘다, 좋다와 같은 즐거운 경험들은 행복을 구성하는 중요한 질료이다. 행복을 위해서는 긍정적 경험을 자주 느껴야 한다. 행복한 사람은 뇌에서 행복 신호를 자주 울린다고 느끼는 사람이다.

행복 연구에서 중요한 것은 외향적 성향이다. 외향적 성향이라는 것은 사람과 자주 어울리고, 이들과 많은 시간을 보내는 성향이다. 외향적 성향이 높을수록 자극에 대하여 민감하고, 자기 확신 수준이 높고, 어떤 과제에서든지 즐거움을 추구하려는 성향이 강하다. 행복한 사람일수록 외향적인 성향을 갖고 사회적인 관계 구성이 활발하다. 아무리 내향적인 사람이라도 다른 사람과 함께 있을 때에 행복감은 상승한다.

행복의 정도는 외향적인 성격 외에도 본인이 갖고 있는 '자원'을 어떻게 쓰느냐에 따라 달라진다. 콜로라도 대학교의 리프 반 보벤(Leaf van Boven) 교수 연구에 따르면, 행복한 사람들은 여행, 영화, 문화생활과 같은 경험을 위하여 지출을 많이 하고, 불행한 사람들은 옷이나 신발 같은 물건을 더 구매한다고 하였다. 행복과 관련이 되어 경험의 구매보다 물질 구매가 불행한 것은 물질을 통한 즐거움은 그 지속성이 낮기 때문이다. 본인이 구매한 것을 타인의 것과 비교하면서 불행감이 증가하기 때문이기도 하다.[342]

돈을 쓰는데 있어서도 본인을 위하여 쓰는 것보다 다른 사람을 위하여 쓸 때에 행복감은 증가한다. 이와 같은 친사회적 행동은 본인의 행복감을 유발한다. '내가 누군가를 도와줄 때에 내가 치료를 받게 된다'는 말이 있다. 이와 같은 나의 도움을 통해서 누군가가 어려움에서 구원되는 느낌은 자신을 행복하게 하는 신호가 된다. 저자는 이렇게 말한다.

"왜 친사회적인 행동은 행복감을 유발할까? 한 가지 가능성은 남에게 도움을 줄 때 즉각적인 보상이 필요하기 때문일 수 있다. 장기적으로 친사회적 행동은 타인과의 결속력을 높여 생존에 필요한 사회적 자원을 확보하는 효과가 있다."[343]

행복감이 증가하는데 중요 원리는 '타인과의 교류' 이다. 내 주변에 있는 사람들과 좋은 관계를 갖고, 내가 좋아하고 나를 좋아하는 사람을 만날 때 마다 즐거운 활동을 통하여 행복감은 향상된다.

서인국은 행복에 대한 핵심을 한 장의 사진으로 담는다면, 이는 좋아하는 사람과 함께 맛있는 음식을 먹고 와인을 마시며 이야기하는 모습을 담은 것이라고 했다. 뇌가 가장 흥분하고 즐거운 때는 바로 두 가지 요인인, '음식'과 '사람'이 함께 할 때이다.[344] 그렇다면 답은 간단하다. 행복하기를 원한다면 사랑하는 이와 자주 좋은 음식과 와인을 한잔하면서 살아가는 이야기를 나누는 것이다.

함께 읽으면 도움이 되는 책

- 아리타 히데호, 《뇌 스트레스를 없애는 생활법》, 황세정 옮김, 고즈원, 2013.
- 하루야마 시게오, 《뇌내 혁명3》, 심정인 옮김, 사람과 책, 1999.

02
잘 쉬어야 행복하다

《웰레스트》, 이내화, 모아북스, 2011.

잘 쉬는 것의 가치는 말할 필요가 없다. 본인에 맞게 휴식을 취하면 행복을 느끼기 쉽다. 올바른 휴식은 인간의 성장에 이바지한다.

이내화는 지금은 웰레스팅(well-resting) 시대라고 말한다. 성과주의 사회에서 조직보다 중요한 것은 자신의 가정과 가족, 그리고 개인의 행복이다. 웰레스트 시대에는 사회적으로 성공하는 것 보다 중요한 일은 여유 있는 생활과 가족과 함께 휴식을 통하여 행복을 느끼는 것이다.

이내화는 한국 사회는 워커홀릭을 부추기는 사회라고 지적한다. 성과주의 사회에서 워커홀릭은 한 사람의 행복을 가로막는 장애물이 된다. 이러한 워커홀릭에서 부터 벗어나기 위해서는 여가의 중요성을 인식해야 한다. 이내화는 호모루덴스의 가치에 대하여 이렇게 말을 한다.

"최근 산업사회의 호모 파베르가 여가 사회의 호모루덴스로 진화하고 있다. 우리의 생존 코드가 '일을 위한 여가'에서 '여가를 위한 일'로 전환되고 있는 것이다. 이는 '놀이하는 인간'이라는 인간성의 본질을 회복할 수 있는 기회가 찾아왔음을 의미한다."[345]

주 5일 근무제에는 주말 동안 잘 휴식해야 한다. 주말 동안에는 자신의 직장에서부터 완전히 벗어나서 철저하게 휴식을 취하고, 여가활동에 철저하게 몰입하고자 하는 자세가 중요하다.

웰레스트 시대에는 '은퇴 후 10만 시간'의 적절한 활용이 필요하다. 60

대부터 노년기의 시간 중 자는 시간과 먹는 시간인, 대략 10시간을 뺀 가용 시간 14시간씩 20년을 곱하면 약 10만 시간이 나온다(365일X 14시간 X 20년= 10만 2200시간). 이 시간을 어떻게 이용하느냐에 따라 노년기의 행복은 좌우된다.

휴식은 행복과 직접적으로 연결된다. 잘 휴식하기 위해서는 잘 노는 방법에 대하여 고민해야 한다. 어떻게 쉬는 것이 잘 쉬는 것일까? 나는 그 해답이 땅에 발을 디디고 신체를 많이 움직이는 여가활동의 몰입에 있다고 본다. 디지털 중심의 사회에서는 한 번쯤은 아날로그적으로 쉬어야 한다. 가급적이면 휴대폰을 만지는 시간을 줄이고 일주일에 하루 정도는 아날로그적으로 지내면 어떨까? 저자는 행복하게 휴식하는 방법으로 '독서'를 권하고 있다. 독서는 꿈을 키워 주고 어려울 때에 삶의 해답을 주는 여행이라고 저자는 말하고 있다.

나는 독서하기 힘든 사람들에게는 책을 많이 읽는 사람과 자주 만나라고 말한다. 책을 많이 읽거나 소장하는 사람들은 그렇지 않은 사람과는 다른 일상을 살 가능성이 높다. 그의 삶을 엿보고 좋은 점을 배워서 독서의 지평을 넓혀보도록 한다. 다독가의 서재는 특히 눈여겨 볼 필요가 있다. 그 서재에는 그 사람의 책에 대한 애정과 지식을 쌓기 위한 자신만의 여정이 고스란히 펼쳐진다. 헌책방 주인장으로 유명한 조경국은 그 서재에 대하여 이렇게 말한다.

"서재에서 그 서재를 만들어 온 사람과 이야기를 나누는 것만큼 훌륭한 공부는 없습니다. 서재만큼 이야기가 풍성한 공간이 있을까요. 사실 서재만 보더라도 주인이 어떤 성향인지, 어떤 분야에 관심이 있는지, 어떤 삶을 지향하는지 어림짐작 할 수 있습니다. 책상이나 서가의 정리 상태, 책을 다룬 흔적으로도 그의 성품을 추정할 수 있습니다. 서재라는 한정된 공간에서 얻는 정보지만 서재에는 주인의 과거와 현재 그리고 미래에 대한 정보가 여기저기 흩어져 있지요."[346]

독서라는 아날로그적이고 어쩌면 훈련이 필요한 힘든 여가를 통하여 동서고금을 종횡하는 즐거움을 맛보는 삶은 아름답다. 고전책 한 권 독서는 정신없이 살고 있는 현대인의 삶에 대한 지표로 작용할 수 있다. 우리가 멋진 삶을 살기 위해서는 한 번씩 멈추고 재도약을 위한 준비를 해야 한다. 독서는 삶의 쉼터요 오아시스리라.

많은 사람들이 일과 삶의 균형이 잡힌 생활을 하지 못하고 있다. 일과 삶의 균형을 맞추기 위해서는 세상의 중심이 '나'로부터 시작한다는 의식의 전환이 필요하다. 행복을 밖에서 찾는 것이 아니라, 나의 안쪽에서부터 찾아야 한다. 저자는 나에 대한 가치 회복에 대하여 이렇게 말한다.

"세상의 중심은 '나' 다. 그 중심을 회사나 가족이 차지하고 있으면 미래와 변화 앞에서 무릎을 꿇게 된다. '나'만의 시간을 가져라. 가능하다면 주말엔 거칠고 치열한 모험 속으로 뛰어 들어라. 가족도 소중하지만 결국은 이들도 내가 아닌 타인이다. 자신을 위해 더 많은 시간을 할애하라. 자아와 체력을 강화시켜라. 전문가 수준에 이를 만큼의 취미를 하나 이상 가져라. 아니면 현재 업무와 다른 분야를 선택하여 전문 지식을 쌓는데 시간을 투자 하라."[347]

행복의 중심에는 잘 쉬는 의식이 자리 잡아야 한다. 잘 쉬기 위해서는 세상의 중심이 나로부터 돌아간다는 의식 전환이 필요하다. 남의 눈치를 보거나 다른 사람의 취향의 맞춰 살기보다는 내 스스로 원하는 휴식과 즐거움 추구를 통하여 진정한 휴식을 취해야 한다. 이러한 휴식 경험이 삶을 행복의 문으로 이끈다.

함께 읽으면 도움이 되는 책

- 톰 래스, 짐 하터, 《웰빙 파인더》, 성기홍 옮김, 위너스북, 2011.
- 홍종임, 《웰빙과 웰다잉은 한 끗 차이다》, 북랩, 2018.

03
혼자 내공을 쌓는 법

《혼자 있는 시간의 힘》, 사이토 다카시, 장은주 옮김, 위즈덤하우스, 2015.

우리는 간혹 사회적 동물이라는 강박 관념에 사로 잡혀 혼자 있는 것에 대하여 두려움을 갖고는 한다. 혼자 보내는 시간에 대한 두려움은 자기 삶에서 행복을 갉아먹는다. 혼자 있는 힘을 기르게 되면 다양한 여가 활동을 할 수가 있고, 마음의 안정을 취할 수가 있다.

사이토 다카시는 메이지 대학 교수로 재직하면서 학생들이 언제 학습 에너지와 몰입도가 높은지에 대하여 끊임없이 관심을 가졌다. 다카시는 혼자 있는 시간을 즐기기 위해서는 의식전환이 필요하다고 말한다. 사람과 함께 있을 때는 여러 사람들의 관점과 취향 때문에 나의 의견은 무시되기 쉽다. 예술가들은 고독의 힘을 빌려서 예술을 창조한다. 스스로가 고독에 대하여 가치를 부여할 때에 자신의 삶은 더욱 풍성해진다. 다카시는 열심히 공부하기 위해서는 무엇보다 사람들과의 관계를 어느 정도는 절연(絶緣)하는 것이 필요하다고 말한다.

"인생에는 승부를 걸어야 할 때가 있다. 실패하지 않으려면 교제를 완벽하게 끊고, 하고 있는 일도 철저히 정리하여 생활 전체를 점검해야 한다. 그렇게 하면 거의 모든 시간을 온전하게 활용할 수 있다."[348]

시간을 즐기는 사람은 그 시간 동안 창조적인 무엇인가를 생산할 수 있다. 다카시의 한 친구는 두껍고 어려운 책을 3년에 걸쳐 번역하고 출간 하였다. 그동안 그 친구는 어느 누구와도 만나지 않고 열심히 번역을 했다. 책이 나온 후에 많은 사람들의 호평이 이어졌다. 혼자 있는 시간이 아니면 절대 불가능한 일들이 있다. 그 때에 필요한 것은 '고독의 기술'을 터득하는 일이다. 고독의 기술을 잘 터득하기 위해서는 적극적으로 자기만의 시간을 가져야 한다.

"적극적으로 혼자만의 시간을 가지면서 자기 안에 샘을 파고, 지하수를 퍼 올려야 한다. 자유롭게 내면에 축적된 내공을 꺼낼 수 있는 사람은 누구에게나 매력적으로 보인다. '혼자여도 괜찮다'는 당당함이 여유로움과 안정감으로 이어지기 때문이다."[349]

다카시는 외로움을 극복하기 위하여 눈앞의 일에 집중하기, 원서를 읽거나 번역하기, 그리고 독서로의 몰입을 권한다. 이와 같은 일에 집중하는 것은 나만의 시간을 충실하게 보낼 수 있는 방법이라고 한다. 그는 '조탁(彫琢)'이라는 말을 소개하며, 이는 보석과 같은 단단한 사물에 무언가를 새기거나 쪼는 것이라 했다. 자신에 대한 '조탁'은 자신의 내면을 파고들어 가서 몸과 마음을 수련하는 과정을 의미한다. 혼자 있는 시간만이 자아를 조탁할 수 있게 이끈다.

혼자 있는 시간 중에 가장 생산적인 일은 '독서'이다. 문학작품은 인간의 원형을 고독한 존재로 표현해 왔으며, 그러한 문학작품을 읽는 일은 인간의 실체를 깨닫게 한다. 고독에 대한 가치를 품은 문학 작품을 접하면서 자신의 고독에 대하여 가치를 부여하면 좋다.

다카시는 혼자 고독으로 향하는 일은 물속에 잠겨 수면 아래의 고요함을 느끼는 것과 유사하다고 말한다.

"나는 '침잠'이라는 말을 좋아한다. 물속 깊숙이 잠기면 무음의 세계를 떠도는 듯 한 고요함에 휘감긴다. 그런 고요함 속에서 혼자 무언가에 몰입했다고 하자. 그렇게 만들어진 것은 영원히 사라지지 않는다. 물 위에 떠오른 뒤에도 자기 안에 존재한다."[350]

고독을 즐기는 자만이 자신에 대해 성찰할 수 있다. 자신의 내면 소리를 제대로 들을 수 있을 때에 인간은 성장한다. 호모사피엔스는 현재의 중동지역을 통해서 유럽 쪽으로 이주해서 정착했다. 그들이 유럽에 이주 할 때에는 신체적으로 좋은 조건의 네안데르탈인이 이미 그 곳에서 터전을 잡고 살고 있었다. 4만 년 전에 지구는 마지막에 빙하기를 겪었는데, 호모사피엔스는 야생 들소나 매머드를 잡기 위하여 무기를 만들고, 동료들과 협업하여 사냥하기도 하였다. 동시에 그들은 미리 터전을 잡고 있었던 네안데르탈인과도 처절한 생존을 위한 전쟁을 치러야 했다. 그러다가 3만 년 전에 네안데르탈인은이 지구상에서 종적을 감추게 되었다. 신체적으로 월등한 네안데르탈인이 없어지고 호모사피엔스가 살아남은 이유는 바로 그들의 독특한 '행동' 때문이었다. 그들은 자신을 정복하기 위하여 지하 깊은 곳으로 내려갔다. 그들은 지하의 조그만 동굴로 내려가서 횃불과 진흙을 들고 와서 동굴 벽에 그림을 그렸다. 호모 사피엔스는 그림을 그리기 전에 반드시 스스로가 눈을 감고 자기 자신의 심장 소리를 들었다고 한다. 그들이 심장 소리를 듣고 지하 깊은 곳의 고독의 안식처에서 예술 행위를 한 것은 어떻게 살아야 할지에 대한 깨달음을 얻고자 하는 숭고한 행위 였을 것이다. 이와 같은 고독을 즐기는 호모사피엔스는 다시 '호모 사피엔스 사피엔스'로 탈바꿈 할 수 있었다. 호모 사피엔스 사피엔스는 깊은 동굴이라는 고독의 터전으로 내려가서 자신의 내면세계를 발견할 수 있으며, 자신이 경험했던 것들을 예술로 만들고자 하는 욕구를 가졌던 인류의 조상이었다.[351]

행복한 사람은 자신의 고독을 적절하게 즐기는 사람이다. 자신의 고독을 통하여 외로움을 견디고 자기가 진정으로 원하는 활동을 통하여 행복을 얻는다. 혼자 있는 시간을 잘 보내는 일은 내 삶을 사랑하는 행위이다. 생활 속에서 고독에 대한 가치를 인정하고 고독을 잘 받아들여야 한다. 고독을 피하기보다는 고독이 나의 발전을 위한, 그리고 나의 행복을 위한 필요충분조건이라는 자각이 필요하다.

함께 읽으면 도움이 되는 책

- 고도원, 《절대 고독》, 꿈꾸는 책방, 2017.
- 김민준, 《상실의 끝 고독의 완결》, 자화상, 2018.

04
의미 있는 반복의 위대함

《리츄얼》, 신병철, 살림, 2012.

리츄얼이란 심리학적으로 긍정적인 기억이나 추억을 결부시켜 일정한 의미를 부여하는 반복적 행동이다. 몸에서부터 먼저 인식된 리츄얼의 긍정적 느낌은 마음 전체에 영향을 미친다.

저자는 리츄얼의 사례에 대하여 몇 가지를 제시하고 있다. 첫째, 작은 정성에 사람들은 감동한다는 점이다. 대학에서는 연구를 위해서 설문지 수집을 자주한다. 이때에 설문을 요청하는 정중한 문구를 담은 포스트잇을 설문지 위에 붙이는 것이 그렇지 않은 설문지 요청 보다 응답률이 훨씬 더 높다. 사람들은 개인적인 정성을 보였을 때에 요청을 들어주어야 한다고 느낀다. 설문지에 고맙다는 메시지가 담긴 포스트잇을 본 사람들은 신중하게 답변하고자 하는 것이다. 포스트잇이라는 조그마한 것을 붙이는 작은 리츄얼은 설문지 수집 및 연구를 성공으로 이끈다. 과거 은퇴 전에 양준혁 선수는 좋지 않은 타구에도 1루까지 죽어라고 뛰었다. 그가 열심히 뛰는 이유는 수비수에 압박을 줘서 실수를 하게 하거나, 또는 다른 여러 가지 변수를 통해 출루 기회를 얻기 위해서 였다. 작은 정성 하나 하나가 모이면 변화가 일어난다. 작은 정성은 리츄얼의 대표적인 사례가 된다.

둘째, 지금 누군가 나를 보고 있다는 인식은 사람들의 행동을 바꾸게 하는 리츄얼이다. 예를 들어, 공원의 한적한 쪽에 사람들이 소변을 많이 본다면 그 곳에 거울을 갖다 놓으면 사람들이 더 이상 소변을 보지 않는다. CCTV나 거울은 사회 구성원들의 삶을 제어할 수 있는 리츄얼 효과를 준다. 사무실이나 책상에 거울 하나만 갖다 놓고도 그 때 마다 긍정적인 사고를 하고자 마음을 먹으면 이 또한 나를 위한 변화의 리츄얼이 된다.

셋째, 작은 신체적 접촉은 사람들 사이에서 행복감을 촉진시킨다. 사람은 작은 신체적 접촉감을 통하여 연결감을 가질 수 있다. 처음 만나는 사람도 악수를 하게 되면 친밀감이 증가하게 되고, 호의적인 감정을 갖는다. 오프라 윈프리가 유명한 토크쇼를 진행하게 된 계기는 '포옹'에 있었다. 그녀는 누구든지 처음 만날 때에 따뜻하게 안아주어서 서로의 장벽을 걷어내고, 함께 공감대를 형성 하는 탁월한 능력을 갖고 있다. 접촉은 일반적으로 사람 사이에 행복감을 높여주는 역할을 한다. 신병철은 우리 사회의 접촉의 필요성을 이렇게 말한다.

"한국사회에서 가족 간에, 부모 자식 간에, 부부 간에 신체접촉을 위한 리츄얼은 반드시 필요하다. 좀 느끼하더라도 '굿나잇 키스' 라든가 '출근 뽀뽀', '하루 한번 허그' 같은 매일 매일의 신체 접촉 리츄얼을 적극 개발하라. 가족 간의 크고 작은 갈등이 사라질 것이다."[352]

넷째, 낯설음의 리츄얼은 창조적인 일을 하게 한다. 예를 들어 스타벅스의 창업자 하워드 슐츠는 매일 다른 사람과 점심식사를 한다는 철학을 가지고 있다. 그 이유는 다른 사람을 만나 자신의 영역에서 듣지 못했던 다양한 이야기를 듣고 이를 스타벅스 운영에 활용을 하기 위해서이다. 우리의 일상에서 늘상 하던 방식을 바꾸는 리츄얼을 가져야 한다. 항상 다니는 길이 아닌, 다른 길로 간다든지 또는 매일 먹는 점심 식사가 아닌, 다른 메뉴를 개발한다든지 늘상 듣던 음악이 아닌, 클래식 음악으로 바꾸는 그러한 낯설음은 창의적인 생각을 하게 한다.

저자는 심리학적인 실험을 통하여 리츄얼의 힘에 대하여 이야기하고 있다. 리츄얼에서 중요한 것은 마음보다는 몸의 변화가 선행되어야 한다. 의미 있는 행동을 먼저하고 이를 통해 마음의 변화를 추구해야 한다. 유명한 일본 출신 메이저리그 이치로 선수는 타석에 들어가면 늘 똑같은 행동을 하는 것으로 유명하다. 오른손으로 잡은 배트를 투수를 향해 겨누고, 왼손으로는 오른 어깨쪽 옷을 만진다. 또한 배트를 동그랗게 돌리면서 자신의 타격 자세를 점검한다. 이와 같은 리츄얼은 이치로 선수의 타격에 몰입감을 강화시킨다. 자신의 의미 있는 반복적인 행위는 내가 하고자 하는 행동에 몰입감과 행복감을 높여준다.

행복하기 위해서는 작은 리츄얼을 만들어야 한다. 아침마다 조깅을 하거나, 아침마다 맛있는 핸드드립 커피를 마시는 작은 행동 하나로 행복해질 수 있다. 이 작은 행동인 리츄얼이 내 삶을 바꾼다.

함께 읽으면 도움이 되는 책

- 이명훈, 《하루의 깨달음》, 부크크, 2018.
- 하마구치 나오타, 《하루 습관》, 고경문 옮김, 거름, 2013.

05

공항에서 인생과 행복을 배운다

《공항에서 일주일을》, 알랭 드 보통, 정영목 옮김, 청미래, 2009.

소설가 알랭 드 보통은 2009년 여름, 히드로 공항 관계자로부터 뜻밖의 제안을 받았다. 공항에서 상주하면서 작가로서 공항에 대해서 자연스러운 묘사를 할 수 있는 권한을 받았다. 그는 히드로 공항을 마치 집에서 생활하는 것처럼 편하게 지내면서 출발 및 도착하는 다양한 사람들의 모습을 보고, 그것을 글로 담았다. 공항에는 수화물을 담당하는 사람, 조종사, 스튜어디스, 의사, 안내원, 데스크 담당자, 또는 공항 교회 목사에 이르기까지 수많은 사람들이 존재한다. 그는 아이들과 이야기를 나누면서 공항이 갖는 여가 공간으로의 위치에 대한 글을 썼다.

보통은 공항 터미널은 우리 문화를 상징하는 대표적 공간이라고 말한다. 이방인에게 우리의 문화를 소개할 때에 공항만큼 이를 잘 보여주는 공간은 없다고 말한다.

"혼돈과 불규칙성이 가득한 세계에서 터미널은 우아함과 논리가 지배하는 훌륭하고 흥미로운 피난처로 보인다. 공항 터미널은 현대 문화의 상상력이 넘쳐나는 중심이다. 만약 화성인을 데리고 우리 문명을 관통하는 다양한 주제들- 테크놀로지에 대한 우리의 신앙에서부터 자연 파괴에 이르기까지, 우리의 상호 관계성에서부터 여행을 로맨틱하게 대하는 태도에 이르기까지- 을 깔끔하게 포착한 단 하나의 장소에 데려가야 한다면, 우리가 당연히 가야 할 곳은 공항의 출발과 도착 라운지 밖에 없을 것이다."[353]

보통은 소피텔 호텔 체인 터미널 5 부근에 묵으며 공항 여정을 시작하였다. 터미널 앞의 다양한 모습을 구경하면서 그는 여행자의 특징을 먼저 살폈다. 그는 부자들은 짐을 적게 가지는 경향을 파악했다. 그들의 지위와 주로 다니는 여행지의 영향으로 짐을 적게 지니고 다닌다. 터미널을 상징하는 대표적인 것은 여행 일정 스크린이다. 이 스크린은 "무한하고 직접적인 가능성의 느낌"[354]을 내포한다. 여기에는 세계 여러 장소가 나타나며, 보는 이로 하여금 노스탤지어의 정서를 자극한다.

여행자가 공항에 도착하면 비행기 티켓을 확인한 후에 보안 구역에 들어간다. 히드로 공항에는 대체로 100여 명 정도의 사람들이 대기 줄을 선다. 검색대에서는 짐을 검색하고, 여러 가지 내용물들이 금속 탐지기를 통하여 확인된다. 보안 요원들은 철저하게 사람들의 짐 검사 및 몸을 확인한다. 보통은 아무런 제지도 받지 않고 탐지기를 통과하여 터미널 반대편 쪽으로 들어가는 경험에 대해서는 "마치 고해를 한 뒤 교회를 떠나거나 속죄의 날에 유대교 회당을 떠날 때와 같은 느낌"[355]이라 했다. 구역을 통과한 후에는 쇼핑 구역으로 들어갈 수 있다. 보통은 작가이기에 이 구역의 서점에 대하여 많은 관심을 표했다.

비행이라는 것은 하늘을 날아가는 일이다. 이에 대하여 보통은 비행의 종교적 연결성을 이렇게 말한다.

"비행이라는 의식은 겉으로는 세속적으로 보이지만, 이 비종교적인 시대에도 여전히 실존이라는 중요한 주제 그리고 세계의 종교 이야기에 그 주제들이 굴절되어 나타난 모습과 뗄 수 없이 연결되어 있다. 우리는 승천, 하늘에서 들리는 목소리, 하늘을 나는 천사와 성자들의 관한 이야기를 너무 많이 들어 비행기라는 일은, 예를 들어 기차로 여행하는 행위와는 달리 전적으로 보행자의 관점에서 볼 수가 없다."[356]

비행기 여행에서 빼놓을 수 없는 것은 기내식이다. 보통은 기내식은 인공적인 것과 자연적인 것, 그리고 테크놀로지적인 것과 유기적인 것 사이의 긴장 속에 자리한다고 말한다. 특정 비행기만의 기내식은 여행의 즐거움을 배가 시킨다. 나에게 모항공사의 비빔밥은 하늘위에서 먹는 성찬이다.

공항에 머물면서 보통은 공항의 밤과 낮은 완전히 다르다고 했다. 밤의 공항은 "유목민의 정신을 이어받은 사람들의 본거지"[357]로 바뀐다. 낮의 찬란한 위용을 자랑하던 A380 비행기는 어둠이 내리면 거대한 격납고로 들어가서 하루 일과를 마무리 한다.

알랭 드 보통은 공항에서 일주일을 머물면서 공항은 특별한 곳이라고 하였다. 이별, 낯설음, 헤어짐, 슬픔, 환희, 재회가 존재하는 그 곳은 일상에서 느끼지 못하는 짜릿한 행복을 경험하게 한다. 여행자들은 공항을 나서면서 곧 이번 여행을 잊어버리고는 일상에 복귀할 준비를 한다. 그러나 다시 그들은 여행에서의 강렬함, 공항 냄새, 색깔, 환호성, 소리, 빛, 어둠, 경적, 인파, 보안, 향수, 기내식 등과 같은 공항 추억을 떠올리며 여행을 위한 짐을 쌀 것이다.

함께 읽으면 도움이 되는 책

- 알랭 드 보통, 《여행의 기술》, 정영목 옮김, 청미래, 2011.
- 한수희, 《여행이라는 참 이상한 일》, 인디고, 2017.

06
영적 지도자의 행복론

《달라이 라마의 행복론》, 달라이 라마, 하워드 커틀러, 류시화 옮김, 김영사, 2001.

달라이 라마는 티벳의 영적 지도자이자 노벨평화상 수상자이다. 그는 전 세계 사람들한테 존경을 받으며, 그를 만난 사람들은 한결 같이 그의 미소에서 행복을 엿본다고 한다. 달라이 라마는 지금 이 시대를 살고 있는 사람들한테 어떻게 행복을 얻을 수 있고, 마음의 평화가 한 사람의 행복에 미치는 영향에 대한 혜안 제시로 유명한 분이다.

이 책은 달라이 라마와 미국 정신과의사인 하워드 커틀러가 행복에 대하여 이야기한 글 모음이다. 달라이 라마는 서문에서 행복에 대한 가치관을 이렇게 말한다.

"삶의 목표는 행복에 있다. 종교를 믿든 안 믿든, 또는 어떤 종교를 믿든 우리 모두는 언제나 더 나은 삶을 추구하고 있다. 따라서 우리의 삶은 근본적으로 행복을 향해 나아가고 있는 것이다. 그 행복은 각자의 마음 안에 있다는 것이 나의 변함없는 믿음이다."[358]

하워드 커틀러는 달라이 라마를 처음 만났을 때에 다음과 같이 물었다고 한다. "당신은 행복한가?" 그 때에 달라이라마는 한 치의 망설임도 없이 행복하다고 대답했다. 달라이 라마가 행복한 이유는 자신이 다른 사람과 매 순간 연결되어 있고, 그들을 긍정적으로 바라보고 있기 때문이라 하였다. 달라이 라마는 항상 웃거나 미소를 지으며 주변 모든 사람들에게 웃음을 선사한다. 그의 자애로운 표정과 말은 함께 있는 모든 사람들을 단 몇 초 만에 행복하게 한다.

달라이 라마는 행복에 대하여 몇 가지 중요한 원칙을 제공하고 있다. 첫째, 행복하기 위해서는 자신이 갖고 있는 건강과 재산을 남을 위해 써야 한다. 자신이 아무리 많은 재산을 갖고 있더라도 마음의 평화를 느끼지 못한다면 그는 결코 행복할 수가 없다. 행복하기 위해서는 자신이 가진 것을 잘 나누면서 살아야 한다.

둘째, 행복하기 위해서는 원하는 것을 갖는 것 보다 현재의 우리가 갖고 있는 것을 감사해야 한다. 무엇인가를 끊임없이 더하기 보다는 현재 갖고 있는 것에 감사하는 삶이 행복으로 이끈다.

셋째, 행복을 경험하기 위해서는 부정적인 마음을 뿌리칠 수 있는 의지가 필요하다. 행복을 위해서는 부정적 생각을 뿌리칠 수 있는 노력을 해야 한다. 매일 잠자리에서 일어나자마자 긍정적인 생각으로 하루를 시작하는 사람은 그렇지 않은 이보다 행복할 확률이 높다.

넷째, 삶이 복잡하다고 느껴질 때에는 한 걸음 정도 떨어져서 삶의 궁극적인 목적이 무엇인지 떠올려 보는 것이 좋다. 행복하기 위해서는 힘들고 어려운 시간 동안에 삶의 목적에 대해 알아볼 수 있는 시간을 가져야 한다. 우리 삶에서 진정으로 가치 있는 것이 무엇이며, 어떠한 가치가 삶을 의미 있게 만드는지를 성찰할 때에 행복의 문에 다가설 수가 있다.

다섯째, 삶에서 문제는 항상 일어날 수 있다는 의식 전환이 행복에 다가가게 만든다. 자신의 현재 문제는 자신만이 경험하는 것이 아닌, 모든 사람이 경험할 수 있다는 생각의 전환이 필요하다. 내가 어떤 고통을 받을 때에 불공평하다는 생각을 하기 보다는 이 상황을 자연스럽게 받아들이는 연습이 필요하다. 달라이 라마는 티벳인들은 힘든 상황을 잘 받아들인다고 말한다. 그들은 '내가 이런 고통을 겪는 것은 나의 카르마 때문이다' 라고 생각하고 있다. 지금의 고통은 전생에 자신이 저지른 부정적 행동 탓으로 인지하기에 현재의 고통을 자연스럽게 받아들인다. 달라이 라마는 카르마를 믿는 것이 수동적인 인생에 순종하는 것은 아니라고 말한다. 우리의 미래는 현재의 마음가짐에 달려 있다고 하는 자각이 필요하다.

여섯째, 행복하기 위해서는 삶의 영적인 차원에 관심을 가져야 한다. 자신을 행복하게 할 수 있는 힘 중 하나는 신앙과 기도의 힘이다. 신앙은 행복한 삶에 기여한다고 달라이 라마는 강조한다. 신앙심이 깊은 사람일수록 행복감을 자주 느끼고, 충격적 상황에서도 현명한 대처를 할 수 있다.

달라이 라마는 삶의 목표는 행복에 있다고 강조한다. 그는 우리 삶의 모든 순위는 행복을 향해야 한다고 강조한다. 우리가 행복하기 위한 전제 조건으로 그는 '마음의 수양'을 강조한다. 운동선수의 삶에서도 어떻게 마음을 수양했는지에 따라서 훈련에 대한 애정과 경기에 임하는 태도가 달라진다. 운동선수가 자신의 훈련에 대한 목적의식을 갖고, 열심히 훈련하고 경기에 임했을 때에 좋은 성적을 얻을 수가 있다. 우리의 마음은 행복 혹은 불행으로 나갈지를 결정하는 기준이다.

함께 읽으면 도움이 되는 책

- 달라이 라마, 《달라이 라마, 명상을 말하다》, 제프리 홉킨스 편, 이종복 옮김, 담앤북스, 2017.
- 달라이 라마, 《선한 마음》, 류시화 옮김, 불광출판사, 2017.

우리가 행복하기 위한 전제 조건으로 달라이 라마는 '마음의 수양'을 강조한다. 운동선수의 삶에서도 어떻게 마음을 수양했는지에 따라서 훈련에 대한 애정과 경기에 임하는 태도가 달라진다. 운동선수가 자신의 훈련에 대한 목적의식을 갖고, 열심히 훈련하고 경기를 했을 때에 좋은 성적을 얻을 수가 있다. 우리의 마음은 행복 혹은 불행으로 나갈지를 결정하는 기준이다.

07
세로토닌으로 행복하기

《세로토닌하라》, 이시형, 중앙북스, 2010.

사람이 어떠한 의사 결정을 내릴 때에 침착하게 이성적인 판단을 내리게 하는 뇌 속의 신경전달물질은 세로토닌이다. 세로토닌이 잘 분비가 되면 그 사람은 행복할 확률이 높다.

사람이 살아가는데 있어서 가장 중요한 신체 부위는 뇌이다. 뇌 속에는 뉴런이 천억 개가 존재하고, 그 곳은 인간의 행동에 대한 모든 일들을 지시한다. 전두엽의 전두전야는 우리의 움직임에 대한 명령을 내린다. 전두전야는 우리가 어떤 행동을 할 때에 조절 능력과 관련이 있다. 무엇인가를 해야 한다는 전두전야와 하기 싫다는 편도체 사이의 갈등으로 우리는 고민을 한다. 그런데 대부분의 갈등은 전두엽의 패배로 끝난다. 전두전야를 잘 관리 하면 항상 평온하고 행복한 기운을 느낄 수 있다. 뇌 과학적으로는 행복하기 위해서 자신의 전두전야를 잘 관리해야 한다.

뇌 속 신경 전달물질 중 행복과 관련된 것은 노르아드레날린, 도파민, 그리고 세로토닌이다. 이들은 서로 영향을 미친다. 예를 들어, 지인들과 즐거운 이야기를 나누며 와인을 한두 잔 정도 마시면 기분이 좋아지고 스트레스가 해소된다. 이 상태는 바로 '세로토닌' 상태이다. 그러다가 와인을 한병, 두병 더 마시면 세로토닌이 통제 불가능한 상태가 된다. 이 상태는 약간의 다툼도 생기는 때로 '엔도르핀' 상태이다. 그 다음으로 다른 술집으로 옮겨 독한 술을 계속 마시다 보면 만취 상태가 되고 자신의 몸도 제대로 가눌 수가 없게 된다. 이때는 시비가 생기고 싸움이 일어날 수 있다. 이렇듯 공격적이고 파괴적 때는 '노르아드레날린' 상태이다.[359]

일반적으로 행복과 관련된 신경전달물질로 엔돌핀이 주목을 받았으나, 실제 행복과 관련된 신경전달물질은 세로토닌이다. 이시형은 행복은 차분할 때에 느껴지는 것으로 "마치 부서질 것 같은 가벼운 불안과 함께 오는 것"[360] 이라고 말한다. 살면서 의욕을 가져다주면서 약간의 흥분과 설렘이 존재하는 상태가 세로토닌의 상태이다. 이러한 상태는 중독도 없고 또한 금단증상도 존재하지 않는다.

세로토닌이 잘 분비되기 위해서는 낙관적으로 살아야한다. 상황에 대해서 낙관적으로 생각하고 항상 괜찮다고 느끼는 사람은 긍정적인 회로가 뇌 속의 심어진다. 그리고 낙관적인 생각을 많이 할수록 세로토닌 분비가 증가한다.

이시형은 세로토닌의 기능을 두 가지로 제시하고 있다. 첫째, 세로토닌은 조절의 기능이 있다. 이는 공격성, 폭력성, 의존성, 중독성과 같은 성향을 조절하고 평상심을 갖게 한다. 둘째, 공부와 창조성에 대한 기능을 제공한다. 세로토닌은 주의집중과 기억력을 향상시켜 공부를 잘 하게 이끈다. 행복하기 위해서는 노르아드레날린이나 엔돌핀이 너무 많이 분비 되서는 안 된다. 이와 같은 신경물질 과다 분비는 세로토닌 결핍과 관련된다. 세로토닌은 시냅스에서 만약 방출 양이 많으면 적정량이 배출하도록 조절하기도 한다.

일상 속에서 세로토닌 분비를 원활하게 하기 위해서는 스트레스를 줄이고 과로하지 말아야 한다. 세로토닌 분비를 위해서 일상 속에서 실천하기 좋은 것은 '걷기'이다. 봄날 시원한 바람을 맞으며 햇볕 쏟아지는 거리에서 진달래, 개나리, 벚꽃의 휘황찬란한 자태를 감상하며 봄바람에 몸을 실으며 걷을 때에 나는 행복하다. 일상 속에서 세로토닌 분비를 촉진하는 두 번째는 계단을 오르면서 깊은 호흡을 하는 것이다. 엘리베이터나 에스컬레이터를 타기보다 건물의 계단을 걸어 오르면서 깊은 호흡을 할 때에 세로토닌의 분비가 촉진된다. 세로토닌 분비를 촉진하기 위해서는 걸으면서 호흡을 깊게 하는 것이다. 잘 걷는 것만으로도 세로토닌의 분비가 촉진된다.

행복하기 위해서는 뇌 속의 신경전달물질을 잘 알아야 한다. 세로토닌 분비가 촉진되어 현상을 관조적으로 볼 수 있을 때에 이성적인 판단이 가능하다. 운동선수가 너무 자주 흥분하거나, 이성적인 판단을 하지 못하면 경기를 망치고 만다. 세로토닌의 분비가 제대로 되지 않는 사람은 충동이나 공격성이 과도하고, 또한 즉흥적인 행동을 한다. 이러한 공격성과 중독의 상황을 조절할 수 있는 물질이 세로토닌이다. 이를 잘 분비하기 위해서 운동선수 스스로가 뇌의 신경전달물질 분비 원칙을 잘 알아야 한다. 훈련 틈틈이 햇볕을 즐기며, 혼자 걸으면서 자연을 감상하고, 뇌에 낙관적인 이미지를 심어주고자 노력할 때에 세로토닌 분비가 촉진된다. 세로토닌 분비가 적절할 때에 내가 하는 운동에 몰입할 수 있으며 나아가 운동에 몰입한 나를 사랑할 수 있다.

함께 읽으면 도움이 되는 책

- 아리타 히데호, 《세로토닌 뇌 활성법》, 윤혜림 옮김, 전나무숲, 2016.
- 이시형, 《세로토닌의 힘》, 이지북, 2016.

08

감정은 연습을 통해 달라진다

《감정연습》, 박용철, 추수밭, 2012.

행복과 무의식은 연결이 되어 있다. 어릴 적 특정한 상처나 경험은 마음을 덫으로 자리 잡고 원치 않는 방향으로 나의 생각을 이끌어 인생의 방해물이 되기도 한다. 우리가 의식적으로 부정적인 마음에 끊어 내지 않으면 인생에서 행복을 경험하기 힘들다.

자신이 생각한 것이 행동으로 이어진다고 믿는 것을 '사고-행동 융합'이라고 한다. 마음속에 부정하는 생각을 갖고 있거나, 발생하지 않은 일에 대하여 실제 일을 잘 못해서 죄책감을 느끼는 것을 말한다. 이러한 사고방식은 주로 신생아 때에 나타난다. 생각만 해도 원하는 것이 이루어진다고 믿는 사람에게 생각은 큰 힘을 가진다. 문제는 불길한 일을 막아야 된다는 생각이 강하게 들 때에 강박적인 행동이 일어나기도 한다. 예를 들어, 강박관념에 사로잡힌 이는 외출 시에 가스 밸브를 잠갔는지를 10번 이상 확인하고, 심지어 밖에서 업무를 제대로 못보고 집으로 돌아와 가스 밸브를 확인하고서야 마음의 안정감을 찾는다. 이와 같은 강박증은 그 사람을 행복하게 만들지 못한다. 강박증으로 인하여 특정 행동을 스스로가 통제 불가능할 때에는 이것을 끊기 위해서 다른 생각을 떠올리는 전략이 필요하다.

불안감을 잘 조절하는 일은 행복과 관련이 된다. 만약 지금 많은 불안감을 느낀다면 몸과 마음을 이완시키고 편하게 의자에 앉아본다. 나의 편이 되어 줬던 사람이나, 나를 도와줬던 사람들을 떠올려 본다. 다음으로 그 사람이 나한테 따뜻하게 해주었던 그러한 장면을 생생하게 기억하고 감정을 느껴 본다. 이러한 느낌을 가지는 것으로도 불안감이 사라진다.

자신의 인생에서 반복되는 어떠한 감정 패턴을 찾아내는 일은 행복하기 위해서 필요한 일이다. 삶에서 우선 중요하다고 생각하는 일들을 생각해 본다. 여기에는 긍정적인 사건도 있고, 부정적인 기억도 있을 수가 있다. 예를 들어, 10세까지, 11세에서 20세 까지, 그리고 20세에서 현재까지의 중요한 현상들에서의 느낀 감정이나 그 당시의 생각들을 글로 적어 본다. 이들의 사건들을 비슷한 주제끼리 묶어서 확인해보면 나의 인생에서 중요한 영향을 미치는 개념들을 파악할 수 있다.

박용철은 '마음의 덫'에 대항하는 방법을 세 가지로 제시한다. 첫째, 나를 인정해야 한다. 과거 나의 모습과 지금까지 영향을 미치는 마음에 대하여 인정이 필요하다. 과거 수치스러웠던 기억이나, 힘들었던 기억들을 일방적으로 부정하지 말고 인정해야 한다. 마음속 깊이 숨겨져 있던 기억들을 밖으로 꺼내 인정해주는 작업이 필요하다. 그런 기억들을 인정하기 위해서 대응 가능한 문장을 만들어 본다. 예를 들어, "나는 비록 -이지만 그래도 나를 사랑하고 살아가고자 한다"와 같은 문장을 만들어본다. 다음으로는 이 문장을 소리 내어 반복적으로 읽는다. 마음의 덫을 인정하고 밖으로 꺼내 스스로를 위로 및 인정하는 시간은 자존감을 높여준다.

둘째, 나를 변호해야 한다. 우리를 지배하고 있는 마음의 힘은 강력하다. 마음에 붙어있는 감정의 문제들을 녹이기 위해서는 나를 변호해야 한다. 이를 위해서 자신에게 해줄 말을 정한다. 예를 들어, "나는 그때 너무나도 어려서 아무런 힘이 없어서" 와 같은 문장을 만들어 본다. 다음으로 이렇게 만든 자신에게 해줄 수 있는 따뜻한 말을 큰 소리로 외쳐 본다. 자신도 모르게 가슴 속이 따듯해짐을 느끼게 된다.

셋째, 마음 강화를 생활 속에서 실천해야 한다. 자신의 마음의 덫에 대하여 대응 가능한 사항 10가지 정도를 작성한다. 일상생활을 하면서 이들을 계속 생각하고, 마음의 덫에서 벗어나 홀가분했던 장면을 계속 떠올린다.

화가 난 상태에서는 중립적인 관점을 유지할 수가 없다. 만약 지금 화가 나거나, 불안할 때에는 자신이 타자가 된 것처럼 스스로를 관찰한다. 그 관찰하는 것을 나에게 이야기를 하면 상황을 객관적으로 볼 수가 있다. 박용철은 자신의 신체에 대하여 관찰하는 효과에 대하여 이렇게 말한다.

"자기를 관찰하는 태도는 매우 유용합니다. 한 발짝 더 나아가면 자신의 감정이나 생각에 대해서도 적용할 수 있습니다. 신체 감각에 집중하듯 자신의 마음이 어떻게 변화되고 있는지에 집중합니다. 마치 제삼자가 관찰하듯이 말이지요. '내가 지금 억울한 감정이 들었구나', '내가 저 일을 해내지 못하면 남들이 무시 할 거란 생각이 들었구나' 하고 자신의 마음을 바라보는 것입니다."[361]

내 몸에서 일어나는 현상에 대해 스스로 관찰자가 되어 미세한 변화를 인식할 수 있을 때에 감정을 잘 조절할 수 있다. 행복한 사람은 자신의 감정을 잘 다스리는 사람이다. 현재 내 생각으로 감정을 다스릴 수 있다. 생각을 조절할 수 있다면 감정을 통제할 수 있고 또한 행복해질 수 있다. 내 안의 많은 과거 상처들을 이해하고, 마음의 덫 자체도 나의 것으로 인정해야 한다. 마음속 상처가 치유되면 행복을 자주 경험할 수 있다.

함께 읽으면 도움이 되는 책

- 안드레아스 크누프, 《내 감정이 버거운 나에게》, 이덕임 옮김, 북클라우드, 2018.
- 일자 샌드, 《서툰 감정》, 김유미 옮김, 다산 3.0, 2017.

09
삶은 예술이 발현되는 창고

《무엇이 삶을 예술로 만드는가》, 프랑크 베르츠바흐, 정지인 옮김, 불광출판사, 2016.

우리의 삶에서 많은 시도들은 예술과 연관된다. 예술은 우리 삶을 아름답게 해주는 마법이다.

저자인 프랑크 베르츠바흐는 독일의 철학자이다. 그는 인생이야말로 예술을 발현하는 중요 창고라고 말한다. 우리 일상은 예측할 수 없는 불예측성으로 가득하다. 우리의 인생은 한 치 앞을 볼 수 없을 정도의 역동성을 가지고 있다. 그는 인생을 살아가는 것 자체가 예술의 한 형태라 말한다.

"오늘 날 자기 인생의 형태를 만들어가려는 모든 시도는 하나의 예술 형식이, 즉 삶의 예술이 되었다. 물론 우리가 좋은 인생 또는 아름다운 인생을 위해 노력하는 한에서 그렇다. 우리는 많은 사람들이 선량하고 자신만만하고 성공적으로 보이는 세계에서 매일을 살아가고 있다. 적어도 다른 사람들은 우리에게 그렇게 보인다. 그러나 그 사람들 자신도 만족감을 느끼는지, 혹은 그렇게 그럴듯한 외관을 유지하기 위해 어떤 대가를 치르고 있는지는 또 다른 문제다."[362]

베르츠바흐는 '좋은 삶'은 잘 사는 삶이라고 말한다. 좋은 삶은 다시 말하면 행복하게 사는 삶이고, 행복한 삶은 잘 사는 삶이다.

일상에서 많은 영향을 미치는 것이 노동과 돈이다. 도시 노동자는 노동을 통하여 생계를 이끌어 나간다. 성과주의 사회에서 노동을 유지하기 위해서 여가의 가치는 재인식된다. 베르츠바흐는 현대 여가 생활의 특징을 다음과 같이 진단한다.

"성과 사회에서는 여가 시간에도 적극적으로 활동할 것이 요구된다. 물론 그 활동이란 무엇보다도 노동 세계의 도전들에 부응할 수 있도록 잘 회복하기 위한 활동을 말한다. 앉아서 지내는 시간이 너무 길기 때문에 병에 걸리지 않기 위해 운동도 중요해졌다."[363]

성과사회에서 운동은 필수불가결한 취미가 되었다. 사회 속에서의 여러 가지 스트레스와 심리적인 힘든 상태를 운동을 통하여 해소하는 시대가 되었다.

일을 하면서 행복하기 위해서는 직업에 대한 사명감이 있어야 한다. 자신이 어떠한 일을 할 때에 행복한지에 대한 명확한 철학이 있어야 한다. 또한 좋은 노동과 좋은 삶은 동전의 양면과 같은 관계에 있다. 자신의 일을 무시하지 않는 것, 그리고 열심히 하는 것이야 말로 삶에서 예술을 실천하는 길이다.

사람은 어떻게 하면 행복해질 수 있나? 이 질문의 답에 대하여 베르츠바흐는 일상에서 부정적 생각을 하지 말라고 한다. 이미 지나간 일이나, 아직 오지 않은 미래에 대해서 부정적인 생각을 하는 것은 행복할 수 있는 기회를 놓치는 일이다. 저자는 행복이 중요한 이유는 자신의 행복이 다른 사람에게 이를 전염시키기 때문이라고 하였다. 자신이 행복해야 다른 사람도 행복하고, 모두가 행복해야 사회가 따뜻해진다.

삶과 일의 창조성은 우리 안에 있다. 삶에서 창조성을 찾아내고, 행복을 위하여 살아갈 때에 일상에서 예술이 생성된다. 저자는 삶을 예술로 만드는 핵심 개념은 '창조성'이라고 하였다. 우리들은 창조성을 어려운 개념으로 받아들인다. 왜 그럴까?

"창조라는 것을 아주 대단한 일로 여기기 때문이다. 하지만 창조성은 성스러운 후광을 씌워줄 만한 것이 아니다. 그것은 삶에 속한 것이다. 많은 이들에게는 그 이상이기도 하고, 또 어떤 이들에게는 그에 미치지 못한다. 그리고 소수의 어떤 사람들에게는 삶의 중심점이다. 그러나 그렇다고 해도 결국 삶은 짧고 무상하다. 도전적인 과제들의 중압감 속에서 그 사실을 잊지 않으려면 우리는 멈추는 법을 배워야만 한다."[364]

창조성은 삶에 속해 있다. 이를 발현하기 위해서 우리는 끊임없이 노력해야 한다. 운동선수의 삶에서도 창조성은 중요하다. 창조적인 사람은 운동하는데 있어서 자신만의 방법과 스타일을 찾아낸다. 그것을 현장이나 경기에 적용해 봄으로써 삶에서 희열을 느낀다. 억지로 운동하는 것이 아니라, 자발적으로 원하는 운동을 하는 사람은 창조적인 삶을 사는 것이다. 그런 사람은 진정으로 행복을 영위하는 자이다.

함께 읽으면 도움이 되는 책

- 제시카 호프만 데이비스, 《예술은 어떻게 삶이 되는가》, 정연희 옮김, 미진사, 2014.
- 장현정, 《삶으로 예술을 하기》, 호밀밭, 2016.

운동선수의 삶에서도 창조성은 중요하다. 창조적인 사람은 운동하는데 있어서 자신만의 방법과 스타일을 찾아낸다. 그것을 현장이나 경기에 적용해 봄으로써 삶에서 희열을 느낀다. 억지로 운동하는 것이 아니라, 자발적으로 원하는 운동을 하는 사람은 창조적인 삶을 사는 것이다.

10
쓰는 것만으로도 행복은 달성된다

《종이위의 기적 쓰면 이루어진다》, 헨리에트 앤 클라우저, 안기순 옮김, 한언, 2004.

둔필승총(鈍筆勝聰)이라는 말이 있다. 다산 정약용이 한 말인데, 이는 아둔한 기록이 총명한 생각보다 좋다는 뜻이다. 정약용은 기록은 책 집필의 중요한 출처라고 하였다. 그가 엄청난 정보를 분류하고, 뛰어난 저작들을 남길 수 있었던 중요 방식이 바로 메모와 기록이었다.

널리 알려진 사실 중 하나는 짐 캐리 배우가 무명배우 시절에 할리우드에서 가장 높은 언덕에 올라가서 자신의 수표책에 출연료 1,000만 달러를 적었다는 것이다. 그는 그 가짜 수표책을 수년 동안 가지고 다녔다. 정확하게 5년 후에 짐 캐리는 영화 〈덤앤더머〉 와 〈배트맨〉으로 유명배우가 되었으며, 실제 1,700만 달러 이상의 개런티를 받았다. 그가 유명 배우로 높은 개런티를 받을 수 있었던 것은 가짜 출연료 수표를 가지고 다니면서 진짜 꿈이 실현되는 상상을 했기 때문이라고 하였다. 일기건, 메모건 간에 무엇이든지 쓰는 것이 중요하다. 클라우저는 "자신이 원하는 방식으로 무조건 써라"고 강조한다.

목표를 종이에 기록하면 두뇌의 망상 활성화 시스템을 자극하여 뇌의 일정 부위가 원하는 목표에 도달하도록 끊임없이 메시지를 전달한다. 이 시스템은 목표를 기록하는 행위를 통하여 목표를 계속 생각하게 한다. 종이에 무엇인가를 적는 것이 중요한 이유는 원하는 것, 그리고 행복하기 위한 조건들을 알게 해주기 때문이다.

클라우저는 목표를 달성하는데 있어서 잠재의식을 적극적으로 이용하라고 주장한다. 자신의 꿈을 달성하기를 원한다면 아침에 일어나자마자 자신의 생각을 먼저 기록해야 한다. 아침에 눈을 떠서 자신의 현재 감정에 대한 기록을 하고, 본인이 원하는 목표를 위한 여러 가지 일들을 적어 본다. 잠재의식은 내가 기록한 것에 대하여 실현하고자 노력한다.

저자의 고등학교 은사는 자신만의 아이디어 생성을 위하여 항시 셔츠 안주머니에 흰색 카드 한 묶음씩을 가지고 다니며 생각이 떠오를 때마다 기록하였다고 한다. 이러한 기록은 일상생활에서 아이디어를 내거나, 또는 적용하는데 많은 도움을 주었다고 한다. 기록을 체계적으로 하기 위해서는 주제별로 노트를 만들고, 여기에 주제에 맞는 기록을 하는 것이 좋다. 관심이 있는 부분에 대하여 정보를 수집하고 주제별 노트에 적으면 특정 분야의 전문가로 거듭날 수가 있다.

본인이 원하는 것을 달성하기 위해서 먼저 '목표 목록'을 작성하는 것이 필요하다. 이 목록을 자주 보면 목표 달성을 위한 심리적인 용기가 증가된다.

클라우저는 기록을 통하여 자신이 원하는 것을 성취하고 있다면 그때마다 감사하는 마음을 가지라고 말한다. 심지어 돈을 쓸 때에도 '감사하다'라는 마음을 가지고 쓰고, 매순간 감사한 마음을 갖고 있을 때에 목표에 훨씬 가까이 다가갈 수 있다고 한다.

행복을 체험하기 위해서는 수동적 태도에서 벗어나서 스스로가 자신의 삶을 개척하고자 하는 의지가 필요하다. 자신의 꿈과 행복에 대한 목표를 철저하게 기록하고, 그 기록을 항시 의식적으로 생각하면서 나아가는 의지가 필요하다. 목표를 달성할 수 있다는 강한 확신과 신념을 가지고 계속적으로 기록을 하다보면 내가 생각하는 행복에 도달할 수 있다.

행복하기 위해서는 수동적인 삶을 살기 보다는, 능동적 혹은 적극적인 삶을 살아야 한다. 자기 삶의 주인은 자신이라는 강한 믿음을 가지고 본인이 원하는 목표와 목표를 달성하기 위하여 내가 해야 될 일들을 꼼꼼히 기록하고, 그 기록과 더불어 과정을 마무리 지어 나갈 때에 행복감이 강화된다.

운동선수의 삶에서도 성공하는 운동선수는 반드시 훈련 일지를 꼼꼼히 기록 한다. 선수만이 아니라 코칭스태프도 마찬가지이다. 과거 경기 결과, 전략, 앞으로 대비할 부분, 우리의 장점과 단점 등에 대한 철저한 기록은 선수들에게 정확한 방향을 제시해 줄 수 있다. 종이 위에 무엇인가를 적는 것은 간단해 보이지만, 이들이 모이면 엄청난 결과를 산출한다. 인생을 바꾸기 위한 간단한 방법 중 하나는 종이 위해 자신의 목표와 현재 상태를 기록하는 일이다.

함께 읽으면 도움이 되는 책

- 사이토 다카시, 《메모의 재발견》, 김윤경 옮김, 비즈니스북스, 2017.
- 유근용, 《메모의 힘》, 한국경제신문사, 2017.

11
생각을 뒤집어 볼 때에 세상이 보인다

《틀을 깨라》, 박종하, 해냄, 2011.

아무런 변화 없이 다람쥐 쳇바퀴 돌 듯 사는 사람은 획기적인 아이디어를 떠올릴 수가 없다. 상식의 틀에서 벗어나 행동하고자 하는 자만이 세계를 바꿀 수 있다. 행복도 마찬가지이다. 인생에서 행복을 자주 느끼고자 한다면 지금과 다른 방식으로 세상을 바라보고 생활해야 한다.

어떤 문제를 해결하는 데에 있어서 고정관념에 사로잡혀 있다면 그 문제를 해결하기 힘들다. 문제를 해결하는 데에 있어서 고정 관념을 잘 깨는 것이 필요하다. 고정 관념이라는 스스로의 생각 감옥에서 벗어날 때에 창의적으로 살 수 있다. 저자 박종하는 사람들이 창의력을 원하는 이유는 "그것을 바탕으로 성공하고 부자도 되고 즐겁고 행복한 인생을 살기 위해서"[365]라고 한다.

창의력 있게 살기 위해서는 '관찰'이 필요하다. 규칙을 파악하기 위해서 관찰을 해야 하는데 관찰은 '눈'과 '귀'로 보고 듣는 것을 말한다. 어떤 사람은 이슬람 신도들이 하루에 다섯 번 기도하는 것을 보았다. 전 세계적으로 11억 명이 넘는 무슬림들은 매일 다섯 번씩 정해진 시간에 일정한 방향으로 기도를 한다. 보통 사람들은 기도하는 모습을 단지 보기만 하는데, 그는 그것을 유심히 살펴보았다. 바로 견문한 것이다. 그는 '메카폰'이라는 휴대폰을 개발하여 기도 방향을 알려 주고 매일 다섯 번씩 정해진 시간에 알람이 울려 기도를 효율적으로 할 수 있도록 했다. 이 휴대폰은 큰 기술이 적용된 것이 아닌, 단지 관찰을 통하여 개발되었다. 이 휴대폰은 중동 지역에서 베스트셀러가 되었다.

1968년 멕시코 올림픽 이전에는 높이뛰기 선수가 가로 막대를 가로지를 때에 몸을 가로막대와 평형이 되도록 하여 웅크리며 넘었다. 그런데 멕시코 올림픽에 딕 포스베리라는 무명 선수가 등장하여 기존의 방식을 바꾸어 버렸다. 그는 기존 방식과 다른 방법으로 2m 38cm의 신기록을 세울 수 있었다. 그가 이런 높이를 뛸 수 있었던 것은 도움닫기 후에 반대로 돌아 누었기 때문이다. 돌아눕는 자세로 막대 위로 몸을 던지는 방식은 훨씬 더 높게 뛸 수 있었다. 그는 올림픽에서 금메달을 목에 걸었고, '포스베리 플롭(Fosbury Flop)'을 소개하였다. 1968년 이전까지의 높이뛰기 규칙이 정면 뛰기 였는데 한 무명 선수의 기발한 아이디어는 기존 규칙을 바꾸어 버렸다. 창의력은 기존 통용되는 지식이나 통념과는 정 반대 상태에서 나오기도 한다.

창의성을 배양하는 가장 중요한 방법 중 하나는 즐거움과 재미이다. 본인이 하고 싶어 하는 일을 재미있게 할 때에 창의성이 나온다. 우리가 창의성에 대한 이야기를 할 때에 자주 거론되는 회사가 구글이다. 구글은 스스로 아이디어를 내는 데에 많은 권한을 주고 회사에 머무는 동안 최대한 행복할 수 있는 여건을 제공해준다. 구글 직원들은 전체 업무 시간 중에 20%를 자신의 관심 분야에 마음껏 쓸 수가 있다. 업무시간의 20%를 여가시간에 쓸 수 있다니 놀라운 일이다. 이러한 여가시간을 통하여 직원들은 새로운 아이디어를 회사 인트라넷에 올리고 동료들과 서로 의견을 교환하면서 새로운 프로젝트를 개발해낸다. 이런 과정을 통하여 구글 뉴스, 지메일, 구글 맵스와 같은 창의적인 제품들이 만들어졌다.[366]

창의성에 대해서 어렵게 생각할 필요가 없다. 창의적으로 일하는 방법으로는 다른 영역에서 아이디어를 가져와 내 영역에서 도입해 보는 것이다. 1961년 미국 대통령인 존 에프 케네디는 로마 철학자인 세네카의 명언인, "만약 네가 사람들에게 사랑을 받고 싶거든, 네가 먼저 사람을 사랑해야만 한다"를 인용해서 취임 연설을 했다. 그의 취임연설은 잘 알려졌다시피, "국가가 나를 위해 무엇을 해야 하는지 묻지 말고 내가 국가를 위해 무엇을 할 것인지를 물어 보십시오"이다. 다른 분야의 아이디어를 내 영역에 적절하게 적용했을 때에 새로운 시각이 열린다.

운동선수도 자신의 주 전공을 잘 하기 위해서는 다른 영역의 아이디어를 가져오는 지혜가 필요하다. 만약 내가 스피드 스케이팅 선수라면 쇼트트랙 스케이트를 신고 연습을 한다든지, 테니스 선수라면 탁구 라켓을 잡고 스핀을 거는 연습을 통하여 내 기술의 새로운 면을 발견해 낼 수 있다. 창의력은 어려운 개념이 아니다. 주변에 있는 여러 가지 상황을 잘 관찰하여 자신에 맞게 접목해 낼 때에 창의성은 증가한다.

함께 읽으면 도움이 되는 책

- 로드 주드킨스, 《천재들의 창의력》, 마도경 옮김, 새로운 제안, 2018.
- 하워드 가드너, 《창의성의 열쇠를 찾아서》, 김한영 옮김, 사회평론, 2018.

12
답은 내 안에 있다

《내 안에서 나를 만드는 것들》, 애덤 스미스(원저), 러셀 로버츠, 이현주 옮김, 세계사, 2015.

애덤 스미스는 《국부론》의 저자이자 자본주의의 아버지로 널리 알려져 있는 경제학자이다. 그는 경제학자이기도했지만 《도덕 감정론》이라는 책의 저자이자 도덕철학 강의로 유명한 학자였다. 《도덕 감정론》은 인간의 도덕적인 마음은 어디에서 오고 사람들은 자신의 이익과 직접적인 관계가 없음에도 불구하고 왜 선하게 행동하는 지에 대한 원인을 밝혔던 책이다. 이 책은 행복, 우정, 삶의 미덕에 대하여 다룬다. 애덤 스미스가 줄기차게 얻고자 했던 질문은 바로 이것이었다.

"행복하고 좋은 삶이란 구체적으로 무엇인가?"[367]

여기서 소개하는 책은 스탠포드 대학교의 러셀 로버츠 박사가 아담스미스 행복에 대한 관념을 쉽게 재구성하였다. 애덤 스미스에 따르면, 인간은 공정하고 도덕적인 행동을 할 때에 상상속의 '공정한 관찰자'와 내가 상호작용을 한다고 하였다. 공정한 관찰자는 우리와 대화를 통해 행동이 도덕적인지, 그렇지 않은지에 대한 메시지를 제공한다. 이는 양심과도 비슷하며 무엇을 판단할 때에 우리 내부의 목소리로 작용한다. 애덤 스미스는 공정한 관찰자는 우리 삶의 영역이라기보다는 신이나, 혹은 우주 진실과 같은 것이라 하였다. 애덤 스미스는 공정한 관찰자에 대하여 자주 떠올릴수록 자신에 대하여 잘 알 수 있다고 하였다. 좋은 상사, 선생님, 배우자, 부모, 친구가 되기 위해서는 공정한 관찰자에 대한 많은 생각을 해야 한다. 자신이 어떻게 행동하는지를 의식적으로 살필 때에 나와 타인 모두의 삶이 행복해지기 때문이다.

스미스는 부자가 되거나 또는 유명해지고자 하는 욕망은 인생의 '독약'이라고 강조한다. 실제로 스미스 자신도 유명해지고 큰 부자가 되었다. 스미스는 우리가 삶에서 만족하기 위해서는 돈과 명예 보다는 지혜롭고 선한 삶을 사는 것이 중요하다고 했다. 타인의 존경과 감탄을 받는 사람으로 사는 일이 더 많은 행복감을 준다. 스미스는 돈과 명예보다는 좋은 친구, 좋은 아들, 좋은 선생님으로 사는 길을 몸소 실천했다.

스미스가 말하는 행복해지는 방법은 무엇일까? "사람들에게 사랑받고 사랑스러운 존재가 되면 된다. 이는 곧 존경받고 존경받을 만한 사람이 되고, 칭찬받고 칭찬 받을 만한 사람이 되는 것을 의미한다. 그렇게 다른 사람에게 중요한 존재가 되고, 다른 사람들이 생각하는 내 모습이 실제 나와 같다면 된다."[368] 스미스의 행복론은 간단하다. 이기적으로 살기보다는 남에게 사랑을 듬뿍 주고 타자로부터 사랑을 받을 만한 행동을 하면 되는 것이다.

스미스는 인간의 미덕을 구성하는 요인으로 신중, 정의, 그리고 선행을 강조하였다. 인간이 사랑스러운 존재가 되기 위해서는 이 세 가지 가치를 삶에서 잘 견지해야 한다. 멋지게 살기 위해서는 본인을 잘 다스리는 신중함을 갖고, 올바름에 대하여 밀고 나가는 정신이 있고, 주변 어려운 사람들을 위하여 끊임없는 선행을 베풀어야 한다. 이렇게 사는 사람을 스미스는 인간적 '미덕'을 가진 자라고 했다.

18세기의 위대한 사상가의 도덕에 대한 관점은 지금 이 시대에도 적용 가능하다. 인간의 선한 마음은 사회를 잘 돌아가게 하는 중요한 축이다. 내가 행복하기 위해서는 다른 사람도 행복해야 한다. 다른 사람들이 행복하기 위해서는 서로가 선행을 베풀어야 한다. 주변에서 힘들고, 어렵고, 쓰러져 있는 사람들에 대하여 신경을 쓰지 않는 것은 일종의 죄악이다. 행복은 나와 주변에 있는 모든 사람이 평강을 누릴 때에 오는 손님이다. 선한 마음을 견지하고 사는 일은 우리 모두의 삶을 아름답게 한다.

함께 읽으면 도움이 되는 책

- 애덤 스미스, 《도덕 감정론》, 박세일 외 옮김, 비봉출판사, 2009.
- 애덤 스미스, 《정의에 대하여》, 정명진 옮김, 부글북스, 2016.

長久好生活
AIA Vitality
PARK

제 8 장

운동선수의 삶에서 추구해야 할 것

01
시련은 어떻게 행복을 만드나?

《회복탄력성》, 김주환, 위즈덤하우스, 2011.

행복은 긍정심리학의 중요한 영역이다. 근래 들어 행복의 정도를 평가하는 방법으로 자주 등장하는 개념이 '회복탄력성'이다. 회복탄력성은 힘들고 어려운 상황을 잘 이겨내는 "내면의 힘"을 말한다. 회복탄력성을 통하여 힘든 시련과 역경을 극복해 나가면서 성공의 길로 나갈 수 있다. 인간은 누구나 힘들고 어려움을 적절하게 극복하고 살아간다. 잘 사는 일이란, 힘들고 어려운 상황을 어떻게 잘 이겨내는지와 관계가 있다. 사회적으로 성공한 사람들의 특징은 모두가 역경을 슬기롭게 이겨 냈다는 특성이 있다.

김주환은 회복탄력성은 "마음의 근육"이라고 말한다. 몸의 근육이 웨이트트레이닝을 통해서 강화 되듯이 회복탄력성 또한 마음의 훈련을 통하여 강화 될 수 있다. 그의 이야기를 들어 보자.

"회복탄력성은 마음의 근력과 같다. 몸이 힘을 발휘하려면 강한 근육이 필요한 것처럼, 마음이 강한 힘을 발휘하기 위해서는 튼튼한 마음의 근육이 필요하다. 심리학자들에 의하면 마음의 힘은 일종의 '근육'과도 같아서 사람마다 제한된 능력을 갖고 있으며, 견뎌낼 수 있는 무게도 정해져 있다. 그러나 마음의 근육이 견뎌낼 수 있는 무게는 훈련에 의해 얼마든지 키울 수 있다."[369]

그렇다면 어떻게 해서 회복탄력성을 높일 수가 있을까? 이 질문의 답은 특정 상황을 긍정적으로 받아들이는 마음가짐에서 찾을 수 있다. 무의식적으로 내가 경험하는 상황을 긍정적으로 받아들이는 '훈련'이 필요하다. 회복탄력성을 향상하기 위해서는 뇌에 새겨진 고정 습관을 고칠 필요가 있다. 예를 들어, 오늘 경험할 수 있는 여러 가지 어려운 일들에 대하여 긍정적으로 대처할 수 있는 자세를 갖출 때에 회복탄력성은 높아진다. 우리는 훈련 또는 연습을 통하여 회복탄력성을 향상시킬 수 있다. 김주환은 뇌영상 실험을 통하여 프로골프 선수와 초보자들의 골프 스윙시의 뇌사용 방식의 차이를 제시하였다.[370] 아마추어 골퍼들은 스윙 할 때에 뇌의 여러 가지 부위를 사용하고 있지만, 프로골퍼들은 스윙 할 때에 뇌의 특정한 부위만 사용한다. 프로들은 뇌를 적게 사용하는 방법을 알고 이를 통하여 스윙에 집중하고 자연스러운 스윙을 한다. 프로 골프 선수들처럼 자연스러운 스윙을 갖기 위해서는 훈련이 필요하다. 회복탄력성 습득이 자연스러운 신체의 반응이 되기 위해서는 뇌의 훈련과 연습이 필요하다. 이러한 뇌 훈련을 기본적으로 3주 정도만 꾸준히 해도 변화를 알 수 있다. 대략 3개월 정도를 꾸준하게 뇌의 습관을 변화시키면 회복탄력성은 크게 증가한다. 마치 골프 초보자가 훈련을 통해 중급자가 되듯이.

회복탄력성을 구축하는 첫 번째 중요 요소는 '자기조절능력' 이다. '자기조절능력'이란, 어떤 어려운 상황에 닥쳤을 때에 스스로가 부정적인 감정을 통제하고 긍정적인 감정을 갖고, 충동적 성향은 억제하고, 현재의 어려운 상황을 객관적으로 받아들이고 당면한 문제를 해결하고자 하는 능력이다. 자기조절능력의 중요한 측면은 '긍정적 정서'이다. 사람들은 긍정적 정서를 통해 현상이나 타자를 긍정적으로 본다. 구글이 세계적인 회사가 될 수 있었던 것은 조직 내에 긍정적인 정서를 확산시켜 조직구성원들이 창의적으로 문제를 해결할 수 있는 여건을 조성했기 때문이다. 자기 조절 능력은 '감정조절력', '충동통제력'과 '원인분석력'으로 구성된다. '감정조절력'은 스트레스 상황에서도 평온함을 유지하는 능력을 말한다. 이는 힘들고 어려울 때에도 긍정적인 감정을 갖고, 신나게 일하는 능력을 포함한다. '충동통제력'은 자기 동기를 스스로가 부여하고 조절할 수 있는 능력으로, 어려운 상황이나 고통에서도 이를 잘 견디고 즐거운 현상으로 바꾸어 보는 능력이다. '원인분석력'은 현재 내가 경험하는 문제에 대하여 긍정적으로 바라보고, 그 원인을 정확하게 진단해내는 능력을 말한다.

회복탄력성을 구성하는 두 번째 중요 요소는 '대인관계능력'이다. 대인관계능력에는 '소통능력', '공감능력' 그리고 '자아확장력'이 필요하다. 회복탄력성이 높은 사람들은 대체로 사회성이 좋다. 이들은 다른 사람과의 '소통'하는 능력이 뛰어나고 다른 사람의 이야기를 잘 경청하는 특징을 갖고 있다. '공감능력'은 타인의 심리와 감정 상태를 잘 파악하는 능력이다. 공감능력은 적극적인 듣기와 타인에 대한 표현 강화로 능력이 향상 될 수 있다. '자아확장력'은 자신이 다른 사람과 연결되어 있는 정도를 느끼는 것이다. 자아확장력이 높은 사람은 자신을 다른 사람과의 관계 속에서 이해하는 능력이 높다.

회복탄력성을 높이기 위하여 기본적으로 '긍정적인 뇌'로 변화시키는 노력이 필요하다. 긍정적인 뇌로 바뀌면 자기조절능력과 대인관계능력이 향상되고, 이러한 향상은 회복탄력성 증가로 이어진다. 김주환은 행복 추구를 위한 뇌의 변화에 대하여 이렇게 말한다.

"행복은 능력이다. 행복은 긍정적 정서를 통해 자신을 자기가 원하는 방향으로 이끌어 갈 수 있는 능력이며, 또한 타인에게 행복을 나눠줌으로써 원만한 인간관계와 성공적인 삶을 읽어내는 능력이다. 스스로 행복하고 남을 행복하게 해줄 수 있는 긍정적 정서의 소유자가 강한 회복탄력성을 지니게 마련이다. 긍정적 정서를 지닌다는 것은 뇌를 긍정적인 뇌로 바꿔야 한다는 뜻이다."[371]

회복 탄력성을 높이는 중요한 방법은 매사에 감사하기와 규칙적인 운동이다. 심리학에서 강조하는 긍정적인 정서를 향상하는 방법으로 명상, 선행 베풀기, 좋은 일을 회상하기, 잘되는 일에 집중하기 등이 있으나, 그 중에서 회복탄력성에 영향을 미치는 중요한 것은 감사하는 훈련이다. 감사함을 통하여 심장 박동수는 규칙적으로 바뀐다. 하루 중에서 그날 있었던 일 중에서 감사할 일들을 고르고, 그 감사한 일에 집중해 보면 긍정적인 마음이 솟아난다. 일상에서의 운동은 우리의 행복 수준을 높이는 중요한 일 중 하나이다. 몸을 움직이면 뇌가 건강해지고, 우울증, 불안증, 건망증과 같은 병리 증세를 예방 할 수가 있다. 운동은 건강한 신체를 위해서만이 아니라, 긍정적인 뇌를 만들기 위해서도 중요하다.

함께 읽으면 도움이 되는 책

- 제임스 화이트헤드, 《회복탄력성의 모든 것》, 문종원 옮김, 성바오르, 2018.
- 최성애, 《회복탄력성》, 해냄출판사, 2014.

02

일생에 한번은 고수를 만나자

《고수의 일침》, 한근태, 미래의 창, 2016.

어느 영화 대사 중 “세상은 고수에게는 놀이터이고, 하수에게는 지옥이다” 라는 말이 있다. 고수들은 모든 일이 자기 뜻대로 이루는 것처럼 자연스럽게 주변 일을 처리한다. 이에 반해 하수들은 하루하루 힘든 삶을 산다. 고수의 특징은 무엇일까? 고수는 세상을 보는 높은 통찰력과 내공을 갖고 있는 사람이다. 이 통찰력과 내공은 하루아침에 생기지 않는다. 실패도 하고, 고민도 해보고, 문제해결에 대하여 치열한 과정을 겪는 동안에 이 능력이 생성된다.

한근태는 고수의 예로 장사익을 거명한다. 장사익은 단순한 노래가 아닌 혼이 담긴 절실한 노래를 부른다. 장사익은 광천에서 태어나서 보험 회사에서 일을 시작하여 대략 열대여섯 개의 직장 생활을 했다. 이런 일들을 하며 만족하지 못하고 살던 그는 마흔세 살에 중요한 결단을 하게 된다. 정말 하고 싶은 것을 딱 3년만 하기로 결심한다. 결심 후 ‘태평소’를 배웠고 이광수 사물 놀이패 합류했다. 이후 그는 전주대사습놀이 등에서 대상을 받는다. 46세에 홍대 앞 소극장에서 첫 공연을 한 후에 그는 가수가 되었다. 자신이 원하는 것을 포기하지 않고 끝까지 집념을 갖고 해야 결실을 맺을 수 있다. 어느 분야든지 고수가 되기 위해서는 자기 기질과 자질을 알고 포기하지 않아야 한다.[372] 장사익은 그와 같은 자신을 알고 집념을 갖고 나갔던 인간 승리의 한 면을 제시한다.

고수가 되기 위해서는 인생의 적절한 비움(虛)에 관심을 가져야 한다. 삶에 '허'가 존재할 때에 자신의 쓰임을 제대로 알 수 있게 된다. 꽉 찬 컵에는 아무 것도 담을 수가 없다. 장자는 '낙출허(樂出虛)'라는 말을 하였다. '낙출허'의 뜻은 아름다운 음악 소리는 빈 데에서 부터 나온다는 것을 말한다. 사람은 가득 찼을 때 보다는 약간의 비움이 있을 때에 제대로 쓰여질 수 있다. 고수는 비움의 미학에 대하여 잘 알고 있는 사람이다.[373]

고수는 고집과 소신의 차이를 잘 아는 사람이다. 소신은 어떠한 결정을 하는데 있어서 원리와 원칙에 바탕을 두고, 고집은 자신의 자존심에 초점을 둔다. L모 LG 전자 사장은 이렇게 말했다. "사업 현장에서의 고집과 소신의 차이는 그 다음에 불통(不通)이라는 단어를 붙여보면 쉽게 판가름 난다. 즉, 고집불통이라는 말은 있어도 소신불통이라는 말은 없다."[374] 고집을 부리는 사람은 올바른 판단을 할 수가 없다. 고수는 본인의 소신에 따라 행동하는 자이다. 그의 일관된 성향은 고집과는 거리가 먼 자신만의 행동으로 나타난다.

'항룡유회(亢龍有悔)'라는 말이 있다. 자리에 대하여 많은 욕심을 부리다가 망치는 경우가 있다. 감당하지 못하는 자리에 있으면 판을 깨는 경우가 생긴다. 능력이 되지 않는 사람이 너무 높게 올라가면 오히려 그 위치가 자신의 삶을 망치게 할 수 있다. '항룡유회'는 이와 같은 높이 올라간 용한테는 후회할 일 밖에 없다는 뜻이다. 자신의 자리를 잘 아는 자가 진정한 고수라는 것이다.[375]

고수는 침묵 속에서 자신을 제대로 돌아볼 수 있는 능력을 가진 사람이다. 침묵을 견디지 못하는 사람은 자신과 대면할 수 없는 사람이다. 나 자신과 대면을 통하여 나의 부족함을 깨닫고 나아갈 길에 대하여 꿈을 꾸는 자만이 성장할 수 있다. 고수는 자신이 누구인지를 인식하고 꿈을 찾아서 나서는 자이다.

한근태는 우리나라처럼 모임이 많은 나라가 없다고 하였다. 우리에게는 향우회, 군대 모임, 학교 모임등 수많은 모임들이 존재한다. 이런 모임이 자꾸 만들어 지는 이유는 우리들의 속이 허하기 때문이다. 혼자 있기 힘들고 세상에서 소외된 기분을 느끼기 때문에 모임이 계속 만들어진다. 저자 개인적으로는 가급적이면 저녁 모임을 만들지 않는다고 한다. 저녁 때에 피곤하면 그 여파가 다음날까지 이어져서 건강을 해치지 때문이다. 모임을 간소화하고 저녁 시간에 자신만의 시간을 가지는 것이 좋다. 피곤한 시간을 줄이고 자신과의 시간을 많이 가져야 고수가 될 수 있다.

“언제나 나를 가르치는 건 말없이 흐르는 시간이었다.” 이는 김정한 시인의 〈인생의 스승은 시간이다〉 라는 시에 일부이다. 시간의 흐름은 묘하다. 과거 기분 나쁘고 상처 받았던 일도 시간이 흐르면 별일 아닌 경우가 많다. 지금 힘들고 어렵다고 너무 신경을 쓰기보다는 그 상황 자체를 시간에 맡겨 버리는 지혜가 필요하다.[376]

운동선수의 삶에서도 고수의 가르침을 따르는 것이 좋다. 운동 현장의 고수는 연륜이 있는 감독이나 코치이다. 감독이나 코치의 수십 년간의 현장 경험과 노하우는 이 경기를 어떻게 풀어야 하는지, 어떻게 상대를 대해야 되는지, 어떠한 전략을 써야 하는지에 대한 명쾌한 대답을 알고 있다. 현재 힘들다면 기꺼이 코치와 감독 선생님한테 물어봐야 한다. 묻는 것을 창피하게 생각하는 자는 결코 발전할 수 없다. 올바른 질문과 해답을 찾는 과정을 통하여 나는 성장할 수 있다.

함께 읽으면 도움이 되는 책

- 조훈현, 《조훈현 고수의 생각법》, 인플루렌셜, 2015.
- 한근태, 《고수의 질문법》, 미래의 창, 2018.

03
일과 행복은 어떤 관계가 있나?

《일의 기쁨과 슬픔》, 알랭 드 보통, 정영목 옮김, 위즈덤하우스, 2007.

알랭 드 보통은 한국인이 가장 좋아하는 작가 중에 한 명이다. 《왜 나는 너를 사랑하는가》, 《불안》, 《여행의 기술》 등과 같은 책들은 한국인들에게 많은 사랑을 받았다. 그는 이번 책에서 우리 일상에서 일이 차지하는 위치에 대하여 이야기를 하고 있다. 일은 우리 인생의 절반을 차지한다. 내가 하는 일을 어떻게 대처하느냐에 스트레스를 덜 받고 즐겁게 살 수 있다.

이 책은 10가지의 일에 대한 이야기를 하고 있다. 보통은 일이 발생하는 장소에 대하여 주목한다. 영국인들의 일이 일어나는 각 장소 마다 다양한 의미가 존재한다. 커다란 화물선을 보면서 보통은 우리가 먹는 야채나 채소가 남쪽 지역에서부터 옮겨 온 것에 대하여 상상한다. 화물선이나 타국의 야채 생산지에는 우리가 잘 인식하지 못하는 많은 사람들의 각자의 일이 있다. 알랭 드 보통은 부두에서 현대인의 일에 대해 철학적인 성찰을 한다. 그는 "나는 부두에 있던 사람들에게서 영감을 받아 현대 일터의 지성과 특수성, 아름다움과 두려움을 노래해보기로 마음먹었다. 특히 일이 우리에게 사랑과 더불어 삶의 의미의 중요한 원천을 제공할 수 있다는 그 특별한 주장을 주의 깊게 들여다볼 생각이다"[377]라고 하였다. 부두, 항구, 비행장, 물류창고 등은 우리가 인식하지 못하지만 그 곳에선 많은 일들이 벌어지고, 열심히 일하는 사람들이 있다. 일터란 서로 다른 사람들이 여러 가지 목적에 맞는 일을 하며 유기적인 상태에서 합심해서 목적을 이루어 나가는 곳이다.

물류 단지는 현대 사회의 소비패턴을 잘 나타내는 공간이다. 한국 사회에서도 이미 택배는 일상에 깊숙이 들어와 있다. 우리가 필요한 것은 단 하루면 집 문 앞까지 배달된다. 소비의 시공간 제한이 붕괴 된지 오래이다. 그 중심에는 물류와 택배라는 시스템이 자리 잡고 있다. 알랭 드 보통은 물류 시스템은 밤의 제한성을 깨트린 시스템이라고 말한다.

"과거에 밤은 우리 종의 구성원들이 스스로 신체적 한계를 인정하고 유령과 마녀에 대한 두려움을 누그러뜨리기 위해 함께 웅크리던 때였다. 그러나 오늘날의 물류 허브는 인간의 나약함이나 영적 세계, 또는 그동안 일차적 지위를 누리던 자연적 리듬 어느 것에도 양보를 하는 법이 없다."[378]

현대 물류산업은 자연적 리듬에 지위를 양보 하기는 커녕 오히려 인간의 밤과 낮의 리듬까지도 바꾸고 있다. 소비는 낮에만 이루어지는 것이 아니라 밤에도 이루어지고, 그 소비를 통하여 여가와 문화 활동의 영역이 넓어지게 된다.

알랭 드 보통은 우리에게 묻는다. 일이 언제 의미 있게 느껴지는가? 우리가 일을 통해 다른 사람에게 즐거움을 줄 때에 일은 의미 지향적이 된다. 개인적인 욕망을 위하여, 혹은 돈을 벌기 위하여 일하는 것이 아닌, 다른 사람들한테 도움을 줄 수 있을 때에 일의 숭고한 의미가 부각된다. 누구나 자신의 일에서 임무에 집중하고 타인에게도 도움을 줄 수 있을 때에 일의 가치가 재발견된다.

인간은 일을 하면서 세상을 살아간다. 보통은 그가 목격했던 많은 일들은 슬픔과 기쁨의 변주곡이라 말한다. 일 속에는 기쁨, 슬픔, 즐거움, 힘듦 등의 감정이 포함된다. 일의 공간에서 많은 사람들의 관계가 시작된다. 그 관계를 통하여 어떤 사람들은 행복을 느끼고, 또 어떤 사람들은 불행을 느낀다. 10가지 직업에 대한 관찰자의 입장에서 알랭 드 보통은 그 일터 사람들의 기쁨과 슬픔에 대하여 우리한테 제시하고자 했다. 그는 일이 몰입이 가능하게 하는 경험을 전달해 준다는 것을 밝혔다. 보통은 일은 몰입이 가능하게 하고, 우리가 무엇인가의 정복 가능한 느낌을 가질 수 있는 매개체라며 이렇게 말을 한다.

"우리의 일은 적어도 우리가 거기에 정신을 팔게는 해 줄 것이다. 완벽에 대한 희망을 투자할 수 있는 완벽한 거품은 제공해주었을 것이다. 불안을 상대적으로 규모가 작고 성취가 가능한 몇 가지 목표로 집중 시켜 줄 것이다. 우리에게 뭔가를 정복했다는 느낌을 줄 것이다. 품위 있는 피로를 안겨 줄 것이다. 식탁에 먹을 것을 올려놓아줄 것이다. 더 큰 괴로움에서 벗어나 있게 해 줄 것이다."

우리의 삶 속에서 일을 논하지 않고는 행복을 이야기하기 힘들다. 일은 여가와 마찬가지로 보람찬 느낌 정도나, 혹은 가치 있다고 느끼는 정도에 따라서 행복감을 준다. 자신이 가치가 있는 일을 한다고 느낄 때에 내 삶은 더 행복해진다. 일과 여가는 동전의 양면과 같은 관계에 놓여 있다. 일에서 만족감이 높은 사람은 당연히 여가 시간을 즐겁게 보낸다. 일에서 자신의 소명감을 발견하는 사람은 결코 자신의 일을 무시하지 않는다. 자신의 여가에 대해서도 마찬가지이다. 무슨 일을 하는 지가 중요한 것이 아니라 어떻게 그 일에 만족하는 가가 중요하다.

함께 읽으면 도움이 되는 책

- 라이언 아벤트, 《노동의 미래》, 안진환 옮김, 민음사, 2018.
- 팀 던럽, 《노동 없는 미래》, 엄성수 옮김, 비즈니스맵, 2016.

04 현재에 온전히 행복하기

《죽을 때 후회하지 않게 사는 법》, 한창욱, 새론북스, 2010.

현재를 멋있게 산다는 것은 무엇일까? 많은 사람들은 죽기 전에 자신의 살아온 삶을 후회한다. 죽기 전에 자신의 삶을 후회하지 않기 위해서는 현재를 멋지게 살아야 한다. 지금 살면서 내 삶이 멋지게 살고 있다고 느끼는 사람은 얼마나 될까? 만약 내 삶의 귀중함을 미리 깨달을 수 있다면 시간을 허비하지 않고 멋지게 살 수가 있다.

이 책은 제목 그대로 현재를 온전하게 사는 방법에 대하여 이야기 하고 있다. 이 책은 크게 세 가지인 사랑, 행복, 그리고 체험의 중요성을 말하고 있다. 먼저 사랑에 대하여 저자는 따뜻한 말 한마디가 누군가의 인생에서 중요한 삶의 방향이 된다고 하였다. 가까운 사람에게 손 편지를 쓰는 것은 마음을 전달하는 좋은 수단이다. 사랑하는 사람에게 말만 하는 것이 아니라 얼마나 사랑하는지에 대하여 자필로 적은 편지는 그 안에 숨은 뜻과 의미를 전달한다. 사랑을 받고 자란 사람은 풍부한 감성 속에서 행복하게 인생을 산다. 우리 모두 내 가족, 친구, 사랑하는 연인에게 따뜻한 말 한마디와 사랑이 가득 담긴 편지를 얼마나 주는지에 대하여 자문해야 한다.

한창욱은 행복해지기 위해서 돈보다는 가지고 있는 예산 한도 내에서 문화생활을 잘 즐기는 것이 중요하다고 하였다. 무조건 돈을 모으는 것 보다 나를 위하여, 그리고 가족을 위한 문화생활을 위해 써야 한다. 그는 여가 활동을 통하여 행복해지면 나의 영혼을 풍성해진다고 말한다.

"진정으로 행복해지기를 원한다면 돈을 버는데 전력투구하지 말고 문화 활동을 즐겨라. 문화 활동은 일종의 나무 심기다. 마음속에 꾸준히 나무를 심다 보면 눈이 맑아지고, 말이 깊어지고, 영원히 풍요로워진다."

톨스토이는 이 세상에서 가장 중요한 시간이 현재이고, 가장 중요한 사람은 현재 내 앞에 마주한 사람이고, 그리고 가장 중요한 일은 지금 앞에 있는 사람한테 선을 행하는 일이라고 했다. 톨스토이가 중요하게 생각한 것은 바로 '현재'이다. 인간이 행복하기 위해서는 현재에 집중해야 한다. 행복을 미래로 미루거나 혹은 과거에 묶여 사는 사람은 절대 행복할 수가 없다. 현재를 즐겁게 생각하고 현재의 아름다움을 느낄 수 있는 사람이 진정으로 행복을 향유할 수 있는 사람이다. 1989년 영화 〈죽은 시인의 사회〉에서는 배우 로빈 윌리암스가 미국의 유명 사립학교에서 영어를 가르치는 키딩 선생님 역으로 그 학교 학생들에게 "카르페 디엠!"이라고 외쳤다. 키딩 선생님의 말처럼, 행복은 현재에 존재한다.

행복하기 위해서는 계획을 짜고, 결심을 하고, 실행에 옮기는 능력이 중요하다. 여행을 가겠다고 한다면 그 여행에 대한 충분한 계획과 반드시 실행 하고자 하는 실행력이 필요하다. 또한 행복을 얻기 위해서 인생은 짧고 내 인생의 행복을 위해서 여행에 아낌없는 투자를 하겠다는 생각이 필요하다. 행복하기 위해서는 도전하는 삶을 살아야 한다. 살면서 여러 가지로 바빠서 주저했던 일에 과감히 도전하는 사람만이 진정한 행복감을 느낄 수 있다.

행복하기 위해서는 마음을 다스리는 방법을 하나 정도는 알아야 한다. 사람에 따라서 산책, 등산, 하이킹, 요가, 필라테스 등의 마음을 다스리는 방법에 차이가 있다. 이러한 마음을 다스리는 기법은 나 스스로를 돌아볼 수 있는 시간적 여유를 준다. 한창욱은 명상을 통해 헛된 생각을 제거하는 일이 행복 추구와 관련된다고 말한다.

"마음을 다스리는 좋은 방법 중 하나가 명상이다. 하루에 10분이라도 눈을 감고 편안한 자세로 앉아서 머릿속에 부유물처럼 떠다니는 헛된 생각을 제거할 필요가 있다. 그것들은 대부분 쓸데없는 잡념들이다. 미리 걱정하지 않아도 되는 미래에 대한 불안이거나, 다른 사람은 이미 잊어버린 자신의 하찮은 실수이거나, 알아도 그만이고 몰라도 그만인 회사 일이나 주변 사람들과 관련된 것들이다."[379]

바쁜 일상 속에서는 나 자신을 찾기가 힘들다. 그에 대하여 한창욱은 최소한 한 달에 하루나 이틀 정도는 나를 찾아 떠나는 여행을 해보라고 한다. 그 여행에서 만나는 생경한 풍경, 사람과 음식은 사물을 새롭게 보는 힘을 갖게 한다. 나 자신의 내면적 힘은 낯선 곳의 이질성을 내 안에서 해석하는 가운데 성장한다.

죽기 전에 후회하기 보다는 현재를 열심히 사는 지혜가 필요하다. 현재를 열심히 살기 위해서는 현재의 소중함을 깨달아야 한다. 행복을 미루면 안 된다. 지금 당장 행복을 위한 여가와 휴식을 충분히 즐겨라. 일상에서의 소소한 행복감이 모여 후회하지 않는 삶이라는 성을 쌓는다.

함께 읽으면 도움이 되는 책

- 마크 롤랜드, 《굿 라이프》, 강수희 옮김, 추수밭, 2016.
- 호사카 다카시, 《낭비없는 삶》, 박현정 옮김, 중앙북스, 2013.

05
따뜻한 마음으로 세상을 살아가는 방법

《왜냐고 묻지 않는 삶》, 알렉상드르 졸리앙, 성귀수 옮김, 인터하우스, 2015.

알렉산드르 졸리앙은 통찰력이 깊은 철학자이다. 그는 태어날 때부터 장애를 갖고 살아가면서 세상을 보는 깊은 통찰력을 갖게 되었다. 그의 책을 읽을 때마다 나는 장애란, 한 사람의 삶에서 제약이 아니라 인생을 살아가는 데에 진일보하게 하는 '마중물'과 같다는 생각을 하게 된다. 이 책은 당당하게 세상을 살아가는 방법에 대하여 말을 하고 있다. 누군가의 눈치를 보고 내가 가진 부족함으로 인하여 고통을 당하는 것이 아니라, 현재 당당히 설 수 있는 용기에 대하여 이 책은 말하고 있다. 진정으로 행복하게 살기 위해서는 현실을 잘 이해하고 여기에서 만족하고 뛰어오르는 지혜가 필요하다.

졸리앙은 왜냐는 질문이 없이 인생을 밀고 나가는 것이 중요하다며 이렇게 말을 한다.

"왜냐고 묻지 않는 삶. 그것은 '나중에 대한 강박'으로 부터의 벗어남이다. 타인의 시선에 좌우되지 않으면서 존재하는 법을 배우는 것. 무엇보다 현실을 온몸으로 겪으며 살아내는 일. 그것이 바로 이 곳에 체류하는 우리의 최대 관심사다! 지금이야말로 중요한 도약을 시도할 때이며, 물에 뛰어들어, 왜냐는 질문의 도움 없이 삶을 결행할 때다."[380]

삶을 멋지게 살기위해서는 부차한 질문이 필요 없다. 오직 당당하게 앞으로 나가야 한다. 멋진 삶은 머릿속으로만 생각하는 것이 아니라, 몸의 경험을 통하여 구현된다.

졸리앙은 한국에서 불교와 카톨릭 어느 쪽에 치우치지 않고 명상 훈련을 시도했다. 그는 종교 형식에 치우치지 않고 명상 수련을 통하여 인간 삶에 대한 성찰을 위해서 한국에 체류하였다. 그는 성경의 〈전도서〉에 나오는 "허무로다, 허무!" 라는 구절에서 깨달음을 얻고, 존재의 단순한 기쁨에 대해 충만하게 느끼는 삶이 멋있는 삶이라고 강조한다.

그가 9천 km 나 고향에서 떨어진 곳에 체류하면서 명상을 배우는 이유는 무엇일까? 책 제목대로 "왜냐는 질문" 없이 인생을 살아가는 용기를 얻기 위해서이다. 그가 말하는 '왜냐고 묻지 않는 삶'은 무엇인가?

"왜냐고 묻지 않는 삶. 그것은 구체적으로 무엇일까? 우선 어떤 어려움에 직면할 때 너무 많은 질문을 하지 않는 것, '내가 잘 했어야 하는데' 라든지 '아, 그때 이랬었다면!' 따위의 말을 하지 않는 것. 그리하여 공연히 문제를 복잡하게 만들지 않고 현실을 보다 적극적으로 끌어안는 것이겠다. 동북아의 이 도시에 내가 온 것은 온갖 계획과 목표 기대로 부터 벗어나기 위해서였다. 일상의 소소한 일들에 충실하고 가능한 한 즐겁게 지내면서 가장으로서의 직분을 다하는 것. 그것만으로도 이미 나쁘지 않다."[381]

'왜라고 묻지 않는 삶'의 시작은 바로 몸에서부터 출발한다. 몸을 단련하고 몸을 훈련 하는 순간부터 마음은 변화한다. 졸리앙이 수행하는 '선'은 가부좌 자세로 앉아서 몸을 통제하면서 마음의 변화를 수행하는 의도적 훈련이다.

선을 수행 하면서 졸리앙은 인간은 고통 속에서 허우적거리면서 내적인 기쁨을 느낄 수 있는 존재라는 것을 깨달았다고 한다. 산다는 것은 타인으로부터 은혜를 받고 상처도 받으며 또한 타인에게 기쁨이나 상처를 주는 종합적인 과정이다. 타인에게 상처를 받았을 때에 자신에 대하여 의연하게 생각해야 삶이 편안해 진다. 그의 말을 들어보자.

"빛으로 나아가기 위해서는 자신을 너무 심각하게 생각해서는 안 된다. 어디까지나 의연한 자세를 잃지 말 것이며, 미래에 대한 걱정을 잊고, 자신을 내려놓아야 한다. 요컨대, 왜냐는 물음 없이 살아가는 거다."[382]

졸리앙이 개발한 수양법 하나를 소개하고자 한다. 살다 보면 자신도 모르게 당혹스러운 상황에 직면할 때가 있다. 이때 졸리앙은 모든 일을 잠시 멈추고 심호흡을 하며 힘든 장면을 사진으로 찍는 상상을 권하였다. 그 다음으로는 자신이 백 년이 지난 후에 먼지투성이 다락방에 처박혀 있는 사진 한 장으로 남을 거라 상상하고 그 사진을 살며시 바라본다. 이와 같이 힘든 상황에 대해 관조를 하면 아무리 힘든 일을 당해도 이를 현명하게 벗어날 수 있다. 살다보면 예기치 않은 많은 일들이 우리의 일상에 침투한다. 그 순간을 힘들어 하기보다는 잠시 한 순간 멈춰 서서 이를 객관적으로 바라 볼 수 있는 수양이 가능한 사람은 행복하다.

졸리앙은 행복하기 위해서 내 삶을 주도해야 한다고 말한다. 나의 내면과 반하는 타인의 강제적인 권유는 따를 필요가 없다. 나의 삶을 주도한다는 것은 삶에 다가오는 역경이나 고난을 내 스스로 해결해 나가는 것을 말한다. 우리는 힘든 상황을 이겨나가면서 많은 것을 배운다. 현실의 힘든 상황에 대하여 무조건적으로 '왜'와 '어떻게'라는 고루한 질문에서 벗어나 당당히 나아갈 때에 내 삶은 찬란하게 빛날 수 있다.

함께 읽으면 도움이 되는 책

- 알렉상드르 졸리앙, 《나를 아프게 하는 것이 나를 강하게 만든다》, 성귀수 옮김, 책읽는 수요일, 2013.
- 알렉상드르 졸리앙, 《약자의 찬가》, 이충민 옮김, 새물결, 2005.

06
마음의 연못으로 들어가자

《심연》, 배철현, 21세기북스, 2015.

심연(深淵)이란 진정한 자아를 발견하는 장소이다. 심연은 말 그대로 끝을 알 수 없을 정도의 깊은 연못을 말하지만, 이는 우리가 나를 만나기 위해 들어가는 마음의 연못을 말한다. 저자 배철현 교수의 말대로 이 심연 속에서 우리 스스로는 나 자신을 객관적으로 볼 수 있다. 주마등처럼 흐르는 시간 속에서 나는 누구인지, 그리고 나는 어떤 기준 속에서 살고 있는지를 알기 위해서는 심연으로 자주 들어가야 한다.

행복하기 위해서는 자신의 마음을 자주 응시해야 한다. 마음 응시는 철저한 훈련을 통하여 이루어진다. 동시에 행복은 마음의 고요를 통하여 달성되어 진다고 배철현은 이야기한다.

"행복과 불행은 내 마음의 상태다. 흔들림 없는 고요한 마음, 그것이 곧 행복이다. 그러니 외부에서 일어나는 일이나 환경이 나의 행복에 영향을 끼칠 수는 없다."[383]

저자는 행복하기 위해서 네 가지 개념을 제시한다. 고독, 관조, 자각, 그리고 용기이다. 첫째, '고독'을 통하여 자신에게 몰입할 수 있고 성장한다. 고독한 시간 동안 나의 생각은 영적인 생각과 연결이 될 수 있다. 독창성은 오직 혼자 있는 시간을 통하여 배양된다. "천재들은 다른 이들이 만들어 놓은 밤하늘의 별을 찬양하거나 그 내용을 암기하지 않는다. 그들은 자신의 심연 속에 감춰져 있는 이야기를 용기 있게 말한다."[384]

고독을 참고 자신의 발전을 위해 시간을 사용한 사람은 독창적인 사람이 될 수 있다. 고독을 인내하고 스스로 만든 시간과 공간은 자신의 의도적인 분리 상태이기도 하다. 자기 스스로가 자신한테 온전히 헌신할 수 있는 시간을 통하여 보통 사람이 특별한 사람으로 한 단계 승화 할 수 있다. 혼자 있는 것을 두려워하는 사람은 결코 내적 성장을 할 수 없다.

둘째, '관조'를 통하여 있는 그대로의 나를 발견 할 수 있다. 저자는 행복하기 위하여 잠시 하던 일을 모두 멈추고 현재의 나를 되돌아보는 시간이 필요하다고 말한다. 지금 내가 하는 일의 의미는 무엇인지, 그리고 얼마나 가치 지향적인지를 매 순간 체크해 보아야 한다. 습관적으로 해오던 관행이 잘못됐다면 모든 것을 처음부터 시작해낼 수 있는 용기가 필요하다. 관조가 가능한 사람은 깊은 사유가 가능하다. 배철현에 의하면 사유를 이렇게 정의 한다. "내 손에 쥐어져 있는 정과 망치를 통해 어제까지 내가 알게 모르게 습득한 구태의연함을 쪼아버리는 작업이다."[385]

셋째, '자각'은 깨달음을 얻을 수 있는 수단이다. 자각을 할 수 있는 사람만이 과거에 안주하는 나로 부터 환골탈태할 수가 있다. 오래된 자아를 버리고 새로운 자아를 얻기 위해서는 과감하게 과거로부터 탈출해야 된다. 배철현 교수는 미국에서 공부할 때에 인생의 멘토를 만났다고 한다. 그 때에 그 사람을 찾아가서 "당신의 제자가 되고 싶습니다"라고 말을 했을 때 그 사람은 이렇게 답했다고 한다. "Show yourself!' 너 자신을 보여 달라는 이야기다. 아무런 준비를 하지 않은 내가 아닌, 미래를 향해 나아가고자 하는 '나'를 보여 달라는 것이었다.[386] 멘토와의 만남 이후로 그는 하루하루를 전혀 다른 시간으로 채울 수 있었다고 한다.

넷째, '용기'는 자기다운 삶을 향해 나갈 수 있게 만들어 준다. 용기를 가진 사람만이 열정을 갖는다. 열정이 없는 사람은 행동으로 옮길 수 없고 의욕적으로 일을 할 수가 없다. 열정은 스스로가 변화할 수 있는 중요한 요인이다.

심연을 들여다보는 이유는 위대한 사람이 되기 위해서이다. 지금과의 작별, 그리고 관습과의 작별을 통하여 위대한 사람이 되기 위해서 많은 노력을 기울여야 한다. 배철현은 이렇게 말을 한다.

"위대한 개인은 매순간 자신을 독수리의 눈으로 관찰하고, 자신이 미래에 이루어야 할 임무를 위해, 지금 이순간 자신의 혼과 영을 다해 최선의 경주를 하는 사람이다. 심연이 가져다 준 자신의 고유한 임무가 그 사람의 호흡이며 몸가짐이다. 그 임무에 지속적으로 몰입되었을 때, 그 사람만의 숭고한 인격이 자연스럽게 드러난다."[387]

함께 읽으면 도움이 되는 책

- 배철현, 《수련》, 21세기북스, 2018.
- 배철현, 《인간의 위대한 여정》, 21세기북스, 2017.

07
일요일은 게으를 수 있는 환희의 시간

《언제나 일요일처럼》, 톰 호치킨슨, 남문희 옮김, 필로소픽, 2014.

일요일은 삶에서 천상의 기쁨을 맛볼 수 있는 시간이다. 일요일은 지친 일의 피로, 주체할 수 없는 스트레스, 대인관계의 어려움으로 부터 나를 분리하여 휴식의 진정한 즐거움을 맛보게 하는 시간이다. 일요일 동안 아무것도 하지 않고 빈둥빈둥 놀면서 책장에 있는 책 한 권을 꺼내고 누워 읽거나, 또는 멍하니 하늘을 바라보며 바흐의 음악을 듣는 것은 지친 나의 심신을 회복하게 하는 행위들이다. 행복한 사람은 아무리 바빠도 일요일을 즐기며 산다.

톰 호치킨슨은 전 세계의 게으른 사람들을 인터뷰하면서 그들로부터 게으름에 대한 이야기를 듣고 이런 이야기들로 잡지를 만든다. 그는 스스로가 집 안에서 누워서 원고를 쓰고, 집 부엌을 개조해서 만든 술집 '그린맨'에서 친구들과 자주 어울리고, 창밖으로 동이 트는 것을 보는 것을 삶의 낙이라고 여긴다. 게으름에 대한 독특한 철학을 갖고 있는 호치킨슨은 이 책에서 "게으르게 산다는 것이야말로 진정하게 자유롭게 산다는 것이다"고 말한다.

그는 게으르게 살기 위해서는 잠자리에서 일어날 때도 알람시계를 없애야 한다고 말한다. 알람시계가 없는 사람은 대충 일정한 시간에 일어나서 시간의 구애를 받지 않고 하루를 시작한다. 천천히 일어나면 일터로 가는 준비를 천천히 할 수 있다. 저자는 현대 모든 불안의 해결책을 일자리 찾기로 귀결 짓는 것은 어리석은 통념이라고 말한다. 한 나라에 직업을 가진 사람이 많다는 것은 단지 그 나라의 상황이 좋다는 것을 의미하는 것이다. 호치킨슨은 개인의 측면에서 직업의 세계에 들어가는 일은 굴욕감을 맛볼 수 있다고 하였다. 그는 관계가 별로 좋지 않은 동료들, 지저분한 매점, 온갖 성과를 외치는 환경의 직장을 다니면서 삶의 즐거움을 찾기는 힘들다고 토로한다. 그렇게 호치킨슨은 행복하기 위해서는 일과 여가를 하나로 합칠 수 있도록 노력해야 한다고 주장한다.

"시간은 돈이 아니다! 일과 여가는 다시 하나로 합쳐질 수 있다. 즉 우리가 자주적이고 유쾌하게 살아간다면 일은 더 이상 부담스러운 존재가 되지 않으리라는 것이다. 이제 우리는 일과 삶을 스스로 다스리고, 그것들을 다시 행복한 조화 상태로 되돌려 놓을 때가 되었다."[388]

아무것도 하지 않고 게으름을 피우는 것은 어쩌면 창조적인 사람들이 꼭 거쳐야 할 중요한 경험이다. 예술가의 창작은 편안한 분위기에서 스스로의 공상을 하고, 자기 성찰을 통하여 이루어진다. 예술가들의 삶은 아주 게으른 것으로 보인다. 아무 것도 하지 않는 듯 보이지만 상상과 공상을 하면서 예술의 지평을 넓힌다. 어떤 예술작품은 너무 시대를 앞서 나가서 일반인들이 이해할 수 없을 정도이기도 하다. 그런 시대를 뛰어 넘는 초월성은 예술가 본인의 내면을 갈고 닦는 게으른 시간을 통해 잉태된다.

저자는 낮잠은 사람의 영적인 측면을 성장하게 하는데도 도움을 준다고 하였다. 위대한 종교의 창시자들은 대부분 낮잠을 선호 하였다고 한다. 저자는 심지어 천국에서 우리는 하루 종일 낮잠을 자고 있을 것이라는 재미있는 가정을 하였다. 하루 중에 피로할 때에는 잠시라도 낮잠을 통하여 편안한 기분이 드는 일은 행복을 맛보는 일이다.

저자는 호프집이나 선술집은 힘든 하루 업무를 마치고 하루의 스트레스를 해소할 수 있는 중요한 장소라고 한다. 행복한 사람은 힘들고 어려울 때에 본인이 편하게 갈 수 있는 아지트와 같은 여가 공간을 알고 있다.

밤은 인간에게 별과 달의 풍경 속으로 빠져 들게 만든다. 호치킨슨은 하늘을 수놓은 별과 우아한 자태를 자랑하고 있는 달을 감상하면 인간 사회의 작은 어려움을 극복할 수 있는 힘을 갖게 된다고 말한다. 호치킨슨은 별과 달에 대한 감상을 이렇게 말한다.

“달과 별은 게으름꾼의 삶에서 빠질 수 없는 요소다. 우리 가족은 데븐에 살고 있는데, 손님들이 말하기를 이곳의 별들이 유난히 밝고 찬란하게 빛난다고 한다. 별과 달을 고요히 보고 있으면, 우주의 신비에 대해 어린아이와 같은 순수한 경이의 시선을 갖게 된다. 우리 앞에는 다른 세상이 열리고, 현재 모든 근심사에서 벗어나는 경험을 하게 되는 것이다. 즉 별과 달은 우리의 발을 땅에서 떠나게 해 준다."[389]

게으르게 산다는 것은 피로사회에서 자신을 보호할 수 있는 생활 태도라고 할 수 있다. 우리는 주어진 모든 일이나 직업에서부터 벗어나 아무것도 하지 않고 살 수 없다. 매사에 깊이 생각해 보면서 일을 하는 정신이 필요하다. 모든 일을 빨리 빨리 처리하기 보다는 어떤 일이나 결정은 그 순간을 제대로 즐겨야 더 효과적일 수 있다. 게으름이 무조건 좋다기 보다는 성과주의 사회에서 한 발짝 물러서는 지혜가 필요하다.

매일을 일요일처럼 살 수 있다면 얼마나 좋을까! 나에게도 일요일은 삶의 오아시스이다. 일요일은 주중 피로로 인하여 퇴색해진 내가 나의 본연의 모습을 되찾을 수 있는 희망의 공간이요, 열락의 터전이다.

함께 읽으면 도움이 되는 책

- 러끌레르끄, 《게으름의 찬양》, 장익 옮김, 분도출판사, 1986.
- 정혜윤, 《인생의 일요일들》, 로고폴리스, 2017.

08
작은 일부터 천천히 할 때에 목표에 도달한다

《아주 작은 반복의 힘》, 로버트 마우어, 장원철 옮김, 스몰빅라이프, 2016.

우리는 새해가 시작되면 여러 가지의 결심을 한다. 금연, 독서, 운동,

절약 등 다양한 형태의 결심을 하게 되는데 이러한 결심을 한 사람들의 25%는 일주일 내 포기하고, 30%는 2주 안에 포기하게 된다. 이와 같은 조기 포기 현상이 일어나는 것은 실행하는 방법에 문제가 있기 때문이다. 초등학교 수준의 수학 능력을 가진 사람에게 대학교 수준의 수학책을 공부하게 한다는 것은 어리석은 일이다. 현재 상황에 맞는 계획을 세우고 실천할 수 있도록 하는 것이 결심에 따른 행동을 지속적으로 하게 한다.

로보트 마우어는 의과 대학에 재직 중인 임상심리학자로 아주 작게 시작하고 계속적으로 반복해야 우리가 정한 결심을 성공적으로 이끌 수 있다고 하였다. 그 이유는 우리의 뇌는 변화를 싫어하기 때문이다. 뇌는 환경이 변화하는 것을 생존의 위협을 받는다는 것으로 인식한다. 이에 어떠한 변화를 추구 할 때에 뇌의 저항이 일어난다. 이에 대하여 로버트 마이어는 "뇌가 변하는 것을 인지하지 못할 정도로 변화의 정도를 아주 가볍고 작게 해야 한다"[390]고 해결책을 제시한다. 뇌가 미처 인식하지 못할 정도로 작은 일들을 하면서 목표 달성을 위해 한걸음씩 나아가야 한다는 말이다.

로보트 마우어는 우리가 어떤 일을 하는데 있어서 '속도'가 중요한 것이 아니라, '빈도'라고 하였다. 예를 들어, 성적을 올리거나, 몸무게를 줄이거나, 연봉을 올리는데 있어서 작은 것에서 부터 출발해서 점진적으로 진행할 때에 중도 포기 없이 목표에 도달할 수 있다.

저자는 '스몰 스텝'이 중요하다고 말한다. 부드럽게 언덕을 올라가서 마치 언제 정상에 올랐는지를 눈치 채지 못 할 정도로 천천히 움직여 나가는 것이 스몰스텝 전략이다. 스몰스텝 전략에서 중요한 것은 여섯 가지로 제시가 되었다. 첫째, 두려움을 몰아 낼 수 있는 작은 질문을 던진다. 둘째, 새로운 습관을 개발할 수 있는 작은 생각을 품는다. 셋째, 성공이 확인되는 작은 행동부터 시작한다. 넷째, 위기를 맞았을 때에 작은 해결방안을 마련한다. 다섯째, 최고의 결과를 얻기 위해서 자신과 다른 사람한테 작은 보상을 선사한다. 여섯째, 중요하지만 모두가 무시하고 있는 작은 순간을 찾아낸다.

스몰 스텝 전략은 우리 뇌의 자동적 방어 메카니즘을 제어해주는 전략이다. 큰 목표를 설정하여 두려움을 갖기 보다는 두려움을 갖지 않고 천천히 우리가 원하는 변화를 끄집어내는 것이 스몰스텝 전략이다. 로버트 마우어는 "스몰 스텝 전략은 두려움을 극복하는 다른 방식이다. 우리 뇌는 두려움을 느낄 때에 공격할 것이냐 아니면 그냥 달아날 것이냐를 선택하도록 프로그램 되어 있다"[391]고 말한다. 편도체의 경보 체제를 작동시키지 않는 상태에서 대뇌피질의 역할이 활성화되어 창의적 생각을 할 수 있도록 하는 것이 이 전략의 핵심이다.

우리 뇌를 프로그램화 할 수 있는 중요한 방법 중 하나는 작은 질문을 던지는 것이다. 처음부터 너무 거대한 질문을 던지게 되면 뇌는 쉽게 피곤함을 느끼고 문제해결에 가기 전에 지친다. 뇌는 질문을 좋아한다. 부담되거나 힘들지 않는 질문을 던져서 창의적인 답변을 찾아 낼 수 있는 노력이 필요하다.

글쓰기를 어디에서 부터 시작해야 되는지 모르는 사람들은 스몰스텝 전략을 이용하는 것이 좋다. 질문을 던질 때에 있어서 작은 질문으로 부터 시작하는 것이 좋다. "나에게 예술적인 자극을 줄 수 있는 사람은 누구인가?", "나는 무슨 일을 해야 신이 나고 흥이 나는가?" 처럼 작은 질문을 반복해서 던지면서 뇌를 깨우는 일이 창의적인 일을 해나가는 중요 과정이 된다.

저자는 긴장되는 상황에서는 적극적으로 상상하는 '마음 조각하기(mind sculpture)'가 필요하다고 하였다. 이 마음 조각하기를 잘 하는 사람은 수영선수인 마이클 펠프스이다. 그는 출전한 올림픽에서 모두 스물 두 개의 메달을 땄는데 그 중에서 열 여덟 개가 금메달이었다. 베이징올림픽에서도 그의 코치가 펠프스에게 잠자리에 누울 때도 마음을 조각 하라고 권유하였다. 코치의 지시에 따라 출발선에 올라 설 때의 긴장감, 총 소리가 울릴 때의 긴박감, 물에 들어갈 때의 느낌, 힘차게 물을 헤치고 나갈 때의 느낌, 벽을 짚고 나갈 때의 생생한 순간 등을 모두 상상했다 한다. 그는 실제 수영장 안에서 일어나는 일을 생생하게 상상 하였다. 이와 같은 생생한 상상을 통하여 그는 베이징 올림픽에서 무려 8개의 금메달을 땄다. 이 기록은 올림픽 단일종목의 개인 최다 금메달 기록이다. '마음 조각하기'란 우리의 두려움을 잠재우고 릴렉스 하여 나의 상황에 심신을 적용해 나가는 두뇌훈련이다.

스몰스텝에서 중요한 것은 작은 시작과 끊임없는 시도에 있다. 우리가 정말로 원하는 것이 있다면 중단하지 말고 계속 접근해 나가야 한다. 로버트 마우어는 작은 행동을 지속적으로 하는 중요성을 이렇게 말하고 있다.

"마라토너가 자신의 기록을 단축하기 위해 끊임없이 방법을 찾아가듯 우리도 우리의 모습을 다듬어 가는 방법을 끊임없이 탐구해야 한다. 아이가 예술적, 지적으로 성장해 가는 놀라운 모습을 보고 싶다면 당신은 아이가 배우는 기쁨을 발견할 수 있도록 도와주어야 한다. 매일 친절한 말을 적어 아이의 서류가방이나 도시락에 넣어 주라. 하루에 1-2 분만 그렇게 투자를 해도 애정 어린 돌봄과 배려의 부족으로 소원해진 관계를 풀어 나갈 수 있다. 건강을 유지하고 싶다면 계단을 오르내리고 몸에 해로운 칼로

리를 접시에서 덜어 내는 아주 작은 행동에서 즐거움을 느껴야 한다."[392]

스몰 스텝 전략은 우리가 행복을 달성하기 위한 중요한 전략이다. 행복을 얻기 위하여 처음부터 무리하는 것이 아니라, 천천히 작은 강도로 끊임없이 해 나가야 한다. 아침에 조깅을 하며 건강을 회복하고자 하는 사람은 처음부터 무리하게 10km를 뛰고자 하기 보다는 오늘은 아파트 한 바퀴 두 바퀴 정도만 돌겠다고 생각하고 점차 거리를 늘려 가다보면 달리기에 재미를 느낄 수 있다. 행복을 느끼기 위한 방법은 시작은 작게, 그리고 꾸준히 하는 지혜에 있다.

함께 읽으면 도움이 되는 책

- 박요철, 《스몰 스텝》, 뜨인돌출판사, 2018.
- 칩 히스, 댄 히스, 《순간의 힘》, 박슬라 옮김, 웅진지식하우스, 2018.

09
걸으며 나와 세상은 조우한다

《걷기 예찬》, 다비드 르 브르통, 김화영 옮김, 현대문학, 2002.

보행은 인간이 가진 특권이다. 이족보행을 통하여 우리는 세상과 맞선다. 사람은 육체를 통하여 공간을 제대로 인식하게 된다.

다비드 르 브르통은 사회학자이자 걷기 전도사이다. 이 책의 첫 문장

부터가 도발적이다. "걷는 것은 자신을 세계로 열어 놓는 것이다."[393] 우리는 걷기를 통하여 세상과 만나고 나 자신을 세상으로 투영할 수 있다. 우리가 걸으면서 나 자신의 실존에 대하여 생각해 볼 수 있다. 걸으면서 나의 의식은 몸에 의지할 수밖에 없다는 것을 깨닫게 된다. 걷기는 육체로의 집중을 말하는 것이다.

저자는 도시화가 진행되면서 많은 사람들은 걷는 것을 등한시하게 된다고 말한다. 브르통은 육체의 활용도가 줄어듦으로써 여러 가지 문제가 파생된다고 한다.

"육체의 중요성이 점차로 줄어들면서 인간은 세계관에 상처를 입고 현실에 작용하는 범위가 제한되며 자아의 존재감이 감소하고 사물에 대한 인식이 약화된다. 여러 가지 보상적 활동을 통하여 이 같은 자아 침식을 막지 않는 한 이런 현상은 가속화 될 것이다."[394]

걷는다는 것은 집과는 반대 방향으로 나가는 것이다. 걷기는 진행형을 포함한다. 걷는 자는 공간이 아닌, 시간 속에 거하는 자이다. 아침에 햇살을 느끼며 걷고, 밤에 별을 보고 걷는 사람들은 자신만의 체험적 시간을 갖게 된다. 걷는 사람은 결코 서두르지 않고 그 시간을 온전히 자신에게 쓸 수 있는 능력을 가진 사람이기도 하다. 천천히 걸으면서 그 시간을 온전히 쓸 수 있는 사람은 행복의 충만함을 아는 자이기도 하다. 그렇기에 걷기는 세계를 제대로 느끼는 방법이라고 브르통은 이야기한다.

"걷기는 세계를 느끼는 관능에로의 초대다. 걷는다는 것은 세계를 온전하게 경험한다는 것이다. 이 때 경험의 주도권은 인간에게 돌아온다. 기차나 자동차는 육체의 수동성과 세계를 멀리하는 길만 가르쳐 주지만, 그와 달리 걷기는 눈에 활동만을 부추기는데 그치지 않는다. 우리는 목적 없이 그냥 걷는다."[395]

그렇기 때문에 걷는 사람은 '시간 부자'일 수밖에 없다. 한가롭게 자연 속을 걷는 사람은 자신만의 여유를 탐닉 할 수 있다. 이때 걷기와 침묵은 서로 동일한 관계에 놓인다. 침묵은 소리가 단순히 없어지는 것이 아니라, 귀를 기울이는 것 그리고 "공간의 생명을 부여하는 존재의 가벼운 맥박"[396]이다. 침묵은 개인 스스로가 내면을 듣는 고유한 방식이고, 세계로 접촉을 시도하기 위해 내면을 되돌아보는 일이다. 침묵의 위대한 힘을 느끼기 위해서는 걸어야 한다.

브르통은 보행을 '도서관'에 비유한다. 길 위에 놓인 많은 사물들은 사회 속의 집단적 기억을 되새기게 하는 도서관의 책들이다. 걷는다는 것은 사회 안에 숨겨진 여러 가지 풍경을 인식하고, 이해하고, 공부하는 것이다. 이는 마치 우리가 도서관에서 공부를 하는 것과 비슷한 과정이다. 그렇기에 도보 여행을 한다는 것은 길 위에서 새로운 사람과의 만남을, 그리고 새로운 이야기와의 만남을 포함하는 총체적 과정이다.

소로는 우리에게 하루 4시간 이상 걸으라고 권유하였다. 걷다보면 계절의 변화에 따라 같은 장소와 사물도 다른 의미를 준다. 산책은 "친숙한 것의 낯설음을 고안해낸다. 산책은 디테일들이 변화와 변주를 민감하게 느끼도록 함으로써 시선에 낯섦의 새로움을 가져다 준다."[397] 소로는 산책을 통하여 자연의 변화에 대하여 경탄하고 그 놀라움으로 내면을 수련하였던 철학자였다.

브르통은 도시에서 한가롭게 걷는 것의 즐거움을 강조하였다. 도심 안에는 다양한 공간들이 있다. 상점, 백화점, 횡단보도, 역, 자동차, 기차, 카페, 서점, 음식점 등이 존재한다. 이러한 공간 속 행인들을 보는 것은 도심 걷기의 또 다른 낙이다. 브르통은 도시에서 걷기는 위험하지만 자연 속 걷기와는 색다른 즐거움이 있다고 말한다.

"도시에서 걷는다는 것은 긴장과 경계의 경험이다. 자동차 운전은 도로교통법에 준하여 이루어지는 것이 원칙이긴 하지만 가까운 곳에 자동차들이 달리고 있다는 것은 끊임없는 위험을 의미한다. 잘 살펴보지 않고 길을 건너거나 인도에서 벗어나는 일이 없도록 정신을 바짝 차리고 있지 않으면 안 된다."[398]

걷는 것이야 말로 행복에 도달하는 좋은 방법이다. 스트레스가 많고, 긴장과 불안을 안고 사는 사람일수록 걷기가 필요하다. 오늘날처럼 몸이 우리 삶에서 많이 소외되고 있는 상황에서는 걷기는 삶을 회복시킬 수 있는 치유의 명약이다.

함께 읽으면 도움이 되는 책

- 나가오 가즈히로, 《병의 90%는 걷기만 해도 낫는다》, 이선정 옮김, 북라이프, 2016.
- 거칠부 《나는 계속 걷기로 했다》, 궁리, 2018.

10
행복에 대한 아들러의 가르침

《행복해질 용기》, 기시미 이치로, 이용택 옮김, 더 좋은책, 2015.

몇 해 전 부터 대한민국에서 아들러 심리학이 유행 하고 있다. 아들러 심리학을 대표하는 명제는 '미움 받을 용기' 일 것이다. 오스트리아의 정신과 의사였던 알프레드 아들러는 당시 프로이트가 운영하는 '빈 정신분석 협회'의 회원으로 활발한 활동을 했다. 그러다가 프로이트와 학문적 대립각을 세우다 협회를 탈퇴하고 스스로가 독자적인 정신분석이론을 정리하여 '개인 심리학(Individual psychology)'을 발전시켰다. 이 개인 심리학은 아들러심리학으로 불리며, 대인 관계와 연관된 심리학에서 중요하게 적용된다. 우리가 자주 쓰는 용어인 '열등감'은 아들러가 주로 사용하는 개념이다.[399] 아들러는 현대 심리학분야에서 프로이드와 더불어 많은 기여를 한 정신분석학자로 평가 받는다.

아들러 심리학의 핵심은 '인간의 고민의 출처는 바로 대인관계' 라는 것이다. 타인이 본인의 라이프 스타일과 잘 맞는지, 또는 대립하는지에 따라 대인 관계가 다르게 형성된다. 아들러는 성격이라는 말 대신에 라이프 스타일이라는 말을 주로 썼다. 아들러는 행복하기 위해서 내 스스로가 행복을 위한 라이프 스타일을 갖는 일이 필요하다고 이렇게 말하였다.

"인생이 복잡한 것이 아니라, 내가 인생을 복잡하게 만드는 것이다. 스스로 인생을 복잡하게 만들어서 행복한 삶을 방해한다. 인생에 대한 '의미부여(라이프스타일)'을 바꾸면 세상은 믿을 수 없을 만큼 단순해진다."[400]

세상을 단순하게 하는 것이 결국은 행복해지는 방법이다. 간단한 일에 대해서 스스로가 복잡하게 생각하거나, 복잡하게 처신 할 때에 행복과는 그만큼 멀어진다. 행복하기 위해서는 삶을 단순화하고, 세상의 문제와 정면으로 맞서야 한다. 특히 타인과의 관계에서 회피하기 보다는 당당히 맞서 "미움을 받는 한이 있더라도"[401] 용기를 내고 지내야 한다. 나의 단점을 바꾸기 보다는 다른 사람과의 관계에서 적극적 대처를 통하여 내 행복을 찾는 의지가 필요하다.

행복하기 위해서는 남을 의식하지 않아야 한다. 남의 평가에 연연해서는 온전한 내 삶을 살 수 없다. 또한 다른 사람한테 잘 보이기 위하여 나 자신을 너무나 꾸미거나, 또는 타인을 위한 남들의 평가에 두려워해서는 안 된다. 타인에 너무 신경을 많이 쓰는 사람은 자신에 대하여 부정적인 견해를 가질 수밖에 없다. 자신에 대하여 부정적으로 평가하는 사람은 행복하기 어렵다.

아들러는 닥쳐올 일에 두려워하는 것은 실패를 두려워하기 때문이라고 했다. 어떤 일이든지 실패하지 않는 최선의 방법은 적극적으로 과제에 맞서는 것이다.

아들러는 특정한 경험이 현재 자신을 만든다는 의미적 결정론을 부정하였다. 그는 오히려 경험 자체보다는 경험에 대하여 본인이 어떠한 '의미'를 부여 했는지가 중요하다고 본다. 예를 들어, 우리가 행복해지기 위해서는 과거의 어떠한 경험에 매몰되어 있기보다는 그 경험을 통하여 자신이 느꼈던 좋은 감정과 나쁜 감정을 잘 걸러 스스로의 발전에 영향을 미치도록 해야 한다. 어떤 사람들은 불행한 경험을 통해서 미래 행복할 수 있는 기회, 혹은 단초를 발견하는 사람이 있다. 반면에 어떤 사람들은 기분 좋은 경험에서도 나쁜 면만을 부각시켜 미래에 대하여 암담한 생각 속에서 지내는 사람도 있다. 아들러는 다음과 같이 말한다.

"모든 경험은 그 자체로는 성공의 원인도 실패의 원인도 아니다. 우리는 자신의 경험에 의한 쇼크(이른바 트라우마)에 괴로워하는 것이 아니라, 경험 속에서 목적에 맞는 것을 찾아낸다. 자신의 경험에 의해 결정되는 것이 아니라, 경험에 어떤 의미를 부여할지를 스스로 결정하는 것이다."[402]

아들러는 행복하기 위해서 즐거운 '놀이'가 중요하다고 하였다. 인생이 재미없는 이유는 삶에서 진정한 '놀이'를 찾지 못해서이다. 매 순간 즐겁게 살아야 행복할 수 있다. 저자인 기시미 이치로는 2006년도에 심근경색으로 쓰러져서 사경을 헤매었다. 이때 병원에서 구사일생으로 살아난 그는 삶에서 죽음에 대한 문제를 심각하게 생각하였다. 그때 뇌리 속에 '과연 행복이란 무엇인가?'라는 화두가 떠나지 않았다고 한다. 이후 그는 병과 죽음은 우리 삶에 저 멀리 있는 것이 아니라, 삶 속에 항상 어우러져 있는 것이라는 것을 깨닫게 된다. 이러한 깨달음을 통하여 그는 행복은 대인관계의 고민에서 벗어나 타자에 당당하게 마주치는 일에서부터 시작된다고 단언한다.

내가 보는 아들러심리학의 핵심은 일상 속에서의 행복을 최대한 영위하는 방법을 깨닫는 데에 있다. 아들러는 자신감 있게 살고, 남들한테 미움을 받아도 되는 용기를 갖고, 삶 속에서 죽음을 진지하게 생각하고, 그리고 일상의 작은 것에서도 행복을 찾고자 노력해야 행복과 친구가 될 수 있다고 가르쳐주고 있다.

함께 읽으면 도움이 되는 책

- 알프레드 아들러, 《아들러의 심리학 입문》, 김문성 옮김, 스타북스, 2015.
- 알프레드 아들러, 《아들러의 인간이해》, 홍혜경 옮김, 을유문화사, 2016.

11
스님으로부터 듣는 행복이야기

《법륜스님의 행복》, 법륜, 나무의 마음, 2016.

모든 종교에서 공통적으로 다루는 주제는 인간의 행복이다. 우리가 행복하기 위하여 사랑, 자비, 선행, 인내, 이해, 감사 등의 요인들이 중요하다고 많은 종교인들은 이야기한다. 법륜스님은 많은 강연에서 우리에게 행복에 대한 이야기를 해 주는 명강사이다.

행복에 대한 법륜 스님의 중요한 견해는 나의 '주인의식'을 갖는 것이다. 타인에 휘둘려서 사는 것이 아니라 내 스스로가 삶의 주인이라는 의식은 나를 행복의 길로 인도한다. 그는 이렇게 말하고 있다.

"온전한 행복의 길로 들어서기 위해서는 이제부터라도 내 삶의 주인이자 이 세상의 주인으로서 내 행복은 누가 가져다 주는 게 아니라 내가 만든다는 생각으로 살면 좋겠습니다. 우리 한 사람 한 사람은 우주의 티끌같이 작은 존재지만 이런 주인의식을 가질 때 나를 변화시키고 세상을 변화시키는 큰 힘을 발휘할 수 있습니다."[403]

법륜 스님이 말하는 행복을 찾는 방법은 여섯 가지로 정리할 수 있다. 첫째, 현실을 등한시하고 미래의 행복을 찾아서는 안 된다. 이상에 대해서 생각하는 것은 좋은 일이나, 현재 내가 무엇을 해야 하는지와 그 무엇을 통해서 얻을 수 있는 점에 대한 명확한 철학이 있을 때에 행복하게 현재를 즐길 수 있다. 막연하게 미래를 생각하고, 사는 사람의 삶은 현실을 등한시하기 쉽다. 현실을 등한시한 행복은 있을 수가 없다.

둘째, 세상살이는 우리가 원하는 대로 다 이루어지지 않는다는 깨달음을 빨리 가져야 한다. 법륜스님은 "원하는 것이 다 이루어진다"라는 말은 환상 일뿐이라고 이야기한다. 원하는 것이 다 이루어지는 인생은 실제로는 없다. 때로는 실망하고, 좌절하고, 이를 통해 무엇인가에 깨닫고 사는 것이 인생이다.

셋째, 본인의 감정에서 부터 자유로워야 한다. 우리 감정은 마치 부싯돌이 부딪쳐 불꽃이 피어나듯 순간적으로 일어났다 사라진다. 우리가 느끼는 감정에 대하여 정확하게 이해하는 지혜가 필요하다. 좋고 싫다는 감정이 나로부터 비롯된다는 깨달음을 가져야 한다. 감정의 속박을 당하지 않는 사람이 행복할 확률이 높다. 좋아하지만 가질 수 없고, 싫어하지만 곁에 두어야 하는 일이 종종 일어나기에 이러한 감정에 대하여 초월하는 연습이 필요하다.

넷째, 과거의 일을 놓아버리고 현재에 집중할 때에 행복을 얻을 수가 있다. 어떤 사람들은 과거 상처를 통하여 그 기억으로 괴로워한다. 마음의 상처는 오랫동안 사람을 괴롭힌다. 그 과거로부터 슬기롭게 벗어날 때에 행복할 수 있다. 과거 나를 괴롭혔던 사람, 힘들게 했던 사람, 채무를 갚지 않는 사람, 고통을 주었던 사람, 확대를 했던 사람, 갑질을 했던 사람들을 기억 속에 담고 있으면 행복하게 힘들다. 이들을 슬기롭게 풀어줄 때에 행복할 확률이 높아진다고 법륜스님은 말한다.

"과거의 영상만 틀지 않으면 나는 어떤 순간에도 행복할 수 있어요. 살아있는 지금, 숨이 들어오고 숨이 나가는 순간 만이 현재입니다. 현재에 집중하면 괴로움은 존재할 수가 없습니다."[404]

다섯째, 좋은 관계 맺기가 행복으로 인도해 준다. 인간이 경험하는 많은 고민은 관계에서부터 시작한다. 행복한 관계 맺기를 위해서는 '서로 다름에 대한 인정'과 '타인에 대한 이해'가 선행되어야 한다. 나와 다른 누군가를 인정하고, 그 사람의 행동에 대하여 이해할 때에 적절한 관계 맺기가 이루어진다. 타인을 인정하고, 이해할 때에 타인을 너그럽게 바라볼 수가 있다. 나의 관점에서만 타인을 재단하고 바라 볼 때에는 걱정, 근심과 고통이 따를 수밖에 없다.

여섯째, 행복은 나의 삶에 대응하는 자세와 주변 환경과의 상호작용으로 만들어진다. 행복을 경험하기 위해서는 개인의 긍정적인 삶의 자세를 갖으며, 환경 변화에 대하여 능동적으로 대응하려는 지혜가 필요하다. 이미 주어진 환경에 대하여 불평을 하기 보다는 나의 마음가짐을 바꿔 현실에 적응할 때에 행복해질 확률이 높다

법륜 스님이 말하는 행복관은 간단명료하다. 행복의 원천은 나이고, 행복을 경험할 시점은 지금 '현재'라는 것이다. 또한 행복을 위해서는 나의 이기적인 감정을 버리고, 타인과 조화롭게 살기 위한 노력을 해야 한다. 행복하기 위해서는 지금 이 순간을 충실히 살아야 한다. 스님은 이렇게 말한다.

"여기서 불행하다고 미국으로 이민을 간다고 행복해질까요? 우리나라에 살 때는 미국만 가면 행복할 것 같았는데 막상 미국에 가보면 그렇지

않고, 청소년들은 대학만 가면 고생이 끝난 줄 알지만 그렇지 않죠. 또 결혼만 하면 숙제를 다 한 것 같을 테지만 오히려 더 많은 숙제가 기다리고 있습니다. 아이들이 다 크면 걱정이 없을 거라고 생각하지만, 아이들을 다 떠나보내고 나이 들어도 끝이 안 나죠? 이게 우리 인생입니다."[405]

행복은 현재 위치에서 어떤 마음을 갖는지가 중요하다. 지금 이 자리에서 최선을 다하고, 최선을 다해 일상을 살고, 나한테 주어진 일, 훈련 또는 공부해 매진할 때에 행복이 찾아온다. 매 순간 최선을 다하고, 순간순간 의미를 갖고 사는 사람의 자리는 향기가 난다.

함께 읽으면 도움이 되는 책

- 법륜, 《방황해도 괜찮아》, 지식너머, 2017.
- 법륜, 《인생수업》, 휴, 2013.

12
아프지만 행복한 스무 살

《나를 만나는 스무 살 철학》, 김보일, 예담, 2010.

젊음은 찬란한 태양에 비유할 수 있다. 젊은 시기에는 혼란 속에서 하루하루를 보낸다. 이 시기는 정해진 것도 없고, 모든 것이 불확실하고, 어떻게 살아야 인생을 잘 사는지 모르고 지내는 때이다. 운동선수의 청년기도 마찬가지라고 생각한다. 지금 그들은 운동과 학업을 동시에 수행해야 하며 여러 가지 어려움을 경험하고 있다. 어느 것 하나 놓칠 수 없다. 이 청춘의 시기에 멋지게 인생을 사는 방법은 무엇일까? 내가 생각하기에 인생을 멋지게 살기 위해서는 나의 정체성과 어떻게 살아야 할 것인가에 대한 목표를 갖고 있어야 한다. 목표를 갖기 위해서는 수많은 만남, 독서, 배움과 가르침, 고민, 성찰, 탐구 의식 등의 시간을 가져야 한다.

저자 김보일은 젊은이는 '나'라는 존재에 대한 의식을 가져야 한다고 말한다. 친구한테 만년필을 빌렸는데 그만 연필을 잃어버렸다. 미안한 마음에 교보문고에 가서 좋은 만년필을 사서 친구한테 포장까지 해서 주었다. 이때에 친구는 크게 화를 낸다. 새 만년필 보다 자기가 빌려줬던 그 만년필을 돌려 달라고 소리친다. 그것은 그 친구한테는 대체 불가능한 것이다. 그래서 그가 크게 화를 내는 것이다. 일반적으로 도구는 대체 가능하다. 나라는 존재는 대체 가능할 수가 없다. 세상에 유일무이한 존재로 위치를 점하는 것이 바로 나이다. 이런 존재로서 나의 위치를 생각하면 성실하게 살아야 될 의식이 생겨나지 않겠는가!

행복을 위해서는 '현명한 선택'을 해야 한다. 우리가 어떤 선택을 할 때에는 다른 것의 선택 기회 포기 까지를 포함해서 생각해야 한다. 이를 '기회비용'이라 한다. 내가 어떤 행동을 선택했을 때에 그 기회비용이 크다고 한다면, 선택은 아주 신중하게 해야 한다. 군대, 취업, 대학원 진학 등의 선택을 할 때에 선택에 대한 심사숙고가 필요하다. 기회비용을 고려해야 하는 선택은 삶의 행복 혹은 불행과 직결된다.

현명한 청춘이 되기 위해서는 내면의 세계에 대한 이해가 필요하다. 어떤 역할을 선택하든지 간에 그 역할의 세계에 깊이 들어가 자신만의 깨달음을 가져야 한다. 이러한 노력은 삶을 풍성하게 해주고, 내공 깊이를 더해준다. 혼자 있는 힘은 나를 강하게 하고, 앞으로 살아갈 날들에 대하여 힘을 준다. 이러한 관점에서, 김보일은 이렇게 말한다.

"안으로 파고들려면 자신만의 세계가 있어야 한다. 음악이어도 좋고, 독서도 좋다. 마라톤이어도 좋고, 등산이어도 좋다. 재즈댄스 배우기면 어떻고, 일러스트 그리기면 어떤가. 누가 뭐래도 나만의 취미, 나만의 세계를 간직한다는 것은 멋진 일이다."[406]

소비지향적인 현대 사회에서 중심을 갖고 사는 것은 어렵다. 많은 청춘들은 다른 사람 눈치 보기에 바쁘다. 예를 들어, 내 휴대폰이 너무 구식이 아닌지, 내 패션은 유행에 뒤떨어진 것이 아닌지 등을 신경 쓰느라 정신이 없다. 미디어는 더욱 소비를 부추긴다. 텔레비전 속 주인공들은 멋진 패션, 스포츠카, 명품 시계와 비싼 술을 마시며 인생을 즐기는 캐릭터로 나온다. 이와 같은 미디어의 환영과 유혹에 넘어가서는 안 된다. 내 스스로가 안분지족하고 사는 삶이 아름답다.

저자는 아름다운 삶을 살기 위해서는 끊임없이 공부해야 한다고 말한다. 다른 사람의 견해와 사고를 이해하고, 내가 갖고 있는 경험과 함께 뒤섞여서 세상을 바라볼 때에 우리는 많은 것을 이해할 수 있다. 운동선수도 멋진 청춘이 되기 위해서는 끊임없이 공부를 해야 된다. 세상에 대한 폭넓은 공부를 통하여 세계를 폭넓게 보는 연습을 해야 한다. 지금 내가 하고 있는 운동이 세상의 전부가 아닌, 내 삶은 운동 이후에도 계속될 것이라는 자각이 필요하다. 그 인생이라는 전쟁에서 현명한 승부를 하기 위해서 끊임없이 준비를 해야 한다. 운동과 삶에 대한 공부를 통하여 꿋꿋하게 앞으로 나아가는 청춘이 아름답다.

운동선수도 멋진 청춘이 되기 위해서는 끊임없이 공부를 해야 된다. 세상에 대한 폭넓은 공부를 통하여 세계를 폭넓게 보는 연습을 해야 한다. 지금 내가 하고 있는 운동이 세상의 전부가 아닌, 내 삶은 운동 이후에도 계속될 것이라는 자각이 필요하다.

함께 읽으면 도움이 되는 책

- 김연수, 《청춘의 문장들》, 마음산책, 2004.
- 유시민, 《청춘의 독서》, 웅진지식하우스, 2018.

13
인생에 필요한 여덟 가지 단어는?

《여덟 단어》, 박웅현, 북하우스, 2013.

광고를 만드는 박웅현 선생은 책을 꼼꼼히 읽는 것으로 유명하다. 그는 마치 파도 타듯이 어느 부분은 신중하게 꾹꾹 눌러서 읽고, 어떤 부분은 빠르게 넘어가는 읽기가 좋은 독서 과정이라고 하였다. 책 《여덟 단어》는 그가 책과 강연에서 이야기했던 중요한 여덟 가지 개념들을 설명하고 있다. 그 여덟 단어를 한번 살펴보자.

첫째, '자존' 이다. 자존이라는 것은 말 그대로 나를 중히 여기는 것을 말한다. 자존을 이야기하기 위하여 박웅현은 '황가네 호떡집'의 사장님을 이야기한다. 한 개에 500원, 2,000원에 다섯 개를 주는 호떡집 사장은 언제나 즐거운 표정으로 일을 하고 자기 일을 충실히 한다. 이렇게 본인의 일에 열과 성을 다하여 즐겁게 하는 사람이 자존감이 높은 사람이라고 말한다. 자기가 어떤 위치에 있든지 간에 자신을 중시 여기는 것이 바로 자존이다. 대기업 주차장에 가면 시커먼 그랜저 50대가 줄지어 주차되어 있다.

박웅현은 이런 것을 보면서 과연 자존감을 찾을 수 있을까라고 질문을 한다. 자존감은 남과 다르다고 해서 창피하다고 느끼는 것이 아니다. 남과 다른 길을 가더라도 꼿꼿이 가는 것이 바로 자존이다. 즉, "기준점을 바깥에 두고 남을 따라가느냐, 아니면 안에 두고 나를 존중하는가"[407]의 문제로 귀결된다.

둘째, '본질'이다. "Everything changes but Nothing changes.(모든 것은 변하지만 아무것도 변하지는 않는다)." 이는 에르메스 브랜드의 지면 광고 문구이다. 모든 것은 변하나 한편으로 아무것도 변하지 않는다. 사람들의 시각도 상황에 따라 바뀔 수 있지만 인간에 대한 가치, 미덕, 도덕 등의 근본적 방향은 결코 바뀔 수가 없다. 인간이 멋진 사람으로 살기 위해서는 본질적으로 단단한 사람이 되어야 한다. 미국 아이비리그의 컬럼비아 대학은 입학 후 2년 동안은 전공을 정하지 않고 교양 수업만 듣는다. 이때 학생들은 고대, 현대, 비영미권의 문학, 역사 철학, 과학과목, 쓰기, 음악, 미술등과 같은 교양 과목들을 수강한다. 컬럼비아 대학의 이 제도는 1905년에 만들어졌고 지금까지 시행되고 있다. 컬럼비아대학이 강조하는 교육의 본질은 교양 교육을 통한 지성인을 육성하는 것이다. 본질을 추구한다는 것은 시류에 편승하기 보다는 기본 가치를 꿋꿋이 지켜 나간다는 것을 의미한다.

셋째, '고전'이다. 고전은 시대를 뛰어넘어 변함없이 사랑을 받는 텍스트를 말한다. 300년 이상의 시간을 싸워서 우리에게 남은 텍스트들은 인간 삶에 대한 가치를 이야기하고, 우리가 어떻게 살아야 되는 방향성도 제시해주는 힘을 가지고 있다. 박웅현은 고전에 대한 관심을 억지로 갖게 하는 것은 좋지 않다고 말한다. 스스로가 고전에 대한 관심을 갖게 되면 그 매력에 흠뻑 빠지게 된다. 박웅현은 본인의 경험에 의하면 클래식 음악을 우연히 들었는데 이를 통하여 클래식 음악을 스스로가 찾아 듣는 계기가 되었다 한다. 그는 클래식 음악의 마법을 이렇게 말한다.

"음악만 틀어 놓으면 기적적인 변화가 일어납니다. 진짜 순간적으로 공간이 변하는 걸 느낍니다. 슈베르트의 〈죽음과 소녀〉〈숭어〉〈바이올린 협주곡〉, 이런 곡들을 들을 때 몸이 음악을 따라 떠오르는 것을 느낍니다. 〈죽음과 소녀〉의 경우 첫 음을 바이올린 현이 꽉 잡는데 나를 탁 끌어올려요. 그 상태로 끝날 때까지 놔 주지 않습니다. 음악이 나를 공중에 띄어놓는 감동이 있어요."[408]

넷째, '견(見)'이다. 우리가 현상을 볼 때에 제대로 보는 능력이 필요하다. 현상을 그냥 지나치는 것이 아니라 그 안에서 일어난 일들까지 살펴본다. 다른 사람이 보지 못한, 그리고 생각하지 않았던 것을 보고 생각하는 것이 견문이다. 잘 보기 위해서 어떻게 해야 할까? 박웅현은 잘 보기 위해서는 시간을 들여서 낯설게 봐야 한다고 말한다. 한 번에 너무 많은 것을 보려고 하기 보다는 욕심을 버리고 신중하게 보는 지혜가 필요하다.

다섯째, '현재'이다. 현재의 중요함을 아는 사람은 현재에 최선을 다하고자 노력한다. 지금 이 순간에 최선을 다하는 것이 현재를 최대한 누리는 일이다. 밥을 먹을 때에 밥을 먹고, 잠을 잘 때는 잠을 자고, 친구와 만날 때에는 친구에 집중해야 한다. '카르페 디엠'을 실천하는 삶이 행복한 삶이다. 현재의 삶에 의미를 부여하는 자만이 행복한 사람이 될 수 있다.

여섯째, '권위'이다. 우리는 사회적인 직함 앞에서 약해지기 쉽다. 어느 대학 출신, 어느 회사에 다니는 것, 어떤 직업을 갖고 있는 사람들에 대하여 높게 생각해주는 경향이 있다. 사회적 직업이 높은 사람이 인격이 높은 것은 아니다. 본인이 동의하지 않는 권위에는 복종하지 않는 것이 지혜로운 삶이 된다. 박웅현은 멋지게 살기 위해서는 강한 사람한테 당당하게, 그리고 약자한테 고개를 숙일 수 있는 자세를 가져야 한다고 말한다. 무조건 힘이 있는 사람한테 복종하는 일은 지양해야 한다. 또한 논쟁이 필요하다면 과감한 논쟁을 해야 한다. 그러한 논쟁은 우리 사회를 발전시킨다.

일곱 번째, '소통'이다. 소통을 잘하기 위해서는 서로가 다르다는 것을 인정해야 한다. 소통의 핵심은 다른 사람을 배려하는데 있다. 일반적으로 사람들은 자신의 말을 더 많이 하고 싶어 한다. 본인이 말을 많이 하고, 남의 말을 듣지 않으면 소통은 힘들어진다. 소통이 잘되는 조직은 발달하고 쉽게 변화할 수가 있다.

마지막, '인생'이다. 박웅현이 말하는 인생을 현명하게 살아가는 방법은 '인생 공짜가 없다'는 철학을 갖는 것이다. 남이 알아주지 않는다고 걱정하지 말고, 내 스스로가 능력이 없음을 걱정하고, 항상 준비하는 정신이 필요하다. 인생에 대한 철학을 조금 바꿀 필요가 있다. 인생을 마라톤이라는 생각을 할 필요가 있다. 조바심을 버리고 최선을 다해서 현재의 삶을 계속 영위하다 보면 결국은 목표점에 도달한다. 인생에 공짜만 없는 것이 아니라 정답 또한 없다. 정답이 없기 때문에 현실에 만족하고 최선을 사는 사람이 성공적인 인생을 살 수 있다.

나는 이 책을 읽으면서 운동선수의 삶에도 이 여덟 가지 단어를 그대로 적용 했으면 좋겠다는 생각을 했다. 운동선수가 현재의 삶 속에서 자존감, 본질, 고전, 견, 현재, 권위, 소통, 그리고 인생에 대하여 철저하게 생각해 볼 때에 자신의 삶이 바뀐다. 우리의 삶은 한 가지 방향으로만 해석할 수 없다. 나는 운동선수가 삶에서 여러 가지 가능성을 열어 놓고 그 삶에 대하여 철저하게 성찰할 때에 멋진 인생을 살 수가 있다고 믿는다.

함께 읽으면 도움이 되는 책

- 박웅현, 《책은 도끼다》, 북하우스, 2011.
- 박웅현, 《책은 다시 도끼다》, 북하우스, 2016.

14
때로는 무반응이 필요하다

《나를 피곤하게 만드는 것들에 반응하지 않는 연습》, 구사나기 류순, 류두진 옮김, 위즈덤하우스, 2016.

인간의 삶은 희로애락의 연속이다. 산다는 것은 즐거운 일과 힘든 일의 뒤섞임을 동시에 경험하는 일이라고 할 수 있다. 구사나기 류순은 모든 사람의 고민은 특정 사건에 대한 마음 반응에서 비롯된다고 하였다. 마음은 어떠한 상황에서 고민을 만들어내기도 하고 즐거움을 만들어 내기도 한다. 우리가 행복해지기 위해서는 마음에 반응을 하지 않는 것, 또는 헛되이 반응하지 않는 일이 필요하다. 또한 이를 위해 감정이 동요하지 않고 표리부동 하지 않는 마음 자세가 필요하다. 만약 우리가 과거 특정 사건에 너무 신경을 쓰고 미래에 대해서 과도한 고민을 한다면 현재의 삶은 힘들어 질 수 밖에 없다. 너무 과도하게 반응하지 않는 것이 행복을 느끼는 중요한 일이다.

그렇다면 반응하지 않는 연습은 어떻게 할 수 있을까? 고민은 대부분

'집착'에서 부터 나온다. 류순은 "집착이란 버리지 못하는 마음을 말하지요. 어떻게 해서든 매달리고 고집을 부림으로써 발생하는 감정으로 분노, 후회, 욕망 등 다양한 형태로 나타납니다."[409]라고 말한다. 집착은 고민을 잉태한다. 집착으로 부터 자유로워지기 위해서는 반응하지 않는 연습을 해야 한다.

집착과 더불어 고민을 야기하는 것 중 하나가 '지나친 판단'이다. 스스로가 현재 상황에 대하여 과도한 판단을 하거나, 생각을 너무 많이 하면 고민이 생긴다. 특히 자신만의 생각이 옳다고 생각하는 사람은 항상 고민에 휩싸인다.

고민에서 탈출하는 방법은 멀리 떨어져서 보는 것이다. 특정 고민에 집중하기보다는 좀 더 떨어져 바라보고, 나 자신을 긍정적으로 생각할 때에 고민이 없어진다. 이를 위하여 류순은 판단을 보류하라고 말한다.

경쟁은 사람들에게 또 다른 고민을 형성하는 원인이다. 과도한 경쟁에서 부터 벗어나기 위해서는 승리에 대한 높은 욕구를 버려야 한다. 함께 공존하고 과도한 경쟁심을 배제할 때에 사회의 발전은 이루어진다.

고민에 지배당하지 않기 위해서는 반응하지 않는 연습과 더불어 현실에 대한 인식이 필요하다. 과도한 고민에 휩싸인 사람은 결코 행복할 수 없다. 류순은 다음과 같은 말을 한다.

"사람은 왜 고민에 지배당할까요? 뜻대로 되지 않는 현실이 분명히 존재하기 때문입니다. 불편한 상대를 마주해야 하는 순간도 있을 것이고, 누구에게나 내면적으로 약한 부분도 존재합니다. 하지만 어째서 그것이 괴로움이 될까요? 그것은 '나도 모르게 반응하는 마음' 밖에 지니고 있지 않기 때문입니다. 나도 모르게 반응해서 화를 내고 욕망에 사로잡히며, 좋지 않은 망상을 떠올리게 됩니다."[410]

고민의 지배에서 부터 벗어나는 방법은 평상심을 유지하는 것이다. 현재 자신의 마음을 잘 이해하고 반응에 대하여 적절히 대처할 때에 평안한 삶의 태도를 유지할 수 있다. 과도하게 반응하지 않는 연습을 통하여 고민에서부터 벗어나고, 삶을 관조할 수 있는 능력을 갖게 된다.

류순은 많은 사람들은 '인정욕구'를 지니고 있는데 이 인정욕구 때문에 고민이 더 커진다고 하였다. 인정 욕구로 인하여 경쟁과 승리에 대한 집착이 과도하면, 이는 고민과 괴로움의 원인이 된다. 내 주변 운동선수들을 보아도 그들은 너무 승리에 연연한다. 물론 모든 경기에 임하는 운동선수는 승리를 지향해야 한다. 그러나 승리 보다 더 중요한 일은 당당한 승부이다. 결과보다 과정이 멋있어야 하고, 또한 정정당당하게 승부에 임할 때에 승부의 의미가 빛이 나는 법이다. 과도한 승리욕은 고민을 부르고 스트레스를 받게 한다. 고민과 스트레스로 부터 벗어나기 위해서는 고민의 원인을 찾고, 해결책을 찾아야 한다. 너무 과도하게 반응하지 않는 자신만의 방법인 명상을 삶에서 적용해 보는 것도 좋다.

함께 읽으면 도움이 되는 책

- 그랜트 스나이더, 《생각하기의 기술》, 공경희 옮김, 윌북, 2018.
- 이시형, 《쉬어도 피곤한 사람들》, 비타북스, 2018.

에필로그

당신 안의 별을 발견 하십시오!

에머슨의 서책, 《자기 신뢰》에는 "사람은 자기 스스로가 별이다"라는 문구가 있습니다. 사람은 스스로가 고귀한 존재입니다. 그러나 살다 보면 스스로의 가치를 발견하기 힘들 때가 종종 있습니다. 우리 학생 운동 선수들도 내가 별임에도 불구하고, 그 빛나는 위대함을 깨닫지 못하여 좌절하는 것을 저는 종종 목격하게 됩니다.

저는 이 책을 집필하는 동안 아주 행복했습니다. 저서를 집필하면서 잠재 독자인, 학생선수, 또는 중도 탈락한 학생선수들이 자신의 삶을 성찰할 수 있었고, 그들이 고귀한 인생을 멋지게 향유 할 수 있는 방법이 무엇인가에 대한 진지한 고민도 할 수 있었습니다. 그 고민을 통해서 저는 깨달은 점이 있습니다. 그것은 바로 학생선수들이 내면의 소중한 가치를 발견할 수 있는 중요 매체가 '인문학'이라는 것 입니다. 지금 한국의 학생 선수들에게는 인문학이 절실하게 필요합니다. 형식적인 수업 보충이 아닌, 그들의 눈높이에 맞는 인문학 교육이 요원합니다. 물론 다른 수업처럼 막 던져주는 것이 아닌, 인문학의 재미에 빠질 수 있도록 해야 합니다. 그들이 운동을 그만두고 다른 일을 하거나, 학업의 현장으로 돌아 와서 실존적인 인간으로 살아가는 데 인문학은 '등대'가 되기 때문입니다.

이 텍스트는 학생선수 외에도 인문학에 관심이 있는 우리 청년들을 위하여 약 100권 정도 되는 책들을 소개하고 이야기를 풀어 나갔습니다. 이 저서는 단순한 책 소개나 독후감이 아닌, 독자들에게 주요 개념의 인문학적 소개, 그리고 자신의 삶에 인문학 책들이 말하는 핵심 주제들의 적극 수용과 실천을 다루고자 했습니다.

이 책을 읽는 여러분은 이미 '별'입니다. 당신의 가치를 깨닫고 현실에서 최선을 다해 살아갈 때에 당신은 찬란하게 발화(發火)할 것입니다.

독야청청하게 빛을 내고 있는 그 누군가를 멀리서 바라볼 수 있다면 저자의 소명은 잘 완수했다고 말씀 드리고 싶습니다. 감사합니다.

이 책을 읽는 여러분은 이미 '별'입니다. 당신의 가치를 깨닫고 현실에서 최선을 다해 살아갈 때에 당신은 찬란하게 발화(發火)할 것입니다.

참고문헌

강신주 외(2014). **인문학 최고의 공부: 나는 누구인가**. 서울: 21세기북스.

고미숙(2007). **공부의 달인, 호모 쿵푸스**. 서울: 그린비.

고영성, 신영준(2017). **완벽한 공부법**. 서울: 로크미디어.

공병호(2012). **운명을 바꾸는 공병호의 공부법**. 파주: 21세기북스.

구사나기 류순(2016). 나를 피곤하게 만드는 것들에 반응하지 않는 연습(류두진 역). 고양: 위즈덤 하우스.

구스미 마사유키(2016). **낮의 목욕탕과 술**. 서울: 지식여행.

기시미 이치로(2015). **행복해질 용기**(이용택 역). 부천: 더 좋은 책.

김병완(2013). **40대, 다시 한 번 공부에 미쳐라**. 고양: 함께.

김보일(2010). **나를 만나는 스무 살 철학**. 고양:예담.

김상근 외(2013). **인문학으로 창조하라**. 서울: 멘토.

김상운(2016). **직장인을 위한 왓칭**. 서울: 움직이는 서재.

김세중(2012). **죽기 전에 논어를 읽으며 장자를 꿈꾸고 맹자를 배워라**. 서울: 스타북스.

김열규 외(2006). **공부의 즐거움**. 고양: 위즈덤 하우스.

김용학(2011). **생각, 엮고 허물고 뒤집어라**. 파주: 21세기북스.

김우태(2016) **소소하게, 독서중독**. 서울: 더블엔.

김주환(2011). **회복탄력성**. 파주: 위즈덤 하우스.

김진애(2013). **왜 공부하는가**. 파주: 다산북스.

김창대(201). **미술관에 간 CEO**. 서울: 웅진 지식하우스.

김형수(2014). **삶은 언제 예술이 되는가**. 파주: 아시아.

노자(2015). **노자 도덕경**(남만성 역). 서울: 을유문화사.

니코스카잔차키스(2000). **그리스인 조르바**(이윤기 역). 서울: 열린 책들.

다비드 르 브르통(2002). **걷기예찬**(김화영 역). 서울: 현대문학.

다비드 르 브로통(2014). **느리게 걷는 즐거움**. 서울: 북라이프.

다치바나 다카시(2001). **나는 이런 책을 읽어왔다**. 서울: 청어람미디어.
달라이 라마, 하워드 커틀러(2001). **달라이 라마의 행복론**(류시화 역). 서울: 김영사.
대니얼 길버트(2006). **행복에 걸려 비틀거리다**. 파주: 김영사.
도미니크 로로(2012). **심플하게 산다**(김성희 역). 서울: 바다출판사.
로버트 마우어(2016). **아주 작은 반복의 힘**(장원철 역). 서울: 스몰빅라이프.
로버트 보콕(2003). **소비**(양건열 역). 서울: 시공사.
류태호, 이주욱(2004). 운동선수의 학교생활과 문화, **한국체육학회지, 43**(4), 271-282.
마쓰오카 세이고(2013). **독서의 신**. 서울: 추수밭.
막스 피카르트(1985). **침묵의 세계**(최승자 역). 서울: 까치.
매리언 울프(2009). **책읽는 뇌**(이희수 역). 파주: 살림출판사.
박웅현(2011). **책은 도끼다**. 서울: 북하우스.
박웅현(2013). **여덟 단어**. 서울: 북하우스.
박용철(2012). **감정 연습**. 서울: 추수밭.
박종화(2001). **틀을 깨라**. 서울: 해냄.
박창완, 임용석, 이승훈(2009). 체육 특기자 교육과정에 관한 사례연구. **스포츠 문화, 과학연구지, 16**, 63-75.
배철현(2015). **심연**. 파주: 21세기북스.
배철현(2018). **수련**. 파주: 21세기북스.
버트런드 러셀(2005). **행복의 정복**(이순희 역). 서울: 사회평론.
법륜(2016). **법륜 스님의 행복**. 파주: 나무의 마음.
브로니 웨어(2013). **내가 원하는 삶을 살았더라면**(유윤한 역). 서울:피플트리.
샤를 단치(2013). **왜 책을 읽는가**(임명주 역). 서울: 이루.
사사키 아타루(2012). **잘라라, 기도하는 그 손을**(송태욱 역). 서울: 자음과 모음.
사이토 다카시(2015). **독서는 절대로 나를 배신하지 않는다**. 서울: 걷는나무.
사이토 다카시(2015). **혼자 있는 시간의 힘**. 파주: 위즈덤 하우스.
사이토 다카시(2016). **내가 논어에서 얻은 것**(박성민 역). 서울: 시공사.
서동욱(2016). **생활의 사상**. 서울: 민음사.
서은국(2004). **행복의 기원**. 파주: 21세기북스.

송현석(2014). **나는 다른 것을 본다**. 서울: 샘앤파커스.
신병철(2012). **리츄얼**. 파주: 살림.
안광복(2007). **철학의 진리나무**. 서울: 궁리.
안상현(2012).**인문학 공부법**. 서울: 북 포스.
알랭드 보통(2012). **일의 기쁨과 슬픔**(정영목 역). 서울: 은행나무.
알랭드 보통(2009) **공항에서 일주일을**(정영목 역). 서울: 청미래.
알렉상드르 졸리앵(2015). **인간이라는 직업**(임희근 역). 파주: 문학동네.
알렉상드르 졸리앙(2015). **왜냐고 묻지 않는 삶**(성귀수 역). 서울: 인터하우스.
앙토냉 질베르 세르티양주(2013). **공부하는 삶**. 파주: 유유.
애덤 스미스(2015). **내 안에서 나를 만드는 것들**(이현주 역). 서울: 세계사.
엘렌 랭어(2015). **마음 챙김**(이양원 역). 서울: 길벗.
앨런 제이콥스(2014) **유혹하는 책 읽기**(고기탁 역). 서울: 교보문고.
와타나베 쇼이치(2011). **지적 생활의 발견**(김욱 역). 고양: 위즈덤 하우스.
와타나베 준이치(2007). **둔감력**. 서울: 형설.
오츠 슈이치(2009). **죽을 때 후회하는 스물다섯 가지**(황소연 역). 파주: 21세기 북스.
요시카 피셔(2000). **나는 달린다**(선주성역). 서울: 궁리.
울리히 슈나벨(2011). **휴식**. 서울: 걷는나무.
유시민(2015). **유시민의 글쓰기 특강**. 파주: 생각의 길.
유영만(2012). **니체는 나체다**. 서울: 생각속의 집.
유영만(2016). **공부는 망치다**. 서울: 나무 생각.
유은정(2016). **혼자 잘해주고 상처 받지마라**. 파주: 21세기 북스.
유인창(2016). **명상록을 읽는 시간**. 서울: 바다출판사.
유종필(2010). **세계 도서관 기행**. 서울: 웅진지식하우스.
이규일, 허창혁, 류태호(2011). 중고등학교 학생선수들의 중도탈락 원인 특성 및 개선방안. **체육과학연구, 22**(3), 2189-2202.
이내화(2011). **웰레스트**. 고양: 모아북스.
이동성(2012). **질적 연구**와 **자문화기술지**. 파주: 아카데미북스.
이동진(2017). **닥치는 대로 끌리는 대로 오직 재미있게 이동진 독서법**. 고양: 위즈덤하우스.

이시형(2009). **공부하는 독종이 살아남는다**. 서울: 중앙 북스.
이시형(2010). **세로토닌 하라**. 서울: 중앙북스.
이원(2016). **산책 안에 담은 것들**. 서울: 세종서적.
이원석(2014). **공부란 무엇인가**. 서울: 책담.
이지성(2010). **리딩으로 리드하라**. 파주: 문학동네.
이지성, 황광우(2012). **고전혁명**. 서울: 생각정원.
이혁기(2011). 학업과 운동을 병행하는 학생선수의 경험과정: 자아의 재정의. **한국스포츠사회학회**, 24(1), 1-24.
임성철, 원영신(2012). 체육교사 운동부 감독의 공부하는 학생선수 만들기 실천과정. **한국스포츠사회학회지**, 25(3), 115-135.
임용석, 류태호, 이규일(2010). 중도탈락 학생운동선수들의 상실과정. **교육인류학연구**, 13(3), 37-69.
임형택, 박현찬(2013). **한 권의 책이 한 사람의 인생을 바꾼다**. 고양:위즈덤하우스.
임용석, 한만석, 김준성(2014). 학생선수의 중도 탈락 경로 분석. **체육과학연구**, 25(3), 450-466.
장석주(2013). **아들아, 서른에는 노자를 만나라**. 고양: 예담.
장석주(2015). **내가 읽은 책이 곧 나의 우주다**. 서울: 샘터.
장석주(2015). **글쓰기는 스타일이다**. 서울: 중앙북스.
장석주(2017). **조르바의 인생수업**. 서울: 한빛비즈.
장영희 외(2008). **책, 세상을 탐하다**. 서울: 평단.
장자(1999). **장자**(오강남 역). 서울: 현암사.
정수복(2013). **책에 대해 던지는 7가지 질문**. 서울: 로도스.
정수복(2013). **책인시공**. 파주: 문학동네.
정여울(2016). **소리 내어 읽는 즐거움**. 서울: 홍익출판사.
정윤희, 박환희(2014). **내 인생은 서재에서 시작되었다**. 서울: 카모마일 북스.
정민(2013). **오직 독서뿐**. 서울: 김영사.
정희진(2014). **정희진처럼 읽기**. 서울: 교양인.
정혜윤(2012). **삶을 바꾸는 책읽기**. 서울: 민음사.
제임스 보그(2011). **마음의 힘**. 서울: 한스미디어.

조경국(2018). **책 정리하는 법**. 파주: 유유.

조셉 머피(2010). **조셉머피 마음수업**. 서울: 청림출판.

조셉 머피(2001). **진정한 부자가 되는 놀라운 법칙**(이은정 역). 서울: 씨앗을 뿌리는 사람.

조지 베일런트(2010). **행복의 조건**(이덕남 역). 서울: 프런티어.

조희봉(2003). **전작주의자의 꿈**. 서울: 함께 읽는 책.

존 그레이(2010). **하찮은 인간, 호모 라피엔스**(김승진 역). 서울: 이후.

지아 장(2017). **거절당하기 연습**(임지연 역). 서울: 한빛비즈.

최인철(2007). **프레임**. 파주: 21세기북스.

최인철(2018). **굿라이프**. 파주: 21세기북스.

최진석(2013). **인간이 그리는 무늬**. 고양: 소나무.

최진석(2015). **생각하는 힘 노자인문학**. 고양: 위즈덤하우스.

탈벤- 샤하르(2007). **하버드대 행복한 강의 해피어**(노혜숙 역). 서울: 위즈덤하우스.

톰 호지킨슨(2014). **언제나 일요일처럼**(남문희 역). 서울: 필로소닉.

페터 비에리(2015) **자기결정**(문항심역). 서울: 은행나무.

푸페이룽(2012). **노자를 읽고 장자에게 배운다**(한정선 역). 서울: 지와사랑.

프랑크 베르츠바흐(2016). **무엇이 삶을 예술로 만드는가**(정지인 역). 서울: 불광출판사.

프레데리크 그로(2014). **걷기, 두 발로 사유하는 철학**. 서울: 책세상.

프리모 레비(2007). **이것이 인간인가**(이현경 역). 파주: 돌베개.

한근태(2014). **몸이 먼저다**. 서울: 미래의 창.

한근태(2016). **고수의 일침**. 서울: 미래의 창.

한병철(2012). **피로사회**. 서울: 문학과 지성사.

한상복(2015). **감이 온다**. 고양: 위즈덤하우스.

한정원(2011). **지식인의 서재**. 서울: 행성:B잎새.

한창욱(2010). **죽을 때 후회하지 않게 사는 법**. 서울: 새론 북스.

한태룡, 정영린, 서희진(2010). 학생선수의 진로경로 실태분석. **한국스포츠사회학회지, 23**(2), 135-148.

헨리에트 앤 클라우저(2004). **종이 위의 기적 쓰면 이루어진다**(안기순 역).서울:

한언.
홍석호(2013). 학생선수 학습지원정책의 문제점과 개선방안. **한국체육정책학회지, 11**(4), 75-88.
황현산(2013). **밤이 선생이다**. 파주: 난다.

미주

1 사사키 아타루(2012). 잘라라, 기도하는 그 손을(송태욱 역). 서울: 자음과 모음. p.299.

2 유영만(2016). 공부는 망치다. 서울: 나무생각. p.65.

3 유영만(2016). 앞의 책. p.33.

4 그레이엄 앨런(2006). 문제적 텍스트 롤랑 바르트(송은역 역). 서울: 앨피. p.10.

5 이기훈(2017.5.8.). 전교 꼴찌→사시 19등... 고교 야구선수의 '14년 집념'. 조선일보. http://news.zum.com/articles/37768802

6 전혜린(2002). 그리고 아무 말도 하지 않았다. 서울: 민서출판.

7 신영복(2016). 처음처럼. 파주: 돌베개. p.285.

8 안광복(2012). 철학자의 설득법. 서울: 어크로스. pp.23-24.

9 유영만(2016). 앞의 책. p.153.

10 유영만(2016). 앞의 책. p.189.

11 김상근(2013).인문학으로 창조하라. 서울: 멘토프레스. p.10.

12 김상근(2013). 앞의 책. p.19.

13 김상근(2013). 앞의 책. p.30.

14 김상근(2013). 앞의 책. p.132.

15 사이토 다카시(2016). 내가 논어에서 얻은 것(박성민 역). 서울: 시공사. p.43.

16 사이토 다카시(2016). 앞의 책. p.84.

17 사이토 다카시(2016). 앞의 책. p.110.

18 유영만(2012). 니체는 나체다. 서울: 생각속의 집. p.45.

19 사이토 다카시(2015). 곁에 두고 읽는 니체(이정은 역). 서울: 홍익출판사. p.30.

20 사이토 다카시(2015). 앞의 책. p.43.

21 유영만(2012). 앞의 책. p.62.
22 이윤기(2000). 그리스인 조르바. 파주:열린책들. p.113.
23 유영만(2012). 앞의 책. p.92.
24 유영만(2012). 앞의 책. p.101.
25 유영만(2012). 앞의 책. p.163.
26 유영만(2012). 앞의 책. p.212.
27 유영만(2012). 앞의 책. p.233.
28 유시민(2016). 표현의 기술. 파주: 생각의 길. p.106.
29 이지성, 황광우(2012). 고전 혁명. 서울: 생각정원. p.5.
30 유시민(2016). 앞의 책. p.47.
31 이지성, 황광우(2012). 앞의 책. p.23.
32 이지성, 황광우(2012). 앞의 책. p.43.
33 이지성, 황광우(2012). 앞의 책. p.99.
34 이지성, 황광우(2012). 앞의 책. p.278.
35 고미숙(2007). 공부의 달인, 호모 쿵푸스. 서울: 그린비. p.7.
36 고미숙(2007). 앞의 책. p.53.
37 고미숙(2007). 앞의 책. p.69.
38 고미숙(2007). 앞의 책. p.81.
39 고미숙(2007). 앞의 책. p.100.
40 고미숙(2007). 앞의 책. p.117.
41 고미숙(2007). 앞의 책. p.195.
42 와타나베 쇼이치(2011). 지적 생활의 발견(김욱 역). 고양: 위즈덤하우스. p.37.
43 와타나베 쇼이치(2011). 잎의 책. pp.128-129.
44 공병호(2012). 운명을 바꾸는 공병호의 공부법. 파주: 21세기북스. p.42.
45 공병호(2012). 앞의 책. p.64.
46 공병호(2012). 앞의 책. p.68.
47 공병호(2012). 앞의 책. p.196.
48 공병호(2012). 앞의 책. p.275.
49 서동욱(2000). 차이와 타자. 서울: 문학과지성사. pp.148-149.

50 강신주 외(2014). 나는 누구인가. 파주: 21세기북스. p.20.
51 강신주 외(2014). 앞의 책. p.35.
52 사이토 다카시(2015). 곁에 두고 읽는 니체(이정은 역). 서울: 홍익출판사. p.22.
53 안상현(2012). 통찰력을 길러주는 인문학 공부법. 서울: 북포스. p.23.
54 안상현(2012). 앞의 책. pp.120-121.
55 안상현(2012). 앞의 책. pp.194-195.
56 장석주(2017). 은유의 힘. 파주: 다산북스. p.97.
57 안상현(2012). 앞의책. p.243.
58 장석주(2015). 글쓰기는 스타일이다. 서울: 중앙북스. p.56.
59 유시민(2015). 유시민의 글쓰기특강. 파주: 생각의 길. pp.37-38.
60 유시민(2015). 앞의 책. p.82.
61 장석주(2015). 앞의 책. p.138.
62 유시민(2015). 앞의 책. p.169.
63 조용헌(2006). 조용헌 살롱. 서울: 랜덤하우스코리아. p.282.
64 최진석(2015). 생각의 힘 노자인문학. 파주: 위즈덤하우스. p.5.
65 최진석(2015). 앞의 책. p.73.
66 최진석(2015). 앞의 책. p.80.
67 최진석(2015). 앞의 책. p.89.
68 최진석(2015). 앞의 책. p.114.
69 최진석(2015). 앞의 책. p.123.
70 최진석(2015). 앞의 책. pp.251-252.
71 최진석(2015). 앞의 책. p.303.
72 장석주(2013). 아들아, 서른에는 노자를 만나라. 고양: 예담. p.16
73 장석주(2013). 아들아, 서른에는 노자를 만나라. 고양: 예담. p.261.
74 장석주(2013). 앞의 책. p.34.
75 장석주(2013). 앞의 책. p.70.
76 장석주(2013). 앞의 책. p.76.
77 장석주(2013). 앞의 책. p.133.
78 모리스 블랑쇼(2009). 기다림의 망각(박준상 역). 서울: 그린비. p.147.

79 김형수(2014). 삶은 언제 예술이 되는가.파주: 아시아. p.43.
80 김형수(2014). 앞의 책. p.90.
81 김형수(2014). 앞의 책. p.144.
82 김형수(2014). 앞의 책. p.40.
83 박웅현(2013). 여덟 단어. 서울: 북하우스. p.79.
84 고영성, 신영준(2017). 완벽한 공부. 서울: 로크미디어. p.119.
85 고영성, 신영준(2017). 앞의 책. p.189.
86 고영성, 신영준(2017). 앞의 책. p.299.
87 고영성, 신영준(2017). 앞의 책. p.506.
88 김열규 외(2006). 공부의 즐거움. 서울: 위즈덤하우스. p.40.
89 김열규 외(2006). 앞의 책. p.64.
90 김열규 외(2006). 앞의 책. p.132.
91 김열규 외(2006). 앞의 책. p.226.
92 김열규 외(2006). 앞의 책. p.242.
93 김진애(2013). 왜 공부하는가. 파주: 다산북스. p.279.
94 김진애(2013). 앞의 책. p.301.
95 김진애(2013). 앞의 책. p.305.
96 김진애(2013). 앞의 책. p.323.
97 유인창(2016). 명사록을 읽는 시간. 서울: 바다출판사. p.34.
98 유인창(2016). 앞의 책. p.60.
99 유인창(2016). 앞의 책. p.122.
100 유인창(2016). 앞의 책. p.210.
101 이시형(2009). 공부하는 독정이 살아남는다. 서울: 중앙북스. p.34.
102 이시형(2009). 앞이 책. p.98.
103 이시형(2009). 앞이 책. p.254.
104 김용학(2011). 생각, 엮고 허물고 뒤집어라. 파주: 21세기북스. pp.34-35.
105 김용학(2011). 앞의 책. p.48.
106 김용학(2011). 앞의 책. p.121.
107 김용학(2011). 앞의 책. p.124.
108 김용학(2011). 앞의 책. p.228.

109 안광복(2007). 철학의 진리나무. 서울: 궁리. p.9.
110 안광복(2007). 앞의 책. p.27.
111 안광복(2007). 앞의 책. p.149.
112 안광복(2007). 앞의 책. p.204.
113 안광복(2007). 앞의 책. p.207.
114 김병완(2012). 40대, 다시 한번 공부에 미쳐라. 고양: 함께. p.19.
115 김병완(2012). 앞의 책. p.56.
116 김병완(2012). 앞의 책. p.182.
117 김병완(2012). 앞의 책. p.273.
118 조희봉(2003). 전작주의자의 꿈, 서울: 함께 읽는 책. pp.24-25.
119 조희봉(2003). 앞의 책. p.35.
120 조희봉(2003). 앞의 책. p.169.
121 이원석(2014). 공부란 무엇인가?. 서울: 책담. p.15.
122 이원석(2014). 앞의 책. p.44.
123 이원석(2014). 앞의 책. p.73.
124 이원석(2014). 앞의 책. p.113.
125 이원석(2014). 앞의 책. p.115.
126 이원석(2014). 앞의 책. p.170.
127 다치바나 다카시(2001). 나는 이런 책을 읽어 왔다. 서울: 청어람미디어. p.20.
128 다치바나 다카시(2001). 앞의 책. p.80.
129 다치바나 다카시(2001). 앞의 책. p.223.
130 다치바나 다카시(2001). 앞의 책. p.251.
131 다치바나 다카시(2001). 앞의 책. p.254.
132 정민(2013). 오직 독서뿐. 파주: 김영사. p.7.
133 정민(2013). 앞의 책. p.156.
134 샤를 단치(2013). 왜 책을 읽는가. 서울: 이루. p.22.
135 샤를 단치(2013). 앞의 책. p.56.
136 샤를 단치(2013). 앞의 책. p.89.
137 샤를 단치(2013). 앞의 책. p.259.

138 샤를 단치(2013). 앞의 책. p.199.

139 샤를 단치(2013). 앞의 책. p.268.

140 마쓰오카 세이고(2013). 독서의 신(김경균 역) 서울: 추수밭. p.26..

141 마쓰오카 세이고(2013). 앞의 책. p.101.

142 마쓰오카 세이고(2013). 앞의 책. p.108.

143 마쓰오카 세이고(2013). 앞의 책. p.155.

144 정수복(2013). 책에 대해 던지는 7가지 질문. 서울: 로도스. p.26.

145 정수복(2013). 앞의 책. p.57.

146 정수복(2013). 앞의 책. p.93.

147 정수복(2013). 앞의 책. p.137.

148 정수복(2013). 앞의 책. p.139.

149 정수복(2013). 앞의 책. p.285.

150 앨런 제이콥스(2014). 유혹하는 책읽기(고기탁 역). 파주: 교보문고. p.50.

151 앨런 제이콥스(2014). 앞의 책. p.64.

152 앨런 앨런 제이콥스(2014). 앞의 책. pp.76-77.

153 앨런 앨런 제이콥스(2014). 앞의 책. p.191.

154 사사키 아타루(2012). 잘라라, 기도하는 그 손을. 서울: 자음과 모음. p.42.

155 사사키 아타루(2012). 앞의 책. p.114.

156 사사키 아타루(2012). 앞의 책. p.87.

157 이지성(2010). 리딩으로 리드하라. 파주: 문학동네. p.199.

158 이지성(2010). 앞의 책. p.209.

159 이지성(2010). 앞의 책. p.288.

160 이지성(2010). 앞의 책. p.138.

161 이지성(2010). 앞의 책. p.56.

162 김우태(2016). 소소하게, 독서중독. 서울: 더불:엔. p.19.

163 김우태(2016). 앞의 책. p.49.

164 김우태(2016). 앞의 책. pp.100-101.

165 김우태(2016). 앞의 책. p.145.

166 김우태(2016). 앞의 책. p.288.

167 이동진(2017). 닥치는 대로 끌리는 대로 오직 재미있게 이동진 독서법. 고

양: 예담. p.23.
168 이동진(2017). 앞의 책. p.30.
169 이동진(2017). 앞의 책. p.45.
170 이동진(2017). 앞의 책. p.58.
171 이동진(2017). 앞의 책. p.61
172 이동진(2017). 앞의 책. pp.77-78.
173 정수복(2013). 책인시공. 파주: 문학동네. pp.34-37.
174 정수복(2013). 앞의 책. p.42.
175 정수복(2013). 앞의 책. p.65.
176 정수복(2013). 앞의 책. p.82.
177 정수복(2013). 앞의 책. p.98.
178 정수복(2013). 앞의 책. p.136.
179 정수복(2013). 앞의 책. p.292.
180 장석주(2015). 내가 읽은 책이 곧 나의우주다. 서울: 샘터. p.16.
181 장석주(2015). 앞의 책. p.25.
182 장석주(2015). 앞의 책. p.32.
183 장석주(2015). 앞의 책. p.35.
184 장석주(2015). 앞의 책. p.45.
185 장석주(2015). 앞의 책. p.49.
186 장석주(2015). 앞의 책. p.80.
187 장석주(2015). 앞의 책. p.7.
188 사이토 다카시(2015). 독서는 절대 나를 배신하지 않는다. 서울: 걷는나무. p.43.
189 사이토 다카시(2015). 앞의 책. p.81.
190 사이토 다카시(2015). 앞의 책. p.125.
191 사이토 다카시(2015). 앞의 책. p.99.
192 사이토 다카시(2015). 앞의 책. pp.117-122.
193 사이토 다카시(2015). 앞의 책. p.160.
194 사이토 다카시(2015). 앞의 책. pp.170-173.
195 한정원(2011). 지식인의 서재. 서울: 행성:B잎새. p.15.

196 한정원(2011). 앞의 책. p.20.
197 한정원(2011). 앞의 책. pp.42-43.
198 한정원(2011). 앞의 책. p.77.
199 한정원(2011). 앞의 책. p.97.
200 한정원(2011). 앞의 책. p.130.
201 한정원(2011). 앞의 책. p.215.
202 한정원(2011). 앞의 책. p.298.
203 한정원(2011). 앞의 책. p.310.
204 장영희 외(2008). 책, 세상을 탐하다. 서울: 평단. p.110.
205 장영희 외(2008). 앞의 책. p.90.
206 장영희 외(2008). 앞의 책. p.51.
207 장장영희 외(2008). 앞의 책. p.51.
208 장영희 외(2008). 앞의 책. pp.142-143.
209 장영희 외(2008). 앞의 책. p.64.
210 정혜윤(2012). 삶을 바꾸는 책 읽기. 서울: 민음사. p.17.
211 정혜윤(2012). 앞의 책. p.40.
212 가스통 바슐라르(2017). 촛불.(김병욱 역). 서울: 마음의 숲. pp.14-15.
213 정혜윤(2012). 앞의 책. pp.57-58.
214 매리언 울프(2009). 책 읽는 뇌(이희수 역). 파주: 살림. p.21.
215 매리언 울프(2009). 앞의 책. p.30.
216 매리언 울프(2009). 앞의 책. p.198.
217 매리언 울프(2009). 앞의 책. p.7.
218 정여울(2016). 소리 내어 읽는 즐거움. 서울: 홍익출판사. pp.17-19.
219 정희진(2014). 정희진처럼 읽기. 서울: 교양인. p.12.
220 정희진(2014). 앞의 책. p.14.
221 정희진(2014). 앞의 책. p.16.
222 정희진(2014). 앞의 책. p.19.
223 정희진(2014). 앞의 책. p.23.
224 정희진(2014). 앞의 책. p.25.
225 정윤희, 박환희(2014). 내 인생은 서재에서 시작되었다. 서울: 카모마일북

스. p.145.
226 정윤희, 박환희(2014). 앞의 책. p.57.
227 정윤희, 박환희(2014). 앞의 책. pp.103-104.
228 정윤희, 박환희(2014). 앞의 책. p.109.
229 정윤희, 박환희(2014). 앞의 책. p.95.
230 정윤희, 박환희(2014). 앞의 책. p.198.
231 유종필(2010). 세계 도서관 기행. 서울: 웅진지식하우스. pp.9-10.
232 유종필(2010). 앞의 책. p.277.
233 임용택, 박현찬(2013). 한권의 책이 한사람의 인생을 바꾼다. p.19.
234 임용택, 박현찬(2013). 앞의 책. p.25.
235 임용택, 박현찬(2013). 앞의 책. p.139.
236 임용택, 박현찬(2013). 앞의 책. p.149.
237 임용택, 박현찬(2013). 앞의 책. p.207.
238 앙토냉 질베르 세르티양주(2013). 공부하는 삶. 파주: 유유. p.57.
239 앙토냉 질베르 세르티양주(2013). 앞의 책. p.91.
240 앙토냉 질베르 세르티양주(2013). 앞의 책. p.108.
241 앙토냉 질베르 세르티양주(2013). 앞의 책. p.139.
242 앙토냉 질베르 세르티양주(2013). 앞의 책. p.141.
243 앙토냉 질베르 세르티양주(2013). 앞의 책. p.356.
244 앙토냉 질베르 세르티양주(2013). 앞의 책. p.212.
245 앙토냉 질베르 세르티양주(2013). 앞의 책. p.217.
246 앙토냉 질베르 세르티양주(2013). 앞의 책. p.228.
247 장석주(2015). 글쓰기는 스타일이다. 서울: 중앙북스. p.16.
248 장석주(2015). 앞의 책. p.61.
249 장석주(2015). 앞의 책. p.78.
250 장석주(2015). 앞의 책. p.101.
251 장석주(2015). 앞의 책. pp.150-151.
252 장석주(2015). 앞의 책. pp.18-19.
253 장석주(2015). 앞의 책. pp.157-158.
254 박웅현(2013). 책은 도끼다. 서울: 북하우스. p.49.

255 알렉상드르 졸리앙(2015). 인간이라는 직업(임희근 역). 서울: 문학동네. p.12.

256 알렉상드르 졸리앙(2015). 앞의 책. p.13.

257 알렉상드르 졸리앙(2015). 앞의 책. p.48.

258 알렉상드르 졸리앙(2015). 앞의 책. p.70.

259 존 그레이(2010). 하찮은 인간, 호모 라피엔스(김승진 역). 서울: 이후. p.44.

260 배철현(2018). 수련. 파주: 21세기북스. p.39.

261 최진석(2013). 인간이 그리는 무늬. 고양: 소나무. p.38.

262 프리모 레비(2007). 이것이 인간인가(이현경 역). 파주: 돌베개. p.18.

263 대니얼 길버트(2006). 행복에 걸려 비틀거리다(서은국 외 역). 서울: 김영사. p.71.

264 대니얼 길버트(2006). 앞의 책. p.182.

265 대니얼 길버트(2006). 앞의 책. p.332.

266 한상복(2015). 감이 온다. 파주: 위즈덤하우스. p.7.

267 한상복(2015). 앞의 책. p.74.

268 한상복(2015). 앞의 책. p.76.

269 존 그레이(2010). 앞의 책. p.62.

270 한상복(2015). 앞의 책. p.117.

271 버트런드 러셀(2005). 행복의 정복(이순희 역). 서울: 사회평론. p.61.

272 버트런드 러셀(2005). 앞의 책. p.87.

273 버트런드 러셀(2005). 앞의 책. p.171.

274 장석주(2017). 조르바의 인생수업. 서울: 한빛비즈. p.23.

275 장석주(2017). 앞의 책. p.29.

276 장석주(2017). 앞의 책. p.29.

277 니코스 카잔차키스(2009). 그리스인 조르바(이윤기 역). 서울: 열린책들. p.140.

278 장석주(2017). 앞의 책. p.171.

279 요쉬카 피셔(2000). 나는 달린다(선주성 역). 서울: 궁리. p.83.

280 요쉬카 피셔(2000). 앞의 책. p.103.

281 송현석(2014). 나는 다른 것을 본다. 서울: 샘앤파커스. p.171.

282 이원(2016). 산책 안에 담은 것들. 서울: 세종서적. p.50.
283 송현석(2014). 앞의 책. p.315.
284 오츠 슈이치(2009). 죽을 때 후회하는 스물다섯 가지.(황소연 역). 파주: 21세기북스. p.148.
285 유은정(2016). 혼자 잘해주고 상처받지 마라. 파주: 21세기북스. p.82.
286 유은정(2016). 앞의 책. p.147.
287 유은정(2016). 앞의 책. p.233.
288 울리히 슈나벨(2011). 행복의 중심 휴식.(김희상 역). 서울: 걷는나무. p.135.
289 울리히 슈나벨(2011). 앞의 책. p.250.
290 울리히 슈나벨(2011). 앞의 책. p.260.
291 최인철(2018). 굿라이프. 파주: 21세기북스. pp.94-95.
292 프레데리크 그로(2014). 걷기, 두발로 사유하는 철학.(이재형 역). 서울: 책세상. p.17.
293 프레데리크 그로(2014). 앞의 책. p.59.
294 프레데리크 그로(2014). 앞의 책. p.89.
295 프레데리크 그로(2014). 앞의 책. pp.206-207.
296 다비드 르 브르통(2014). 느리게 걷는 즐거움.(문신원 역). 서울: 북라이프. p.64.
297 다비드 르 브르통(2014). 앞의 책. p.67.
298 다비드 르 브르통(2014). 앞의 책. p.177.
299 다비드 르 브르통(2014). 앞의 책. p.220.
300 도미니크 로로(2012). 심플하게 산다.(김성희 역). 서울: 바다출판사. p.16.
301 도미니크 로로(2012). 앞의 책. p.21.
302 도미니크 로로(2012). 앞의 책. p.64.
303 도미니크 로로(2012). 앞의 책. p.213.
304 마이크 비킹(2018). 그들은 왜 더 행복할까.(이종인 역). 서울: 마일스톤. pp.190-192.
305 이내옥(2018). 안목의 성장. 서울: 민음사. p.82.
306 조지 베일런트(2010). 행복의 조건.(이덕남 역). 서울: 프런티어. p.345.

307 제임스 보그(2011). 마음의 힘.(정향 역). 서울: 한스미디어. p.328.
308 제임스 보그(2011). 앞의 책. p.345.
309 최인철(2007). 프레임. 파주: 21세기북스. p.11.
310 최인철(2007). 앞의 책. p.45.
311 최인철(2007). 앞의 책. p.121.
312 와타나베 준이치(2007). 둔감력.(정대형 역). 서울: 형설라이프. p.166.
313 와타나베 준이치(2007). 앞의 책. p.279.
314 김창대(2011). 미술관에 간 CEO. 서울: 웅진지식하우스. p.12.
315 김창대(2011). 앞의 책. p.21.
316 김창대(2011). 앞의 책. p.292.
317 조셉 머피(2001). 진정한 부자가 되는 놀라운 법칙.(이은정 역). 서울: 씨앗을 뿌리는 사람. pp.50-51.
318 김상운(2016). 직장인을 위한 왓칭. 서울: 움직이는 서재. p.168.
319 조셉 머피(2001). 앞의 책. p.64.
320 조셉 머피(2001). 앞의 책. pp.189-190.
321 조셉 머피(2001). 앞의 책. p.301.
322 막스 피카르트(2010). 막스 피카르트(2010). 침묵의 세계.(최승자 역). 서울: 까치. p.17.
323 막스 피카르트(2010). 앞의 책. p.29.
324 막스 피카르트(2010). 앞의 책. p.32.
325 막스 피카르트(2010). 앞의 책. p.110.
326 막스 피카르트(2010). 앞의 책. p.268.
327 황현산(2013). 밤이 선생이다. 파주: 난다. p.27.
328 황현산(2013). 앞의 책. p.72.
329 황현산(2013). 앞의 책. p.212.
330 황현산(2013). 앞의 책. p.5.
331 구스미 마사유키(216). 낮의 목욕탕과 술.(양억관 역). 서울: 지식여행. p.7.
332 구스미 마사유키(216). 앞의 책. p.16.
333 구스미 마사유키(216). 앞의 책. p.137.
334 페터 비에리(2015). 자기결정.(문항심 역). 서울: 은행나무. pp.13-14.

335 페터 비에리(2015). pp.69-70.
336 한근태(2014). 몸이 먼저다. 서울: 미래의 창. p.4.
337 한근태(2014). 앞의 책. p.27.
338 한근태(2014). 앞의 책. p.49.
339 지아 장(2017). 거절당하기 연습.(임지연 역). 서울: 한빛비즈. p.108.
340 지아 장(2017). 앞의 책. p.189.
341 서은국(2014). 행복의 기원. 파주: 21세기북스. pp.64-65.
342 서은국(2014). 앞의 책. p.146.
343 서은국(2014). 앞의 책. p.147.
344 서은국(2014). 앞의 책. p.192.
345 이내화(2011). 웰레스트.고양: 모아북스. pp.60-61.
346 조경국(2018). 책 정리하는 법. 파주: 유유. p.58.
347 이내화(2011). 앞의 책. p.254.
348 사이토 다카시(2015). 혼자 있는 시간의 힘.(장은주 역). 고양: 위즈덤하우스. p.51.
349 사이토 다카시(2015). 앞의 책. p.54.
350 사이토 다카시(2015). 앞의 책. p.158.
351 배철현(2018). 수련. 파주: 21세기북스. pp.82-85.
352 신병철(2012). 리츄얼. 파주: 살림. p.241.
353 알랭 드 보통(2009). 공항에서 일주일을.(정영목 역). 서울: 청미래. p.16.
354 알랭 드 보통(2009). 앞의 책. p.49.
355 알랭 드 보통(2009). 앞의 책. p.101.
356 알랭 드 보통(2009). 앞의 책. pp.113-114.
357 알랭 드 보통(2009). 앞의 책. p.157.
358 달라이 라마, 하워드 커틀러(2001). 달라이라마의 행복론(류시화 역). 서울: 김영사. p.5.
359 이시형(2010). 세로토닌하라. 서울: 중앙북스. pp.34-35.
360 이시형(2010). 앞의 책. p.43.
361 박용철(2012). 감정연습.서울: 추수밭. p.250.
362 프랑크 베르츠바흐(2016). 무엇이 삶을 예술로 만드는가(정지인 역). 서울:

불광출판사. p.45.
363 프랑크 베르츠바흐(2016). 앞의 책. p.65.
364 프랑크 베르츠바흐(2016). 앞의 책. p.238.
365 박종하(2011). 틀을 깨라. 서울: 해냄. p.7.
366 박종하(2011). 앞의 책. p.131.
367 애덤 스미스(2015). 내 안에서 나를 만드는 것들(러셀 로버츠 역). 서울: 세계사. p.12.
368 애덤 스미스(2015). 앞의 책. p.167.
369 김주환(2011). 회복탄력성. 고양: 위즈덤하우스. p.19.
370 김주환(2011). 앞의 책. p.83.
371 김주환(2011). 앞의 책. p.220.
372 한근태(2016). 고수의 일침. 서울:미래의 창. p.33.
373 한근태(2016). 앞의 책. p.37.
374 한근태(2016). 앞의 책. p.47.
375 한근태(2016). 앞의 책. p.53.
376 한근태(2016). 앞의 책. p.177.
377 알랭드보통(2012). 일의 기쁨과 슬픔(정영목 역). 서울: 은행나무. p.33.
378 알랭드보통(2012). 앞의 책. p.43.
379 한창욱(2010). 죽을 때 후회하지 않게 사는 법. 서울: 새론 북스. p.29.
380 알렉상드르 졸리앙(2015). 왜냐고 묻지 않는 삶(성귀수 역). 서울:인터하우스. p.23.
381 알렉상드르 졸리앙(2015). 앞의 책. p.51.
382 알렉상드르 졸리앙(2015). 앞의 책. p.126.
383 배철현(2015). 심연. 파주: 21세기북스. p.7.
384 배철현(2015). 앞의 책. p.32.
385 배철현(2015). 앞의 책. p.122.
386 배철현(2015). 앞의 책. p.191.
387 배철현(2015). 앞의 책. p.315.
388 톰 호치킨슨(2014). 언제나 일요일처럼(남문희 역). 서울: 필로소픽. p.42.
389 톰 호치킨슨(2014). 앞의 책. p.220.

390 로버트 마우어(2016). 아주 작은 반복의 힘(장원철 역). 서울: 스몰빅라이프. p.9.
391 로버트 마우어(2016). 앞의 책. p.40.
392 로버트 마우어(2016). 앞의 책. p.219.
393 다비드 르 브르통(2002). 걷기예찬(김화영 역). 서울:현대문학. p.9.
394 다비드 르 브르통(2002). 앞의 책. p.12.
395 다비드 르 브르통(2002). 앞의 책. p.21.
396 다비드 르 브르통(2002). 앞의 책. p.71.
397 다비드 르 브르통(2002). 앞의 책. p.138.
398 다비드 르 브르통(2002). 앞의 책. p.207.
399 기시미 이치로(2015). 행복해질 용기(이용택 역). 부천: 더 좋은 책. p.24.
400 기시미 이치로(2015). 앞의 책. p.40.
401 기시미 이치로(2015). 앞의 책. p.53.
402 기시미 이치로(2015). 앞의 책. p.131.
403 법륜(2016). 법륜 스님의 행복. 파주: 나무의 마음. p.7.
404 법륜(2016). 앞의 책. p.86.
405 법륜(2016). 앞의 책. p.278.
406 김보일(2010). 나를 만나는 스무 살 철학. 고양:예담. p.98.
407 박웅현(2013). 여덟 단어. 서울: 북하우스. p.22.
408 박웅현(2013). 앞의 책. p.96.
409 구사나기 류순(2016). 나를 피곤하게 만드는 것들에 반응하지 않는 연습(류두진 역). 고양: 위즈덤 하우스. p.19.
410 구사나기 류순(2016). 앞의 책. p.206.

운동선수를 위한 인문학

지은이 이철원
펴낸곳 연세대학교 출판문화원
주소 서울시 서대문구 연세로 50
등록 1955년 10월 13일 제9-60호
전화 02) 2123-3380~2
팩스 02) 2123-8673
전자우편 ysup@yonsei.ac.kr
웹사이트 http://press.yonsei.ac.kr
인쇄 (주)동국문화

2020년 6월 29일 1판 1쇄 2023년 8월 31일 1판 1쇄
ISBN 978-89-6850-404-4(03800)

값 22,000원

이 도서의 국립중앙도서관 출판예정도서목록(CIP)은 서지정보유통지원시스템 홈페이지(http://seoji.nl.go.kr)와 국가자료종합목록 구축시스템(http://kolis-net.nl.go.kr)에서 이용하실 수 있습니다.
(CIP제어번호 : CIP2020025353)